TRAITÉS

SOURCES CHRÉTIENNES

N° 445

MARC LE MOINE

TRAITÉS

I

INTRODUCTION, TEXTE CRITIQUE, TRADUCTION,
NOTES ET INDEX

PAR

Georges-Matthieu de DURAND, o. p. †
Professeur émérite à l'Université de Montréal (Canada)

Ouvrage publié avec le concours de l'Œuvre d'Orient

LES ÉDITIONS DU CERF, 29, Bd Latour-Maubourg, PARIS
1999

La publication de cet ouvrage a été préparée avec le concours
de l'Institut des « Sources Chrétiennes »
(UPRES A 5035 du Centre National de la Recherche Scientifique)

© *Les Éditions du Cerf, 1999*
ISBN 2-204-06316-9
ISSN 0750-1978

TITRES ET ABRÉVIATIONS DES TRAITÉS

Tome premier

La Loi spirituelle   *Leg.*
Περὶ νόμου πνευματικοῦ
(De lege spiritali)

La Justification par les œuvres   *Justif.*
Περὶ τῶν οἰομένων ἐξ ἔργων δικαιοῦσθαι
(De his qui putant se ex operibus justificari)

La Pénitence   *Paen.*
Περὶ μετανοίας
(De paenitentia)

Le Baptême   *Bapt.*
Περὶ τοῦ θείου βαπτίσματος
(De baptismo)

Dialogue de l'intellect avec sa propre âme   *Consult.*
Συμβουλία νοὸς πρὸς τὴν ἑαυτοῦ ψυχήν
(Consultatio intellectus cum sua ipsius anima)

Tome second

Discussion avec un avocat   *Causid.*
Ἀντιβολὴ πρὸς σχολαστικόν
(Disputatio cum causidico)

A Nicolas   *Nic.*
Πρὸς Νικόλαον
(Ad Nicolaum praecepta animae salutaria)

Le Jeûne   *Jej.*
Περὶ νηστείας
(De jejunio)

Melchisédech   *Melch.*
Εἰς τὸν Μελχισεδέχ
(De Melchisedech)

L'Incarnation   *Incarn.*
Λόγος δογματικὸς πρὸς τοὺς λέγοντας μὴ
ἡνῶσθαι τὴν ἁγίαν σάρκα μετὰ τοῦ Λόγου,
ἀλλ'ὡς ἱμάτιον μονομερῶς περικεῖσθαι καὶ διὰ
τοῦτο ἄλλως μὲν ἔχειν περὶ τὸν φοροῦντα, ἄλλως
δὲ περὶ τὸν φορούμενον
(De incarnatione)

NOTE PRÉLIMINAIRE

Nous voulons avant tout rendre hommage au Père Georges-Matthieu de Durand qui nous a quittés au terme d'une brève rechute dans la maladie qu'il portait depuis plusieurs mois. Il s'était mis avec enthousiasme, il y a plus d'un quart de siècle, à la préparation de l'édition des œuvres de Marc ; il ne voulait ne laisser sans visite aucune des bibliothèques qui renfermait une ou plusieurs de ses œuvres, et quand il n'a pu le faire, les moyens modernes de reproduction des manuscrits lui ont fourni le contact nécessaire avec la transcription du texte ancien. Il en a relevé minutieusement toutes les variantes ; de cet énorme travail qui portait sur une quarantaine de manuscrits, on n'a finalement retenu ici dans les apparats critiques que les dix-huit manuscrits les plus importants et les plus complets que le Père de Durand a pris en compte dans son introduction.

Il savait d'autre part qu'il n'était pas seul à s'intéresser au *Corpus* des œuvres de Marc. Il était en rapport avec des collègues britanniques qui discutaient avec lui de l'authenticité de tel ou tel traité et il avait écrit à la sœur Claire-Agnès Zirnheld, traductrice des *Traités spirituels et théologiques* de Marc, lors de la parution de ces derniers dans la collection « Spiritualité orientale » de l'abbaye de Bellefontaine.

Son œuvre de recherche sur le texte grec lui importait au plus haut point, car du texte authentique dépendait évidemment une authentique interprétation, comme de la valeur des manuscrits consultés dépendait aussi l'authenticité du texte choisi. Il eût été trop long de mener les lecteurs des « Sources Chrétiennes » à travers la description des manuscrits. La chose relevant des préoccupations ordinaires de l'Institut de Recherche et d'Histoire des Textes (IRHT, Paris), l'un des derniers gestes du P. de Durand avant sa mort a été de confier à l'IRHT la somme de ses recherches paléographiques, en un article que le Directeur de la *Revue d'Histoire des Textes* a bien voulu accepter. L'article paraîtra concurremment avec la publication des textes que nous-mêmes proposons ici à nos lecteurs. Les scientifiques pourront aller l'y consulter.

C'est dans un état qu'on peut dire définitif que le P. de Durand nous a laissé sa préparation de l'édition de *Marc* pour les « Sources Chrétiennes ». Il ne nous est resté que de lier les parties qui s'enchaînaient, en les rendant aptes à l'impression selon les normes de la Collection. Il était persuadé que nous étions mieux préparés que lui à ces ultimes précautions typographiques qui hiérarchisent visiblement les étapes de la rédaction. En agissant ainsi nous respectons et sa pensée et ses intentions.

*
* *

Bien que relativement mince, le corpus des Œuvres de Marc le Moine n'a jamais été jusqu'ici imprimé d'un seul tenant. La nouveauté de cette édition, en dehors de la minutieuse application aux données manuscrites, est d'ajouter aujourd'hui aux textes réunis dans le tome 65 de la *Patrologie grecque* de Migne, le traité *Sur l'Incarnation* publié en 1891, trop tard pour y trouver place.

Notre édition, pour tout contenir, comportera deux volumes. Dans le premier, on trouvera une introduction du P. de Durand sur Marc et l'histoire du texte, suivie de la publication de cinq traités, eux-mêmes précédés d'une analyse. Le second volume donnera les cinq autres traités, au nombre desquels celui *Sur l'Incarnation*. Les index ordinaires, de l'Écriture, et des mots viendront à la fin du second volume.

Sources Chrétiennes.

TRAITÉS

INTRODUCTION

CHAPITRE I

QUI EST MARC ?

I. L'histoire

Trois au moins des manuscrits contenant certains des opuscules que nous avons à tâche de présenter ici font précéder ceux-ci d'une courte vie de leur auteur présumé[1]. Il s'agirait, d'après cette biographie, d'un ascète du désert d'Égypte, nommé Marc, dont parlaient déjà l'*Histoire lausiaque* de Pallade[2] et, à sa suite, Sozomène dans son *Histoire ecclésiastique* (VI, 29, 11). Mais le désordre s'était glissé dans toute une branche de la tradition manuscrite de l'*Histoire lausiaque* ; la biographie, y ayant puisé, attribue à Marc la guérison miraculeuse d'un petit d'hyène aveugle qui revient, en réalité, à Macaire d'Alexandrie, lequel, prêtre au désert des Cellules, portait la communion à Marc, sans avoir besoin de la lui donner, puisqu'à son témoignage, un ange s'en chargeait chaque fois à sa place. De ce Marc, le récit primitif de Pallade disait seulement encore qu'il était « plus jeune (que Macaire),

---

1. Ce sont les *Patmiacus 193*, XIᵉ s. (**P**) — le texte en est mutilé —, *Marcianus gr. 133*, Xᵉ s. (**Z**) et *Vindobonensis theol. gr. 274*, XIVᵉ s. ; ces mss ne paraissent pas avoir en commun d'autre trait significatif. Voir leur description dans G.-M. DE DURAND, « La tradition ».
2. PALLADE, *HL* 18, éd. Butler, p. 56, l. 3-10.

sachant par cœur l'Écriture ancienne et nouvelle, doux à l'extrême et réservé, si quelqu'un le fut jamais[1] ».

De fait, l'auteur des opuscules possédait sûrement une connaissance raisonnablement solide et étendue des Écritures, même s'il a quelque peu tendance à revenir toujours aux mêmes citations. Il s'appelait certainement Marc, car si l'on a mis sous son nom des pages qui ne sont probablement pas de lui, nul parmi les copistes de ses textes ne semble s'être avisé d'attribuer ceux qui sont authentiques à un ou plusieurs personnages dénommés autrement. Et d'ailleurs on ne voit pas pourquoi on lui aurait prêté, si ce n'avait pas été le sien, un nom qui n'avait été porté par personne de vraiment illustre parmi les chrétiens, hormis l'auteur du deuxième évangile.

Outre le Marc des Kellia, qui fait une apparition si brève dans l'*Histoire lausiaque*, on pourrait signaler, vers la même époque :

a) Marc, évêque d'Aréthuse en Syrie, qui proposa à Sirmium, en 351, un *credo* de tendance homéenne, mais qui, dans son extrême vieillesse, souffrit avec courage, sous le règne de Julien (361-363), quantité de vexations physiques de la part de la population païenne de sa ville épiscopale, horions qu'il s'était, à vrai dire, attirés par son prosélytisme violent au temps du prédécesseur et oncle de Julien, favorable au christianisme (cf. Sozomène, *Histoire ecclésiastique* V, 10, 8-14) ;

b) un Marc, disciple de l'abbé Silvain, dont cinq apophtegmes sont rassemblés dans la *Collection alphabétique* (*PG* 65, 293 D - 296 D), résidant au désert de Scété ; il se distinguait par son obéissance et, accessoirement, par ses qualités de calligraphe ; mais il n'y a pas d'indice qu'il ait fait autre chose que de copier élégamment les écrits d'autrui, ou peut-être seulement la Bible ;

---

1. Trad. Lucot, Paris 1912, p. 139. — Au sujet de la corruption du texte de l'*Histoire lausiaque*, cf. C. Butler, *The Lausiac History of Palladius*, t. II, Cambridge 1904, p. 196, n. 31 : certains scribes auraient déjà tenté de rectifier le désordre de la tradition manuscrite, qui s'était diffusé même au delà de sa branche B, la vulgate — où l'*Histoire lausiaque* est combinée avec l'*Historia monachorum in Aegypto* —, en réintroduisant en un point ou un autre le nom de Macaire.

c) un Marc l'Athénien, si mystérieux qu'il pourrait bien être mythique. La *BHG* (t. II, p. 79) l'appelle *eremita in Libya saec. IV* et donne une liste de six variantes de sa vie. Un des manuscrits contenant les œuvres de notre Marc, l'*Atheniensis BN 322* (**A**), en offre peut-être, aux ff. 271v-276, une septième, combinaison des formes 1a et 1b de la *BHG*, mais dans ce manuscrit, elle est séparée des écrits de notre Marc par les *Centuries* de Thalassius *sur la charité*. Apparemment le copiste n'insinue donc pas que cet Athénien soit notre auteur. Voir aussi *Acta Sanctorum sub die 29a Martii* (t. III de mars), p. 777-778, et, pour le texte grec, p. 33*-35*. Mais Tillemont écrivait déjà : « Des personnes très judicieuses croient que c'est (= l'histoire de ce Marc) un pur roman fait sur l'histoire de S. Paul ermite. » — Le Marc du désert des Cellules n'a droit dans les *Acta*, et pour cause, qu'à une *Synopsis historica* (au 5 mars : t. I de ce mois, p. 365-366), avec traduction latine de la vulgate de l'*Histoire lausiaque* et de Sozomène. Le *Ménologe* de Basile II offre, en grec, un texte similaire, mais en date du 4 mars (*PG* 117, 337 B-C).

d) un Marc non dépourvu de mystère lui non plus, puisque connu seulement par la biographie qu'il avait composée de l'évêque de Gaza, Porphyre, où il se présente lui-même comme le diacre et le compagnon de lutte de cet évêque. L'épiscopat de Porphyre se laisse assez bien situer entre 395 et 420. Mais l'œuvre de ce Marc, restée sans doute inachevée, a été ultérieurement « à la fois corsée et expurgée » (J. Bidez, dans son édition de la *Vie*, Paris 1930, Introd., p. LXXIII), de sorte que la personnalité de l'auteur en est rendue passablement floue. Marc le diacre, s'il renvoie, au moins dans le texte actuel de la *Vie*, à un autre ouvrage où il aurait exposé l'enseignement de Porphyre contre les Manichéens (chap. 88, l. 17 s. de l'éd. Bidez), ne fait aucune allusion à laquelle pourraient se raccrocher nos opuscules.

En outre, les manuscrits décorent fréquemment notre Marc du titre de « moine », « ascète » ou « abbé » — sans que ce dernier terme, bien sûr, puisse faire conclure par lui-même à un supériorat, pas plus que les termes concurrents n'orientent forcément vers une vie solitaire plutôt que cénobitique. Aucun

de ces traits, on en conviendra, ne relie de manière bien solide
l'écrivain au personnage décrit par cette biographie, si brève
lorsqu'on retourne à la forme originelle.

Restent à glaner d'autres sources des indications peut-être
maigres et relativement tardives, mais qui devraient permettre
de doter de traits un peu plus appuyés la silhouette qui se
dégage des écrits.

II. Les *testimonia*

Retenons d'abord le *terminus ante quem* de 534, fourni par
le manuscrit le plus ancien, écrit en syriaque, et relevons en
outre ici que Marc y est qualifié par deux fois d'« Égyptien »[1].
Chose étrange, il est le seul représentant de cette version à
nous offrir pareille indication, qui nous place devant un
dilemme : ou bien l'accepter comme une donnée de fait ou
bien mettre suffisamment de temps entre le manuscrit et l'apparition de l'œuvre de Marc pour que la mémoire des véritables origines de celui-ci ait eu le temps de s'estomper.

Dorothée de Gaza   Un deuxième verrou chronologique
est fourni par la présence de deux cita-
tions de Marc dans les *Instructions* de Dorothée de Gaza.
Dans cette œuvre, qui date des années 540-560, ou peut-être
540-580[2], cet abbé palestinien se réfère nommément à « l'abbé
Marc[3] » pour une phrase qui correspond à peu près à *Justif.*
197 et pour une autre qui doit être *Leg.* 14. Il faut dire cependant que pour être bien reconnaissables, ces citations ne sont
pas littérales : dans les deux cas, les derniers mots, au demeurant familiers à Marc, διὰ προσευχῆς καὶ ἐλπίδος ... κτήσασθαι
ἀρετήν, paraissent empruntés à une autre sentence, sans doute

---

1. Au début de *Leg.* et à la fin de *Justif.*, avant que le copiste du *B. L.
Add. 12 175* ne passe à un autre auteur, puisque ce ms. est un vaste recueil
spirituel.
2. Cf. E. REGNAULT et J. DE PRÉVILLE, Introd. à l'éd. des *Œuvres spirituelles* de Dorothée de Gaza, *SC* 92 (1963), p. 10.
3. Cf. DOROTHÉE DE GAZA, *ibid.*, *Instr.* I, § 10, 11, et VIII, § 90, 13.

Justif. 37 et *Leg.* 66 respectivement. Ce pourrait être la trace d'un stade où ces maximes circulaient encore oralement autant que par écrit, mais tout aussi bien la preuve des libertés prises très tôt avec ces textes, libertés dont les manuscrits nous offrent également de fréquents témoignages.

Georges le Moine   Les autres mentions nominales de Marc étant toutes postérieures, notamment celles qui viennent d'écrivains de langue syriaque — assez nombreuses et toutes, semble-t-il, en provenance des Syriens de l'est ou « Nestoriens » —, il paraît inutile de les examiner en détail ici[1]. Deux auteurs de langue grecque, Jean Climaque et Hésychius le Sinaïte, utilisent aussi Marc, mais sans le nommer, et de plus le premier ne paraît pas devoir être assigné à une date aussi haute qu'on le croyait jadis[2]. On peut

---

1. O. HESSE leur a consacré un article spécial : « Markus Eremita in der syrischen Literatur », dans *17. Deutscher Orientalistentag... Vorträge*, Teil 2, *ZDMG, Supplementa 1.*, Wiesbaden 1969, p. 450-457. Il y mentionne Abraham de Kashkar (à l'ouvrage en 571, mort en 588), Babaï le Grand (mort vers 628), Isaac de Ninive (évêque vers 661), Simon de Taibuteh (mort vers 680), Dadisho Qatraya (mort vers 690), Abraham bar Dashendad (dont l'activité littéraire se situerait entre 720 et 730), enfin Thomas de Marga (abbé, puis évêque au IXe siècle). Relevons seulement que le ms. unique du Commentaire de Babaï sur les deux opuscules à chapitres de Marc, le *B.L. Add. 17270* (n° 605 de Wright) permet de voir, malgré son état lamentable, que le texte glosé est celui de la traduction présente dans les autres mss syriaques, avec notamment, au fol. 15r, le commentaire de la sentence additionnelle à la fin de *Leg.* 142.

2. En *DSp* 8 (1974), col. 371-372, à l'art. « Jean Climaque », G. COUILLEAU donne comme dates extrêmes du personnage, sans trop de conviction, 575-650. JEAN CLIMAQUE cite au moins trois fois le corpus marcien, de façon impossible à méconnaître : au 15e degré de son *Échelle* (*PG* 88, 897 B), il ne s'agit que d'un mot, mais qui paraît bien être un hapax dans la littérature spirituelle grecque, le terme de παραρριπτισμός, provenant de *Nic.* VII, 29, qu'il s'efforce ensuite d'élucider. Presque immédiatement après (897 C), il insère la deuxième phrase de *Leg.* 120 (ἐὰν μὴ ὁ νοῦς προσδράμῃ ...) dans une petite discussion sur les responsabilités respectives de l'âme et du corps dans la luxure. Au 22e degré (*PG* 965 D, 23e degré), il cite presque littéralement *Leg.* 136. Dans le premier cas il se réfère aux « plus précis dans leur enseignement parmi les Pères doués de connaissance (gnostiques) » ; dans le deuxième cas, au contraire, le renvoi est aussi décoloré que possible : « les premiers — ceux pour qui

donc en venir directement à l'indication contenue dans la
« Chronique brève » de Georges le Moine, ouvrage dont la
rédaction a été sans doute interrompue par la mort de l'auteur
vers 860-867, puisqu'il n'a eu le temps que d'esquisser le chapitre annoncé dans sa préface sur le règne de Michel III (842-
867)[1]. A l'intérieur de son récit sur Jean Chrysostome, Georges
insère la phrase suivante : « Il eut comme disciples les évêques
Proclus, Palladios, Brison et Théodoret, les ascètes Marc, Nil et
Isidore de Péluse[2]. » J. Künze a déjà dit l'essentiel sur cette
notice[3]. Toute relation personnelle entre le Chrysostome et
Théodoret est exclue par le fait que ce dernier avait au plus
dix ans quand le premier, en 397, quitta définitivement

la luxure commence dans les pensées — disent que... ». Enfin dans le troisième cas Jean déclare s'être entendu tenir ce propos par « un homme
vénérable ». Ces témoignages ne nous donnent donc même pas la certitude que le Climaque a trouvé les trois passages dans un même codex,
attribués à un même auteur ; le contraste entre la présentation de la première et de la deuxième citations, pourtant si voisines, suggérerait plutôt
le contraire. Quant à l'autre témoignage — encore invoqué par KÜNZE,
Marcus Eremita, p. 33 —, il vient en fait d'un Hésychius que l'on a renoncé
à identifier avec celui de Jérusalem pour le situer de préférence, lui aussi,
dans la région du Sinaï. Dans l'une des formes sous lesquelles se présentent ses œuvres spirituelles, on constate la présence d'emprunts assez
considérables, mais anonymes, à *Leg.* et *Justif.* ; trois lignes sont même
tirées de *Causid.* Dans une autre forme, en « 24 chapitres », ces emprunts
sont absents, mais il reste tout de même une paraphrase de Jean Climaque,
qui oblige à placer Hésychius à une époque plus tardive ; on parle généralement des VIIe-VIIIe siècles, mais rien ne s'opposerait absolument, d'après
J. KIRCHMEYER, « Hésychius le Sinaïte et ses Centuries », *Le millénaire du
Mont Athos. 963-1963*, t. I, Chevetogne 1963, p. 319-329, à ce qu'on des-
cendît jusqu'au XIIe siècle. — Quant au *De virtutibus et vitiis*, il nous don-
nerait une référence remontant à 650-750, avec le nom de Marc à l'appui,
aux dernières pages de *Nic.* sur les trois géants (*PG* 95, 89 A), s'il était
vraiment de Jean Damascène, auquel l'attribue la *Patrologie*. Mais on le
fait généralement descendre maintenant au XIIe s., pour l'attribuer à
Syméon le Nouveau Théologien, à son adversaire Étienne de Nicomédie,
à d'autres encore.

    1. Cf. H. HUNGER, *Die hochsprachliche profane Literatur der Byzanti-
ner*, t. I, Munich 1978, p. 347.
    2. Cf. GEORGES LE MOINE, *Chronicon*, éd. C. de Boor (1904), corrigée
par P. Wirth (1978), Teubner, t. II, p. 599.
    3. *Marcus Eremita*, p. 37-38.

Antioche[1]. Quant à Proclus, Socrate, beaucoup plus proche des événements et des hommes que Georges, en fait l'élève seulement du deuxième successeur du Chrysostome sur le siège de Constantinople, Atticus. D'autre part, Isidore de Péluse non plus que Nil, dont on a des correspondances fort étendues, ne se réfèrent à Jean Chrysostome comme à un maître personnellement connu. Restent donc, à part Marc, Palladios et Brison pour avoir sûrement fait partie de l'entourage de Jean, sinon vraiment de ses disciples, car la formation intellectuelle du premier, mieux connu, dépend en fait de tout autres maîtres, en particulier d'Évagre le Pontique.

Alors que pour tant d'autres passages, la *Chronique* de Georges est une mosaïque de textes auxquels nous pouvons remonter, alors que le paragraphe qui précède immédiatement provient justement de la *Vie de Jean Chrysostome* écrite par Pallade, nous n'avons plus la source éventuelle de la fameuse phrase. On est pourtant un peu gêné de rejeter celle-ci comme une pure invention sans portée, car Georges — ou cette source — paraît s'être intéressé à une partie du petit groupe. Que Théodoret soit plusieurs fois utilisé dans la *Chronique* est sans doute encore peu significatif, vu l'importance de son œuvre apologétique et historique. Mais Georges revient ailleurs sur Nil et sur Isidore, citant diverses œuvres du pre-

---

1. Notons d'autre part qu'aucun moine du nom de Marc n'apparaît dans l'*Histoire Philothée* de Théodoret. On pourrait à la rigueur arguer du fait que l'historien a passé sous silence notre Marc par rancune pour la position plutôt anti-antiochienne que prit celui-ci dans la controverse sur l'Incarnation ; mais finalement nous verrons qu'il est plus vraisemblable que Marc et Théodoret ne se trouvaient pas sur le même théâtre d'opération. — Pour être tout à fait complet, signalons qu'on trouve, mais beaucoup plus tôt, un personnage du nom de Marc dans les environs d'Antioche : il s'agit d'un prêtre auquel saint JÉRÔME, en séjour au désert de Chalcis, écrit sa *Lettre* 17, à propos du débat sur la terminologie trinitaire de l'une et des trois hypostases. Mais l'identifier avec notre Marc impliquerait que celui-ci eût déjà atteint un statut ecclésiastique assez important en 379, voire en 376-377, si l'on suit J. Labourt, dans son édition des *Lettres* (*CUF*, t. I, p. 51, n. 3), qui remonte la date de deux ans par rapport à Martianay. Nul, semble-t-il, n'a suggéré une date aussi précoce, alors qu'une bonne cinquantaine d'années la sépare de ce concile d'Éphèse, après lequel nous voudrions situer le traité sur l'*Incarnation*.

mier et recourant aux exégèses du second à maintes reprises, en le qualifiant généralement de « grand », mais aussi encore une fois au moins de « disciple de Jean Chrysostome »[1]. Surtout il est le seul auteur, à notre connaissance, à utiliser l'écrit de notre Marc pour essayer de donner sa juste stature au personnage de Melchisédech ; du reste, avant de citer ledit écrit il nomme déjà son autorité « le divin Marc, familier du Chrysostome » (Μάρκος ὁ θεῖος καὶ τοῦ Χρυσοστόμου φοιτητής)[2].

Photius   L'étape suivante, peut-être presque contemporaine des plus anciens manuscrits grecs de Marc conservés, est la *Bibliothèque* de Photius. Point n'est besoin pour nous de nous préoccuper de la place de cet ouvrage dans la vie de l'illustre érudit byzantin avant son avènement au patriarcat en 858, car les renseignements apportés par le *codex* 200 ne sont pas d'ordre chronologique[3]. En effet, Photius appelle simplement l'auteur recensé « l'abbé Marc », soit qu'il estimât le personnage assez bien connu pour que nulle erreur ne fût possible sur son identité, soit parce qu'il ne disposait strictement d'aucun autre renseignement. Il annonce au départ un livre (βιβλίον) comprenant huit discours (λόγοι) et donne successivement une analyse, fort exacte du reste, de *Leg.*, *Justif.*, *Paen.*, *Bapt.*, *Consult.*, *Causid.*, *Jej.* et *Nic.*

---

1. *Chronicon*, éd. de Boor, t. II, p. 593. Il s'agit de distinguer « Isidore l'ascète et le Pélusiote, pour un temps l'élève du Chrysostome », d'un autre Isidore, prêtre de l'église d'Alexandrie, que Théophile essaya d'imposer comme évêque de Constantinople en lieu et place du Chrysostome justement.

2. *Ibid.*, t. I, p. 103-104. Il est plus probable que les citations de Georges soient passablement remaniées, qu'elles ne proviennent d'une tradition indépendante des mss subsistant. Elles sont tout de même bien reconnaissables et comprennent *Melch.* IV, 2-8, VI, 46-49, VII, 31-39 et 53-55.

3. Nous utilisons l'édition de R. Henry (*codex* 200, p. 97-99, t. III, *CUF*, 1962) en retouchant parfois la traduction. Ainsi, à propos de *Causid.*, rendre σχολαστικός par « étudiant » ne paraît pas heureux ; même si ce sens existe ailleurs, on a vu que ce n'est pas à un tel type de personnage que pense Marc, surtout pas avec la nuance de ridicule, genre « escholier limosin », que prenait alors parfois le mot, par exemple dans le *Philogélos* de Hiéroclès.

Cet ordre, qui met à l'avant-dernière et à la dernière places un écrit sûrement inauthentique et un autre sur lequel nous exprimons de sérieux doutes, pourrait être considéré comme une trace de l'adjonction relativement récente de *Jej.* et *Nic.* au corpus marcien. Toutefois Photius s'empresse de nous dire que certains manuscrits déplacent les λόγοι vers l'avant, d'autres les rejettent vers l'arrière « à telles enseignes que certains exemplaires mettent en dernière place les premiers livres ». Qu'une telle comparaison entre, non pas deux, mais probablement plusieurs manuscrits de Marc ait été possible aussi aisément au futur patriarche ou à son équipe de recherche montre en tout cas la faveur dont jouissait notre auteur dans la Constantinople du IXᵉ siècle.

Entre temps, Photius avait ajouté la mention d'un neuvième λόγιον, « contre les Melchisédéciens », que sans doute il n'avait pas annoncé au début parce qu'il ne portait pas sur la « philosophie active », soit « les règles d'ascèse et les épreuves (ou les 'affections') et dispositions d'âme qui se manifestent dans des œuvres ». L'appréciation du petit traité dogmatique est exprimée dans des termes à vrai dire quelque peu contournés, qui ont amené certains traducteurs anciens à comprendre que Marc dénonçait dans *Melch.* son propre père ! En réalité, ce qui est engendré, c'est le traité, et « celui qui a engendré » (τὸν γεννησάμενον αὐτόν), c'est Marc lui-même, dont Photius estime qu'il s'est embrouillé en ses explications au point de ne pas échapper au reproche d'hérésie. Cependant, avec un peu de bon vouloir, estime le critique, on pourra tirer du livre suspect une certaine dose de profit. Comme l'hérésie détectée n'est pas exprimée en clair, on ne peut tenir pour assuré qu'il s'agisse de ces relents de monarchianisme que nous avons cru percevoir dans *Melch.* ; ils sont assez légers toutefois pour que l'on comprenne la relative indulgence du verdict final dans la *Bibliothèque*.

Outre cela, la notice contient une appréciation, modérément favorable, du style de Marc. Photius lui reproche quelque manque de précision dans l'emploi de l'attique et, sur un fond général de clarté et de concision, des obscurités occasionnelles, excusables néanmoins parce que « ce dont on acquiert la connaissance par les œuvres mêmes ne se laisse pas volontiers exprimer par des mots ».

La notice suivante (*codex* 201) rabaisse encore un peu Marc
par une comparaison avec Diadoque quant à l'élégance de la
composition[1] et quant au rapport entre formulation et expérience. Photius remarque au passage que les deux auteurs s'opposent parfois dans leurs opinions. Avant et après ce parallèle,
il fait mention de deux autres écrits spirituels : un *traité sur la
prière*, qu'il dit explicitement avoir trouvé sous le nom de Nil
— alors qu'il est d'Évagre — dans le même « volume »
(τεύχει) que Diadoque, et la *Consolation aux moines revenus
des Indes*, de Jean Carpathios, qu'il juge bien inférieure aux
Cent Chapitres de l'évêque de Photicé. Il paraît probable que
Diadoque, mais aussi le Pseudo-Nil et Jean figuraient dans l'un
ou l'autre des volumes où Photius a trouvé Marc, l'œuvre de
notre auteur, trop mince à elle seule, venant étoffer un recueil
spirituel bariolé, ainsi qu'il en est souvent dans la tradition
manuscrite. La distribution des *codex* 200 et 201 ne pourrait-
elle pas signifier seulement que Marc et Diadoque ont paru
assez importants et assez différents pour être analysés séparément ?

Nicéphore Calliste   Une autre source de renseignements
doit encore être mentionnée ici, quoi-
qu'elle déroute beaucoup plus qu'elle n'instruit. Nicéphore
Calliste Xanthopoulos a écrit, aux alentours de 1320, une
Histoire ecclésiastique[2] qui parle de Marc à deux reprises.
Chaque fois, il le situe dans un groupe assez semblable à celui
dont Georges le Moine affirmait l'existence, sans toutefois
reproduire littéralement le texte de celui-ci ; peut-être ces
deux compilateurs invétérés ont-ils recouru indépendamment

---

1. Ὅ τε λόγος αὐτῷ εἰς τὸ ἀμώμητον σύγκειται, καὶ ὁ νοῦς τὴν ἀπὸ
τῶν πράξεων σοφίαν προβάλλεται dit Photius à propos de Diadoque, ce
que R. Henry traduit (*ibid.*, p. 101, 21-23) : « Son style est d'une composition irréprochable et son esprit offre une sagesse inspirée des actions. »
2. Il en subsite en effet un exemplaire de luxe confectionné vers cette
date pour être dédié à Andronic II Comnène (1282-1328) : cf. G. GENTZ,
*Die Kirchengeschichte des Nicephorus Callistus Xanthopulus und ihre
Quellen*, TU 98, Berlin 1966, p. 1.

au même auteur, perdu pour nous[1] ? La première fois, il s'agit d'une énumération des évêques et moines illustres d'une époque correspondant approximativement au tournant des IVe-Ve siècles : parmi d'autres, Calliste nomme là Euthyme (377-473), Syméon le Stylite (= 459) ainsi que « Nil, l'admirable ascète, et Isidore de Péluse et Marc, le célèbre ascète, qui furent les élèves du grand Jean, et l'étonnant Proclus[2]... »

Il revient beaucoup plus amplement sur le sujet dans le même livre, peu après. Cette fois, Syméon, Euthyme et Isidore ont droit, dans cet ordre, chacun à un chapitre ; puis Nil, Marc et Théodoret sont groupés à l'intérieur d'un même chapitre. La notice relative à Marc dit : « Marc lui aussi (comme Nil) laissa une multitude d'écrits, après qu'il se fut exercé à la vie ascétique. Ceux qu'il nous est arrivé d'avoir en mains sont au nombre de huit, égal à celui des passions générales. Il y en a en outre trente-deux autres, dans lesquels il parcourt tout le cycle de la vie ascétique ; il y enseigne où l'on doit faire retraite, comment mettre ses démarches au rythme de la volonté de Dieu, comment un homme surmonte les tentations des démons et comment l'intellect se purifie, progresse jusqu'à son antique dignité et entre dans la familiarité de Dieu en participant sur la terre à la vie de la cité céleste[3]. » Les huit écrits dont Calliste affirme avoir eu directement connaissance sont sans doute les mêmes opuscules qu'avait analysés Photius, en excluant *Melch.*, de nature plutôt dogmatique. On voit cependant assez mal pourquoi leur nombre a évoqué pour notre historien celui des « péchés capitaux » dans leur liste évagrienne

---

1. G. GENTZ, *ibid.*, p.189, dit même carrément : « Georges le Moine n'est pas utilisé » ; l'argument semble être que Nicéphore présente toujours des développements beaucoup plus étendus. Cependant il n'a aucune source à indiquer pour le passage relatif à Marc (p. 142).

2. *Histoire eccl.*, XIV, 30 (*PG* 146, 1157 A). Le pluriel « Ἰωάννῃ τῷ πάνυ μαθευθέντες » oblige à inclure au moins Isidore et Marc ; mais les autres noms cités, sauf peut-être celui de Proclus, ne sont pas forcément exclus de la liste.

3. *Ibid.*, XIV, 54 (1256 C-D). — Cette fois-ci, c'est à propos de Théodoret, immédiatement après Marc, qu'est affirmée la fréquentation assidue (φοιτήσας) de Jean Chrysostome.

— car ce sont eux, évidemment, les καθολικὰ πάθη —, alors que ce schème non seulement ne gouverne pas la pensée de Marc, mais ne fait même pas l'objet d'allusions bien nettes dans ses écrits. Quant aux trente-deux autres λόγοι dont le contenu est ici détaillé, on se perd en conjectures, au moins depuis le XVIIe siècle, sur ce à quoi ils peuvent bien correspondre[1]. On est sans doute en droit d'avancer que Calliste reproduit une description contenue dans sa source et que c'est à ce niveau, inaccessible pour nous, que s'est produite la méprise.

Y a-t-il dès lors une information valable à tirer d'une notice aussi tardive contenant au moins une erreur évidente ? On a suggéré de laisser de côté la donnée sur le temps en conservant comme au moins approximativement exacte celle qui se rapporte au lieu. Mais c'est en imputant à Marc une exégèse de type antiochien que l'on consolide l'indication de Nicéphore Calliste rattachant notre auteur à l'école de Jean Chrysostome[2]. Or nous avons à plus d'une reprise signalé qu'en fait Marc était fort loin de s'abstenir systématiquement de toute exégèse allégorique. Il ne suffit pas du reste de concéder l'existence en *Bapt.* d'un passage tissé de transpositions ; il en existe de moins prolongées, mais aussi marquées par la même méthode dans à peu près chacun des opuscules et accomplies

1. La supposition en soi la plus ingénieuse est celle de Casimir OUDIN, *Commentarius de scriptoribus Ecclesiae antiquis*, Leipzig 1722, t. I, col. 907-908 et déjà 477-478, pour qui les trente-deux opuscules surnuméraires s'identifieraient avec les *Homélies macariennes*, mises sous le patronage de Macaire simplement pour leur conférer plus de prestige. Ce qui est finement percevoir la parenté de problématique entre les deux séries d'écrits, mais ignorer leur grande différence de style.

2. Deux passages de son article du *Dsp* 10 (1980), col. 280-281 sur « Marc le Moine » résument bien la position de J. GRIBOMONT : 1) la liste des disciples du Chrysostome plutôt qu'elle ne s'appuie sur quelque document repose « sur une lecture intelligente des traités ascétiques et elle a une part de vérité, mais on aurait tort d'en tirer une indication chronologique valable, comme on le fait généralement » ; 2) une exégèse sérieuse joue un rôle considérable en *Bapt.* ; « elle est typiquement antiochienne, malgré une page allégorique (IV, 47-90) sur la Jérusalem céleste, son temple et son culte, où l'on sacrifie les premiers-nés des *logismoi* ».

avec la dextérité et la désinvolture d'un praticien expérimenté, ne songeant guère d'habitude qu'il y ait là matière à une fin de non-recevoir littéraliste[1].

III. Hypothèse sur le lieu d'origine de Marc

La localisation suggérée par Georges et Nicéphore pourrait sembler tirer un appui plus solide des rapports évidents de Marc avec un mouvement spirituel dont les origines, sinon toutes les expressions, sont Syriennes de l'Est, voire Mésopotamiennes, alors que le développement d'un vrai messalianisme, sinon de quelques tendances euchites en Égypte resterait à prouver[2]. Réciproquement il apparaît aussi que l'in-

---

1. On peut citer dans *Leg.* au moins les trois filles de la sangsue (chap. 104), le paralytique (chap. 132), la tunique bariolée de Jacob (chap. 200) ; dans *Justif.* les premiers et les derniers (chap. 35) et surtout le repos sabbatique (chap. 137, où se trouve employé l'adverbe τυπικῶς) ; en *Paen.* outre les trois mesures de farine (I, 17-30), la dysenterie du « Premier de l'île » (III, 30-33). On trouve aussi en *Bapt.* une allégorisation de *Gn* 2, 9, et en *Consult.*, de *Gn* 3, 5-7 et 21. Seul *Causid.* ferait à la rigueur exception (cf. t. II), mais non point *Nic.* — si on veut le prendre en compte —, avec son exégèse assez appuyée de la parabole des vierges folles (IV, 37-66). En *Melch.* (VIII, 15-19) on trouve l'offrande des cinq sens à un double plan, constituant des dîmes ; pour *Incarn.* (VIII, 3-6) l'interprétation de *Jn* 5, 13 est la suivante : on ne perçoit Jésus qu'à l'écart de la foule des pensées, passage qui nous paraît de ton tout particulièrement origénien.

2. La déconcertante bénignité de CYRILLE D'ALEXANDRIE — qui lui sera d'ailleurs reprochée — dans sa *Lettre* 82 (à Amphiloque de Sidé) à l'égard des messaliens-euchites paraît bien une preuve que le péril n'était pas menaçant, voire pas du tout concret, dans son pays. Cela d'autant plus que la lettre a été écrite avant le moment où l'on pourrait penser que l'archevêque était prêt à passer sur quelques aberrations mystiques pour se ménager l'appui sans faille des milieux monastiques dans sa lutte contre son rival de Constantinople et les partisans de celui-ci. Elle date en effet approximativement de 426, moment où se tint dans la capitale, encore du temps du prédécesseur de Nestorius, Sisinnius, un synode antimessalien. Même si sa « spiritualité » personnelle, très concentrée sur le dogme, ne le portait pas à fixer son attention sur des problèmes où l'expérience interne subjective est principalement en jeu, on ne voit pas Cyrille conseillant

fluence de notre auteur s'est exercée dans ces régions. Et cela de façon plus unilatérale que dans le cas d'Évagre[1]. Ce dernier, en effet, commenté par le nestorien Babaï, est utilisé aussi par le monophysite Philoxène — après peut-être qu'il eut mis la main à une expurgation de l'origénisme le plus virulent des textes du Pontique. Il existe une version arménienne précisément de l'Évagre édulcoré, tandis qu'on ne signale aucune trace de Marc dans la littérature de cette contrée, où le monophysisme a prévalu. Certes, il est notoire que les barrières confessionnelles n'ont jamais été, surtout en Orient, un obstacle infranchissable dans le domaine de la littérature spirituelle. Mais tout de même si Marc avait été, comme on l'a proposé, économe ou abbé de monastère au VIe siècle, en délicatesse avec son patriarche, le monophysite Sévère d'Antioche, la diffusion de ses œuvres en pays monophysite en eût peut-être été entravée ; on ne voit cependant pas comment elle eût été aidée dans le camp opposé, à moins de sécession ouverte et éclatante, ce dont nous n'avons pas la moindre attestation. Ainsi ce pourrait être plutôt au regard de la chronologie qu'il y aurait quelque chose à retenir des indications de nos deux chroniqueurs ou historiens : on regardera en gros vers la première moitié du Ve siècle, époque où, après la guérison des ruptures causées par l'arianisme et l'apollinarisme, d'autres fractures liées au problème christologique n'étaient pas encore apparues ou du moins n'avaient pas encore révélé toute leur profondeur.

d'imposer une abjuration purement verbale à des individus d'intelligence rudimentaire s'il avait eu vent d'écrits aussi subtils et profonds que ceux de Macaire-Syméon ou même de l'enseignement d'honorable tenue dispensé par Marc.

1. On pourrait objecter que les mss de la version syriaque de Marc proviennent en majeure partie du couvent Sainte-Marie de Nitrie, donc un monastère d'allégeance jacobite ; mais l'unique ms. du commentaire de Babaï, un nestorien s'il en fût, en provient lui aussi ; de sorte qu'on a là seulement un indice supplémentaire de ce que nous répéterons dans un instant, après I. HAUSHERR, « Dogme et spiritualité orientale », *RAM* 23 (1947), p. 3-37 (repris dans *Études de spiritualité orientale*, *OCA* 183, Rome 1969, p. 145-179), sur la perméabilité des barrières confessionnelles dans le domaine de la littérature spirituelle.

Mais regardera-t-on vraiment dans la direction d'Antioche, ou ne vaudra-t-il pas mieux abandonner toute idée de lien avec Jean Chrysostome et sa ville d'origine ? Un indice qui n'a guère été relevé jusqu'ici pourrait bien nous y obliger, à savoir l'inclusion indiscutable de la *2e Épître* attribuée à Pierre dans le canon de Marc. Il en donne en effet quatre citations[1], et si parmi elles l'une est anonyme : *2 Pierre* 1, 9 en *Paen.* XII, 9-10, trois sont bel et bien précédées du nom de l'apôtre : *2 Pierre* 1, 5 et 1, 9, presque juxtaposées, en *Bapt.* II, 50-51 et 51-53, et *2 Pierre* 2, 1 en *Melch.* X, 2-4. Or c'est chose connue que dans les églises syriennes les quatre petites épîtres catholiques (*2 Pierre*, *Jude*, *2* et *3 Jn*) ont mis un temps très considérable à s'imposer. C'est seulement en 507 que Philoxène de Mabboug a fait ajouter à la Peshitta revisée une version de ces épîtres et de l'*Apocalypse*. Et parmi les Syriens de langue grecque, Jean Chrysostome, Théodore de Mopsueste et Théodoret excluaient certainement ces épîtres de leur canon. Marc aurait-il vraiment pu, dans un tel milieu et dans des écrits à intention largement polémique, citer *2 Pierre* sans même faire la moindre allusion à son caractère contesté ? Mais après tout, il est d'autres régions qui étaient en contact avec la Syro-Mésopotamie et qui en même temps acceptaient de plus ou moins bon gré les quatre épîtres comme canoniques. Ainsi en est-il de l'Asie Mineure et spécialement de la Cappadoce. Des deux listes de livres scripturaires émanées de cette province, celle de Grégoire de Nazianze affirme nettement l'existence de sept épîtres catholiques, celle d'Amphiloque d'Iconium, sans se prononcer, fait état d'un débat entre ceux qui s'arrêtent à trois et ceux qui montent jusqu'à sept. Il en va de même pour l'*Apocalypse* : Amphiloque ne prend pas parti dans la contestation qu'il mentionne, tandis que Grégoire omet purement et simplement ce livre dans son énumération[2].

---

1. Nous ne prenons pas en compte la référence faite à *2 P* 2, 21 en *Bapt.* II, 42-44, car le texte, introduit par une mention générale de « la divine Écriture », est un emprunt à *Pr* 26, 11 et est donné sous la forme où il figure dans l'A.T.

2. Le texte de chacun des deux auteurs est cité par M.-J. LAGRANGE dans *Histoire ancienne du canon du Nouveau Testament*, Paris 1933, p. 116

Une fois acquis ce point de repère fourni par le canon, on peut essayer de mettre en place d'autres solutions, au moins approximatives. D'abord, grâce aux travaux de J. Gribomont et G. Kretschmar[1] entre autres, on sait à quel point les contacts entre ce qui dégénérera en messalianisme et les milieux les plus orthodoxes de la Cappadoce ont été précoces et, pour une large part, amicaux et compréhensifs. Si l'on admet que Marc, loin de déployer une hostilité résolue vis-à-vis de Macaire-Syméon et de ses disciples, a cherché à nuancer et aménager leurs idées et a parfois défendu leur type de vie, comment ne pas voir dans cette attitude une reproduction de celle de Basile et de Grégoire de Nysse ? Reproduction distante de plusieurs années, d'une génération peut-être, mais qui pourtant se produisit, alors qu'ailleurs les choses commençaient à se gâter. Cet écart expliquerait que Macaire-Syméon, autorité déjà bien établie au moment où Grégoire de Nysse juge opportun de démarquer sa *Grande Lettre*[2], n'ait pas en

---

et 119. Marc ne fait nulle part mention de l'*Apocalypse*, quoiqu'il en ait eu l'occasion en parlant de la cité céleste, « l'Église des premiers-nés » (*Paen.* V, 41-42). L'argument *a silentio* n'est pas absolument probant, vu le mince volume de l'œuvre et le choix souvent déconcertant des citations. Pourtant cette absence du dernier livre du N.T. fait de notre auteur une exception parmi les spirituels des IVᵉ-Vᵉ siècles, comme Évagre, le Pseudo-Macaire et même Jean d'Apamée. Pour ce qui est des trois autres petites épîtres, leur absence s'explique assez bien par leur propre brièveté. Quant au fait de citer *2 P*, Marc rejoint le Pseudo-Macaire — qui, lui non plus, ne paraît pas user des trois petites épîtres —, à une seule nuance près : Macaire-Syméon donne plusieurs fois, mais non exclusivement, la fameuse formule de *2 P* 1, 4, θείας κοινωνοὶ φύσεως, alors qu'elle ne fait point partie de l'arsenal de Marc et ne paraît pas spécialement compatible avec son idée de la sanctification chrétienne.

1. Cf. J. GRIBOMONT, « Le dossier des origines du messalianisme », *Épektasis. Mélanges J. Daniélou*, Paris 1972, p. 611-625, et G. KRETSCHMAR, « Die Theologie der Kappadokier und die asketischen Bewegungen in Kleinasien im 4. Jahrhundert », *Unser ganzes Leben Christus unserm Gott überantworten, Festschrift F. von Lilienfeld*, Göttingen 1982, p. 102-133.

2. D'après l'introduction de R. STAATS à son édition (*Makarios-Symeon. Epistola Magna*, Göttingen 1984, p. 26), la *Grande Lettre* aurait été composée très peu de temps avant le concile de 381, où Grégoire de Nysse prononça le discours *In Gregorii (Nazianzeni) ordinationem*, si favorable aux spirituels de la même tendance que Macaire. Elle contient

fait été un maître pour Marc. Ce maître avec qui il aurait pu entretenir une relation personnelle et dont l'influence eût pu l'imprégner directement, resta pour lui simplement, parmi d'autres, source littéraire de valeur et plus encore source d'orthodoxie.

C'est peut-être aussi dans un cadre asiate qu'on peut le mieux concevoir le statut monastique de Marc tel que les minces données éparses dans son œuvre permettent de l'imaginer. Il est évident, en effet, malgré une tradition qui paraît d'ailleurs remonter seulement à son premier éditeur occidental, Obsopaeus, que Marc ne fut pas « ermite »[1]. Même dans *Nic.*, sa retraite au désert nous est présentée comme temporaire. Pas davantage qu'anachorète, on ne réussit à voir Marc cénobite, au sein de ces vastes agglomérations que constituaient les monastères pachômiens. Enfin il n'a pas du tout l'allure de ces gyrovagues[2] qui formaient sans doute l'aile la

en effet de nombreux échos de son *De Virginitate*, daté de 379. Cependant, peu auparavant, STAATS penchait pour l'année 385 (« Beobachtungen zur Definition und zur Chronologie des Messalianismus », *XVI. Internationaler Byzantinistenkongress. Akten* II, 4, Vienne 1982, p. 235-244). Staats, Gribomont et Kretschmar sont donc d'accord pour voir dans le *De Instituto christiano* une réécriture en style nyssénien de la *Grande Lettre* — au lieu de la relation inverse, posée par W. Jaeger (*Two rediscovered Works of Ancient Christian Literature*, Leiden 1954). Staats suggère aussi (*ed. cit.*, p. 26) de faire de la *Lettre* une œuvre précoce dans la carrière de Syméon, à cause de son ton encore très irénique sur la question du baptême. Reste que l'auteur écrit déjà comme un maître spirituel et un supérieur à des disciples.

1. Celui-ci reproduit en tête du texte grec des opuscules à chapitres les épithètes qu'il a trouvées dans son manuscrit de base, si celui-ci est bien l'actuel *Burneianus 112* (voir notre art. « La tradition »), c'est-à-dire « ascète et anachorète ». Mais inclinant à identifier Marc avec l'ermite égyptien dont il a repéré le nom dans l'*Histoire Tripartite*, il parle, dans le titre de son édition — donné en latin — ainsi qu'en tête de la version latine qui vient après le texte, de « *Marcus Eremita* ». Jean Picot, reprenant, en gros, la traduction latine du prédécesseur, amalgame les deux titres en tête du grec (« ermite et ascète ») et écrit partout « *eremita* » en latin.

2. Outre que son monachisme ne ressemble guère aux deux grands types de vie, cénobitique et anachorétique, représentés en Égypte, cette apparence de stabilité donnée par Marc fait hésiter à lui attribuer même un séjour de quelques années en ce pays, qui eût pu autrement expliquer

plus inquiétante du mouvement euchite, celle qui l'a fait considérer comme une menace pour l'ordre établi. Il ne ressemble en rien, sur ce point, à Macaire-Syméon, ce mystique qui paraît avoir parcouru le monde en gardant les yeux ouverts et en avoir profité pour orner son œuvre de tant de comparaisons pittoresques et d'exemples concrets. Si Marc témoigne par endroits d'une authentique culture grammaticale et exégétique, il suffirait pour l'expliquer que sa ville d'origine ait abrité une bonne école, ouverte sur la pratique de diverses contrées de la chrétienté orientale. Nous avons relevé, à propos de l'*Incarn.*, que le fait de se référer à un symbole baptismal purement local suggérait que Marc s'adressait à un milieu confiné à une région déterminée, sans ambition d'atteindre l'ensemble de l'Église. Et n'est-ce pas à un monachisme urbain qui, autour d'un noyau dur d'ascètes voués au célibat, essaie de regrouper et d'entraîner toute la masse chrétienne d'une ville, que correspond le mieux le penchant de Marc à dénoncer les comportements sociaux insuffisamment christianisés, flagornerie envers les puissants, gloriole, abus de la richesse, mépris pour les inférieurs, cela même dans *Causid.* où pourtant l'opposition entre « laïcs » et moines apparaît dans tout son jour ? Qu'on ne puisse relever dans toute l'œuvre de Marc aucune allusion à l'autorité personnelle supérieure d'un évêque, avec lequel le chef d'une communauté située en ville devait se trouver en contact quotidien, étonne un peu moins si l'on prend en compte le silence systématiquement gardé par notre auteur sur les noms propres et les circonstances individualisantes.

son surnom d'« Égyptien » dans le ms. de 534 (un peu à l'instar de ce qui s'est produit pour le « Jean » aux idées aberrantes dénoncé par PHILOXÈNE DE MABBOUG dans sa *Lettre à Patricius d'Édesse*, PO XXX, fasc. 5 p. 849 et n. 71). Resterait seulement l'explication suggérée par J. GRIBOMONT dans son article du *DSp* 10, col. 280 : « Il s'agit d'hypothèses tirées du voisinage de Marc, dans la tradition manuscrite, avec des moines égyptiens. » De nouveau cela suppose qu'en 534 cette tradition ait déjà eu le temps de s'allonger un peu ; il ne s'agirait donc pas d'un Syrien actif durant la pénultième décennie.

IV. Le temps de Marc

S'il y a donc difficulté à maintenir un lien trop étroit entre Marc et l'Antioche de Jean Chrysostome, que penser maintenant de la date que nos historiens suggèrent, soit très grossièrement la fin du IVᵉ siècle et le premier tiers du Vᵉ ? Pour un recoupement chronologique il n'y a pas d'espérance à mettre, pensons-nous, dans l'œuvre spirituelle de Marc, car les problèmes, en ce domaine, sont récurrents[1]. De plus, les écrits d'auteurs de tendance trop ouvertement messalienne qui ont peut-être proliféré, à en juger par Jérôme le Grec, et qui nous auraient fourni des points de repère plus nombreux, ont souvent dû être éliminés par l'orthodoxie[2]. On peut néanmoins faire fond sur l'œuvre dogmatique de Marc, non sur *Melch.*, car le thème, trop mince, n'a pas suscité une littérature bien vaste, dépassant les dimensions du pamphlet, de la *quaestio* ou de l'homélie, mais sur le factum sur *l'Incarnation*. Nous disposons sur le sujet d'une multiplicité d'ouvrages dus à une pluralité d'auteurs bien arrimés dans le temps et l'espace ; nous pouvons donc avoir une vision « stéréométrique » des discussions et de l'évolution des idées et du vocabulaire s'y rapportant.

Cela étant, il nous semble que l'examen prolongé auquel nous avons soumis l'opuscule de Marc oblige à l'insérer dans une période assez restreinte, une décennie tout au plus, de l'histoire du dogme christologique, à savoir celle qui suit le concile de 431. A ce moment-là, l'influence de Cyrille

---

1. Si l'on admet que l'une des questions centrales dans le débat où s'est engagé Marc est celle du rapport entre la foi pure et le senti, le constatable, dans la vie chrétienne, on ne peut éviter le rapprochement avec les controverses suscitées par Syméon le Nouveau Théologien au XIᵉ siècle et l'hésychasme au XIVᵉ. Mais ce n'est pas un hasard non plus si Jérôme le Grec et les *Homélies macariennes* sont réédités au XVIIIᵉ siècle dans l'ambiance où piétisme et méthodisme prennent leur essor.

2. Quant au vocabulaire de Marc dans le domaine de la psychologie et de la spiritualité, il nous apparaît assez ample, flottant et multicolore. L'explication pourrait être ou qu'il a puisé à de multiples sources, ou que les termes employés n'avaient pas l'acception technique et précise qu'ils ont revêtue ultérieurement. Cette seconde hypothèse nous semble préférable.

d'Alexandrie et le prestige de sa théologie, jusqu'alors presque confinés en Égypte, se diffusent en Palestine, en Syrie et en Asie Mineure, prélude à la formation d'un autre centre de rayonnement et de résistance monophysite dans la région d'Antioche et à l'élimination de l'ancienne école antiochienne[1]. Parmi les personnages jalonnant de leur ralliement plus ou moins complet cette expansion, il suffit de mentionner le diacre Tibère et ses compagnons en Palestine[2], l'évêque d'Édesse Rabbula[3], le groupe d'Antioche — Antioche même ou ses environs immédiats — qui se concerte avec Cyrille à propos des ouvrages de Diodore et Théodore[4], et derechef

1. Ainsi l'œuvre de Théodore de Mopsueste s'était diffusée un moment jusqu'en Arménie.

2. Les questions posées à Cyrille par ce groupe ne sont pas exactement celles qui furent débattues à Éphèse, mais comme le dit L. R. Wickham dans l'introduction à son édition des réponses de Cyrille (*Cyril of Alexandria. Select Letters*, Oxford 1983, p. 132, n. 2), Cyrille est évidemment interrogé à cause du prestige gagné comme défenseur de la foi par des gens qui ne sont pas sous sa juridiction. Wickham (*ibid.*, p. xxviii) situe un premier groupe d'écrits (*Answers to Tiberius and his companions*) dans les années 431-434 et donne a un second (*Doctrinal Questions and Answers*) une date plus tardive, Tibère ayant été entre temps élevé du diaconat au sacerdoce.

3. Pour certains, Rabbula aurait tourné casaque après le concile d'Éphèse pour des raisons qui n'étaient pas toutes élevées et doctrinales : pour G. G. Blum (*Rabbula von Edessa, Der Christ, der Bishof, der Theologe*, CSCO 300, *Subs.* 34, Louvain 1969, p. 163-164), le plus probable est qu'il n'aurait assisté au concile dans aucun des deux partis et que sa signature aurait été forgée après coup dans la liste des membres de la fraction antiochienne. Excommunié par les Antiochiens, il demanda secours à Cyrille, tout en lui dénonçant les écrits de Théodore de Mopsueste. Il nous faut remarquer que si Rabbula polémiquait déjà auparavant pour le « *théotokos* » et contre la thèse des deux Fils, dans sa lettre à Cyrille, conservée en latin et très partiellement en syriaque, il se met à employer l'expression *secundum subsistentiam* (*ACO* IV, I, p. 89 = *PG* 77, 347-348 A-B), imputant à Théodore et à ses disciples de l'École d'Édesse la négation de l'union καθ'ὑπόστασιν (Blum, *ibid.*, p. 175). On sait qu'après sa mort, le 7 août 436, il y eut à Édesse un ressac pro-antiochien durant une quinzaine d'années, qui finit avec le repli de l'École à Nisibe.

4. D'après L. R. Wickham (*op. cit.*, p. 95, n. 1), le membre le plus saillant du groupe serait le diacre Maxime, qui dès 433, se fit prêcher l'« économie » par Cyrille dans deux lettres (*Ep.* 57 et 58, *PG* 77, 320-321), parce qu'il refusait d'entériner l'accord de ce dernier avec les Orien-

Théodote d'Ancyre[1]. Le traité sur l'*Incarnation* de Marc nous apparaît dès lors comme un autre témoignage du même mouvement. Vu les traits dualistes accentués de cette christologie où le Verbe et l'homme viennent presqu'à l'horizontale se réunir dans le Christ, J. Gribomont n'avait sans doute pas tort de parler à son propos de « perspectives plutôt antiochiennes »[2], à condition toutefois de noter aussi le caractère très archaïque d'un antiochénisme qui ne tient aucun compte visible du danger apollinariste.

Cependant, comme en exégèse, Marc a passé sur cet antiochénisme de base une couche plus ou moins épaisse de vernis alexandrin. L'insistance sur un théopaschisme d'ailleurs parfaitement compatible avec l'orthodoxie en est la marque la plus éclatante. Comme Théodote d'Ancyre, Marc a dû éprouver une répulsion violente quand il a perçu que les réticences antiochiennes — et peut-être nestoriennes — devant une large

---

taux, matière de la célèbre lettre *Laetentur caeli* (*Ep.* 39, *PG* 77, 173-181). En 436-437 Cyrille adressa à ce même diacre, ainsi qu'à quatre prêtres d'Antioche, sa *Lettre sur le Symbole* (*Ep.* 55, *PG* 77, 289-320), qui commente le *credo* originel de Nicée. Il les ravitaille aussi de sa propre littérature en les approuvant de se défier des succédanés qu'on cherche chez eux à substituer aux écrits condamnés de Nestorius, autrement dit, des œuvres de Théodore de Mopsueste (*Ep.* 64, *PG* 77, 327-330).

1. Si le passage de Théodote dans le camp cyrillien a été ressenti par les partisans de Nestorius comme une trahison, sanctionnée par une excommunication en 432, on sait, depuis la redécouverte en version syriaque de son traité *Contre Nestorius*, qu'il a pris la peine d'étudier personnellement les œuvres de son ancien ami et ne l'a pas réfuté simplement en démarquant Cyrille (cf. A. Van Rœy, « Le florilège nestorien de l'*Adversus Nestorium* de Cyrille d'Alexandrie et du traité contre Nestorius de Théodote d'Ancyre », *TU* 125, 1981, p. 573-578). Dans son *Expositio symboli Nicaeni,* écrit sans doute très tôt après le concile d'Éphèse, Théodote s'en prend tout spécialement à la thèse des deux Fils, ignorée de Marc. En outre, d'après une remarque de L. R. Wickham (*op.cit.*, p. XLII-XLIII), au moins au début de sa mutation, Théodote a frôlé le risque de tomber du dualisme dans l'excès opposé, suggérant par ses images une transformation partielle de la nature divine et ce qui serait techniquement du synousiasme. Notre Marc a su mieux se garder du malin en même temps que du langage figuré. Ces Cyrilliens de fraîche date n'ont guère en commun que leur nouveau point de référence, l'archevêque d'Alexandrie.

2. Art. « Marc le Moine », *DSp* 10, col. 275.

communication des idiomes aboutissaient à lui interdire de confesser un Seigneur de gloire crucifié. Du point de vue de la terminologie toutefois, l'influence alexandrine a été plus faible : Marc a eu vent du slogan cyrillien καθ'ὑπόστασιν et s'est mis à le prodiguer, d'autant qu'à celui-ci correspondaient quelques amorces dans son langage propre. Mais il n'a pas pris la peine de réfléchir à son sujet, ni d'adapter le terme même d'hypostase à ce nouveau contexte non plus trinitaire, mais christologique ; il ne paraît donc pas pensable qu'il ait été l'initiateur imaginant avant Cyrille la locution qu'il emploie de façon si stéréotypée. De plus, il s'est abstenu, comme pendant assez longtemps Théodote d'Ancyre, de promouvoir et même tout simplement d'utiliser l'expression *théotokos* — le second slogan cyrillien —, pourtant plus chère à Cyrille que la première ; il éprouvera même le besoin de l'expliquer un peu comme un *obiter dictum*.

V. Pour une chronologie des opuscules

Au fond, Marc a réaménagé en fonction des nécessités nouvelles un édifice théologique dont les fondements avaient dû être posés depuis beau temps. Voilà qui incline à penser que le traité sur *l'Incarnation* est un écrit de vieillesse, le dernier composé par Marc. Ses autres ouvrages authentiques se ressemblent par ailleurs si étroitement qu'il est bien difficile de suggérer ne serait-ce qu'une hypothèse sur leur échelonnement dans le temps. On rappellera seulement la doctrine de la faute originelle plus poussée dans le sens d'une culpabilité collective dans *Paen.* que dans *Bapt.*, les quelques chapitres de *Justif.* qui pourraient témoigner d'une expérience de supériorat, tel qu'on le voit en effet exercé dans *Causid.*, et enfin le caractère d'esquisse de *Consult.* par comparaison à *Bapt.* En bref, Marc aurait fait ses débuts dans la vie monastique vingt ou trente ans avant la crise d'Éphèse. Ceci peut s'admettre seulement par la nécessité de supposer pour lui une carrière d'une durée assez longue : son prestige lui aurait alors donné l'idée de coucher par écrit des conseils dont il pouvait penser qu'ils seraient écoutés ; à d'autres, il aurait donné celle de les conserver par écrit. Donc une activité qui se termine peu après 431 et qui s'est probablement déroulée dans une cité épisco-pale de second rang en Asie Mineure. Encore est-ce faire preuve de trop de hardiesse peut-être dans la conjecture que de poser tout cela, lorsqu'il s'agit d'un auteur qui s'est voulu, à l'instar de Melchisédech, le personnage biblique qu'il a le plus étudié, « sans père, sans mère et sans généalogie » (*He* 7,3). Il est sûr, en tout cas, que l'obscurité délibérément maintenue autour de sa personne n'a pas nui à sa destinée posthume : outre les témoignages déjà recueillis, l'ampleur de la tradition manuscrite est un témoignage indiscutable que Marc a bien rejoint les milieux pour lesquels il a écrit.

CHAPITRE II

HISTOIRE DU TEXTE[1]

I. Une relative abondance de manuscrits

Le texte grec   Dans quelques-uns des manuscrits contenant les opuscules qui vont être présentés, on trouve ce conseil : « Vends tout et achète Marc[2]. » Malgré le peu de notoriété personnelle de l'auteur, ses œuvres ont connu un réel succès. Elles n'ont pas une tradition textuelle aussi vaste que la synthèse de Jean Climaque, par exemple, mais si l'on s'en tient aux manuscrits qui sont antérieurs au XVIe siècle, le nombre de ceux qui subsistent va de quarante et un pour *Leg.* à dix-huit pour *Melch.* Quant à la bigarrure du texte qu'on lit dans ces multiples témoins, elle laisse supposer bien d'autres exemplaires disparus. Il y a une exception cependant : l'opuscule qui traite du dogme christologique, *Incarn.*, n'est contenu que par deux manuscrits[3].

---

1. Ceci n'est destiné qu'à être un aperçu. Des indications plus complètes sur les mss grecs et syriaques, sur la tradition indirecte — explorée, mais non prise en compte dans l'établissement du texte —, sur les éditions et aussi sur les possibles regroupements des mss en familles, figurent dans un article posthume : G.-M. DE DURAND, « La tradition des œuvres de Marc le Moine », *Revue d'Histoire des Textes*, à paraître.

2. Par exemple dans **A** et **W**, deux mss d'Athènes (*BN 322* et *547*), dont le texte n'est pourtant que très partiellement similaire.

3. Ce sont aussi les deux seuls mss à contenir tous les traités de Marc : *Ierosolymitanus Sabaiticus 366* (**G**) et *Cryptoferratensis* B α 19 (**N**).

La version syriaque[1]   Il n'existe pas trace non plus pour cet opuscule de version syriaque, alors que *Melch.*, au sujet pourtant si particulier, n'a pas rebuté les traducteurs. Nous avons pu retrouver en effet six manuscrits contenant tout ou partie de cette version syriaque de *Paen.*, *Bapt.*, *Causid.*, *Consult.*, *Melch.* et des deux opuscules à chapitres (*Leg.* et *Justif.*), et six autres manuscrits ne donnant que ces deux derniers opuscules[2]. Dans ce second groupe se trouve le témoin de textes marciens de loin le plus ancien, le *Lond. B. L. Add. 12 175,* qui date de 533-534. Pour les autres écrits, la version doit, elle aussi, être très ancienne, car elle contient, à la fin de *Causid.*, la valeur d'une dizaine de lignes, absentes de tous les témoins grecs, qui paraissent fournir une conclusion très convenable à l'opuscule, alors qu'il se termine en grec de la façon la plus abrupte[3]. Cela semble l'indice que le traducteur syriaque a disposé d'un exemplaire non mutilé, ayant échappé à l'accident dont a souffert partout ailleurs la tradition grecque.

Dans les opuscules à chapitres aussi, et, chose curieuse, à peu près au même endroit en chacun des deux[4], la version syriaque, y compris dans le très ancien *codex* mentionné ci-dessus et un Commentaire de Babaï le Grand du VIIe siècle, offre — tout comme la version arabe, du reste — des suppléments de quelques lignes. Mais leur authenticité est peut-être moins facile à affirmer, notamment à cause du morcellement des textes environnants en chapitres qui présentent fort peu de suite entre eux quant aux idées.

Une remarque reste à faire à propos de la version syriaque : pour l'ensemble de nos textes, elle ne se range jamais de façon

---

1. Il existe, outre la version syriaque, une traduction géorgienne présente dans deux mss du monastère Sainte-Catherine du Sinaï ; nous n'avons pas pu en tenir compte ici. Quant à la version arabe, son intérêt est passablement diminué par le fait qu'elle ne dérive pas directement du grec, mais de la version syriaque.

2. Pour plus de précision, on se reportera à l'article à paraître dans la RHT (« La tradition ») où ils sont mentionnés (*ndlr*).

3. *V. n. ad loc.*

4. Soit aux alentours du chap. 141.

constante au côté de l'une ou l'autre des familles identifiées
tant bien que mal parmi les manuscrits grecs. Il semble seulement qu'elle ait tendance à laisser tomber un membre de
phrase lorsqu'il a embarrassé les scribes grecs et a été par suite
placé différemment par l'un ou l'autre.

**Inauthenticité
de Nic. et Jej.** A la différence des sept opuscules
énumérés ci-dessus, et comme *Incarn.*,
Nic. n'est pas attesté en syriaque, ce qui
nous paraît un indice supplémentaire de son inauthenticité.
Représenté en revanche lui aussi en syriaque, le traité *Sur le
jeûne*, actuellement exclu par tous de l'héritage littéraire de
Marc, n'y est pas mis sous son nom. Mais, comme en grec il est
présent dans au moins vingt et un manuscrits contenant des
écrits de Marc, nous avons cru devoir l'intégrer à notre édition,
ainsi, bien sûr, que *Nic.* Du reste, *Nic.* et *Jej.* figurent déjà tous
deux dans la description donnée par le *Codex* 200 de la *Bibliothèque* de Photius[1].

II. Un classement difficile à opérer

L'analyse des manuscrits tant grecs que syriaques nous
amène à constater que deux critères qui aident souvent à opérer des classements dans les traditions manuscrites des recueils
font défaut pour celle de Marc. D'une part, il n'est pas d'auteur, sauf à la rigueur Diadoque de Photicé, avec qui il soit
assez fréquemment présent dans des manuscrits pour que la
tradition de l'un éclaire celle de l'autre. Du reste, une branche
de la tradition de Diadoque ne contient aucune œuvre de
Marc[2] ; ailleurs, quand les manuscrits contiennent des écrits
des deux auteurs ensemble, ils ne sont pas apparentés.

---

1. *Nic.* est inclus aussi — mais non *Jej.* — dans la stichométrie de huit
opuscules de Marc fournie, avec celle des écrits bibliques et de plusieurs
autres œuvres spirituelles, par le *Vatopedinus 507*, ms. datant probablement du début du XIIe siècle.
2. Voir le classement sommaire opéré par É. DES PLACES dans l'introd.
à son éd. des *Œuvres spirituelles* de Diadoque de Photicé, *SC* 5 bis, p. 69-74.

Désordre des opuscules   L'ordre des opuscules est d'autre part très variable d'un manuscrit à l'autre. Les manuscrits syriaques, où le corpus n'est généralement présent que dans un état très mutilé, montrent, en donnant des indications de rang au début des opuscules conservés, que même chez eux cet ordre n'était pas constant[1]. Dans le domaine grec, on peut seulement observer une certaine prépondérance de deux variantes à l'initiale : ou bien la préséance est accordée au groupe des opuscules à chapitres — *Leg.*, *Justif.* —, qui sont aussi seuls présents dans le plus grand nombre de *codices* ; ou bien *Paen.* (Περὶ μετανοίας) vient en premier, peut-être parce qu'il est visiblement adressé à un public plus vaste que les seuls milieux monastiques et qu'une démarche de conversion (μετάνοια) est le premier pas normal de toute vie spirituelle[2]. Encore n'est-ce pas une garantie pour l'ordonnance de la suite ; même les opuscules à chapitres se trouvent parfois inversés, quoiqu'ils offrent une sorte de continuité, s'acheminant vers cette conclusion de *Justif.* qui boucle le tout, après bien des détours, sur le thème de la loi spirituelle. D'autre part, s'il y a de grandes similitudes d'expressions, de citations, et d'idées entre tous les traités authentiques de Marc, il n'y a aucun renvoi de l'un à l'autre, permettant de conjecturer comment ils se sont succédé dans le temps. Seul *Incarn.* peut être daté de façon relativement précise. La rédaction des autres opuscules pourrait à la rigueur s'échelonner sur une trentaine d'années, de sorte qu'il n'est pas à exclure qu'ils aient d'abord été publiés séparément. Cela expliquerait que les recueils présentent un aspect si différent selon les manuscrits.

---

1. Le *Berolinensis syriacus 27* donne le n° 7 à *Causid.*, tandis que dans le *Lond. B. L. Add. 17 168*, c'est *Paen.* qui est appelé « septième *memro* sur la pénitence ».

2. *Causid.*, qui pose le plus nettement des problèmes propres à la vie monastique, agités durant la querelle autour du messalianisme, convient bien en fin de série — au moins quand n'est pas ajouté l'opuscule semi-dogmatique *Melchisédech*, qui comporte, de fait, une doxologie finale particulièrement développée. Cela pourrait à la rigueur expliquer que *Causid.* soit mutilé à la fin, sauf dans la version syriaque (cf. *supra*, p. 38).

III. Une publication étalée dans le temps

Cette diversité fait qu'il est possible de modifier quelque peu l'ordre présenté par la *Patrologie*, qui remonte à travers deux ou trois intermédiaires à celui de l'*editio princeps*, procurée par Jehan Picot — ou en latin *Picus* — en 1563, de *Paen., Bapt., Nic., Causid.* et *Consult.* Il ajoutait à ces traités, avec un minimum de retouches, le texte publié dès 1531 de *Leg.* et *Justif*[1], tout en changeant légèrement l'ordre de son manuscrit de base.

Celui-ci, notre manuscrit **F**, le *Parisinus graecus 1037* (*olim Fontainebleau 3440*), au demeurant fort médiocre — il n'y en avait pas d'autre à l'époque dans la Bibliothèque Royale —, plaçait *Consult.* avant *Causid.* ; il comprenait aussi, plus de cent folios au-delà du groupe d'écrits marciens et non sans avoir intercalé plusieurs auteurs[2], des « chapitres neptiques », mutilés à la fin, qu'il attribuait à Marc. Ces « chapitres neptiques » ne se trouvent, à notre connaissance, dans aucun autre manuscrit, même si l'on considère ceux dont le texte marcien est le plus semblable à celui du *Parisinus*. Picot les a repris à cet endroit éloigné et insérés entre *Nic.* et *Causid.* ; ils se sont dès lors transmis d'édition en édition, bien que dès 1772 Galland[3], dont Migne reproduit le texte, ait exprimé des doutes sur leur authenticité ; un de ses amis avait remarqué en effet

---

1. Par l'érudit franconien Vincent Obsopaeus, chez un imprimeur de Haguenau, d'après l'actuel *Burneianus 112* de la British Library. Ce premier éditeur n'avait pas reproduit la numérotation des chapitres offerte par le ms., de sorte que c'est Picot qui l'a introduite. Nous la gardons, tout en rapprochant les chapitres qui nous paraissent avoir été indûment segmentés, alors qu'ils offraient une continuité de pensée. Obsopaeus est en outre responsable de la qualité d'« ermite » indûment attribuée à Marc. Son titre latin commence en effet par les mots : *Marcus Eremita. De lege spiritali capitula...*, alors que, conformément au libellé de son manuscrit de base, le texte grec comportait : Τοῦ ὁσίου ἡμῶν ἀσκήτου καὶ ἀναχωρήτου Μάρκου κεφάλαια.

2. On passe du f. 214 au f. 319 et dans l'intervalle on trouve des œuvres d'Hésychius, Diadoque, Zosimas, Nil, Arsène et le tout, y compris les « chapitres neptiques », écrit d'une autre main que le corpus de Marc.

3. Au t. VIII de sa *Bibliotheca Veterum Patrum*. Il y eut une seconde édition en 1778 ; cf. *PG* 65, 1055C-1069D.

les similitudes avec des textes du Pseudo-Macaire[1]. Cet opuscule, n° 6 dans la *Patrologie* sous le titre latin *De temperantia,*
ne pouvait qu'être éliminé.

Nous avons omis également un autre texte plus court
venant du *Parisinus* et reproduit par Picot et toute la suite[2], la
Réponse de Nicolas à Marc. Bien que remontant au moins au
xe siècle[3], elle ne paraît pas de la même plume que *Nic.*[4],
n'étant qu'un rabâchage beaucoup plus plat sur le motif des
« trois géants, oubli, négligence et ignorance », que *Nic.*
reprend déjà à satiété dans ses deux derniers chapitres.

En cette même année 1563, parallèlement à son édition,
Picot publia une traduction latine de notre auteur. Elle n'a été
juxtaposée au texte grec qu'à partir du tome I de l'*Auctarium*
par lequel en 1624 Fronton du Duc compléta la *Bibliotheca
Patrum* de Margarin de la Bigne. L'érudit jésuite a aussi placé
en marge du texte de Marc un certain nombre de mises en
garde dont on trouve encore des vestiges au bas des pages chez
Migne et qu'il avait puisées dans l'ouvrage polémique d'un
dominicain italien du xvie siècle, Jean Marie Guanzelli, dit
Brasichellanus.

Aux opuscules contenus dans l'édition de Picot sont venus
s'adjoindre au xviiie siècle *Jej.* et *Melch.* Ils ont été publiés
pour la première fois en 1748 par un évêque de Zanthe
nommé Balthasar Remondini, à partir d'un manuscrit alors en
sa possession personnelle, que nous avons cru pouvoir identi-

---

1. Galland a tout de même éliminé, pour son parallélisme avec le
Pseudo-Macaire, un texte qui figurait, et même en tête depuis Picot, dans
les œuvres de Marc, un *De paradiso et lege spirituali*, qui est en fait la
37e homélie pseudo-macarienne, cf. *PG* 65, 895C.

2. Cf. *PG* 65, 1051-1054

3. On la lit en en effet déjà dans le ms. **N** (*Cryptoferratensis B α 19*),
daté de 965 ; sa présence dans un certain nombre d'autres mss n'indique
pas l'existence entre eux d'une parenté nette et, dans sa brièveté elle
n'offre aucune variante significative.

4. Relevons encore que *Nic.* était primitivement dépourvu de titre
dans le ms. **F** (*Parisinus gr. 1037*). Celui qui figure dans la *Patrologie*
(*PG* 65, 1027D) νουθεσίαι ψυχωφελεῖς (titre courant latin : *Praecepta salutaria*), est un ajout d'une main récente, peut-être celle de Picot, ou même
provient de son édition, où il ne figure d'ailleurs pas en tête de l'opuscule,
mais seulement, justement, comme titre courant.

fier avec l'*Ottobonianus 397*. Ce manuscrit contenait aussi tous
les autres opuscules publiés par Jehan Picot, avec un texte passablement différent et meilleur, mais Remondini n'a probablement pas opéré de comparaison et s'en est tenu à éditer ses
deux découvertes. Le contenu de sa plaquette de soixante-
douze pages a été ajouté à la suite de l'apport de Picot dans
l'édition de Galland, puis dans la *Patrologie*.

Parue en 1864, cette dernière ne pouvait offrir aux lecteurs
le traité *Sur l'Incarnation*, qui dormait encore dans deux
manuscrits non repérés. Il a vu le jour pour la première fois en
1891 seulement, dans une édition faite à partir d'une transcription hâtive du manuscrit le plus récent des deux (XIII^c s.) et
le plus médiocre, celui de Jérusalem, **G** (*Sabaiticus 366*) ; puis
une seconde fois en 1895, mais sans que le nouvel éditeur,
J. Kunze, ait eu la possibilité de collationner sa base manuscrite
indirecte et sans qu'il ait eu connaissance de l'existence, signalée pourtant dès 1883 dans le catalogue de Grottaferrata, de
l'autre *codex* important, le *Cryptoferratensis B α 19* (**N**). A partir de celui-ci, une autre édition a enfin été donnée en 1905,
mais jamais ce traité n'a été publié en grec aux côtés du reste
de l'œuvre marcienne, dont les projets d'édition critique
n'avaient pas non plus abouti jusqu'ici.

Tout à fait en marge de ces travaux de patrologues occiden-
taux avait été publiée en 1782 chez un imprimeur vénitien
l'*editio princeps* de la *Philocalie des Pères neptiques*, procurée
par Nicodème l'Hagiorite. Elle contient trois opuscules du corpus marcien : *Leg.*, *Justif.* et *Nic.* La base essentielle du texte,
même si quelques variantes et conjectures sont portées en
marge, est l'*Atheniensis 547* (**W**), qui offre la particularité assez
unique de se rattacher suivant les opuscules à trois traditions
manuscrites différentes. Deux seulement transparaissent dans
les opuscules inclus dans la *Philocalie*.

Le cas d'*Incarn.* mis à part, il y a donc trois éditeurs, Obsopaeus, Picot et Remondini, qui ont donné respectivement leur
editio princeps de textes marciens en s'appuyant chacun sur un
manuscrit unique. Pour apprécier leurs conjectures et donner
une nouvelle édition de ces pièces, il était opportun de tenir
compte des leçons de leur manuscrit de base. Ainsi, les conjectures de Picot, le plus souvent malheureuses, par lesquelles il a
tâché d'émender son texte s'expliquent par les bourdes de son

Parisinus 1037. La recommandation vaut pour les leçons du manuscrit utilisé pour l'édition des trois opuscules présents dans la *Philocalie*.

IV. Une tradition fort complexe

A considérer maintenant le texte de chaque opuscule, on est réduit à des constatations aussi frustrantes que pour ce qui est de leur ordre dans les manuscrits. Chacun d'eux offre au moins ce qu'on tiendrait à première vue pour une faute séparante idéale, celle qui devrait permettre des regroupements assurés. La plupart en présentent même plusieurs. Mais à quelques pages de distance, dans le même opuscule, le groupe où l'on trouve telle variante caractéristique ne comprend pas les mêmes membres que plus haut[1]. Même dans un opuscule aussi court que *Consult.* ces permutations de rapports entre les groupes de manuscrits sont assez nombreuses.

Par suite, aucun des manuscrits que nous avons recensés n'a pu être considéré comme une copie pure et simple d'un modèle plus ancien que nous posséderions aussi[2]. On a l'impression que le scribe a eu sous les yeux au moins deux modèles et qu'il a puisé alternativement dans l'un et dans l'autre. Tel manuscrit qui offre un texte particulièrement uni et plausible apparaît soit comme recorrigé par un scribe trop savant[3], soit comme puisant dans au moins deux branches de la tradition[4].

---

1. Pour ne donner qu'un exemple, en *Leg.* 9 et 10, un groupe de 4 mss intervertit les deux sentences. Mais en *Leg.* 62, 2, un membre de phrase — omis par le syriaque — est inséré selon les mss en deux endroits différents de la sentence (cf. app. crit. *ad loc.*). Le groupe repéré plus haut se partage par moitié entre les deux solutions.

2. La seule exception serait le *Vaticanus gr. 698*, qui semble bien être une copie du *Koutloumousiou 6* (**E**), dont il a hérité une indication sticho-métrique. Il contient une partie de *Paen.* qui manque au début de son modèle, par ailleurs assez isolé.

3. C'est le cas du *Vaticanus 730* (**Q**), qui présente dans *Paen.* un court passage (X, 8-20) copié deux fois d'après des modèles différents. Il les avait donc à sa disposition.

4. Ainsi le *Patmiacus 193* (**P**), qui, soit dans le texte, soit dans ses variantes marginales ou supralinéaires, a nombre de contacts avec une

Aucun manuscrit non plus n'apparaît comme indiscutablement supérieur aux autres, de sorte qu'on puisse se contenter de publier son texte en l'améliorant encore à l'aide de conjectures ou d'autres témoins. O. Hesse, qui a mené assez loin les travaux préparatoires à une édition enfin critique, mais qui s'est contenté finalement de publier une traduction allemande[1], avait eu tendance à s'appuyer surtout sur le *Mosquensis 145* (*Vladimir 184*, **M**). Sans doute avait-il été impressionné par l'opinion diffusée depuis 1899, à partir d'un mémoire de B. M. Melioranski, de l'origine studite de ce *codex*. Mais en 1982, B. L. Fonkič a démontré qu'elle n'était nullement fondée[2]. Quant au manuscrit de Grottaferrata (**N**), qui a l'avantage de contenir tout le corpus et d'être bien plus ancien et meilleur que le *codex* utilisé par Picot, on aurait pu songer à le privilégier, s'il n'avait fait partie d'une branche de la tradition assez restreinte, offrant des leçons insolites dans un grand nombre de cas.

En effet, s'il est bon nombre de *codices* qui paraissent très isolés ou qui changent de modèle d'un opuscule à l'autre, ou même carrément et définitivement en cours d'opuscule[3], il est tout de même possible de constituer quelques groupes plus ou moins stables. L'un d'eux est constitué par deux manuscrits d'Italie du Sud, dont le *Cryptoferratensis* (**N**), avec au moins deux fois des alliés, situés à l'Athos — le *Vatopedinus 181*[4] —

famille restreinte de *codices* dont l'un, le *Sinaiticus gr. 436*, est à Sainte-Catherine du Sinaï, les autres dispersés de l'Angleterre (**L**) au Vatican (*Vatic. gr. 737*). Mais en *Melch.* son seul allié est le *Coislinianus 123* (**C**), provenant de la Grande Laure. Ailleurs il semble avoir une parenté avec le groupe hiérosolymitain (*Sabaiticus 157* et *407*, mss trop lacunaires pour avoir été finalement retenus dans l'apparat).

1. Cf. l'introd. à sa traduction, *Markus Eremita. Asketische und dogmatische Schriften*, Stuttgart 1985, p. 14.

2. « Some notes on Greek mss in Soviet depositories » (en russe), dans *Pamatniki kultury*, 1981-1983, p. 11-27.

3. C'est le cas du modèle principal des trois textes de la *Philocalie* (**W**), et aussi du *Vaticanus gr. 737* qui change brusquement d'affiliation après *Bapt.* V, 41. D'abord proche de *Sinaït. gr. 436* et *Bodl. Laud. gr. 84* (**L**), il rejoint ensuite *Athous Docheiariou 85* (**X**) et *Vat. Ottob. gr. 397*.

4. L'ennui est qu'il ne contient que l'opuscule *À Nicolas* et un texte « Sur la foi », qui est en réalité la 48e *Homélie* pseudo-macarienne.

ou en provenant sans doute, comme, à nouveau, le manuscrit de base de la *Philocalie* (**W**). Un autre, également très constant[1], compte jusqu'à cinq représentants pour certains opuscules ; le plus ancien témoin, le *Lavra B 37* (**B**), du xe siècle[2], est à la Grande Laure. A cette branche de la tradition se rattache le *Parisinus graecus 1037* (**F**), utilisé par Picot — mais il comporte dans *Paen.* une lacune encore absente du *Lavra*. Au demeurant, il ne s'agit que d'une fraction des manuscrits présents sur la Sainte Montagne ou qui en sont originaires ; plusieurs formes de texte très divergentes y coexistent, et il n'est pas possible d'invoquer en bloc leur autorité.

Au contraire, centré très probablement sur Jérusalem[3], mais représenté à la Vaticane par bon nombre de *codices* plus récents, on peut délimiter un autre groupe, aux contours plus flottants que celui de la famille devinée autour du *Lavra B 37* (**B**), mais plus unifiée que la masse des manuscrits athonites. L'une des faiblesses de ce groupe par comparaison aux deux autres est de comporter seulement un témoin aussi ancien que les leurs, mais qui n'est qu'une anthologie : le *Sabaiticus 157*. Dans ce manuscrit, qui remonte peut-être à la fin du xe siècle[4], aucun opuscule, même le plus court, ne figure sans au moins une brève coupure. Deux opuscules sur trois dans la *Philocalie* dépendent de cette tradition, et probablement aussi le manuscrit utilisé par Obsopaeus pour les opuscules à chapitres[5]. L'un des deux manuscrits qui contiennent tous les

---

1. Une de ses caractéristiques frappante, quoique superficielle, est de renchérir au sujet du Saint Esprit en le qualifiant toujours de *panagios*.

2. Plus précisément du 8 août 970, jour où le moine Luc note, à la fin des textes de Marc qui occupent une position médiane dans le ms., qu'il a achevé sa copie.

3. L'abondance de mss de Marc en provenance en particulier du monastère Saint-Sabas, avait été un argument de plus pour J. KÜNZE dans sa monographie (*Marcus Eremita*, Leipzig 1895, en particulier p. 41-42), pour supposer, avec un brin de romantisme, que Marc était allé finir sa vie au désert de Juda. Il s'appuyait déjà sur *Nic.*, qu'il tenait pour authentique, et sur le titre d'*eremita* qu'Obsopaeus avait le premier appliqué à l'auteur des *Chapitres*.

4. Cf. É. DES PLACES, Introd. à *Diadoque. Œuvres spirituelles*, SC 5 bis, p. 73.

5. Le modèle de ce ms. est pour le moins très proche d'un ms. de Venise, le *Marcianus gr. 132* (**Y**).

opuscules de Marc, le *Sabaiticus 366* (**G**), fait aussi partie de ce groupe, mais il ne date que du XIIIe siècle.

Hormis ces trois groupes qu'on peut avec une certaine probabilité rattacher à un centre de copie localisé, il existe encore deux ou trois familles dont on ne peut déterminer la provenance. Pour la plupart, elles ne sont repérables que pour la durée d'un ou deux opuscules. Il existe enfin des manuscrits le plus souvent isolés. C'est le cas, notamment, des quatre manuscrits qui contiennent des vestiges de stichométrie[1]. L'explication tient peut-être au fait que, cette manière de mesurer la longueur d'une œuvre s'étant perdue assez tôt, les manuscrits qui l'ont conservé ont donc dû diverger assez tôt du reste de la tradition.

V. Principes suivis pour l'édition

Faute d'autre critère qui imposerait un ordre à notre analyse, nous éditons les opuscules selon le rang qui leur est assigné en partie par la tradition, en partie selon la parenté de leur contenu, en ajoutant en fin de série le traité sur *L'Incarnation*, publié trop tard pour pouvoir trouver place dans le recueil de Migne[2], et en faisant une exception pour le *Dialogue entre l'intellect et sa propre âme*, qui offre tant de points de contact avec *Le baptême* qu'il pourrait passer pour son résumé ou plutôt son ébauche.

---

1. Le *Lavra Γ 42* (**D**), le *Koutloumousiou 6* (**E**), l'*Atheniensis 547* (**W**), le *Cryptoferratensis B α 19* (**N**), dont on a déjà vu la position.
2. Les œuvres mises sous le nom de Marc se trouvent en *PG* 65, 905-1140. On trouvera en marge du texte le rappel du numéro de col. de *PG*. Le fait qu'il faudrait d'entrée de jeu éliminer un des opuscules contenus dans ce vol., le sixième (cf. *supra*, p. 42), paraît rendre peu opportun de les désigner par leur numéro d'ordre dans la *Patrologie*, même en ajoutant un « XI » pour le traité *Sur l'Incarnation*. Pourtant, ce parti a été adopté par J. Gribomont, dans l'article « Marc le Moine », *DSp* 10 (1980), col. 274-283, mais avec des modifications qui peuvent entraîner des confusions. Nous employons donc de préférence des abréviations tirées des titres des opuscules en latin, ainsi que cela se fait pour Philon et bien d'autres. Voir la liste des opuscules avec leurs abréviations au début du présent volume.

Vu la situation confuse que nous venons de décrire, nous avons pris, non sans regret, quelques décisions de méthode concernant la rédaction de l'apparat critique constitué à partir des leçons de dix-huit mss, sur le total de cinquante[1]. D'une part nous avons bâti un texte éclectique, de l'autre nous avons éliminé la quasi-totalité des variantes, même fort curieuses, qui n'étaient présentes que dans un ou deux manuscrits isolés. Enfin nous n'avons pas tenu compte de maintes sous-variantes qui semblaient pouvoir provenir d'une initiative du scribe. Quelques variantes de manuscrits isolés ont cependant été conservées, car cela aurait été aller à l'encontre de notre éclectisme délibéré que de ne pas puiser à droite ou à gauche une leçon apparemment bonne, même dans un manuscrit généralement de qualité inférieure. Ainsi nous avons admis dans le texte, en *Nic.* XI, 24-25, une leçon du *Lavra Γ 42* (**D**) qui d'ordinaire, malgré son ancienneté apparente[2], est à classer parmi les *deteriores*. En *Bapt.* III, 3, nous avons préféré la leçon absolument isolée — elle a contre elle aussi la tradition syriaque — du *Patmiacus 193* (**P**), qui est d'ailleurs peut-être une conjecture du scribe ; elle nous semblait, en effet, offrir un sens nettement plus satisfaisant[3]. Nous avons admis, et donc donné en

---

1. Ont été finalement retenus les mss qui offrent un corpus relativement solide des œuvres de Marc, sans opérer à l'intérieur des opuscules des coupes qui en modifient l'intégralité au point de devenir des morceaux choisis ou de relever davantage du genre de l'anthologie (*ndlr*).

2. Il est en effet l'un des deux mss contenant des écrits de Marc qui soient écrit en onciales, l'autre étant le *Patmiacus 48*, qui contient seulement 54 chapitres de *Leg.* et 57 de *Justif.* Une erreur de S. LAURIOTES et S. EUSTRATIADES dans leur *Catalogue of the Greek Manuscripts in the Library of the Laura on Mount Athos, with Notices from other Libraries* (Cambridge 1925) l'avait fait dater du XIVᵉ siècle ; elle a été signalée par K. Th. Ware et corrigée dans la marge de ce catalogue. Mais pour remonter au IXᵉ siècle — il est un des mss à stichométrie —, ce *codex* n'en a pas moins une orthographe très incertaine, constellé qu'il est en particulier d'iotacismes. Il semble qu'il ait tôt été mis au rancart ; on ne lui trouve en effet aucune descendance. Même aux nombreux endroits où l'on a repassé sur des lignes effacées, on ne décèle aucun appel à une autre branche de la tradition.

3. **P**, à la différence de **D** mentionné ci-dessus, offre un texte généralement bon. Il présente également en *Melch.* VI, 54 une autre leçon isolée,

traduction, la finale de *Causid.* proposée par les manuscrits syriaques et, décision qu'on trouvera sans doute plus contestable, le supplément de vingt-trois mots qu'on lit après *Bapt.* IX, 3-5 dans une minorité de manuscrits — et pas dans la version syriaque.

Pour constituer le texte très éclectique, dont nous avons parlé, nous avons travaillé au coup par coup, en usant notamment de l'axiome *lectio difficilior potior*[1]. En revanche l'axiome *lectio brevior potior* ne nous a pas semblé toujours applicable. Quelques opuscules, en effet, surtout *Bapt.*, *Causid.*, *Nic.*[2], *Incarn.*, comportent plusieurs passages énumératifs où les membres de phrase sont juxtaposés dans des ordres différents suivant les manuscrits. Ce sont souvent des sortes de méditations sur les souffrances et les abaissements du Christ ou les travaux des moines[3]. On ne peut pas *a priori* donner la préférence au texte le plus court dès lors que les syntagmes supplémentaires sont présents dans une majorité de manuscrits, même si ce n'est pas exactement à la même place.

Pour faciliter la lecture de l'apparat critique négatif on a rappelé les sigles, dans l'ordre où ils sont cités, en tête de chaque page d'apparat. Lorsqu'elles présentent un intérêt, les leçons retenues par la version syriaque et les éditeurs anciens sont aussi mentionnées.

mais beaucoup plus sûre, car elle est partiellement confirmée par le *Coislinianus 123* (**C**), son allié dans cet opuscule-là, et par un autre passage de l'opuscule (VIII, 29).

1. Ainsi en choisissant la variante aberrante par rapport au texte scripturaire usuel, par exemple en *Causid.* VI, 50-51.

2. Sur ce point, *Nic.* se rencontre tout à fait avec les opuscules que nous jugeons authentiques même si dans le reste de son texte, il manifeste, nous semble-t-il, une tendance plus accentuée à la verbosité.

3. Cf. *v. g. Bapt.* III, 37 s. ; *Causid.* XVIII, 2 s. ; *Nic.* IX, 32 s.

BIBLIOGRAPHIE

Abréviations :

AAW	*Abhandlungen der Akademie der Wissenschaften in Göttingen* (Göttingen)
ACO	*Acta Conciliorum Oecumenicorum*, ed. E. Schwartz (Berlin-Leipzig)
BLE	*Bulletin de littérature ecclésiastique* (Toulouse)
BZNW	*ZNTW Beihefte* (Berlin)
BZ	*Byzantinische Zeitschrift* (Munich)
CCSG	*Corpus Christianorum, Series Graeca* (Turnhout)
CSCO	*Corpus Scriptorum Christianorum Orientalium* (Louvain)
DSp	*Dictionnaire de Spiritualité* (Paris)
GCS	*Die griechischen Christlichen Schriftsteller der ersten Jahrhunderten* (Leipzig-Berlin)
OCA	*Orientalia Christianorum Analecta* (Rome)
PG	J.-P. Migne, *Patrologia Graeca* (Paris)
PO	J. Graffin, *Patrologia Orientalis* (Louvain)
PTS	*Patristische Texte u. Studien* (Berlin)
RAM	*Revue d'ascétique et de mystique* (Toulouse et Paris)
RB	*Revue biblique* (Paris)
RHR	*Revue d'histoire des religions* (Paris)
RHT	*Revue d'histoire des textes* (Paris)
S e T	*Studi e Testi* (Vatican)
SC	*Sources chrétiennes* (Paris)
TU	*Texte und Untersuchungen zur Geschichte der altchristlichen Literatur* (Leipzig et Berlin)
VC	*Vigiliae Christianae* (Amsterdam)
ZKT	*Zeitschrift für Katholische Theologie* (Wien)
ZDMG	*Zeitschrift der Deutschen Morgenländischen Gesellschaft* (Leipzig)
ZNTW	*Zeitschrift für die neutestamentliche Wissenschaft und die Kunde der älteren Kirche* (Berlin)

I. Éditions et traductions de Marc

MARC LE MOINE, *Traités spirituels et théologiques*. Introduction par Mgr K. Ware, Traduction française, notes et index par Sœur C.-A. Zirnheld, Spiritualité Orientale 41, Abbaye de Bellefontaine, 1985.

J. COZZA-LUZI, B. *Marci monachi tractatus dogmaticus de Incarnatione Dominica*, Nova Patrum Bibliotheca, t. X (A. Mai), p. 195-252, Vatican 1905.

A. GALLAND, *Sancti Marci Eremitae opuscula quae exstant omnia, accesserunt ejusdem sancti patris sermones duo de jejunio et de Melchisedech : Romae haud ita pridem evulgati cura et studio Balthassaris Mariae Remondini...* Veterum Patrum Bibliotheca, t. VIII, Venise 1772, p. 3-103. (édition reprise dans *PG* 65, 893-1140).

MARKUS EREMITA, *Asketische und dogmatische Schriften*, eingeleitet, übersetzt und mit Anmerkungen versehen von O. Hesse, Bibliothek der griechischen Literatur, Bd 19, Stuttgart 1985.

A. PAPADOPOULOS-KERAMEUS, Ἀνάλεκτα Ἱεροσολυμιτικῆς Σταχυολογίας, t. I, p. 89-113, édition d'*Incarn.* (reprise avec corrections par J. KUNZE dans *Marcus Eremita*, cf. *infra*), Saint Petersbourg 1891.

II. Autres auteurs anciens

DIADOQUE DE PHOTICÉ, *Œuvres spirituelles*, Introduction, texte critique, traduction et notes par É. Des Places, *SC* 5 bis, Paris 1997.

DOROTHÉE DE GAZA, *Œuvres spirituelles*, introducion, édition critique, traduction et notes par E. Regnault et J. de Préville, *SC* 92, Paris 1963.

GEORGES LE MOINE, *Georgii Monachi Chronicon*, edidit C. De Boor, editionem anni MCMIV corrrectiorem curavit P. Wirth, 2 vol., Teubner, Stuttgart 1978.

A. HAHN, *Bibliothek der Symbole und Glaubensregeln der alten Kirche*, 3. vielfach veränderte und vermehrte Auflage von ..., mit einem Anhang von A. Harnack, Breslau 1897, réimpr. Hildesheim 1962.

Liber Graduum (Livre des Degrés), éd. M. Kmosko, Patrologia Syriaca III, Paris 1926.

(PSEUDO-) MACAIRE, *Œuvres spirituelles,* Homélies propres à la collection III, éd. trad. V. Desprez, *SC* 275, Paris 1980.

MAKARIOS/SYMEON, *Reden und Briefe,* Die Sammlung I des Vaticanus Graecus 694 (B), hrsg. von H. Berthold, *GCS* 2 vol., Berlin 1973.

MAKARIOS-SYMEON, *Epistola Magna,* Eine messalianische Mönchsregel und ihre Umschrift in Gregors von Nyssa *De instituto christiano,* hrsg. von R. Staats, *AAW* Phil.-hist. Kl. III,134. Göttingen 1984.

NIKEPHOROS KALLISTOS XANTOPOULOS, *Histoire Ecclésiastique* XIV, *PG* 146, col. 1056-1273.

PALLADE, *The Lausiac History of Palladius,* II, ed. C. Butler, (Texts and Studies IV, 2), Cambridge 1904 (abrégé *HL*).

Φιλοκαλία τῶν ἱερῶν νηπτικῶν, συνερανισθεῖσα παρὰ τῶν ἁγιῶν καὶ θεοφόρων πατερῶν, vol. I, Athènes 1974[4] (reproduisant avec des additions l'édition de Venise 1782).

The Philokalia, The complete Text compiled by St Nikodemos of the Holy Mountain and St Makarios of Korinth, vol. 1, translated from the Greek and edited by G. F. H. Palmer, P. Sherrard, K. Ware, Londres 1979.

Philocalie des Pères neptiques, tome premier, introduction par O. Clément, notices et traduction de J. Touraille, Paris 1995.

PHOTIUS, *Bibliothèque,* codex 200, édition et traduction de R. Henry, *CUF,* t. III, p. 97-99, Paris 1962.

K. STAAB, *Pauluskommentare aus der griechischen Kirche.* Aus Katenenhandschriften gesammelt und herausgegeben von..., Münster i. W. 1933, 1983[2].

THÉODOTE D'ANCYRE, *Expositio Symboli Nicaeni ; Homiliae I et II in die natiuitatis Domini ; Homilia contra Nestorium,* *PG* 77, 1313-1389 (+ pour les homélies *ACO* I, 1, 2, p. 71-90, où elles sont données dans l'ordre 3, 2, 1).

III. Études

G. BARDY, « Melchisédech dans la tradition patristique » *RB* 35 (1926), p. 496-509, 36 (1927), p. 25-45.

G. J. M. BARTELINK, « Quelques observations sur le terme μονολόγιστος », *VC* 34 (1980), p. 172-179.

H. G. BECK, *Kirche und theologische Literatur im byzantinischen Reich,* Byzantinisches Handbuch, 2. T., 1. Bd, Munich 1959.

P. M. BOGAERT, « Le nom de Baruch dans la littérature pseudépigraphique : l'Apocalypse syriaque et le livre deutérocanonique », dans *La littérature Juive entre Tenach et Mischna, quelques problèmes.* Recherches Bibliques IX, sous la direction de W. C. Van Unnik, Leiden 1974, p. 56-72.

H. CHADWICK, « The Identity and Date of Mark the Monk », *Eastern Church Review* 4 (1972), p. 125-130.

J. DANIÉLOU, « Les tuniques de peau chez Grégoire de Nysse », *Glaube, Geist, Geschichte*, Festschrift für E. Benz, Leiden 1967, p. 355-367.

R. DEVREESSE, *Les Anciens commentateurs grecs de l'Octateuque et des Rois, S e T* 201, Vatican 1959.

H. DÖRRIES, *Die Theologie des Makarios-Symeon, AAW*, phil.-hist. Kl. III, 103, Göttingen 1978.

G.-M. DE DURAND, « Études sur Marc le Moine : I, l'Épître à Nicolas », *BLE* 85(1984), p. 259-278 ; « II, Le Traité sur l'Incarnation », 86 (1985), p. 5-23 ; « III, Marc et les controverses occidentales », 87 (1986), p. 163-188 ; « IV, Une double définition de la foi », 89 (1988), p. 23-40.

G.-M. DE DURAND, « Vestiges d'une ancienne stichométrie des œuvres de Marc l'Ascète », *RHT* 12-13 (1982-1983), p. 371-380 ; « Sur une base manuscrite de la *Philocalie* » 21 (1991), p. 19-36.

G.-M. DE DURAND, « La tradition des œuvres de Marc le Moine », à paraître, *RHT* 29 (1999) (abrégé « La tradition »).

J. A. FABRICIUS, *Bibliotheca Graeca sive Notitia scriptorum veterum graecorum, ... editio nova... curante* G. C. Harles, Hambourg 1804, 9, p. 267-269 ; 10, p. 738 ; et pour Jérôme le Grec 9, p. 295-297.

J. GRIBOMONT, art. « Marc le Moine », *Dsp* 10, col. 274-283.

J. GRIBOMONT, « Marc l'Ermite et la christologie évagrienne », *Cristianesimo nella storia* 3 (1982), p. 73-81.

A. GRILLMEIER, « Ὁ κυριακὸς ἄνθρωπος. Eine Studie zu einer christologischen Bezeichnung der Väterzeit », *Traditio* 33 (1977), p. 1-63.

A. GRILLMEIER, « Marco Eremita e l'origenismo. Saggio di reinterpretazione di Op. XI », *Cristianesimo nella Storia* 1 (1980) p. 9-58. (= « Markos Eremites und der Origenismus » dans F. PASCHKE, *Überlieferungsgeschichtliche Untersuchungen, TU* 125 (1981), p. 253-283.

J. GROSS, *Entwicklugsgeschichte des Erbsündendogmas in nachaugustinischen Altertum und in der Vorscholastik*, Munich 1963.

A. GUILLAUMONT, *Les « Kephalaia gnostica » d'Évagre le Pontique et l'histoire de l'origénisme chez les Grecs et chez les Syriens*, Patristica Sorbonensia 5, Paris 1965.

O. HESSE, « Markus Eremita in der syrischen Literatur », 17. *Deutscher Orientalistentag... Vorträge*, Teil 2, *ZDMG Supplementa* 1, Wiesbaden 1969, p. 450-457.

O. HESSE, *Markos Eremites und Symeon von Mesopotamien, Untersuchung und Vergleich ihrer Lehre zur Taufe und zur Askese*, Dissertation, Göttingen 1973 (abrégé : « Markos Eremites »).

O. HESSE, « Das Böse bei Markos Eremites », *Makarios-Symposium über das Böse*, Vorträge der Finnisch-deutschen Theologentagung in Goslar 1980, Göttinger Orientforschungen 1. Reihe : Syriaca, Bd 24 (1983) p. 109-122.

F. L. HORTON Jr, *The Melkizedech Tradition : A critical examination of the sources to the fifth century A. D. and the Epistle to the Hebrews*, Society for New Testament Studies, Monograph series 30, Cambridge 1976.

E. VON IVANKA, « Kephalaia, Eine byzantinische Literaturform und ihre antiken Wurzeln » repris dans *Aufsätze zur byzantinischen Kultur*, Amsterdam 1984, p. 71-77, *BZ* 47 (1954), p. 285-291.

K. JÜSSEN, « Dasein und Wesen der Erbsünde nach Markus Eremita », *ZKT* 62 (1938), p. 76-91.

I. A. KHALIFE, « Les traductions arabes de Marc l'Ermite », *Mél. Univ. S. Joseph* 28 (1949-1950), p. 117-224.

J. KÜNZE, *Marcus Eremita. Ein neuer Zeuge für das alt-kirchliche Taufbekenntnis. Eine Monographie zur Ges-chichte des Apostolikums mit einer kürzlich entdeckten Schrift des Marcus*, Leipzig 1895 (abrégé : « Marcus Eremita »).

J. LEBON : *Le moine Saint Marcien, Étude critique des sources. Édition de ses écrits*, Spicilegium Sacrum Lovaniense, Études et documents 38, Louvain 1968.

M. MARIN, *Ricerche sull'esegesi agostiniana della parabola delle dieci vergini (Mt 25,1-13)*, Quaderni di Vetera Chritianorum 16, Bari 1981.

E. PETERSON, Die Schrift des Eremiten Markus über die Taufe und die Messalianer, *ZNTW* 31 (1932), p. 273-288.

K. RAHNER, « Ein messalianisches Fragment über die Taufe », *ZKT* 61 (1937), p. 258-271.

M.-J. RONDEAU, « Le Commentaire des Psaumes de Diodore de Tarse et l'exégèse antique du Psaume 109/110 », *RHR* 176 (1969), p. 5-35 et 153-188 ; 177 (1970), p. 5-33.

K. H. SCHELKLE, *Paulus Lehrer der Väter, die altkirchliche Aus-legung von Römer 1-11*, Düsseldorf 1956.

R. STAATS, « Die törichten Jungfrauen von Mt 25 in gnosti-scher und antignostischer Literatur », dans *Christen-tum und Gnosis, BZNW* 37, Berlin 1969, p. 98-115.

K. T. WARE, *The Ascetic Writings of Mark the Hermit*, thèse inédite, Oxford 1965.

« The Sacrament of Baptism and the Ascetic Life in the Teaching of Mark the Monk », *Studia Patristica X, TU* 107 (1970), p. 441-452.

SIGLES

des manuscrits retenus dans l'apparat critique

A   Athènes, BN *322*, a. 1292 [*Leg. Justif. Paen. Bapt. Nic. Consult. Causid. Jej.*]

B   Athos, *Lavra B 37*, s. X [*Leg. Justif. Paen. Bapt. Nic. Consult. Causid. Melch.*]

C   Paris, BNF *Coislin 123*, s. XI [*Leg. Justif. Paen. Bapt. Nic. Consult. Causid. Jej. Melch.*]

D   Athos, *Lavra Γ 42*, s. IX [*Paen. Leg. Justif. Bapt. Causid. Consult.* (mut.) *Nic.* (mut.) *Melch.* (mut.)]

E   Athos, *Koutloumousiou 6*, s. XI [*Paen.* (inc. lac.) *Leg. Justif. Bapt. Causid. Consult. Nic. Melch.*]

F   Paris, BNF, *gr. 1037*, s. XIV [*Leg. Justif. Paen. Bapt. Nic. Consult. Causid.*]

G   Jérusalem, *Sabaiticus 366*, s. XIII [*Paen. Bapt. Consult. Leg. Justif. Causid. Nic. Melch. Jej. Incarn.*]

L   Oxford, *Bodleianus Laudianus gr. 84*, s. XII [*Leg. Justif. Consult. Nic. Paen. Melch. Bapt. Causid.*]

M   Moscou, *Musaei Historici, olim Bibliothecae Synodalis 145 (Vladimir 184)*, s. IX [*Leg. Justif. Nic. Consult. Causid. Paen. Melch. Bapt.*]

N   Grottaferrata, *Cryptoferratensis B α 19*, a. 965 [*Paen. Bapt. Nic. Melch. Jej. Leg. Justif. Consult. Causid. Incarn.*]

P   Patmos, *S. Ioannis 193*, s. XI [*Leg.* (mut.) *Paen. Justif. Consult. Causid. Bapt. Nic.* (mut.) *Melch. Jej.*]

Q   Vatican, *graecus 730*, s. XIV [*Paen. Leg. Justif. Bapt. Causid. Consult. Jej. Nic.*]

T   Athènes, BN *549*, s. XI [*Paen.* (mut.) *Bapt. Consult. Leg. Causid. Justif. Nic.*]

V   Vatican, *graecus 2028*, s. X-XI [*Paen. Jej. Leg. Consult. Justif. Bapt. Causid. Nic.*]

W   Athènes, BN *547*, s. XIV [*Paen. Leg. Justif. Consult. Bapt. Causid. Jej. Nic.*]

X   Athos, *Docheiariou 85*, s. XIII [*Paen. Leg. Justif. Bapt. Nic. Consult. Causid. Jej. Melch.*]

Y   Venise, *Marcianus gr. 132* (coll. 486), s. XIII [*Justif. Consult. Leg. Paen. Nic. Bapt. Causid. Jej. Melch.*]

Z   Venise, *Marcianus gr. 133* (coll. 513), s. X [*Paen. Melch. Leg. Justif. Nic. Consult. Causid.* (mut.) *Bapt.*]

Syr.   version syriaque[1] :
            Brit. Lib. Add. 12 175, a. 533-534 [*Leg. Justif.*]
            Vat. syr. 122, a. 769 [*Justif. Consult. Bapt. Paen. Causid.*]

Éditions :

Obs.   Obsopaeus, Haguenau 1531
Pic.   Picot, Paris 1563
edd.   autres éditeurs

---

1. Parce qu'ils ne sont jamais cités individuellement, nous nous contentons de mentionner ici les deux plus anciens témoins de notre corpus.

LA LOI SPIRITUELLE
LA JUSTIFICATION PAR LES ŒUVRES

ANALYSE

Le genre littéraire des *kephalaia*   Les deux opuscules de Marc qui viennent en premier dans l'édition de Migne et dans une bonne proportion des manuscrits revêtent la forme littéraire si appréciée par les auteurs spirituels chrétiens, depuis le IVe siècle au moins, des *kephalaia* ou chapitres.

A. Guillaumont fournit un court historique du genre des *kephalaia* dans son introduction au *Traité pratique* d'Évagre, *SC* 170, p. 113-115. Cependant l'affirmation lancée au passage (p. 114, n. 1) qu'« Évagre est le premier auteur chrétien à avoir adopté ce genre » pourrait être un peu aventurée. I. Hausherr, dans l'article « Centuries » du *DSp* 2 (1953), c. 416, n'attribuait la priorité au Pontique que dans le domaine plus restreint du regroupement par centaines, ce qui encore devrait s'entendre avec des nuances, comme on le verra ici un peu plus bas. Origène ne nous apprend-il pas, en effet, que les *Sentences de Sextus* circulaient déjà largement dans les milieux chrétiens durant la première moitié du IIIe siècle, sans que leur provenance partiellement païenne entachât en rien leur autorité (cf. H. Chadwick, *The Sentences of Sextus*, Cambridge 1959, notamment p.107 s.) ? De fait, même si le mot κεφάλαιον est ancien — on le trouve déjà chez Isocrate (XV, 67-68), opposant son discours *Sur l'échange* à son adresse *A Niclès*, l'un écrit en style continu, l'autre détachant chaque point du précédent « comme ce qu'on appelle chapitre » —, celui de γνώμη a peut-être d'abord été plus courant. A. Guillaumont (*loc. cit.*, p. 113) paraît traiter « sentence » et « chapitre » comme synonymes ; nous agirons de même.

Les morceaux disjoints collectés dans les deux premiers opuscules de Marc paraissent correspondre effectivement assez bien à la définition citée (en grec) dans l'article « Gnome » (par K. Horna) de *PW* Suppl. VI (1935), c. 75 : « un propos résumé (κεφαλαιώδης) qui, sous forme d'affirmation générale, exhorte à quelque chose ou en détourne ou bien montre comment est chacune de ces choses ». En revanche les sentences de Marc échappent, semble-t-il, complètement (plus complètement que les chapitres d'Évagre, qui incluent parfois quelques « dits » de ce type : cf. *Traité pratique* 91-99) à l'influence du genre littéraire pourtant voisin de l'apophtegme, « réponse brève et immédiate à une question posée dans une situation généralement précisée » (*PW, ibid.*). La réponse de Marc, c'est l'ensemble de ses deux traités (si l'on considère que cette question est celle de la nature de la « loi spirituelle ») ; il faudra attendre d'autres ouvrages de lui pour trouver des échos plus ou moins proches d'un dialogue auquel on peut supposer que l'auteur a participé. Ici, il n'y a pas de trace de l'état oral des textes. N'est-ce pas un indice que Marc n'a pas été en contact avec le milieu par excellence où l'apophtegme était cultivé ?

De toutes les composantes du mince corpus marcien, ce sont ces deux séries de *kephalaia* qui portent les titres les plus immuables : toujours *La Loi spirituelle* pour la première et, hormis quelques cas d'absence dont nous allons bientôt reparler, *La Justification par les œuvres* pour la seconde. Cette fixité ne s'étend cependant pas au nombre des chapitres. Dans Migne, il est de 201 pour *Leg.* et 211 pour *Justif.* ; dans l'autre édition numérotée et indépendante, à savoir celle de la *Philocalie*, il est de 200 et 225 respectivement. Il serait relativement aisé, malgré tout, d'arrondir ces chiffres à deux fois deux centaines — la *Philocalie* le fait déjà à la suite de sa base manuscrite, pour *Leg.* — en regroupant sous le même numéro quelques sentences entre lesquelles il semble y avoir une très étroite continuité d'idée, soulignée dans certains manuscrits par l'insertion de particules de liaison[1]. On aurait au contraire assez de peine à imaginer que Marc ait refusé d'aboutir à des chiffres ronds pour des raisons « mystiques » analogues à celles qui ont poussé Évagre à laisser incomplètes de dix uni-

---

1. A moins qu'au contraire on ait cherché après coup, en supprimant de ces particules, à découper des développements plus longs en sentences ausssi bien frappées que possible.

tés ses *Centuries gnostiques* ou à s'arrêter au nombre 153 pour son *Traité sur la prière* : la relative simplicité d'esprit de notre auteur, surtout si on le compare au Pontique, élimine assurément cette hypothèse. Mais en fait les plus anciens manuscrits ne nous fournissent aucun indice qu'ait existé une numérotation originelle, établie par Marc en personne[1] ; il se pourrait, en définitive, qu'il ne se soit pas soucié du nombre atteint. Y aller d'une prétendue restitution serait donc une entreprise fort arbitraire, d'autant plus que même pour ce qui est de la division entre les sentences, la tradition témoigne d'un désordre apparemment inextricable.

Un ou deux opuscules au départ ? La deuxième question qui se pose au sujet de ces opuscules est celle du caractère secondaire ou primitif de leur distinction. Le fait que le thème de la loi spirituelle ressurgit de manière très explicite dans la conclusion de *Justif.* (211, 35-38) est un argument de poids, qu'on n'a pas manqué d'invoquer

---

1. Le ms. daté de 534, écrit en syriaque, l'*Add. 12175,* ne comporte aucune numérotation, les chapitres y étant simplement séparés par des croix en cours de ligne. Quant aux deux mss grecs qui ont des chances d'être les plus anciens, puisqu'écrits en onciales, l'un, le *Patmiacus 48,* n'est qu'une anthologie, puisant tour à tour dans *Leg.* et dans *Justif.* — entre lesquels il marque d'ailleurs une séparation, quoique celle-ci ne soit pas notée dans le catalogue de Sakellion — ; l'autre le *Lavra Γ 42* (**D**) donne bien des numéros aux chapitres, entre lesquels il va chaque fois à la ligne, mais comme ce qui correspond au prologue de *Leg.* dans Migne est déjà numéroté 1 et qu'il y a une division dans le chapitre 2 de Migne (en 2,2), le décalage commence immédiatement. Le total final, au moins pour *Leg.* est tout de même moindre que dans Migne : 187 chapitres. De même la *Philocalie* donne le numéro 1 au « prologue » de *Leg.* Dans *Justif.* le décalage commence au chapitre 13 de Migne, qui est coupé en deux par la *Philocalie,* où le chapitre 211 de Migne correspond aux 224-226 (sa première phrase étant cependant rattachée au 223 dans la *Philocalie*...). L'imbroglio paraissant impossible à démêler, nous avons cru préférable de conserver la numérotation de Migne, présentant simplement à la suite, sans passage à la ligne, les chapitres qui semblent offrir un développement continu. Une ou deux fois à peine, nous avons modifié les frontières entre les sentences. Ainsi entre *Leg.* 40 et 41, où la coupure des éditeurs paraît n'avoir aucun appui dans les manuscrits. Et de nouveau entre *Leg.* 103 et 104, où Obsopaeus et Picot ont chacun opéré une retouche pour pouvoir rattacher à 103 ce qui est en réalité la première phrase de 104.

pour soutenir que la coupure avait été introduite après coup,
assez arbitrairement. A l'inverse, *Leg.*, dans son état actuel,
finit de façon plutôt abrupte, en dépit de la mention du
« royaume des cieux », sans rien qui ramasse les résultats
atteints et surtout sans doxologie, ce qui paraît contraire aux
habitudes de Marc. Jeter par anticipation un coup d'œil sur les
données fournies par la tradition manuscrite n'éclaire que très
partiellement la question. On s'aperçoit alors, en effet, qu'il n'y
a pas de trace, quoiqu'on l'ait prétendu parfois, d'un état antérieur où *Leg.* et *Justif.* auraient été soudées en un seul tout.
Simplement, le titre du second opuscule, constamment attesté
dans la tradition grecque, fait défaut dans la majeure partie de
la tradition syriaque, et notamment dans son plus ancien
représentant, qui date de 534. Dans ce codex et dans la plupart
des autres, notre *Justif.* est intitulé simplement « deuxième
traité ».

Il est, en revanche, invariablement muni de ce déconcertant
préambule (numéroté dans Migne « chapitre 1 »), qui tranche
par le ton sur les autres introductions de Marc. D'habitude,
quoique sans jamais se nommer, il parle à la première personne du singulier ; il l'a fait déjà au début de *Leg.* et le fera de
nouveau à la fin de *Justif.* Il s'adresse alors à des interlocuteurs
bien concrets et actuels, soit pour annoncer qu'il se décide à
répondre à des sollicitations répétées — ainsi dans *Leg.* et
aussi dans *Incarn.* —, soit pour énoncer, de manière un peu
pesante et solennelle, les thèses erronées qui vont faire l'objet
du débat — ainsi dans *Paen.*, *Consult.* ou *Melch.* — ; le ton est
encore le même quand il se donne un porte-parole, comme
l'intellect ou l'ascète anonyme de *Causid.* Ici au contraire sont
opposés de manière toute impersonnelle « les gens à la foi
ferme » et « la foi déplacée des gens du dehors ». Or que
désigne, en particulier, cette dernière expression ? « Gens du
dehors », dans un texte chrétien, renvoie généralement aux
païens[1]. Mais comment ceux-ci pourraient-ils être en cause à

---

1. Dans le corpus marcien lui-même cette mystérieuse expression,
οἱ ἔξωθεν, ne se retrouve, semble-t-il qu'une fois, en *Causid.* II, 22, et là
effectivement elle désigne les discours et les lois « du dehors », soit les
maximes, à inspiration païenne, de la société civile, par opposition à la « loi

propos d'une question aussi spécifiquement chrétienne que celle de la justification ? S'agirait-il, exceptionnellement, de personnes non membres d'une communauté dont l'auteur se réclamerait ? Mais cela aussi jurerait avec le ton habituel de *Justif.* comme de *Leg.* ; car Marc paraît y avoir pris grand soin de ne pas limiter ouvertement la portée de ses conseils de perfection à un groupe spécialisé. Il a, par exemple, complètement évité l'emploi des termes de « moine » ou d'« ascète », qu'il sait pourtant utiliser à l'occasion, comme on le verra en étudiant la *Discussion avec un avocat.*

Remaniement postérieur ? La solution simple vers laquelle semblerait nous orienter la tradition syriaque ne va donc pas sans obstacle : admettre une collection unique et bipartite à la fois n'explique pas la présence de ce préambule ni non plus le sens de cette coupure en deux moitiés inégales. Car la disproportion est plus grande entre la longueur des deux sections que ce qu'indique le seul nombre approximatif des *kephalaia* : notre *Justif.* actuel s'étend sur plus de 17 colonnes de Migne et 962 lignes, contre 12 environ et 644 pour *Leg.* C'est qu'est dépassé plus d'une fois dans la deuxième série le cadre de la sentence ramassée en une ou deux phrases ; cela même abstraction faite du dernier chapitre 211, que la *Philocalie* répartit en plus de trois morceaux. Dès lors, avant l'introduction du titre propre de *Justif.*, qui n'a peut-être d'abord été qu'une glose marginale, attirant l'attention sur un groupe de chapitres, en fait assez restreint, dirigé contre « ceux qui pensent se justifier par des œuvres », il faudrait supposer une autre étape, sur laquelle, cependant, les manuscrits ne nous apportent aucun témoignage. Peut-être ce processus de la glose marginale s'insérant dans le texte a-t-il joué en deux occasions (une pour le prétendu chapitre 1, une pour le titre) soit simultanées soit successives ; peut-être aussi

spirituelle ». L'avocat, bien instruit des premières, est exhorté à apprendre l'autre, dont il ignore encore tout. C'est donc l'acception habituelle, mais qui ne peut convenir comme liminaire de *Justif.*, où tout indique que les destinataires sont des ascètes fiers de leurs « combats », non des laïcs pris comme tels.

— mais cette deuxième hypothèse n'est pas forcément liée à la première — la coupure n'a-t-elle pas été opérée par Marc lui-même. Cela impliquerait que ces opuscules aient eu déjà une histoire d'une certaine durée avant le *terminus ante quem* fourni par le manuscrit syriaque de 534, et aussi qu'ils aient pu être retouchés non seulement par l'auteur, mais par d'autres après lui.

La présence dans la tradition syriaque unanime de trois chapitres ou morceaux de chapitres absents de toute la tradition grecque pourrait constituer un indice que nos textes sont restés quelque temps ductiles — que ces quelques phrases remontent ou non à Marc lui-même. Le cas serait plus clair si, à scruter l'ensemble des sentences, on y découvrait la trace de disparates ou de remaniements doctrinaux. Mais disons tout de suite que la cueillette serait plus que maigre. Il n'y a sans doute rien à tirer de la similitude entre le début de *Leg.* 62 et celle du 25ᵉ chapitre dans une série de 33 qui compte parmi les œuvres tout à fait mineures d'Évagre[1]. Cela même si A. Guillaumont a remarqué que les sentences 17 à 33 de cette œuvrette expliquent certains termes du chapitre 30 des *Proverbes*, alors que *Leg.* 62 donne une interprétation de *Pr* 15, 11. Car en fait le parallélisme n'existe que pour trois mots : « l'enfer est ignorance », après quoi les deux sentences divergent, celle d'Évagre étant marquée par son système (l'ignorance est celle qui survient à la nature raisonnable en vertu de la privation de la contemplation de Dieu), tandis que Marc continue dans une voie d'allégorisme plus classique, quoique non sans un peu de subtilité, qui a pu perturber la tradition manuscrite. La rencontre a bien des chances d'être accidentelle, causée par l'étymologie — probablement exacte — du mot Hadès, « invisible », qui avait cours depuis Platon (cf. *Cratyle* 403 a).

Un autre chapitre mérite peut-être davantage d'exciter le soupçon. Dans *Justif.* 83 nous voyons énumés trois lieux intellectuels, « selon la nature, contre la nature, au-dessus de la nature », l'intellect pouvant se transporter de l'un à l'autre. Bien qu'on trouve les expressions caractérisant ces trois lieux, à l'état dispersé, ailleurs dans les œuvres de Marc, nulle part

---

1. *Capitula XXXIII*, *PG* 40, 1268 A.

n'est de nouveau atteinte cette netteté dans la tripartition. Or deux textes attribués à Évagre la présentent aussi. Cependant la situation est encore compliquée par le fait que l'un de ces deux textes a de bonnes chances de n'être pas sorti tel quel de la plume d'Évagre. En effet, ce chapitre 31 de la seconde *Centurie gnostique* ne parle des trois vies : « naturelle, au-dessus de la nature et contre la nature » (les deux premières conformes à la volonté de Dieu, la troisième venant de la négligence de la volonté propre humaine), que dans l'une des deux versions syriaques qui nous ont été transmises des *Centuries*. Dans l'autre, la seule vraiment fidèle d'après les conclusions d'A. Guillaumont[1], le texte est totalement différent. Mais si la sentence de II, 31 n'a pas subi la transformation radicale que représente le libellé de S1, on ne voit guère comment elle aurait pu influencer le texte grec de Marc.

Reste seulement l'autre texte, également transmis en syriaque, et dont la paternité évagrienne ne semble pas avoir été mise en doute. Dans la *Grande Lettre*, longtemps appelée à tort « Lettre à Mélanie », Évagre, pour montrer que l'habitude n'est pas une seconde nature, cette dernière étant beaucoup moins flexible, donne l'exemple de la nourriture et à ce propos distingue ce qui est selon la nature (se nourrir), au-dessus de la nature (ne pas manger du tout) et contre la nature (être glouton). Puis il poursuit par un examen de ce que Dieu et l'homme respectivement peuvent accomplir en chacun de ces trois registres. Il énonce même au passage une idée qui est bien plus familière à Marc que la tripartition: « Quand l'homme vit en conformité avec sa nature, il n'y a lieu ni au blâme ni à l'éloge. » Il n'y a, pour ce type de comportement, aucune récompense à réclamer. Cependant on trouverait, semble-t-il, l'équivalent de cette thèse dans le corpus pseudo-macarien, de sorte que Marc n'a pas eu besoin de l'emprunter à Évagre. Et hormis la tripartition aucun parallèle n'est évident entre la *Lettre* et ce chapitre 83 de *Justif.* pris en lui-même.

---

1. Cf. A. Guillaumont, *Les « Képhalaia gnostica » d'Évagre le Pontique et l'histoire de l'origénisme chez les Grecs et chez les Syriens*, Paris 1962, p. 200-258.

Relever ainsi des similitudes particulières entre tel passage d'Évagre et tel chapitre de nos opuscules implique évidemment que l'on n'admet pas de contact ou d'osmose permanents entre l'œuvre du Pontique et celle de Marc. De fait, nous ne pensons pas qu'il y en ait des signes convaincants. Les quelques généalogies de vices auxquelles se risque Marc ne présentent aucun écho de la distinction des huit pensées mauvaises qui sont l'une des trouvailles les plus géniales et les plus influentes d'Évagre[1]. Les « pensées » ne sont d'ailleurs pas chez Marc automatiquement vicieuses : il faut souvent un qualificatif pour déterminer leur valeur morale bonne ou mauvaise[2] ; il n'attribue pas à Satan, généralement désigné au singulier, un rôle dans la genèse des pensées perverses identique à celui qu'Évagre impute aux démons[3], dont il parle bien plus souvent au pluriel. Ce n'est là qu'un symptôme du caractère beaucoup plus vague et flottant, pré-évagrien, de la ter-

---

1. Très souvent, dans ses chapitres comme dans ses autres œuvres, Marc utilise simplement le couple volupté-vanité. Dans un développement plus explicite de *Leg.* 103-108 (dont on trouve un écho dans *Justif.* 209), ce couple de passions devient un trio, par l'adjonction de l'amour de l'argent. On peut assez aisément établir une correspondance avec les trois tentations du Christ ou les trois concupiscences de *1 Jn* 2, 16 ; Marc ne le fait nulle part, même s'il offre une réminiscence de *1 Jn* 2, 15 dans le voisinage immédiat (*Leg.* 108), tandis qu'on trouverait une réduction des autres tentations à ces trois-là dans des textes de mouvance évagrienne (cf. Évagre Le Pontique, *Sur les pensées* 1, *SC* 438, p. 148-152). D'autre part la γαστριμαργία n'apparaît que dans une liste de vices débordant de beaucoup l'octave d'Évagre (*Justif.* 24), l'ἀκηδία, au contraire, une seule fois aussi, en dehors de toute liste (*Justif.* 163).

2. En *Leg.* 163 est distinguée une catégorie de « pensées souillées » (λοιμοί) ; en *Justif.* 158 de « pensées mauvaises » (κακοί) ; plus souvent, il est précisé qu'on parle de pensées « perverses » (πονηροί) : cf. *Leg.* 170 ; *Justif.* 194, 197. *Justif.* 39 concède que certaines pensées (« réflexions » ? « raisonnements » ?) peuvent être utiles — quoique moins que l'espérance. Il doit s'agir plutôt de l'activité réflexive naturelle à l'homme, par opposition au domaine de la parole et de l'action extérieure ; l'intellect, qui secrète ainsi la ou les pensées, pourra donc être qualifié de λογιστικός (c'est probablement la *lectio difficilior*, à préférer éventuellement à λογικός, par exemple en *Justif.* 104, 2).

3. Ceux-ci ne sont même pas nommés dans *Justif.* ; dans *Leg.* ils n'apparaissent que dans deux chapitres contigus, 45 et 46, qui comparent les luttes avec eux et celles qui opposent des hommes.

minologie de Marc. Les pointes de celui-ci contre les excès ou les illusions de l'intellectualisme paraissent trop dispersées pour viser un système organisé, dans lequel l'intelligence se serait vu attribuer une importance démesurée ; elles n'empêchent pas notre auteur de prendre parfois « gnose », voire « gnostique » en bonne part[1].

Un autre point de repère, tout à fait indépendant d'Évagre celui-là, qui pourrait faire songer à une date assez tardive, est l'emploi, toujours dans *Leg.* (154) du terme ἀποκρισιάριος. Au sens de « légat, nonce, agent d'un dignitaire ecclésiastique auprès d'un autre », ce mot ne paraît attesté qu'à partir du concile de Chalcédoine, soit 451. Mais le contexte de la sentence suggère ici une signification moins technique : « messager », voire « interlocuteur » — c'est d'ailleurs ainsi que le traducteur syriaque a rendu le grec, alors qu'il disposait là, au témoignage du *Lexique* de Brockelmann (p. 43 a) et à moins d'être d'une date extraordinairement précoce, d'une translittération d'« apocrisiaire » abondamment utilisée par la suite. Il faut avouer cependant que cette acception ne se retrouve guère ailleurs ; mais n'est-ce pas justement parce que la langue technique a ensuite capté le terme ?

---

1. Cf. l'emploi, unique, il est vrai, mais sans restriction aucune de γνωστικός dans *Justif.* 142. En revanche, comme dans le cas des « pensées », le terme de « connaissance », γνῶσις semble avoir souvent besoin d'être qualifié par une épithète : à maintes reprises il est question de « gnose véritable » ou de « gnose de la vérité », et l'on trouve aussi plusieurs autres déterminatifs : connaissance de ce qui est utile (*Leg.* 79), connaissance des faits ou des actes (*Justif.* 162.163 ; 211, 27-28)... La portée de cette précision est probablement l'inverse de ce qu'il en était pour les « pensées » : γνῶσις a déjà été trop utilisé pour n'être pas galvaudé par des contrefaçons. Il n'y a cependant pas trace d'une description de la fausse gnose, avec analyse de son contenu (qu'il s'agisse des systèmes dits gnostiques ou de celui d'Évagre, avec ses multiples subdivisions de la gnose). Ce n'est pas ce contenu que Marc dénonce comme frelaté, c'est le caractère livresque, éloigné de la pratique de cette connaissance, qui risque d'enfler son porteur (*Leg.* 86 et *Justif.* 7 contiennent une allusion à *1 Co* 8, *1*). Or la gloriole n'est-elle pas, avec le relâchement, l'un des deux seuls véritables péchés capitaux connus de Marc ? Pour l'opposition entre la gnose et la pratique des commandements, cf. *Leg.* 28.30.88 ; *Justif.* 5.13.16. Une pointe de style assez vif, contre une connaissance toute livresque des Écritures se lit aussi en *Causid.* VIII, 4-9.

**Remaniement
de Marc lui-même ?**

Au lieu de supposer des remaniements postérieurs à Marc, cependant,
on pourrait songer à s'en tirer avec une
hypothèse plus économique : ce serait l'auteur lui-même qui, à
un certain moment de sa carrière, aurait scindé son ouvrage en
deux, tout en y introduisant des chapitres supplémentaires.
A défaut de toute trace d'une première édition plus brève,
nous invoquerions en faveur de cette supposition la présence
dans *Justif.* de deux ensembles de sentences portant sur des
sujets qui ne sont pas abordés dans *Leg.* : celui qui a valu son
titre spécial au second opuscule et aussi celui du comportement à tenir lorsqu'on est supérieur.

Dans *Leg.* comme dans *Justif.*, en effet, on trouve des chapitres ayant trait aux rapports entre individus apparemment
égaux, où Marc révèle un tempérament de moraliste assez
âpre, qui stigmatise des aspects peu reluisants de la comédie
sociale : dépendance mutuelle de deux vaniteux qui se flattent
réciproquement, de deux personnages complices dans la mal-
honnêteté, hypocrisie de celui qui couvre de louanges le même
homme qu'il décriera à la première occasion, ou qui lui fait un
compliment à double tranchant, gros d'une calomnie, tout cela
se trouve dénoncé dans les deux opuscules et le sera encore au
détour d'autres pages de Marc[1]. Le sens spirituel de ces
constatations, le contraste avec les authentiques rapports que
l'on devrait entretenir avec le prochain, sous le regard d'un
Dieu qu'on ne saurait tromper, n'est d'ailleurs pas toujours
dégagé explicitement, et notre ascète, en d'autres temps eût
peut-être été un La Rochefoucauld, voire un Chamfort. En
revanche, c'est seulement dans *Justif.* que l'on peut lire des
conseils évidemment destinés à des gens responsables du gou-
vernement d'autrui, que leur charge conduit à admonester des
subordonnés et à devoir chercher la façon la plus délicate et la
plus efficace de faire passer une réprimande. C'est sous les
numéros 164 à 171 que sont regroupés la majeure partie des
chapitres s'adressant à un tel type de lecteurs, et en ordre dispersé les numéros 120, 198, 200-201 et 207 paraissent bien viser

---

1. Cf. *Leg.* 37.77.123.156.158 ; *Justif.* 150.152.174.

le même objectif. Ne peut-on supposer, sans en faire une certitude, que Marc a voulu faire bénéficier des collègues d'une expérience acquise après un certain tournant de sa vie ? D'autant qu'il y a de fortes chances, nous le verrons, pour qu'il soit à identifier avec l'higoumène anonyme discutant avec un avocat, dans le sixième opuscule.

Pour ce qui est de l'autre ensemble, il s'agit plus encore de saupoudrage et non de concentration. Un certain nombre de chapitres, éparpillés surtout dans la première moitié de *Justif.* — le dernier nous paraît être le 131 —, adoptent un ton de polémique, assez modéré au demeurant ; quelques autres se révèlent être tels seulement par comparaison avec d'autres écrits de Marc : ceux-ci nous montrent qu'en fait il prend ici position en quelques phrases sur des problèmes qu'il débattra plus longuement ailleurs. Cette controverse se déroule sur plusieurs fronts. D'abord Marc rejette une prétention chez ses adversaires — anonymes, comme toujours chez lui — d'obtenir la filiation divine à titre de récompense, alors qu'elle est un don gratuit : c'est l'objet des chapitres 2-4, 19 et indirectement 57. Puis, comme argument à l'appui de cette gratuité, il caractérise les œuvres de l'homme et ses vertus : les unes comme les autres sont un dû strict vis-à-vis de Dieu, elles découlent normalement de la dot de nature de l'homme et des obligations devant lesquelles Dieu nous place. Comment à s'acquitter d'une dette mériterait-on un cadeau : cf. *Leg.* 42-43, 54 et aussi 21 ? En outre, les vertus humaines sont toutes négatives : elles ne consistent qu'à s'abstenir d'un type de conduite pervers, sans engendrer aucune plus-value, aucun mérite : cf. *Leg.* 23 et 24.

Cette thèse sur les œuvres et les vertus est celle dont on trouverait le plus aisément des amorces dans *Leg.* aux chapitres 29-32, en particulier dans le dernier d'entre eux : les œuvres y apparaissent comme des contributions de détail, sans commune mesure avec notre obligation générale d'exécuter les commandements. Plus loin, toutefois (*Leg.* 194-195) les vertus au moins sont affublées d'une note plus positive — et plus conforme à l'enseignement grec classique à leur sujet — : au strict accomplissement du commandement, elles ajoutent une complaisance en ce que l'on fait. Dans *Justif.* par ailleurs, parce qu'il s'en prend à des idées chéries par certains, Marc éprouve le besoin de couvrir ses arrières. Il précise qu'il ne prône pas un intellectualisme où la connaissance à l'état isolé suffirait à constituer la perfection (*Justif.* 5.7.12.13.50) ; deux chapitres (11 et 17) tracent avec une particulière netteté la voie médiane qu'il entend suivre et un autre (101) — dans un texte différent de celui de la *PG* ! — bloque les aspects pratiques et théoriques de la vie chrétienne face à la composante « surnaturelle », foi, grâce et pénitence, pour exalter sans comparaison possible cette deuxième triade[1]. Marc reconnaît là cependant qu'œuvres, discours et réflexion peuvent produire « un juste » — en face d'une multitude par l'autre voie — ; au chapitre 11 aussi, en définissant son idéal d'équilibre, il emploie l'expression « être justifié » ; mais ce sont à peu près les seuls points d'arrimage verbaux du titre et du prologue de l'opuscule. Outre la notion de filiation divine, mentionnée à trois reprises, et évoquée sans doute par une antithèse avec celle d'esclavage (une explicitation en 18, 3-5), Marc utilise des expressions comme « recevoir propitiation » (de Dieu) (131, 3) ou celle, si évangélique, de « royaume » (17, 3).

Il est enfin un dernier point de vue sous lequel notre auteur tient à situer « les œuvres » ; le chapitre 22 est particulièrement net dans sa formulation : elles ont pour but, non de nous obtenir une rétribution, mais de démontrer que la pureté octroyée au baptême a été préservée. Et cette démonstration, nous dit le chapitre 85, s'adresse d'abord à nous-mêmes ; nous obtenons l'assurance que la grâce mystérieusement reçue par tout baptisé est bien là, vivante et active. Les chapitres 55-56, 91 et 108-110, sur l'action multiforme de l'unique Esprit, se rat-

---

1. Toutefois, quelle que soit la forme qu'on restitue à la sentence, il semble bien que la porte de la justification par les œuvres reste entrebâillée : elle ne laisse passer que peu de monde, mais assez tout de même pour empêcher d'attribuer à la controverse où Marc intervient la rigueur de dilemme qui oppose Augustin à Pélage (comme le faisait peut-être un peu trop I. HAUSHERR, dans les premiers temps où il s'occupait de l'« erreur fondamentale et la logique du messalianisme » (la première parution de l'article ne date-t-elle pas de 1935 ?). En *Paen.* XI, Marc paraîtra aussi bien prêt à admettre qu'il existe des hommes irréprochables aux yeux de Dieu ; mais comme il s'agit d'un opuscule à texte continu, il trouvera l'occasion de retirer bientôt sa concession.

tachent au même ordre de questions, celles qui feront en bonne partie la matière du traité sur *Le baptême*. Cependant, à part peut-être ce chapitre 22, il ne semble pas que la forme littéraire de la maxime ait permis à Marc d'exprimer sa pensée de façon plus dense et plus heureuse dans notre opuscule que dans le traité ; s'agit-il d'une reprise ou d'une ébauche de quelques passages de celui-ci ? On n'en oserait décider.

Les parallélismes sont beaucoup moins frappants entre *Justif.* (et *Leg.*) et les autres ouvrages du même auteur. Il n'y a guère plus que la communauté de quelques citations favorites, et qui ne sont même pas toujours exploitées de façon identique dans les deux cas[1]. Les mêmes coïncidences partielles se laissent repérer çà et là entre les deux opuscules à chapitres[2]. Pour ces deux œuvres relativement longues, traitant de sujets de « spiritualité », que sont *Paen.* et *Causid.*, cette absence de rapprochements vraiment étroits étonne, bien sûr, plus que pour *Melch.* et *Incarn.* qui de toute façon forment une classe à part dans le corpus marcien. Comme toutes deux émanent d'un Marc qui témoigne d'autant d'autorité que dans *Bapt.* — plutôt par le ton dans *Paen.*, mais carrément par la position sociale dans *Causid.* —, on ne peut guère suggérer qu'elles auraient été composées avant la promotion de Marc et avant

---

1. L'allusion à *Mt 3, 7* est très bien insérée dans le contexte de *Paen.* II, 28-35 ; elle paraît plutôt plus obscure et moins efficace dans *Leg.* 130. Bien qu'assez brève, l'explication donnée par *Causid.* XXI, 15-22 de l'expression « volonté de la chair » dans *Ep 2,3* paraît plus claire que celle qu'on peut tirer de *Justif.* 146 ; à tout le moins celle-ci ne constitue-t-elle pas un progrès. *Jr 51, 9* est cité aussi bien dans *Justif.* 75 que dans *Causid.* VII, 26-27 : dans le premier cas, il s'agit du refus de tirer parti des épreuves, dans le second, plutôt de la négligence de la prière ; la notion d'un péché allant à la mort, face auquel les prières du prochain sont impuissantes, exprimée là par *Causid.* n'est pas reprise ici par *Justif.*, où elle était déjà apparue dans une sentence antérieure (40). Ces *kephalaia* n'ont donc l'allure ni de notes préparatoires ni de résumés.

2. Il y a au moins deux doublets, du point de vue des citations, dans les opuscules à chapitres eux-mêmes : *Jn 15,5* se lit dans *Leg.* 41 et à la fin de *Justif.* 154 ; la doctrine est à peu près la même dans les deux cas. *He 11,1* se lit en *Leg.* 25 et deux fois en *Justif.* 92 et 137 ; c'est un des versets favoris de Marc et probablement d'une école à laquelle il se rattache, qui sert donc à illustrer plusieurs aspects de son enseignement.

le remaniement supposé de *Justif.* et que telle serait la raison pour laquelle elles n'y laissent pas de traces particulières. Mieux vaut penser que Marc n'a pas jugé nécessaire de reprendre, même brièvement, des thèmes déjà traités à sa satisfaction et qui importaient peut-être moins aux destinataires de ses chapitres que la question des rapports entre la grâce, les « combats », la gnose et le sacrement baptismal.

Remaniement des disciples de Marc ? Cette dissymétrie de rapports entre les opuscules à chapitres et *Bapt.* d'une part, le reste du corpus de l'autre, fournirait aussi un argument pour écarter une troisième hypothèse à laquelle on eût pu autrement songer à propos de *Leg.*, de *Justif.* et de leur séparation. Si les disciples de Marc, ses héritiers spirituels et littéraires, avaient trouvé dans ses papiers un ouvrage inachevé sur la loi spirituelle et l'avaient publié en y insérant d'autres notes sans relation directe avec ce sujet, n'y aurait-il pas plus de vestiges de l'ensemble des autres ouvrages de Marc, au moins ceux qui traitaient de spiritualité ? Il est vrai que certains morceaux plus longs dans *Justif.* n'ont rien de la brièveté incisive des *kephalaia* destinés à être mémorisés, puis ruminés dans la méditation, ressemblant plutôt à des fragments qui attendent d'être développés ou insérés dans un ensemble cohérent. Mais il est vrai aussi que Marc, même dans ses ouvrages présentés sous forme d'un tout continu, n'a pas visé à une composition entièrement équilibrée et n'est point parvenu à une parfaite homogénéité de doctrine. On aura par exemple l'occasion de s'apercevoir en les étudiant que *Bapt.* et *Incarn.* tendent à procéder par affirmations juxtaposées plutôt que solidement coordonnées. Comment s'étonner dès lors que des chapitres laissent quelque impression de disparate ? Sauf en effet dans les deux cas où tout le matériel semble à tout le moins concentré dans *Justif.*, les regroupements par thèmes, que nous avons tout juste ébauchés, exigent qu'on aille chercher d'un bout à l'autre des deux opuscules.

En somme, cette partie de l'œuvre de Marc ne fournit aucune donnée concluante sur la situation chronologique soit de l'auteur lui-même soit de ses diverses productions les unes par rapport aux autres. On constate simplement qu'il a eu à cœur de s'impliquer dans une controverse dont on verra plus loin qu'elle est liée aux remous entourant le mouvement messalien. Il l'a fait sur un ton décidé qui prouve sa confiance dans le respect et l'attention de son auditoire ou de ses lecteurs. Peut-être à l'époque de *Justif.* pouvait-il appuyer cette confiance sur une position officielle de supérieur. Mais dès *Leg.*, il se comporte en maître, et la brève introduction de cet opuscule, faisant allusion aux requêtes de son entourage, n'est probablement pas le fruit d'une simple convention littéraire.

Περὶ νόμου πνευματικοῦ

Migne
PG 65
col. 905

Ἐπειδὴ πολλάκις ἐβουλήθητε γνῶναι πῶς «ὁ νόμος πνευματικός[a]» ἐστι, κατὰ τὸν Ἀπόστολον, καὶ τίς ἡ γνῶσις καὶ ἡ ἐργασία τῶν φυλάττειν αὐτὸν βουλομένων, τούτου χάριν κατὰ δύναμιν εἰρήκαμεν.

1 Πρῶτον, ὅτι Θεὸν οἴδαμεν παντὸς ἀγαθοῦ εἶναι ἀρχὴν καὶ μεσότητα καὶ τέλος· τὸ δὲ ἀγαθὸν ἀμήχανον ἐνεργεῖν ἢ πιστεύεσθαι, εἰ μὴ ἐν Χριστῷ Ἰησοῦ καὶ ἁγίῳ Πνεύματι.

2 Πᾶν ἀγαθὸν παρὰ Κυρίου δεδώρηται· καὶ ὁ οὕτω πιστεύων οὐκ ἀπολέσει αὐτό. Ἡ βεβαία πίστις πύργος ἐστὶν ἰσχύος. Χριστὸς δὲ τὰ πάντα τῷ πιστεύοντι γίνεται.

3 Καταρχέτω σου πάσης προθέσεως ὁ κατάρχων παντὸς ἀγαθοῦ, ὅπως κατὰ Θεὸν γένηται τὸ προκείμενον.

4 Ὁ ταπεινόφρων καὶ ἔργον ἔχων πνευματικόν, ἀναγινώσκων τὰς θείας Γραφάς, πάντα εἰς ἑαυτὸν νοήσει, καὶ οὐκ εἰς τὸν ἕτερον.

D E T MZCX BAF GQ L P Y NVW

Tit. om. A

Prol. 2 τὸν + θεῖον BAF V ‖ 3 ἐργασία : ἐνέργεια D MZCX BAF ‖ 4 εἰρήκαμεν : ἐροῦμεν GQ Y

1,1 πρῶτον + μὲν E L ‖ ἀγαθοῦ + αἴτιον L ‖ εἶναι + καὶ Y + αἴτιον καὶ Obs. edd. ‖ ἀρχὴν εἶναι ~ D BAF G NVW ‖ 2 ἐνεργεῖσθαι W ‖ 3 ἁγίῳ : τῷ παναγίῳ BAF

2,1 ἀγαθὸν + οἰκονομικῶς NVW ‖ 2 ἡ + δὲ D MZ Y edd. ‖ 3 ἰσχύος : ἰσχυρὸς D ZCX AF Y NVW edd.

3,2 ἀγαθοῦ + κύριος X ‖ γένηται + πᾶν X γίνεται Obs. Pic.

4,2 νοήσεις D M BF Pic. ‖ 3 τὸν om. Y W edd.

————

Prol. a. cf. Rm 7, 14

La Loi spirituelle

Bien des fois, vous avez manifesté le désir de savoir comment est «la loi spirituelle[a]», selon l'expression de l'Apôtre, ainsi que le type de connaissance et d'action qui convenait à des gens désireux de l'observer. C'est pourquoi, selon notre pouvoir, nous avons donné cet exposé.

1 Le premier point est que nous savons Dieu principe, milieu et terme de tout bien[1]. Et le bien, il est impossible de le faire ou de le croire, sinon dans le Christ Jésus et dans l'Esprit Saint.

2 Tout bien est un présent fait par le Seigneur, et qui croit cela ne perdra pas ce bien. La foi solide est une forteresse puissante et le Christ devient tout pour celui qui croit.

3 Qu'au principe de chacun de tes projets soit celui qui se trouve au principe de tout bien, afin que ton propos soit selon Dieu.

4 Un homme à l'esprit humble et qui œuvre de façon spirituelle, en lisant les divines Écritures, en aura une intelligence tournée vers lui-même, et non vers le voisin.

---

1. La formule de Marc est fort proche de celle de PLATON, *Lois* IV, 715 e : «La divinité tient en mains, suivant l'antique tradition, le commencement, le milieu et la fin de tout ce qui existe.» Cette phrase des *Lois* a été très utilisée par les auteurs chrétiens, essentiellement dans des ouvrages d'apologétique, de l'*Exhortation aux Nations* du PSEUDO-JUSTIN (25) à la *Préparation évangélique* d'EUSÈBE (XI, 13, 5), en passant par le *Contre Celse* d'ORIGÈNE (VI, 15), sans aucune variante significative de l'une à l'autre citation. Chez JOSÈPHE (*Contre Apion* II, 22), on trouve même τέλος, comme chez Marc, au lieu du τελευτήν de Platon.

5 Ἐπικαλοῦ τὸν Κύριον ἵνα ἀνοίξῃ τοὺς ὀφθαλμοὺς τῆς καρδίας σου, καὶ ἴδῃς τὴν ὠφέλειαν τῆς προσευχῆς καὶ ἀναγνώσεως.

6 Ὁ ἔχων τι χάρισμα καὶ συμπάσχων τοῖς μὴ ἔχουσι διὰ τῆς συμπαθείας φυλάσσει τὸ δώρημα. Ὁ δὲ ἀλαζὼν ἀπολεῖ αὐτό, τοῖς τῆς ἀλαζονείας πειρασμοῖς περικρουόμενος.

7 Στόμα ταπεινόφρονος λαλήσει ἀλήθειαν· ὁ δὲ ἀντιλέγων αὐτῇ ὅμοιός ἐστι τῷ ὑπηρέτῃ ἐκείνῳ τῷ ἐπὶ σιαγόνα τὸν Κύριον ῥαπίσαντι [a].

8 Μὴ γίνου μαθητὴς τοῦ ἐπαινοῦντος ἑαυτόν, ἵνα μὴ ἀντὶ ταπεινοφροσύνης ὑπερηφάνειαν μάθῃς.

9 Μὴ ἐπαρθῇς ἐν τῇ καρδίᾳ σου ἐπὶ νοήμασι γραφικοῖς, μήποτε τῷ πνεύματι τῆς βλασφημίας περιπέσῃς κατὰ νοῦν.

10 Μὴ πειρῶ πρᾶγμα σκολιὸν ἐπιλῦσαι διὰ φιλονεικίας, ἀλλὰ δι' ὧν ὁ πνευματικὸς παρακελεύεται νόμος, δι' ὑπομονῆς καὶ προσευχῆς καὶ μονολογίστου ἐλπίδος.

908   11 Τυφλός ἐστι κράζων καὶ λέγων· « Υἱὲ Δαβίδ, ἐλέησόν με [a] », ὁ προσευχόμενος σωματικῶς, καὶ μήπω ἔχων γνῶσιν πνευματικήν. Ὁ ποτὲ τυφλὸς ἀναβλέψας καὶ ἰδὼν τὸν Κύριον οὐκέτι υἱὸν Δαβίδ, ἀλλ' Υἱὸν Θεοῦ ὁμολογήσας
5 προσεκύνησε [b].

12 Μὴ ἐπαρθῇς ἐκχέων δάκρυον ἐν προσευχῇ σου· Χριστὸς γὰρ ἥψατο τῶν ὀφθαλμῶν σου, καὶ νοερῶς ἀνέβλεψας.

D E T MZCX BAF GQ L P Y NVW

5,1 κύριον : θεὸν T L NVW ‖ 2 καὶ [et Syr.] + τῆς ἐμπείρως νοουμένης D MZCX BAF GQ + τῆς νοουμένης L + τῆς NW
6,1 χάρισμα + πνευματικὸν NVW ‖ 2 ἀπολέσει E GQ L P NVW ἀπόλλυσιν X ‖ 3 πειρασμοῖς : λογισμοῖς X NVW
7,1 λαλεῖ W ‖ 3 σιαγόνος V ‖ ῥαπίσαντι τὸν κύριον ~ GQ
8,1 ἐπαινοῦντος : ἐπενοῦντος F ἐπαίροντος Pic. ἐπαρνοῦντος Obs. edd.
9,1-2 μὴ... περιπέσῃς post 10, 3 ἐλπίδος transp. MZCX ‖ 1 μὴ : μέγα X ‖ ἐν om. E T L NVW ‖ καρδίᾳ : διανοίᾳ L ‖ 2 μήποτε : ἵνα μὴ NVW ‖ κατὰ νοῦν περιπέσῃς ~ MZCX NVW om. BAF edd.

5 Invoque le Seigneur pour qu'il ouvre les yeux de ton cœur et tu verras l'utilité de la prière et de la lecture.

6 Celui qui possède un don de grâce et éprouve de la compassion pour qui ne l'a pas conservera ce don à cause de sa compassion, tandis que celui qui fanfaronne perd son don, les tentations de la fanfaronnade l'assaillant de toute part.

7 La bouche d'un homme à l'esprit humble tiendra le discours de la vérité; mais qui la contredit est semblable à ce serviteur qui giffla le Seigneur[a].

8 Ne te fais pas le disciple de qui fait sa propre louange, ou bien tu risques d'en apprendre la superbe plutôt que l'humilité.

9 Ne t'exalte pas en ton cœur pour tes idées sur l'Écriture, de peur que ton intellect ne succombe à l'esprit de blasphème.

10 N'essaie pas de résoudre une affaire difficile par des disputes; emploie plutôt les moyens auxquels exhorte la loi spirituelle : la patience, la prière et l'espérance obstinée.

11 C'est un aveugle qui déclare à grands cris : «Fils de David, aie pitié de moi[a].» Sa prière était charnelle et il n'avait pas encore la connaissance spirituelle. Mais l'aveugle d'il y a un instant, quand il eut recouvré la vue et aperçu le Seigneur, l'adora en le confessant non plus fils de David, mais Fils de Dieu[b].

12 Ne t'excite pas si tu verses un pleur dans ta prière : c'est le Christ qui a touché tes yeux et t'a fait recouvrer la vue quant à l'intellect.

10,2 παρακελεύεται νόμος : νόμος NV ν. ἐπαγγέλεται W

11,2 με + οὕτως καὶ L ‖ μήπω : οὔπω GQ μὴ BA ‖ 4 θεοῦ υἱὸν ~ L

12,1 ἐπιχέων E ‖ δάκρυα D F NVW‖ 2 χριστὸς : κύριος L ‖ ὀφθαλμῶν + τῆς καρδίας A [σου τ. κ. ~ A] F Pic. edd.

---

7 a. cf. Jn 18, 22   **11** a. Lc 18, 38   b. cf. Jn 9 3 38

13 Ὁ κατὰ μίμησιν τοῦ τυφλοῦ ἀποβαλὼν τὸ ἱμάτιον καὶ ἐγγίσας τῷ Κυρίῳ ἀκολουθεῖ αὐτῷ καὶ κήρυξ γίνεται τῶν τελειοτέρων δογμάτων.

14 Κακία ἐν λογισμοῖς μελετωμένη θρασύνει καρδίαν, ἀναιρουμένη δὲ δι᾽ ἐγκρατείας καὶ ἐλπίδος συντρίβει αὐτήν.

15 Ἔστι συντριμμὸς καρδίας ὁμαλὸς καὶ ἐπωφελὴς εἰς κατάνυξιν αὐτῆς· καὶ ἔστιν ἕτερος ἀνώμαλος καὶ ἐπιβλαβὴς εἰς πλῆξιν αὐτῆς.

16 Ἀγρυπνία καὶ προσευχὴ καὶ τῶν ἐπερχομένων ὑπομονὴ συντριμμός ἐστιν ἀνεπηρέαστος, καὶ ἐπωφελὴς τῇ καρδίᾳ, μόνον εἰ μὴ διά τινος πλεονεξίας ἐγκόψωμεν αὐτῶν τὴν σύγκρασιν. Ὁ γὰρ ἐν τούτοις ὑπομένων καὶ ἐν τοῖς
5 λοιποῖς βοηθήσεται· ὁ δὲ ἀμελῶν καὶ διαχεόμενος ἐν ἐξόδῳ ἀφορήτως ὀδυνηθήσεται.

17 Φιλήδονος καρδία εἱρκτὴ καὶ ἅλυσις τῇ ψυχῇ ἐν καιρῷ ἐξόδου· ἡ δὲ φιλόπονος θύρα ἐστὶν ἀνεῳγμένη.

18 Σιδηρᾶ πύλη ἐπὶ τὴν πόλιν ἀπάγουσά ἐστι σκληρὰ καρδία. Τῷ δὲ κακοπαθοῦντι καὶ τεθλιμμένῳ αὐτομάτη ἀνοιχθήσεται, καθὼς καὶ τῷ Πέτρῳ[a].

D E T MZCX BAF GQ L P Y NVW

13,1 ἱμάτιον + αὐτοῦ MZC B ‖ 2 ἀκόλουθος W
14,2 δὲ : om. edd. ‖ ἐγκρατείας : προσευχῆς BA
15,3 πλῆξιν : ἐπίπληξιν W
16,3 τινος om. NVW ‖ 5 ἐξόδῳ + γίνεται NVW
18,1 ἐστὶ ἐπὶ — ἀπάγουσά ~ D ‖ ἀπάγουσά : εἰσάγουσά M BA NVW ‖ 2 τεθλιμμένῳ : θλιβομένῳ X ‖ αὐτοματί Q N ‖ 3 ἀνοιγήσεται E NVW ‖ τῷ + μακαρίῳ BAF edd.

18 a. cf. Ac 12, 10

13 Qui imite l'aveugle rejetant son manteau et s'approchant du Seigneur se met à la suite de ce dernier et devient le héraut des doctrines plus parfaites.

14 La méchanceté, si on la médite en ses pensées, donne de la présomption au cœur ; si au contraire on la détruit par la continence et l'espérance, elle lui donne de la contrition.

15 Il est une contrition du cœur faite de douceur et qui lui est utile pour arriver à la componction et il en est une autre, sans douceur, nuisible et qui aboutit à l'assommer.

16 La veille, la prière, la patience devant les événements, voilà une contrition sans inconvénients, voire avantageuse pour le cœur, pourvu seulement que nous n'en rompions point l'équilibre par quelque excès. En effet celui qui fait preuve de patience en ces domaines recevra aussi du secours pour les autres. Celui qui y met de la négligence et du gaspillage subira au sortir de la vie d'intolérables souffrances.

17 Un cœur ami du plaisir est une prison, une captivité pour l'âme au moment de sortir de la vie ; un cœur ami du labeur est une porte grand ouverte.

18 Une porte de fer conduisant à la ville[1], voilà un cœur dur. Mais pour l'homme mortifié et affligé, elle s'ouvrira d'elle-même, comme elle le fit pour Pierre[a].

---

1. MAXIME LE CONFESSEUR offre aussi une exégèse allégorique d'*Ac* 12, 10 : cf. *Quaestiones ad Thalassium* 24 (*PG* 90, 328 D - 329 A). Mais elle ne présente aucune vraie similitude avec celle de Marc : la porte de fer est l'attachement au monde sensible ; en l'ouvrant, on a accès au monde intelligible. Maxime, qui cite Diadoque (cf. *Quaestiones et dubia*, *CCSG* 10, p. 142, où est expliquée une partie du chapitre 100), ne fait apparemment aucune mention de Marc dans ses œuvres (celle qu'on trouvait dans *PG* 90, 739 B - 796 A résulte apparemment d'une bourde de l'éditeur de chaîne, Cordier).

19 Πολλοὶ μέν εἰσι εὐχῆς τρόποι, ἕτερος ἑτέρου διαφορώτερος. Ὅμως οὐδὲ εἷς τρόπος εὐχῆς ἐπιβλαβὴς τυγχάνει, εἰ μή τι ἂν οὐκ ἔστιν εὐχή, ἀλλ' ἐργασία σατανική.

20 Ἄνθρωπος κακοποιῆσαι θέλων πρῶτον ηὔξατο κατὰ συνήθειαν· καὶ οἰκονομικῶς ἐμποδισθεὶς ὕστερον εὐχαρίστησεν.

21 Ὁ Δαβὶδ φονεῦσαι βουληθεὶς Ναβὰλ τὸν Καρμήλιον, ὑπόμνησιν λαβὼν περὶ θείας ἀνταποδόσεως, ἐγκοπεὶς τῆς προθέσεως πολλὰ εὐχαρίστησεν[a]. **22** Οἴδαμεν δὲ πάλιν οἷα πεποίηκεν ἐπιλαθόμενος τοῦ Θεοῦ· καὶ οὐκ ἐπαύετο ἕως οὗ ὁ Νάθαν αὐτὸν εἰς μνήμην κατέστησεν[a].

23 Ἐν καιρῷ μνήμης Θεοῦ πολυπλασίασον δέησιν, ἵνα ὅταν ἐπιλάθῃ ὁ Κύριος ὑπομνήσῃ σε.

24 Ἀναγινώσκων τὰς θείας Γραφὰς νόησον τὰ κεκρυμμένα. «Ὅσα γὰρ προεγράφη, φησίν, εἰς τὴν ἡμετέραν διδασκαλίαν προεγράφη[a].»

25 Τὴν πίστιν ἡ Γραφὴ λέγει «ἐλπιζομένων ὑπόστασιν[a]»· καὶ τοὺς μὴ ἐπιγινώσκοντας τὴν ἐνοίκησιν τοῦ Χριστοῦ «ἀδοκίμους[b]» εἴρηκεν.

909   **26** Ὥσπερ δι' ἔργων καὶ λόγων φανεροῦται ἔννοια, οὕτω διὰ τῶν καρδιακῶν ἐνεργημάτων ἡ μέλλουσα ἀνταπόδοσις.

D E T MZCX BAF GQ L P Y NVW

19,1 εὐχῆς : προσευχῆς X GQ Y NVW om. L

D E T MZCX BA GQ L P Y NVW

20,1 - 22,3 om. F ‖ 1 πρῶτον ηὔξατο : πρότερον προσηύξατο διανοίᾳ NVW ‖ 2 ὕστερον + πολλὰ NVW
21,1 φονεῦσαι βουληθεὶς : φ. θέλων D βουληθεὶς φ. GQ φ. θελήσας NVW ‖ 2 περὶ + τῆς Τ om. NVW
22,1 πάλιν om. E T L ‖ οἷα : ἃ Y Obs. edd. ‖ 2 ἐπαύσατο E ‖ οὗ om. Y edd. ‖ 3 ὁ om. D E B NVW ‖ νάθαν + ὁ προφήτης NVW ‖ εἰς μνημὴν αὐτὸν ~ Q NVW ‖ κατέστησεν : ἤγαγεν BA ἤγαγεν τοῦ θεοῦ NVW

D E T MZCX BAF GQ L P Y NVW

23,2 ἐπιλάθῃ E GQ L W Obs.

19 Nombreuses sont les façons de prier, et telle est supérieure à telle autre. Néanmoins il n'y en a pas une seule qui se trouve être nuisible, à moins qu'il ne s'agisse pas d'une prière, mais d'une action satanique.

20 Un homme qui voulait mal faire commença par prier à son accoutumée, et arrêté par la Providence, il en rendit grâces par la suite.

21 David avait décidé de tuer Nabal de Carmel; mais il eut souvenance de la rétribution divine. Interrompu dans son projet, il en rendit grâces abondamment [a]. **22** Nous savons aussi ce qu'il commit une autre fois dans son oubli de Dieu et qu'il ne cessa point jusqu'à ce que Nathan lui eût restitué la mémoire [a].

23 Dans les moments où tu te souviens de Dieu, multiplie les supplications, afin, quand tu oublieras, d'être rappelé à la mémoire par le Seigneur.

24 Toi qui lis les divines Écritures, aie l'intelligence de ce qui y est caché. «Car tout ce qui a été écrit jadis, est-il dit, l'a été pour notre instruction [a].»

25 La foi, dit l'Écriture, est «la substance de ce que l'on espère [a]». Quant à ceux qui ne discernent pas qu'ils sont habités par le Christ, elle les a qualifiés de «réprouvés» [b].

26 De même que la pensée transparaît dans les actes et les paroles, la rétribution future transparaît dans les opérations du cœur.

24,1 ὁ ἀναγινώσκων F Pic. edd. ‖ νόησον : νόσει σου T ZC νοήσου Y νόει NVW ‖ τὰ + ἐν αὐταῖς NVW ‖ 2 φησίν + πάντα T L NVW ‖ εἰς : πρὸς GQ ‖ 3 διδασκαλίαν : σωτηρίαν N + καὶ νουθεσίαν X

25,3 χριστοῦ + τούτους MZCX BAF Q Pic. edd.

26,1 φανεροῦνται ἔννοιαι E Z ‖ 2 ἐνεργημάτων : ἐνθυμημάτων X

---

21 a. cf. 1 R 25, 2-39   **22** a. cf. 2 R 12, 1-15   **24** a. Rm 15, 4   **25** a. He 11, 1   b. 2 Co 13, 5

27 Οἰκτίρμων καρδία δηλονότι οἰκτειρηθήσεται· καὶ ὁμοίως ἐλεήμων ἐλεηθήσεται. Τὰ δὲ ἐναντία ἡ ἀκολουθία ἀντιπεφώνηκεν.

28 Ὁ νόμος τῆς ἐλευθερίας διδάσκει πᾶσαν ἀλήθειαν. Καὶ οἱ μὲν πολλοὶ τοῦτον κατὰ γνῶσιν ἀναγινώσκουσιν· ὀλίγοι δὲ νοοῦσιν αὐτὸν κατὰ ἀναλογίαν τῆς ἐργασίας τῶν ἐντολῶν.

29 Μὴ ζήτει αὐτοῦ τὴν τελειότητα ἐν ἀρεταῖς ἀνθρωπίναις· τέλειος γὰρ ἐν αὐταῖς οὐχ εὑρίσκεται. Ἡ γὰρ τελειότης αὐτοῦ ἐν τῷ σταυρῷ τοῦ Χριστοῦ ἐγκέκρυπται. 30 Νόμος ἐλευθερίας διὰ μὲν γνώσεως ἀληθοῦς ἀναγινώσκεται, διὰ δὲ ἐργασίας ἐντολῶν νοεῖται· πληροῦται δὲ δι᾽ οἰκτιρμῶν τοῦ Κυρίου ἡμῶν Ἰησοῦ Χριστοῦ.

31 Ὅταν πρὸς πάσας τὰς ἐντολὰς τοῦ Θεοῦ διὰ συνειδήσεως κατορθοῦσθαι βιαζώμεθα, τότε νοήσομεν τὸν νόμον τοῦ Κυρίου ἄμωμον, ἐν τοῖς ἡμετέροις μὲν καλοῖς ἐπιτηδευόμενον, χωρὶς δὲ οἰκτιρμῶν Θεοῦ τελειωθῆναι ἐν
5 ἀνθρώποις μὴ δυνάμενον.

32 Ὅσοι πάσης ἐντολῆς Χριστοῦ ἑαυτοὺς ὀφειλέτας οὐκ ἐλογίσαντο, οὗτοι τὸν τοῦ Θεοῦ νόμον σωματικῶς ἀναγινώσκουσι, «μὴ νοοῦντες μήτε ἃ λέγουσι, μήτε περὶ τίνος διαβεβαιοῦνται[a]»· διὸ καὶ πληροῦν αὐτὸν ἐξ ἔργων
5 νομίζουσιν.

D E T MZCX BAF GQ L P Y NVW

27,1 οἰκτειρηθήσεται : ἐλεηθήσεται AF οἰκτειρήσεται Pic edd. ‖ 1-2 καὶ ἐλεηθήσεται ὁμοίως ἐλεήμων ~ Y edd. om. NVW suppl. F[mg inf]
28,2 ἀναγινώσκουσιν κατὰ γνῶσιν ~ GQ P ‖ 3 τῶν ἐντολῶν ἐργασίας ~ NVW
30,1 ὁ νόμος AF W Pic. edd. ‖ νόμος + τῆς A W Pic. edd. ‖ 2 ἐργασίας + τῶν T AF W Pic. edd. ‖ 3 διὰ + τῶν GQ P Y NVW Obs. edd. ‖ κυρίου... ἰησοῦ om. NVW
31,1 θεοῦ : χριστοῦ T ‖ 3 κυρίου : θεοῦ MZ B ‖ 5 μὴ δυνάμενον : ἀδύνατον GQ

27 Au cœur compatissant il sera fait évidemment compassion ; semblablement, on aura pitié d'un cœur pitoyable. Pour ce qui est des cas opposés, la logique a déjà répondu en sens contraire.

28 La loi de liberté enseigne toute vérité ; et quand il s'agit de la connaître, bien des gens la lisent ; bien peu, par contre, en ont l'intelligence quand il s'agit d'œuvrer d'une manière qui corresponde à ses commandements.

29 Ne cherche pas la perfection de cette loi dans des vertus humaines : il n'est personne qui, par leur moyen, se montre parfait. Car sa perfection a été cachée dans la Croix du Christ. **30** On la lit comme loi de liberté par le moyen d'une connaissance vraie et on en a l'intelligence par l'accomplissement des commandements. On l'accomplit moyennant les miséricordes de notre Seigneur Jésus Christ.

31 Lorsque notre conscience nous aura contraints à nous corriger en fonction de tous les commandements de Dieu, à ce moment-là nous comprendrons que la loi du Seigneur est irréprochable, qu'elle s'applique dans ce que nous faisons de bien et ne peut s'accomplir parfaitement parmi les hommes sans les miséricordes de Dieu.

32 Tous ceux qui ne se tiennent pas pour obligés à chacun des commandements du Christ sont gens qui lisent la loi de Dieu de façon charnelle, « n'ayant l'intelligence ni de ce qu'ils disent, ni de ce dont ils se font les champions[a] ». Voilà pourquoi ils se figurent accomplir cette loi avec des œuvres.

32,4 τίνος : τίνων D T M BF L NVW [sic N.T.]

32 a. 1 Tm 1, 7

33 Ἔστι πρᾶγμα προφανῶς ἐπιτελούμενον ὡς καλὸν καὶ ὁ σκοπὸς τοῦ ἐπιτελοῦντος αὐτὸ οὐκ εἰς ἀγαθόν· καὶ ἔστιν ἕτερον ὡς πονηρὸν καὶ ὁ σκοπὸς τοῦ ἐπιτελοῦντος αὐτὸ εἰς ἀγαθόν.

34 Οὐ μόνον δὲ ἔργα ποιοῦσί τινες, ἀλλὰ καὶ λόγους λαλοῦσι τῷ τρόπῳ ᾧ προειρήκαμεν. Οἱ μὲν γὰρ ἐναλλάσσουσι πράγματα κατὰ ἀπειρίαν ἢ ἄγνοιαν· οἱ δὲ ἐναλλάσσουσι κατὰ πρόθεσιν πονηρίας, ἕτεροι δὲ κατὰ σκοπὸν 5   εὐσεβείας.

35 Ὁ ἐν προβολῇ ἐπαίνου ἐγκρύπτων διαβολὴν δυσεύρετός ἐστι τοῖς ἁπλουστέροις· ὅμοιος δὲ τούτου ἐστὶν ὁ κενοδοξῶν ἐν ταπεινῷ σχήματι.

36 Οἵτινες ἐπὶ πολὺ κατασοφισάμενοι τὴν ἀλήθειαν ἐν τῷ ψεύδει, παραχωρηθέντες ὕστερον διὰ τῶν πραγμάτων ἐλέγχονται.

37 Ἔστι ποιῶν τι προφανὲς ὡς καλὸν τὸν πλησίον ἀμυνόμενος· καὶ ἔστιν ἐν τῷ μὴ ποιῆσαι αὐτὸ ὠφεληθεὶς κατὰ διάνοιαν.

38 Ἔστιν ἔλεγχος κατὰ κακίαν καὶ ἄμυναν· καὶ ἔστιν ἕτερος κατὰ φόβον Θεοῦ καὶ ἀλήθειαν.

912   **39** Τὸν παυσάμενον καὶ μετανοοῦντα μηκέτι ἔλεγχε. Εἰ δὲ λέγεις κατὰ Θεὸν αὐτὸν ἐλέγχειν, πρῶτον τὰ σὰ κακὰ φανεροποίησον.

D E T MZCX BAF GQ L P Y NVW

33,1 ὡς καλὸν ἐπιτελούμενον ~ Ν ὡς κ. ἐπιτηδευόμενον V κ. ἐπιτελούμενον W ‖ 2 αὐτὸ om.T X ‖ οὐκ om. Obs. edd. ‖ ἀγαθὸν : πονηρὸν Pic. edd.

34,2-3 ἀλλάσσουσι T X AF GQ P L ‖ 3 πράγμα E T M X B P L NVW ‖ 3-4 ἀλλάσσουσι L om. E W

35,1 διαβολὴν + καὶ μῶμον NVW ‖ 2 τούτω D X F Y edd. ‖ ἐστὶν + καὶ GQ P NVW

36,1 κατασοφιζόμενοι T Q L NVW ‖ 1-2 ἐν τῷ ψεύδει om. GQ ‖ 3 ἐξελέγχονται D M BAF Pic. edd.

37,1 ἔστι + ὁ GQ + τις W ‖ τι : τις F Pic. edd. + πράγμα NVW om. P ‖

33 Il est tel acte accompli sous le prétexte apparent qu'il est bon, mais dont le but visé par celui qui l'accomplit n'est pas bon, et il en est tel autre apparemment pervers, mais dont le but visé par celui qui l'accomplit est bon.

34 Mais il n'y a pas que les œuvres chez certains : les discours qu'ils tiennnent sont aussi du type que nous venons de dire. Les uns, en effet, donnent le change sur leurs actes en vertu de leur inexpérience ou de leur ignorance, d'autres en vertu d'un dessein pervers, d'autres encore en vertu d'un but inspiré par la piété.

35 Qui dissimule une calomnie sous le masque de la louange est difficile à déceler pour les gens un peu simples ; pareil à lui est celui qui, sous couvert d'humilité, se livre à la vaine gloire.

36 Ceux qui, par de multiples sophismes, ont fait triompher le mensonge sur la vérité, plus tard, après leur départ, sont démasqués par leurs actes.

37 Il arrive qu'on fasse quelque chose d'apparemment bon qui soit une revanche sur le prochain, comme il arrive qu'en ne le faisant pas, on en tire profit, vu l'intention.

38 Il y a une réprimande inspirée par la méchanceté et l'esprit de revanche et il y en a une inspirée par la crainte de Dieu et la sincérité.

39 Celui qui s'est arrêté de mal faire et se repent, ne le réprimande plus. Si tu prétends le réprimander selon Dieu, commence par mettre à nu tes propres vices.

προφανῶς GQ P Syr. ‖ τὸν : τὸ M τῷ BAF P Y NVW edd. ‖ 2 ἔστιν + ὁ GQ L ‖ αὐτὸ : αὐτῷ D A G αὐτὸν L Pic. edd.

38,2 ἕτερος : ἄλλος T L ἔλεγχος GQ P

39,1 παυσάμενον + ἀπὸ ἁμαρτίας NVW ‖ καὶ + λοιπὸν NVW ‖ 2 ἐλέγχειν αὐτόν ~ NVW ἐλέγχειν Z Pic. edd. ‖ σὰ : σαυτοῦ NVW ‖ 3 φανερὰ ποίησον L

40 Πάσης ἀρετῆς κατάρχει Θεὸς ὡς καὶ τοῦ μεθημερινοῦ φωτὸς ὁ ἥλιος.

41 Ποιήσας ἀρετὴν μνήσθητι τοῦ εἰρηκότος ὅτι· «Χωρὶς ἐμοῦ οὐ δύνασθε ποιεῖν οὐδέν[a]».

42 Διὰ θλίψεως τὰ ἀγαθὰ τοῖς ἀνθρώποις ἡτοίμασται· ὁμοίως τὰ κακὰ διὰ κενοδοξίας καὶ ἡδονῆς.

43 Ἐκφεύγει ἀπὸ ἁμαρτίας ὁ παρὰ ἀνθρώπων ἀδικούμενος, καὶ ὁμοίαν τῆς θλίψεως εὑρίσκει ἀντίληψιν.

44 Ὁ πιστεύων τῷ Χριστῷ περὶ ἀνταποδόσεως πᾶσαν ἀδικίαν ὑπομένει κατὰ ἀναλογίαν τῆς πίστεως.

45 Ὁ ἀδικούντων ἀνθρώπων ὑπερευχόμενος καταράσσει δαίμονας· ὁ δὲ τοῖς πρώτοις ἀντιτασσόμενος ὑπὸ τῶν δευτέρων τιτρώσκεται.

46 Κρείσσων πλημμέλεια ἀνθρώπων καὶ μὴ δαιμόνων· ὁ δὲ εὐαρεστῶν τῷ Κυρίῳ ἀμφοτέρους ἐνίκησε.

47 Πᾶν ἀγαθὸν παρὰ Θεοῦ μυστικῶς παραγίνεται· διαφεύγει δὲ μυστικῶς τοὺς ἀχαρίστους καὶ ἀγνώμονας.

48 Πᾶσα κακία εἰς τὴν ἀπηγορευμένην καταλήγει ἡδονὴν καὶ πᾶσα ἀρετὴ εἰς παράκλησιν πνευματικήν. Καὶ ἡ μὲν προτέρα κρατοῦσα προσερεθίζει τὰ οἰκεῖα, καὶ ἡ δευτέρα ὁμοίως τὰ συγγενῆ.

D E T MZCX BAF GQ L P Y NVW

42,1 θλίψεως T NV Syr. ‖ 2 ὁμοίως + καὶ T GQ Y Obs. edd. + δὲ καὶ X NVW ‖ ἡδονῆς + ἔκφευγε ἁμαρτίας καὶ προαιροῦ τὸ καλὸν ὅσον γὰρ τὸ πονηρὸν ἀποδιδράσκεις τοσοῦτον ὑπὸ θεοῦ συνεργῆσαι E[mg] GQ
43,1 ἀπὸ om. E T X P Y NVW ‖ 2 εὑρίσκει + τὴν Y Obs. edd.
44,1 ὁ + μὴ F[sl m2] Obs. edd. ‖ 2 ἀδικίαν + προθύμως NVW
45,2 τοὺς δαίμονας D BAF Pic. edd. δαίμοσι Obs.[mg]
46,2 κυρίῳ + τοὺς Z GQ NVW
47,1 θεοῦ : κυρίου E X BF NVW χριστοῦ A ‖ μυστικῶς + καὶ οἰκονομικῶς MZCX Q οἰκονομικῶς D Z BAF G L Y edd. NVW οἰκονομικῶς παρὰ Κυρίου P ‖ 2 μυστικῶς om. MZCX Q ‖ τοὺς + ἀχρήστους καὶ NVW ‖ ἀχαρίστους καὶ om. W Y Obs. ‖ ἀγνώμονας καὶ

40 Toute vertu a son principe en Dieu comme la lumière matinale l'a dans le soleil.

41 Quand tu fais un acte de vertu, souviens-toi de celui qui a dit : «Sans moi, vous ne pouvez rien faire[a].»

42 La tribulation prépare aux hommes le bien; parallèlement, le mal leur est préparé par la vaine gloire et la volupté.

43 On échappe au péché quand on subit l'injustice de la part des hommes et, parallèlement à la tribulation, on découvre un secours.

44 Qui fait confiance au Christ pour ce qui est de la rétribution endure n'importe quelle injustice à proportion de sa confiance.

45 Qui prie pour les hommes quand il est en proie à leur injustice met les démons en déroute; qui entre en conflit avec les premiers subit des blessures de la part des seconds.

46 Mieux vaut être outragé par les hommes que par les démons; toutefois celui qui plaît au Seigneur les a vaincus les uns comme les autres.

47 Tout bien, de façon mystérieuse, vient de Dieu; de façon mystérieuse, il écarte les ingrats et les insensés.

48 Tout vice se termine en volupté interdite et toute vertu en consolation spirituelle. Et l'un, quand il prédomine, surexcite ce qui lui est apparenté, l'autre, de façon parallèle, ce qui lui est homogène.

ἀχαρίστους ~ Pic. edd. ‖ ἀγνώμονας + καὶ ἀεργεῖς D MZC Q L + καὶ ἀεργεῖς καὶ τοὺς λοιποὺς ὁμοίους αὐτῶν X + καὶ ἀεργοὺς BAF Pic. edd.
48,1 ἡδονὴν καταλήγει ~ Y edd. ‖ 3 προσεθίζει G προσέθη P ‖ καὶ ἡ δευτέρα + δὲ T MZCX P L Y edd. ἡ δὲ δευτέρα D GQ NVW

---

41 a. Jn 15, 5

49 Ὀνειδισμὸς ἀνθρώπων θλῖψιν παρέχει τῇ καρδίᾳ· ἁγνείας δὲ γίνεται αἰτία τῷ ὑπομένοντι.

50 Ἄγνοια ἀντιλέγειν πρὸς τὰ ὠφέλιμα παρασκευάζει· καὶ θρασυνομένη αὔξει τῆς κακίας τὰ προεγκείμενα.

51 Μηδὲν ζημιούμενος τὰ θλιβερὰ προσδέχου· καὶ ὡς ἀποδώσων λόγον τὴν πλεονεξίαν ἀπόβαλε.

52 Ἁμαρτήσας λαθραίως μὴ πειρῶ λαθεῖν. «Πάντα γὰρ γυμνὰ καὶ τετραχηλισμένα τοῖς ὀφθαλμοῖς αὐτοῦ πρὸς ὃν ἡμῖν ὁ λόγος [a].»

53 Κατὰ διάνοιαν ἑαυτὸν ἐπιδείκνυε τῷ Δεσπότῃ. «Ἄνθρωπος γὰρ εἰς πρόσωπον, Θεὸς δὲ εἰς καρδίαν ὁρᾷ [a].»

54 Μηδὲν λογίζου ἢ πρᾶττε ἄνευ σκοποῦ. Ὁ γὰρ ἀσκόπως ὁδοιπορῶν ματαιοπονήσει.

55 Τῷ ἐκτὸς ἀνάγκης ἁμαρτάνοντι δυσμετανόητα γίνεται, διότι ἀλάθητος ἡ τοῦ Θεοῦ δικαιοσύνη.

56 Σύμβασις ὀδυνηρὰ μνήμην Θεοῦ παρέχει τῷ συνετῷ· θλίβουσα κατὰ ἀναλογίαν τὸν ἐπιλανθανόμενον τοῦ Κυρίου.

57 Πᾶς ἀκούσιος πόνος γινέσθω σοι μνήμης Θεοῦ διδάσκαλος καὶ οὐκ ἐπιλείψει σοι ἀφορμὴ πρὸς μετάνοιαν.

D E T MZCX BAF GQ L P Y NVW

49,2 αἰτία γίνεται ~ BAF P ‖ αἴτιος NVW

50,2 τῆς : τὰς edd. (praeter Philocaliam) contra codd. omnes qui et τὰ προεγκείμενα sententiae sequenti (= 51) adjunxerunt ‖ προεγκείμενα : προκεί. W προεγγύμενα A

51,1 θλιβερὰ : λυπειρὰ D ‖ 2 λόγον ἀποδώσων ~ NVW ‖ τὴν om. Pic. edd.

52,1 λανθάνειν MX Y edd. ‖ 2 καὶ om. D M ‖ αὐτοῦ : κυρίου NVW τοῦ θεοῦ X

53,1 ἑαυτῷ F σεαυτὸν T ‖ 2 γὰρ : μὲν BF μὲν γὰρ X ‖ θεὸς δὲ : θεὸς γὰρ F ὁ δὲ θεὸς E T Y edd. [sic LXX] ‖ ὁρᾷ om. NVW

54,1 ἄνευ σκοποῦ [sic edd. Syr.] : ἄνευ τοῦ κατὰ θεὸν σκ. D E MZCX BAF GQ P NVW ἄνευ σκοποῦ τ. κ. θ. T L ‖ 2 ματαιοπονεῖ GQ

55,2 ἀλάθητος + ἐστιν NVW

49 Une insulte des hommes procure la tribulation au cœur ; mais elle devient cause de pureté pour qui la supporte.

50 L'ignorance dispose à contester ce qui serait profitable et, en s'enflammant d'audace, accroît les réserves du vice.

51 Sans tirer nulle vengeance, accepte les tribulations et en pensant aux comptes que tu auras à rendre, repousse la cupidité.

52 Si tu as commis une faute occulte, n'essaie pas de te cacher. « Car tout est nu et à découvert aux yeux de celui à qui nous avons à rendre compte[a]. »

53 Montre-toi à ton Maître tel que tu es mentalement, « car l'homme voit au visage, et Dieu au cœur[a] ».

54 Ne raisonne ni n'agis jamais sans but. En effet celui qui chemine sans but prend de la peine en vain.

55 Qui pèche sans s'y trouver contraint a beaucoup de peine à se repentir, car à la justice de Dieu rien n'est dissimulé.

56 Un événement douloureux fournit à l'homme sensé une occasion de se souvenir de Dieu, tandis que de manière correspondante, il écrase celui qui oublie le Seigneur.

57 Que toute peine involontairement subie te devienne un maître qui t'enseigne à te souvenir de Dieu, et jamais ne te manquera un point de départ pour la pénitence.

56,2 θλιβοῦσα : θλίβει δὲ κακολογία X[mg] || ἐπιλαθώμενον M || κυρίου : θεοῦ T NVW

57,1 γενέσθω A GQ Y

52 a. He 4, 13   **53** a. cf. 1 R 16, 7

913   **58** Λήθη καθ᾽ ἑαυτὴν οὐδεμίαν ἔχει δύναμιν, ἀλλ᾽ ἐκ τῶν ἡμετέρων ἀμελειῶν κατ᾽ ἀναλογίαν κρατύνεται.

59 Μὴ λέγε · Τί ποιήσω ; ὅ τι οὐ θέλω, καὶ ἔρχεται. Διότι μνημονεύων παρελογίσω τὸ ὀφειλόμενον. **60** Ὁ γὰρ μνημονεύεις, ποίησον · καὶ ὁ ἀμνημονεῖς ἀποκαλύπτεταί σοι · καὶ οὐ μὴ παραδῷς ἀκρίτως λήθη τὴν ἔννοιαν.

61 Ἡ Γραφή φησιν · «Ἅδης καὶ ἀπώλεια φανερὰ παρὰ Κυρίῳ[a].» Ταῦτα δὲ περὶ καρδιακῆς ἀγνοίας καὶ λήθης λέγει. **62** Ἅδης ἐστὶν ἄγνοια · ἀμφότερα γάρ ἐστιν ἀφάνερα. Ἀπώλεια γάρ ἐστι λήθη, διότι ἐξ ὑπαρχόντων ἀπώλοντο.

63 Τὰ σὰ περιεργάζου κακὰ καὶ μὴ τὰ τοῦ πλησίον καὶ οὐ μὴ συληθῇ σου τὸ νοερὸν ἐργαστήριον.

64 Πάντων τῶν κατὰ δύναμιν καλῶν δυσχώρητος ἡ ἀμέλεια · ἐλεημοσύνη δὲ καὶ προσευχὴ ἀνακαλεῖται τοὺς ἀμελήσαντας.

65 Πᾶσα θλῖψις κατὰ Θεὸν ἔργον ἐστὶν εὐσεβείας ἐνυπόστατον · ἡ γὰρ ἀληθινὴ ἀγάπη δι᾽ ἐναντίων δοκιμάζεται.

66 Μὴ λέγε κεκτῆσθαι ἀρετὴν ἐκτὸς θλίψεως · ἀδόκιμος γάρ ἐστι διὰ τὴν ἄνεσιν.

D E T MZCX BAF GQ L P Y NVW

58,2 ἀμελειῶν : ἀνομίων Y Obs.

D E T MZCX BAF GQ L Y NVW

60 — 66 def. P
60,1 γὰρ : om. T X GQ Y NVW Syr. ‖ 1-2 μνημονεύεις + ἀγαθὸν NVW ‖ 2 σοι om. GQ L Y ‖ 3 ἀκρίτῳ NVW ‖ τὴν ἔννοιαν λήθη ~ edd.
61,2 ἀγνοίας : ἐννοίας H ‖ 3 λέγει ... 62,1-2 ἀφάνερα om. T
62,1 ἅδης + γὰρ NVW ‖ 2 ἀπώλεια — λήθη : ante ἀμφότερα transp. X L Y edd. om. Syr. ‖ γάρ : δέ C Y edd. ‖ ἐστι + ἡ D L om. G
63,2 συληθῇ : συλλυθῇ D MX BAF Pic edd.
64,1 δυσσυγχώρητος D E NVW
65,1-2 ἐνυπόστατον εὐσεβείας ~ T L ‖ 2 ὑπόστατον Obs. ‖ διὰ τῶν BAF
66,1 ἐκτὸς : χωρὶς E NV

58 L'oubli n'a par lui-même aucun pouvoir, mais sa domination vient de nos négligences et croît à proportion.

59 Ne dis pas : Que vais-je faire? Ce que je ne veux pas m'arrive tout de même. Car ce dont tu te souvenais tu n'en as pas tenu compte pour te fixer ton devoir. **60** Effectivement ce dont tu as le souvenir, fais-le; et ce dont tu n'as pas souvenance t'est dévoilé. Et ne va pas livrer ton intellect à l'oubli par manque de discernement.

61 L'Écriture déclare : «L'enfer et la perdition sont à découvert devant le Seigneur[a].» Ce qu'elle dit là a trait à l'ignorance du cœur et à l'oubli. **62** L'enfer, c'est l'ignorance — car l'un comme l'autre ne sont pas apparents —; la perdition, c'est l'oubli, vu qu'ils ont résulté de la perte d'êtres existants.

63 Préoccupe-toi du mal qui est en toi, non de celui qui est dans le prochain, de peur de démolir l'atelier qui est dans ton intellect.

64 Dans tous les cas où le bien serait en notre pouvoir, la négligence est difficile à comprendre[1]. Au demeurant, l'aumône et la prière rappellent à eux les négligents.

65 Toute tribulation vécue selon Dieu est une œuvre de piété très solide. En effet l'authentique charité se révèle à l'épreuve des contradictions.

66 Ne prétends pas avoir acquis la vertu en dehors de la tribulation; car en l'absence de tensions, elle n'est pas éprouvée.

---

61 a. Pr 15, 11

1. Le *TLG* ne fournit toujours, comme Liddell-Scott, que deux occurrences de l'adjectif δυσχώρητος, au surplus très éloignées dans le temps et peu accordées pour le sens : Polybe 23, 1, 13 (IIe s. av. J.-C.; il s'agit d'un verdict dificile à rendre) et Aèce (1re moitié du VIe s. ap. J.-C.; il s'agit d'une nourriture); ceci explique les hésitations des différents traducteurs de Marc.

67 Πάσης ἀκουσίου θλίψεως ἀναλογίζου τὴν ἔκβασιν, καὶ εὑρήσεις ἐν αὐτῇ ἁμαρτίας ἀναίρεσιν.

68 Πολλαὶ συμβουλίαι τοῦ πέλας πρὸς τὸ συμφέρον· ἑκάστῳ δὲ τῆς ἰδίας γνώμης οὐδὲν ἁρμοδιώτερον.

69 Ζητῶν θεραπείαν ἐπιμέλησαι τῆς συνειδήσεως· καὶ ὅσα λέγει ποίησον· καὶ εὑρήσεις τὴν ὠφέλειαν.

70 Τὰ κρυπτὰ ἑκάστου ὁ Θεὸς οἶδε, καὶ συνείδησις· καὶ διὰ τούτων αὐτῶν λαμβανέτω διόρθωσιν.

71 Ὁ ἀβουλήτως κοπιῶν καθολικῶς πτωχεύει. Ὁ δὲ μετ᾽ ἐλπίδος τρέχων δίπλουτός ἐστιν.

72 Ἄνθρωπος ὅσα δύναται ἐπιτηδεύει κατὰ τὸ θέλημα· Θεὸς δὲ τὰς τούτων ἐκβάσεις ποιεῖ κατὰ τὸ δίκαιον.

73 Ἐὰν θέλῃς ἀκατακρίτως παρὰ ἀνθρώπων ἔπαινον λαβεῖν, πρότερον ὑπὲρ ἁμαρτιῶν σου ἀγάπησον ἔλεγχον.

74 Ὅσην ἄν τις ὑπὲρ ἀληθείας Χριστοῦ καταδέξηται ἐντροπήν, ἑκατονταπλασίως ὑπὸ πλήθους δοξασθήσεται. 75 Κρεῖσσον δὲ πᾶν ἀγαθὸν ἐργάζεσθαι διὰ τὰ μέλλοντα.

76 Ὅταν ἄνθρωπος ἄνθρωπον ὠφελήσῃ ἐν λόγοις ἢ ἐν πράγμασιν, Θεοῦ εἶναι τὴν χάριν νοείτωσαν ἀμφότεροι. Ὁ δὲ μὴ συνιὼν τοῦτο παρὰ τοῦ συνιέντος ἐξουσιαθήσεται.

D E T MZCX BAF GQ L P Y NVW

67,1 ἀκουσίου : ἑκουσίου D E MZCX BAF GQ L Y edd. ‖ 2 ἁμαρτίας : ἁμαρτημάτων GQ L ‖ ἀναίρεσιν + πρόσεχε ὁ ἀναγινώσκων πῶς ἀναγινώσκεις εἰ μὲν ὁ νοῦς τῶν παθῶν καθαρεύει· ποιεῖ τις τινὰ κατὰ τὸ ῥητόν· εἰ δ᾽ οὐχί, ἄκουε τὸ ἄλλο πρὸς τὸ τέλος τοῦ λόγου, ὅτι πρὸ ἀναιρέσεως τῶν κακῶν καὶ τὰ ἑξῆς εἰς σημεῖον τοῦτον G [cf. 178]
68,2 ἁρμοδιώτερον + εἴπερ τὸ συνειδὸς ἐκκεκάθαρται X L
69,2 ὅσα : ὅσοι Q ‖ λέγει + σοι X BF ‖ τὴν om. BAF Q
71,1-2 ὁ¹ — ἐστιν om. W ‖ 2 ἐστιν : ἔσται GQ N
72,1 ὅσον L T ‖ τὸ + ἴδιον GQ NVW‖ 2 θεὸς δὲ : ὁ δὲ θεὸς Y edd.
73,1 ἐὰν θέλῃς : ἐ. θέλεις N ‖ ἔπαινον παρὰ ἀνθρώπων ~ E NVW ‖ 2 λαμβάνειν L NVW ‖ πρῶτον Y edd. ‖ ὑπὲρ + τῶν NVW ‖ ἁμαρτιῶν : -τημάτων E MZCX BF L
74,1 ἀληθείας χριστοῦ : χ. ἀλ ~ Q ἀλ. θεοῦ A V ἀληθείας D C ‖ 2 ἑκατονπλασίονα GQ ‖ δοξάζεται E MZ B GQ Y Obs.

67 Devant toute tribulation involontairement subie, réfléchis à l'issue, et tu découvriras qu'il y a là une occasion de s'arracher au péché.

68 Nombre de conseils d'autrui vont dans la direction de l'utile ; pour chacun cependant il n'est rien de plus adapté que son propre avis.

69 Tu cherches un moyen de te guérir ? Aie le souci de ta conscience ; tout ce qu'elle te dit, fais-le, et tu trouveras ce qui t'est utile.

70 Les secrets de tout un chacun, Dieu les sait, et sa conscience aussi. Voilà les moyens mêmes à prendre pour se corriger.

71 Celui qui se fatigue sans dessein est totalement dans la misère ; celui qui court muni d'un espoir est deux fois riche.

72 L'homme s'applique à tout ce qu'il peut en fonction de ce qu'il veut ; Dieu ménage en ces cas l'issue en fonction de ce qui est juste.

73 Désires-tu recevoir des louanges des hommes de manière non condamnable ? Commence par chérir la critique portée contre tes fautes.

74 Pour chaque humiliation essuyée en défendant la vérité du Christ, on recevra de la foule un centuple de gloire. **75** Mais mieux vaut faire toute sorte de bien en vue des réalités à venir.

76 Toutes les fois qu'un homme se rend utile à un autre par des paroles ou par des actes, l'un et l'autre doivent penser que c'est là une grâce de Dieu. Qui ne comprend pas cela tombera au pouvoir de qui le comprend.

76,1 ὅταν : ὅταν οὖν F εἴ τι ἂν Q ‖ 2 νοείτωσαν : ὁμολογήτωσαν X L ‖ ἀμφότεροι : οἱ ἀμφ. E X ‖ 3 τοῦτο om. D T ‖ συνίοντες M Z W

77 Ὁ ἐπαινῶν τὸν πλησίον κατά τινα ὑπόκρισιν ὀνειδίσει αὐτὸν ἐν καιρῷ, καὶ αὐτὸς ἐντραπήσεται.

78 Ὁ ἀγνοῶν ἐνέδραν πολεμίων σφάζεται εὐχερῶς · καὶ ὁ μὴ εἰδὼς τὰς αἰτίας τῶν παθῶν καταπίπτει ῥᾳδίως.

79 Ἀπὸ φιληδονίας ἀμέλεια καὶ ἀπὸ ἀμελείας λήθη προσγίνεται. Τῶν συμφερόντων γὰρ τὴν γνῶσιν ὁ Θεὸς πᾶσι δεδώρηται.

80 Ἄνθρωπος ὑποτίθεται τῷ πλησίον καθὰ ἐπίσταται, Θεὸς δὲ ἐνεργεῖ τῷ ἀκούοντι καθὰ ἐπίστευσεν.

81 Εἶδον ἰδιώτας ἔργῳ ταπεινοφρονήσαντας, καὶ ἐγένοντο τῶν σοφῶν σοφώτεροι. Ἕτερος ἰδιώτης ἀκούσας ἐκείνους ἐπαινομένους τὴν ταπείνωσιν οὐκ ἐμιμήσατο, ἀλλ' ἐπὶ τῇ ἰδιωτείᾳ κενοδοξῶν ὑπερηφάνειαν προσελάβετο.

82 Ὁ σύνεσιν ἐξουθενῶν καὶ εἰς ἀμαθίαν ἐγκαυχώμενος οὐκ ἔστιν ἰδιώτης μόνον τῷ λόγῳ, ἀλλὰ καὶ τῇ γνώσει.

83 Ὥσπερ ἄλλο ἐστὶν σοφία λόγου καὶ ἄλλο φρόνησις, οὕτως ἕτερον ἰδιωτεία λόγου καὶ ἕτερον ἀφροσύνη.

84 Οὐδὲν βλάψει ἀμαθία λέξεων τὸν εὐλαβέστατον, ὡς οὐδὲ σοφία λόγων τὸν ταπεινόφρονα.

85 Μὴ λέγε · Οὐκ ἐπίσταμαι τὸ δέον, καὶ ἀναίτιός εἰμι μὴ ποιῶν αὐτό. Εἰ γὰρ ἐποίεις καλὰ ὅσα ἐπίστασαι, καὶ τὰ

D E T MZCX BAF GQ L P Y NVW

78,1 σφάζεται : σφάττεται Q ‖ εὐχερῶς : εὐκαιρῶς Pic. edd.
79,2 ἐκφερόντων P
81,2 ἰδιώτης om. NVW ‖ 2-3 ἐκείνους ἐπαινουμένους : ἐκείνου ἐπαινουμένου D T ἐκείνου ἐπαρνουμένου Obs. ἐκείνου ἐπαιρομένου Pic. edd. ‖ 3 ταπεινοφροσύνην E CX GQ NVW
82,1 ἐξουθενήσας GQ ‖ καυχώμενος NVW‖ 2 ἰδιώτης μόνον : μό. ἰδ. ~ E NVW ἰδιώτης Y Obs.
83,1 ὥσπερ + γὰρ W ‖ 2 ἕτερον : ἐστιν T + ἐστιν L ‖ ἰδιωτεία λόγου ἕτερον ~ NVW
84,1 εὐλαβῆ MZCX BF εὐλαβέστον P ‖ 2 λόγου E BF NV

77 Celui qui loue son prochain pour quelque motif hypocrite l'outragera à la première occasion et sera lui-même humilié.

78 Celui qui ignore le piège ennemi est aisément égorgé et celui qui ne sait pas les causes des passions y succombe facilement.

79 L'amour du plaisir engendre la négligence et la négligence l'oubli. Car de la connaissance de ce qui est utile, Dieu a fait à tous le don.

80 L'homme donne des avis à son prochain selon qu'il sait. Dieu, lui, agit sur celui qui l'écoute selon que ce dernier lui a fait confiance.

81 J'ai vu des gens simplets qui avaient agi dans des sentiments d'humilité et étaient devenus plus sages que les sages. Tel autre simple d'esprit, en entendant faire l'éloge de ceux-là, n'en avait pas imité l'humilité ; au contraire il avait tiré de sa simplesse une vaine gloire et y avait ajouté de l'orgueil.

82 Celui qui rejette le bon sens et se rengorge dans son ignorance n'est pas un simple d'esprit seulement par le langage, mais aussi quant à la connaissance.

83 De même que la sagesse du langage est une chose et la prudence une autre, de même la simplesse de langage est une chose et l'imprudence une autre.

84 N'être pas instruit en l'art des discours ne nuira en rien à l'homme très pieux, pas plus que la sagesse dans la parole à qui possède l'esprit d'humilité.

85 Ne dis pas : Je ne sais pas quel est mon devoir, aussi ne peut-on me reprocher de ne pas le faire. En effet, si tu faisais tout ce que tu sais être bien, le reste te serait révélé

85,1 λέγε + ὅτι X NVW ‖ 2 ὅσα ἐποιεῖς καλὰ ~ L NVW

λοιπά σοι ἀκολούθως ἀπεκαλύπτετο, οἰκίσκων τρόπῳ ἕν
δι' ἑνὸς κατανοούμενα. **86** Οὐ συμφέρει σοι πρὸ τῆς
ἐργασίας τῶν προτέρων εἰδέναι τὰ δεύτερα. «Ἡ γὰρ γνῶσις
φυσιοῖ» διὰ τὴν ἀργίαν, «ἡ δὲ ἀγάπη οἰκοδομεῖ[a]» διὰ τὸ
πάντα ὑπομένειν.

87 Τῆς Γραφῆς τὰ ῥήματα διὰ πράξεων ἀναγίνωσκε· καὶ
μὴ πλατυλόγει ἐπὶ ψιλοῖς τοῖς νοήμασι φυσιούμενος. **88** Ὁ
ἀφεὶς τὴν πρᾶξιν καὶ γυμνῇ τῇ γνώσει ἐπερειδόμενος ἀντὶ
διστόμου μαχαίρας[a] καλαμίνην ῥάβδον κρατεῖ, ἥτις ἐν
καιρῷ πολέμου, κατὰ τὴν Γραφήν, «τρήσει τὴν χεῖρα
5 αὐτοῦ[b]», καὶ εἰς αὐτὴν εἰσελεύσεται τὸν ἰὸν τῆς φύσεως πρὸ
τῶν πολεμίων ἐμβάλλουσα.

89 Μέτρον ἔχει καὶ σταθμὸν παρὰ Θεῷ πᾶσα ἔννοια.
Ἔστι γὰρ τὸ αὐτὸ ἢ ἐμπαθῶς ἢ μεσοτρόπως λογίσασθαι.

90 Ὁ ποιήσας ἐντολὴν ἐκδεχέσθω τὸν ὑπὲρ αὐτῆς πει-
ρασμόν· ἡ γὰρ εἰς Χριστὸν ἀγάπη δι' ἐναντίων δοκιμάζεται.

91 Μὴ καταφρονήσῃς ποτὲ ἐν λογισμῶν ἀμελείᾳ·
ἀλάθητος γάρ ἐστιν ὁ Θεὸς ἐπὶ πάσης ἐννοίας.

92 Ὅταν ἴδῃς λογισμὸν ἀνθρωπίνην σοι δόξαν ὑπαγο-
ρεύοντα, γίνωσκε σαφῶς ὅτι αἰσχύνην σοι κατασκευάζει.

93 Ἐπίσταται ὁ ἐχθρὸς τοῦ πνευματικοῦ νόμου τὸ
δίκαιον καὶ ζητεῖ μόνον τὴν νοερὰν συγκατάθεσιν. Οὕτω

D E T MZCX BAF GQ L P Y NVW

85,3 οἰκίσκῳ Z C[pc] οἰκίσκου W οἰκίσκον Q Y οἰκείῳ D BA M P Obs.
edd. ‖ τρόπον E T F GQ L Y VW ‖ 4 κατανοούμενον GQ Y
κατανοούμενος B

86,2 πρώτων Y edd. ‖ 3 ἀργίαν : ἐνεργείαν Obs.

87,1 τῆς + θείας NVW ‖ πράξεως GQP ‖ 2 τοῖς : om. D τῆς W ‖
νοήμασι + εἰκῇ BAF Q Pic. edd.

88,1 ὁ + γὰρ D MZC BAF L ‖ 2 γυμνῇ : ψιλῇ W ‖ 3 κρατεῖ : κατέχει
NVW ‖ 5 εἰσελεύσεται εἰς αὐτὴν ~ NVW ‖ εἰς αὐτὴν om. D MZC B Y[ac]
Obs.

89,1 παρὰ θεῷ om. G P ‖ πᾶσα ἔννοια παρὰ θ. ~ Q F ‖ 2 αὐτὸ + ἢ
ἀπαθῶς AF ‖ μεσοτρόπως : μονο. E T X GQ NVW

par voie de conséquence ; comme il en va dans une enfilade de pièces, tu percevrais une chose à travers une autre. **86** Il ne t'est pas utile de savoir le deuxième point avant d'avoir exécuté le premier. Car « la connaissance enfle », parce qu'elle reste inactive, tandis que « la charité édifie[a] » à cause de sa patience universelle.

87 Les mots que tu lis dans l'Écriture, tu dois les traduire par des actes, sans vastes discours, sans enflure à propos de ce qui est pur concept. **88** Celui qui laisse là l'action pour se reposer sur la seule connaissance ne tient, au lieu d'un glaive à deux tranchants[a], qu'une tige de roseau qui, au moment de la bataille, comme le dit l'Écriture, « lui percera la main[b] » et qui, entrée dans celle-ci, y injectera, face à l'ennemi, son venin naturel.

89 Il est auprès de Dieu pour chaque idée une mesure et un poids. Effectivement on peut, sur le même sujet, réfléchir soit avec passion soit avec modération.

90 Qui accomplit un commandement doit s'attendre à une tentation à ce sujet ; car la charité envers le Christ est jugée par l'épreuve des contradictions.

91 Ne sois jamais négligent par dédain à l'égard de tes pensées ; car rien n'échappe à Dieu de n'importe quelle idée.

92 Quand tu vois une pensée t'inviter à la gloire devant les hommes, sache-le clairement, elle te prépare à la honte.

93 L'ennemi connaît la justice de la loi spirituelle et cherche seulement l'assentiment de l'intellect. De cette

---

90,1 ταύτης NVW || 2 δι' : διὰ τῶν X BAF NV
92,1-2 ὑπαγορεύονται M ἐπαγορεύοντα B ὑπαγορεύοντι A
93,2 δίκαιον : δικαίωμα BF

---

86 a. 1 Co 8, 1   **88** a. cf. He 4, 12   b. cf. 4 R 18, 21

γὰρ ἂν ᾗ τοῖς τῆς μετανοίας πόνοις ὑπεύθυνον ποιήσῃ τὸν
ὑποχείριον, ἢ μὴ μετανοοῦντα ἀκουσίοις ἐπιφοραῖς ὀδυνήσῃ
5 αὐτόν.

94 Ἔστι δ᾽ ὅτε καὶ πρὸς τὰς ἐπιφορὰς ἀντιμάχεσθαι
917 παρασκευάζει, ὅπως καὶ ὧδε τὰς ὀδύνας πολυπλασιάσῃ, καὶ
ἐν ἐξόδῳ διὰ τὴν ἀνυπομνησίαν ἀποδείξῃ ἄπιστον.

95 Πρὸς τὰ ἐπερχόμενα πολλοὶ πολλὰ ἀντετάξαντο · ἀλλ᾽
ἐκτὸς προσευχῆς καὶ μετανοίας οὐδεὶς τὸ δέον διέφυγεν.

96 Ἓν δι᾽ ἑνὸς τὰ κακὰ λαμβάνει τὴν δύναμιν, ὁμοίως καὶ
τὰ ἀγαθὰ δι᾽ ἀλλήλων αὐξάνονται · καὶ τὸν ἑαυτῶν μέτοχον
ἐπὶ τὰ πρόσω μείζονως προτρέπονται.

97 Τὰ μικρὰ ἁμαρτήματα εὐτελίζει ὁ διάβολος · ἄλλως
γὰρ ἐπὶ μεῖζον κακὸν ἀγαγεῖν οὐ δύναται.

98 Ῥίζα αἰσχρᾶς ἐπιθυμίας ἀνθρώπινος ἔπαινος · ὥσπερ
καὶ σωφροσύνης ὁ περὶ κακίας ἔλεγχος, οὐχ ὅταν ἀκούωμεν,
ἀλλ᾽ ὅταν αὐτὰ καταδεχώμεθα.

99 Οὐδὲν ὠφελήθη ὁ ἀποταξάμενος καὶ ἡδυπαθῶν · ὁ γὰρ
ἐποίει διὰ τῶν χρημάτων, τοῦτο καὶ μηδὲν ἔχων ἐργάζεται.

100 Πάλιν δὲ ὁ ἐγκρατὴς ἐὰν κτᾶται χρήματα ἀδελφός
ἐστι τοῦ προτέρου κατὰ διάνοιαν · μητρὸς μὲν τῆς αὐτῆς διὰ
τὴν νοερὰν ἡδονήν · πατρὸς δὲ ἑτέρου διὰ τὴν τοῦ πάθους
ἐναλλαγήν.

D E T MZCX BAF GQ L P Y NVW

93,3 τοῖς : τὸν Pic. edd. ‖ πόνοις om. D AF P Obs. edd. ‖ 4 ἀκουσίαις L
94,1 δ᾽ὅτε : δ᾽οὖν GQ ὅτι D Z ‖ 2 παρασκευάσει Pic. edd. ‖ 3 διὰ τὴν
ἀνυπομνησίαν : διὰ πειρασμῶν καὶ ἀνυπομνησίας GQ
95,1 πολλοὶ πρὸς τὰ ἐπερχόμενα ~ T GQ P L ‖ 2 δέον [justitiam Syr.]:
δεινὸν D E^{pc} F GQ Pic. edd. ‖ διέφυγεν : ἐξέφυγεν BAF
96,2 αὐξάνεται D MX A P Y edd. ‖ 3 μείζονα MZC Y edd.
97,1 ἐξευτελίζει BAF Pic. edd. ‖ 2 μείζονα κακὸν Z μείζονα κακὰ D E
MZCX BAF L ‖ ἄγειν T ἀγάγαι D E M BAF ‖ δύναται + εἰ μὴ πρότερον
ἐρεθίσει εἰς αἰσχρὰς ἐνθυμήσεις X

façon, ou bien il oblige son sujet à se soumettre à des travaux pénitentiels, ou bien si ce sujet ne fait pas pénitence, il le fera souffrir par des calamités allant contre son gré.

94 Il arrive d'ailleurs aussi qu'il le dispose à combattre contre ces calamités afin de multiplier par là les douleurs et, au sortir de la vie, de le dénoncer pour infidélité à cause de son manque d'endurance.

95 Face aux événements, bien des gens ont fait front de bien des façons. Mais hormis par la prière et par le repentir, nul n'a échappé à l'inévitable.

96 L'un par l'autre les maux prennent de la force ; de même aussi les biens s'augmentent les uns les autres, ils excitent davantage celui qui y participe à tendre vers ce qui est à venir.

97 Le diable minimise les petits péchés, car il ne pourrait autrement pousser à un mal plus grand.

98 La louange humaine est racine de désir honteux, de même que la réprimande pour un vice l'est de tempérance, non pas quand nous les entendons, mais quand nous les accueillons.

99 Il n'a servi de rien de renoncer tout en s'adonnant à la volupté, car ce qu'on aurait fait grâce à ses richesses, on l'opère lors même qu'on ne possède rien.

100 A son tour, l'homme continent, s'il acquiert des richesses, est mentalement le demi-frère de celui qui est dans le cas ci-dessus : la mère est la même, à raison de la volupté mentale, le père est différent, à cause du changement de passion.

98,1 ῥίζα + γὰρ D MZC ‖ 2 ἀκούωμεν + μόνον NVW ‖ αὐτὰ : + ἡδέως E αὐτὸν D P Pic edd. A αὐτὸν καὶ NVW

99,1 ὠφελήσεις L

100,1 δὲ om. E T GQ P NVW ‖ κτᾶται : κτήσεται D MZCX BA κατέχη E G P L ‖ 3 νοερὰν om. GQ suppl. P^mg

101 Ἔστιν ὁ περικόπτων πάθος διὰ μείζονα ἡδυπάθειαν καὶ ὑπὸ τῶν ἀγνοούντων αὐτοῦ τὸν σκοπὸν δοξάζεται. Τάχα δὲ καὶ ἑαυτὸν ἀγνοεῖ κοπιῶν ἀνόνητα.

102 Αἰτία πάσης κακίας κενοδοξία καὶ ἡδονή· ὁ δὲ μὴ μισήσας αὐτὰ οὐ μὴ νικήσει πάθος.

103 «Ῥίζα πάντων τῶν κακῶν, εἴρηται, ἡ φιλαργυρία [a]»· ἀλλὰ καὶ αὕτη σαφῶς δι' ἐκείνων συνίσταται.

104 Ἐκτυφλοῦται ὁ νοῦς διὰ τούτων τῶν τριῶν παθῶν, φιλαργυρίας λέγω καὶ κενοδοξίας καὶ ἡδονῆς. «Τρεῖς θυγατέρες τῆς βδέλλης [a]» αὐταί εἰσι, κατὰ τὴν Γραφήν, ὑπὸ μητρὸς ἀφροσύνης ἀγαπήσει ἀγαπώμεναι. **105** Γνῶσις καὶ πίστις, αἱ τῆς φύσεως ἡμῶν σύντροφοι, δι' οὐδὲν ἕτερον ἢ δι' ἐκείνας ἠμβλύνθησαν. **106** Θυμὸς καὶ ὀργὴ καὶ πόλεμος καὶ φόνοι καὶ πᾶς ὁ λοιπὸς κατάλογος τῶν κακῶν δι' ἐκείνας ἐν ἀνθρώποις σφόδρα ἐκραταιώθησαν. **107** Οὕτω μισῆσαι δεῖ φιλαργυρίαν καὶ κενοδοξίαν καὶ ἡδονὴν ὡς μητέρας τῶν κακῶν καὶ μητρυιὰς τῶν ἀρετῶν. **108** Διὰ ταῦτα «μὴ ἀγαπᾶν τὸν κόσμον καὶ τὰ ἐν τῷ κόσμῳ [a]» προσετάχθημεν, οὐχ ἵνα τὰ κτίσματα τοῦ Θεοῦ ἀκρίτως μισήσωμεν, ἀλλ' ὅπως τῶν τριῶν ἐκείνων παθῶν τὰς ἀφορμὰς περικόψωμεν.

D E T MZCX BAF GQ L P Y NVW

101,2 δοξάζεται : δοξαζομένοις L
102,1 αἰτία : ἡ αἰτία Obs. edd. ‖ ἡδονὴ καὶ κενοδοξία ~ X ‖ 2 ταῦτα NVW ‖ μὴ om. NVW ‖ νίκησει : περιαίρει NVW περιάρη Y Obs. edd.
103,2 καὶ om. NVW
104,1 ἐκτυφλοῦται + δ' Pic. edd. ‖ τῶν τριῶν τούτων ~ Q Obs. edd. τριῶν om. P ‖ 2 καὶ + δὴ καὶ A om. Obs. edd. ‖ 3 τῆς : om. D T GQ P λέγει Y λέγω Obs. edd. ‖ εἰσι om. W ‖ τὴν + θείαν Y edd. ‖ 4 ἀγαπώμεναι : -μενος F + πάνυ Q
105,2 τῆς φύσεως : τῆς θρησκείας E[txt] [sed corr. mg] τῶν φύσεων A τῆς γνώσεως V ‖ ἕτερον + ἄλλο T
106,1 καὶ πόλεμος : καὶ πόλεμοι E T X GQ NVW om. BF ‖ 2 φόνοι : φθόνοι L ‖ τῶν κακῶν κατάλογος ~ NVW

101 Il existe, l'homme qui coupe court à une passion en vue de ressentir une volupté plus grande ; ceux qui ignorent son intention le glorifient et peut-être lui-même, d'ailleurs, ignore-t-il qu'il prend de la peine inutilement.

102 Vaine gloire et volupté sont cause de tous les vices ; qui n'a pas conçu pour elles de la haine ne triomphera d'aucune passion.

103 « La racine de tous les vices, c'est l'amour de l'argent[a] », a-t-il été dit. Et ce dernier lui aussi prend clairement consistance grâce aux deux causes ci-dessus.

104 L'intellect est aveuglé par les trois passions que voici : l'amour de l'argent, la vaine gloire et la volupté. Ce sont elles, « les trois filles de la sangsue[a] », selon l'Écriture, aimées de grand amour par leur mère la folie. **105** Connaissance et foi, ces deux sœurs de lait de notre nature, ne sont émoussées par rien d'autre que ces trois-là. **106** Emportement, colère, guerre, meurtres et tout le reste de la série des maux sont par elles grandement renforcés chez les hommes. **107** Ainsi doit-on haïr amour de l'argent, vaine gloire et volupté comme les mères des vices et les marâtres des vertus. **108** Voilà pourquoi il nous a été prescrit de « ne pas aimer le monde ni ce qui est au monde[a] » ; le but n'est pas de nous faire détester sans discernement les créatures de Dieu, mais de nous faire trancher les amorces de ces trois passions.

107,1-2 δεῖ μισῆσαι ~ A NVW μισῆσαι δὲ G μισεῖσθαι δεῖ L[pc]
108,1 ταύτας D E G P NVW ‖ 2 ἀγαπῶν G ἀγαπῶμεν Obs. ‖ καὶ : μηδὲ Y Obs. edd. μήτε GQ ‖ προσετάχθημεν + τοῦτο δὲ εἴρηται F GQ Pic. edd. ‖ 3 μισήσωμεν ἀκρίτως ~ GQ ‖ 4 παθῶν ἐκείνων ~ GQ

103 a. 1 Tm 6, 10   **104** a. Pr 30, 15   **108** a. 1 Jn 2, 15

109 «Οὐδείς, φησί, στρατευόμενος ἐμπλέκεται ταῖς τοῦ βίου πραγματείαις[a]»· ὁ γὰρ μετὰ τῆς ἐμπλοκῆς τὰ πάθη νικῆσαι θέλων ὅμοιός ἐστι τῷ μετὰ ἀχύρων σβεννύοντι ἐμπυρισμόν.

920   **110** Ὁ διὰ χρήματα, ἢ δόξαν, ἢ ἡδονὴν ὀργιζόμενος τῷ πλησίον οὔπω ἔγνωκεν ὅτι ἐν δικαιοσύνῃ διοικεῖ ὁ Θεὸς τὰ πράγματα.

111 Ὅταν ἀκούσῃς τοῦ Κυρίου λέγοντος ὅτι «εἴ τις οὐκ ἀποτάσσεται πᾶσι τοῖς ὑπάρχουσιν αὐτοῦ, οὐκ ἔστι μου ἄξιος[a]», μὴ μόνον περὶ χρημάτων νόει τὸ εἰρημένον, ἀλλὰ καὶ περὶ πάντων τῶν τῆς κακίας πραγμάτων.

112 Ὁ μὴ γινώσκων τὴν ἀλήθειαν οὔτε ἀληθῶς πιστεύειν δύναται. Ἡ γὰρ γνῶσις κατὰ φύσιν προηγεῖται τῆς πίστεως.

113 Ὥσπερ ἑκάστῳ τῶν ὁρωμένων ὁ Θεὸς ἀπένειμεν τὸ προσφυές, οὕτω καὶ τοῖς ἀνθρωπίνοις λογισμοῖς, κἂν θέλωμεν, κἂν μὴ θέλωμεν.

114 Εἴ τις προφανῶς ἁμαρτάνων καὶ μὴ μετανοῶν οὐδὲν ἔπαθεν ἕως ἐξόδου, τούτου νόμιζε ἀνίλεων εἶναι τὴν κρίσιν[a].

115 Ὁ ἐμφρόνως προσευχόμενος ὑπομένει τὰ ἐπερχόμενα· ὁ δὲ μνησικακῶν οὔπω καθαρῶς προσηύξατο.

116 Ζημιωθεὶς ἢ ὀνειδισθεὶς ἢ διωχθεὶς παρά τινος μὴ λογίζου τὸ παρόν, ἀλλὰ τὸ μέλλον ἐκδέχου, καὶ εὑρήσεις ὅτι

D E T MZCX BAF GQ L P Y NVW

109,1 στρατευόμενος + τῷ θεῷ Pic. edd. ‖ 2 τὰ πάθη om. BAF ‖ 4 ἐμπρησμόν GQ
110,1 ἢ δόξαν om. T P ‖ 2 διοικεῖ : δικαιοῖ Obs. Pic. ‖ 3 πράγματα : πάντα L
111,2 αὐτῷ T AF P L VW Pic. edd. ‖ 3 περὶ om. BAF ‖ 4 κακίας : καρδίας Q ‖ πραγμάτων : ἐνεργημάτων NVW
113,1-2 τὸ προσφυὲς ἀπένειμεν ὁ θεὸς ~ Obs. edd. ‖ 2 ἀνθρωπίνοις : πνευματικοῖς B πονηροῖς F ‖ 3 θέλωμεν[2] om. Y Obs. edd.
114,2 ἐξοδοῦ + αὐτοῦ D T L NVW ‖ εἶναι : ἔχειν X ‖ κρίσιν + ἐκεῖ MZCX BAF L Pic. edd.

109 « Personne, est-il dit, en s'engageant dans l'armée, ne s'embarrasse des affaires de la vie civile[a]. » En effet celui qui, pris dans cet embarras, désire vaincre les passions est semblable à celui qui éteint un incendie avec des brins de chaume.

110 Qui s'irrite contre son prochain à cause des richesses, de la gloire ou de la volupté n'a pas encore reconnu que Dieu gouverne les affaires dans la justice.

111 Quand tu entendras le Seigneur dire : « Si quelqu'un ne renonce pas à tout ce qui lui appartient, il n'est pas digne de moi[a] », ne comprends pas la phrase seulement à propos des richesses, mais aussi de toutes les actions vicieuses.

112 Qui ne connaît pas la vérité ne peut pas non plus croire vraiment ; en effet par nature la connaissance précède la foi.

113 De même qu'à chacun des êtres visibles Dieu a imparti ce qui convenait à leur nature, de même a-t-il fait pour les pensées humaines, que cela nous plaise ou ne nous plaise pas.

114 Si quelqu'un pèche ouvertement, ne se repent pas et ne souffre rien jusqu'à l'issue de sa vie, mets-toi dans l'idée que le jugement contre lui sera sans pitié[a].

115 Celui qui prie judicieusement a patience devant les événements ; celui qui se souvient des injures n'a pas encore prié avec pureté.

116 Quelqu'un t'a nui, t'a insulté ou t'a persécuté ? Ne pense pas au présent, mais sois en attente de l'avenir. Tu

---

116,1 ἐδιωχθεὶς W ‖ 2 καὶ om. D BF Pic. edd.

109 a. 2 Tm 2, 4   **111** a. Lc 14, 33 + Mt 10, 38   **114** a. cf. Jc 2, 13

πολλῶν σοι ἀγαθῶν γέγονε πρόξενος οὐ μόνον ἐν τῷ
παρόντι, ἀλλὰ καὶ ἐν τῷ μέλλοντι αἰῶνι.

117 Ὥσπερ τοὺς κακοσίτους ἀψίνθιον ὠφελεῖ τὸ πικρόν,
οὕτω τοῖς κακοτρόποις κακὰ πάσχειν συμφέρει. Τοὺς μὲν
γὰρ εὐεκτεῖν, τοὺς δὲ μετανοεῖν παρασκευάζει τὰ φάρμακα.

118 Εἰ μὴ θέλεις κακοπαθεῖν, μηδὲ κακοποιεῖν θέλε, διότι
τοῦτο ἐκείνῳ ἀπαραβάτως ἀκολουθεῖ. « Ὁ γὰρ σπείρει ἕκαστος, τοῦτο καὶ θερίσει[a]. »

119 Ἑκουσίως τὰ φαῦλα σπείροντες καὶ ἀκουσίως
θερίζοντες τὴν δικαιοσύνην τοῦ Θεοῦ θαυμάζειν ὀφείλομεν.
Ἐπειδὴ καιρός τις ἀνὰ μέσον σπόρου καὶ θέρους διώρισται,
τούτου χάριν ἀπιστοῦμεν περὶ τὴν ἀνταπόδοσιν.

120 Ἁμαρτήσας μὴ αἰτιῶ τὴν πρᾶξιν, ἀλλὰ τὴν ἔννοιαν.
Εἰ μὴ γὰρ ὁ νοῦς προέδραμεν, οὐκ ἂν τὸ σῶμα ἐπηκολού-
θησε.

121 Τῶν προφανῶς ἀδικούντων πονηρότερός ἐστιν ὁ
λαθροκακοῦργος· διόπερ ἐκεῖνος καὶ πονηροτέρως κολάζεται.

122 Ὁ δόλους συμπλέκων καὶ κεκρυμμένως κακοποιῶν
«ὄφις ἐστί, κατὰ τὴν Γραφήν, ἐγκαθήμενος ἐν ὁδῷ, καὶ
δάκνων πτέρναν ἵππου[a] ».

D E T MZCX BAF GQ L P Y NVW

116,3 πρόξενος γέγονε ~ GQ || ἐγένετο T L || 4 αἰῶνι om. L
117,1 πικρότατον BAF
118,1 κακὰ παθεῖν NV || 2 τοῦτο : ἐκεῖνο N τοῦτο ἐκεῖνο V ||
ἀπαραβάτως : ἀναμφιβόλως GQ || γὰρ + ἂν NVW
119,1 σπείραντες L || ἀκουσίως + αὐτὰ NVW || 2 δικαιοσύνην :
δικαιοκρισίαν D MZC F || 3 ἐπειδὴ + γὰρ D + δὲ Obs. edd. || καιρός ...
θέρους : καὶ θέρους ἀνὰ μέσον καὶ σπόρου καιρός τις ~ Obs. καὶ θ. καὶ
ἀνὰ μέ. σπόρου κ.τ. Pic. edd. || 4 ἀπιστοῦμεν : ἄπιστον E[pc] ἀπιστεῖν οὐκ
ὀφείλομεν T GQ Y[pc]

découvriras que tu as eu là un dispensateur de multiples biens, non seulement dans le siècle présent, mais aussi dans le futur.

117 Comme l'amertume de l'absinthe est utile aux gens de mauvais appétit, ainsi souffrir des maux est avantageux aux gens de mauvaises mœurs; car aux premiers la drogue apporte la bonne santé, aux seconds, le repentir.

118 Tu ne désires pas subir de mal? Ne désire pas en commettre non plus. Car l'un suit l'autre infailliblement. « Ce que chacun sème, il le récoltera aussi[a]. »

119 Nous qui semons le mal volontairement et le récoltons involontairement, nous devons admirer la justice de Dieu. Parce qu'un moment intermédiaire est établi pour séparer semailles et récoltes, nous en profitons pour manquer de foi en la rétribution.

120 Quand tu as fait une faute, n'incrimine pas l'action, mais l'idée, car si l'intellect n'avait pas couru devant, le corps ne l'aurait pas suivi.

121 Plus que les auteurs d'injustices manifestes, le malfaiteur qui travaille en cachette est mauvais; aussi est-il puni encore de pire façon.

122 Celui qui ourdit des fraudes et fait le mal clandestinement est, selon l'Écriture, « un serpent installé sur le chemin et qui mord le cheval au pâturon[a] ».

120,2 γὰρ μὴ ~ BAF
121,2 λάθρᾳ κακουργῶν G ‖ πονηροτέρως : ἀπονεροτέρως M χαλεποτέρως X
122,2 ἐγκαθήμενος : καθή. Τ ὁ καθή. Obs. edd. ‖ ἐν ὁδῷ : κατὰ τὴν ὁδόν MZCX

---

118 a. cf. Ga 6, 7   **122** a. cf. Gn 49, 17

123 Ὁ ἐν τῷ αὐτῷ εἴς τινα μὲν ἐπαινῶν, εἴς τινα δὲ ψέγων τὸν πέλας, οὗτος κενοδοξίᾳ καὶ φθόνῳ κεκράτηται· καὶ διὰ μὲν τῶν ἐπαίνων κρύπτειν πειρᾶται τὸν φθόνον, διὰ δὲ τῶν ψόγων ἑαυτὸν εὐδοκιμώτερον ἐκείνου συνίστησιν.

921 **124** Ὥσπερ οὐκ ἔστιν ἐπὶ τὸ αὐτὸ καὶ πρόβατα βόσκειν καὶ λύκους, οὕτως οὐ δύνατον ἐλέους τυχεῖν τὸν δολοποιοῦντα τὸν πλησίον.

125 Ὁ τῇ ἐπιταγῇ ἐπιμίσγων λάθρᾳ τὸ ἑαυτοῦ θέλημα μοῖχός ἐστι, καθὼς ἐν τῇ Σοφίᾳ δεδήλωται, καὶ δι' ἔνδειαν φρενῶν ὀδύνας καὶ ἀτιμίας ὑποφέρει[a].

126 Ὥσπερ ὕδατος καὶ πυρὸς ἐναντία ἡ σύνοδος, οὕτως ἐναντιοῦνται ἀλλήλοις δικαιολογία καὶ ταπείνωσις.

127 Ὁ ζητῶν ἄφεσιν ἁμαρτιῶν ἀγαπάτω ταπεινοφροσύνην· ὁ δὲ κατακρίνων τὸν ἕτερον σφραγίζει τὰ ἑαυτοῦ κακά.

128 Μὴ ἀφῇς ἀνεξάλειπτον ἁμαρτίαν, κἂν βραχυτάτη τυγχάνῃ, ἵνα μὴ ὕστερον ἐπὶ μεῖζον κακὸν κατασύρῃ σε.

129 Ἐὰν θέλῃς σωθῆναι, ἀληθῆ λόγον ἀγάπησον, καὶ μηδέποτε ἀκρίτως ἔλεγχον ἀποστραφῇς.

130 Λόγος ἀληθὴς μετέβαλε «γεννήματα ἐχιδνῶν», καὶ ὑπέδειξεν αὐτοῖς «φυγεῖν ἀπὸ τῆς μελλούσης ὀργῆς»[a].

D E T MZCX BAF GQ L P Y NVW

123,1 εἴς[2] om. W ‖ 2 πέλας : πλησίον E A GQ ‖ 4 τὸν ψόγον Y ‖ δοκιμώτερον BAF

124,1 καὶ om. E X BF GQ L V ‖ βόσκειν : νέμειν G[txt] [sed corr. mg] Q ‖ 2 οὐ δυνατὸν : οὐκ ἐστι δυνατὸν X ἀδύνατον GQ Y W Obs. edd. ‖ τὸν om. NVW ‖ 3 τὸν : τῷ E MZC G P L

125,1 τῇ ἐπιταγῇ : τοῦ θεοῦ E ‖ ἐπιμίσγων : ἐπισμήνων T σμίγων W ‖ λάθρα τὸ ἑαυτοῦ : λά. τὸ D τὸ ἑ. λά. P λά. τὸ ἴδιον Y Obs. edd. ‖ 3 ὑποφέρει : ὑποστήσεται GQ

126,1 σύνοδος + καὶ ἡ μίξις ἀδύνατος X[mg] ‖ 2 ἐναντιοῦται D T MX BA Q Y[ac] Obs. edd. ‖ ἀλλήλαις GQL

127,1 ἀγαπάτω : ἀγαπᾷ P[pc] ἀγαπᾷ τὴν A NVW ἀγαπαν τὴν F

123 Celui qui sur le même sujet loue son prochain auprès de l'un et le critique auprès de l'autre est la proie de la vaine gloire et de l'envie. Par ses louanges, il essaie de cacher son envie, tandis que par ses critiques il se présente lui-même comme plus respectable que l'autre.

124 De même qu'il n'y a pas moyen pour des moutons et des loups de paître au même endroit, il n'est pas possible non plus d'obtenir de la pitié quand on agit frauduleusement envers son prochain.

125 Celui qui clandestinement mélange sa volonté propre avec le commandement reçu est un adultère, conformément à la description de la Sagesse, et son manque de sens commun lui attire souffrance et déshonneur[a].

126 Comme est contradictoire l'association entre l'eau et le feu, de même se contredisent l'une l'autre l'affirmation de sa propre justice et le geste d'humilité.

127 Qui cherche le pardon de ses péchés, qu'il chérisse l'humilité! Qui condamne au contraire autrui met le sceau à ses propres méchancetés.

128 Ne laisse point passer un péché sans l'effacer, si petit qu'il puisse être, afin qu'il ne t'attire pas plus tard un plus grand mal.

129 Si tu veux être sauvé, chéris le langage vrai et jamais n'écarte sans discernement un reproche.

130 Le langage vrai a transformé une «engeance de vipères», il leur a indiqué comment «échapper à la colère à venir»[a].

128,1 κἄν : εἰ καὶ GQ P ‖ βραχεία T L ‖ 2 μείζονα κακὰ X μείζῳ κακῷ W ‖ περισύρῃ Y παρασύρῃ W
130,1 ἀληθὴς : ἀληθείας NVW ‖ 2 αὐτοῖς : om. D

---

125 a. cf. Pr 6, 32-33   **130** a. cf. Mt 3, 7

131 Ὁ δεχόμενος λόγους ἀληθείας ὑποδέξεται τὸν Θεὸν Λόγον· φησὶ γὰρ ὁ Κύριος· «Ὁ δεχόμενος ὑμᾶς, ἐμὲ δέχεται[a].»

132 Παραλυτικός ἐστι χαλασθεὶς διὰ τοῦ δώματος ἁμαρτωλὸς παρὰ πιστῶν κατὰ Θεὸν ἐλεγχόμενος καὶ διὰ τὴν ἐκείνων πίστιν λαμβάνων τὴν ἄφεσιν[a].

133 Κρεῖσσον μετ' εὐλαβείας ὑπερεύχεσθαι τοῦ πλησίον ἢ ἐλέγχειν αὐτὸν ἐπὶ παντὶ ἁμαρτήματι.

134 Ὁ ὀρθῶς μετανοῶν ὑπὸ ἀφρόνων χλευάζεται. Τοῦτο δὲ αὐτῷ ἐστι τεκμήριον εὐαρεστήσεως.

135 «Ὁ ἀγωνιζόμενος πάντα ἐγκρατεύεται[a]», καὶ οὐ παύσεται ἕως ἂν ἐξολοθρεύσῃ Κύριος σπέρμα ἐκ Βαβυλῶνος[b].

136 Λόγισαί μοι δώδεκα εἶναι τὰ πάθη τῆς ἁμαρτίας· ἐὰν ἓν ἐξ αὐτῶν ἀγαπήσῃς θελήματι, ἐκεῖνο ἀναπληρώσει τὸν τόπον τῶν ἕνδεκα.

D E T MZCX BAF GQ L P Y NVW

131,1 ὑποδέχεται NVW
133,1 τοῦ : τῷ T NW ‖ 2 ἐπὶ : ἐν T ‖ ἁμαρτήματι : πράγματι Y edd.
134,2 ἐστιν αὐτῷ ~ A αὐτὸ ἐστιν T GQ L [~ L] N
135,1-2 καὶ οὐ παύσεται [παύεται T X Q] : om. P ‖ 2 κύριος om. BAF
136,1 δώδεκα : δέκα A ἔνδεκα F Pic. edd. ‖ ἁμαρτίας : ἀτιμίας X GQ VtxtW [sic N.T.] ‖ 2 ἀναπλήροι D

131 a. Mt 10, 40　**132** a. cf. Mc 2, 4-5　**135** a. 1 Co 9, 25　b. cf. Jr 27, 16

---

1. Le nombre « onze » pour les passions peccamineuses n'apparaît que dans le codex F, d'où Picot l'a repris et transmis aux éditions suivantes. Il est probable que Picot et possible que le scribe de F aient adopté ce chiffre parce qu'il correspondait au total des passions dans une énumération d'ARISTOTE, *Éthique à Nicomaque* II, 4 (1105 b 21-23), tout à fait occasionnelle chez lui, mais dont les commentateurs se

131 Qui reçoit les paroles de vérité recevra le Dieu qui est Parole ; le Seigneur dit en effet : « Qui vous reçoit me reçoit [a]. »

132 Un paralytique descendu à travers le toit de la maison, c'est un pécheur réprimandé comme Dieu le veut par des fidèles et qui, à cause de la foi de ceux-ci, reçoit son pardon [a].

133 Mieux vaut prier avec piété pour son prochain que le réprimander pour chacun de ses péchés.

134 Celui qui fait honnêtement pénitence est objet de dérision pour les insensés. Cela même lui est un indice qu'il a trouvé grâce.

135 « Un combattant se prive de tout [a] » et n'aura pas de cesse jusqu'à ce que le Seigneur ait exterminé la race de Babylone [b].

136 Réfléchis-y : il y a douze passions peccamineuses [1]. Si tu te mets à chérir l'une d'entre elles avec ton vouloir, cette passion occupera la place des onze autres.

---

sont efforcés par la suite de tirer une déduction rationnelle des passions (cf. R.-A. GAUTHIER et J.-Y. JOLIF, comm. de l'éd. de l'*Éthique*, t. II, Louvain 1959, p. 134). Le nombre proposé par Marc est en réalité de 12, mais on peut se demander si lui aussi y attache une importance plus que passagère ou s'il n'a pas choisi ce chiffre parce qu'il était réputé parfait ; nous ne l'avons retrouvé que dans un fragment du *De motibus animi* de LACTANCE (*CSEL* 27.1, frg. VI, p. 157), et encore après correction de l'éditeur. Ailleurs, Marc semble plutôt préoccupé de fournir des généalogies, toujours partielles, des passions ou des vices : on en avait de brèves ici, aux chapitres 104 et 106, on en trouve une plus longue dans *Causid.* XIII, 12 s. Généalogie plutôt qu'énumération, tel est aussi, semble-t-il, le souci de GRÉGOIRE DE NYSSE, *Traité de la virginité* IV, 5, et de JEAN CLIMAQUE, *Échelle* 22, 5, cités à propos de ce chapitre par C.-A. ZIRNHELD, p. 38, et qui aboutissent — mais est-ce à dessein ? — au nombre 12.

137 Πῦρ ἐστι καιόμενον ἡ ἁμαρτία. Ὅσον ἂν περικόψῃς τὴν ὕλην, τοσοῦτον σβεσθήσεται· καὶ καθὸ ἂν ἐπιθῇς, ἀναλόγως ἐκκαυθήσεται.

138 Ἐπαρθεὶς ἐν ἐπαίνοις, ἐκδέχου ἀτιμίαν. Φησὶ γάρ : «Ὁ ὑψῶν ἑαυτὸν ταπεινωθήσεται [a].»

139 Ὅταν πᾶσαν ἑκούσιον κακίαν ἀποβάλωμεν τῆς διανοίας, τότε ἂν πολεμήσωμεν πάθεσι τοῖς κατὰ πρόληψιν.

140 Πρόληψίς ἐστι τῶν προτέρων κακῶν μνεία ἀκούσιος, παρὰ μὲν τῷ ἀγωνιστῇ προβῆναι εἰς πάθος κωλυομένη, παρὰ δὲ τῷ νικητῇ ἕως προσβολῆς ἀνατρεπομένη.

141 Προσβολή ἐστιν ἀνείδωλον κίνημα καρδίας, κλεισούρας δίκην ὑπὸ τῶν ἐμπείρων κατεχομένη.

924 **142** Ὅπου εἰκόνες λογισμῶν, ἐκεῖ συγκατάθεσις γέγονε· κίνημα γάρ ἐστιν ἀνείδωλον ἀναίτιος προσβολή. Ἔστι δὲ καὶ

D E T MZCX BAF GQ L P Y NVW

137,2 ὕλην + κατὰ T L ‖ 2-3 καὶ ... ἐκκαυθήσεται om. C Obs.

139,1-2 ἀποβάλωμεν τῆς διανοίας κακίαν ~ T L κακίαν τῆς διανοίας ἀποβάλωμεν NVW ‖ 2 ἂν : δὴ AF ‖ τοῖς κατὰ πρόληψιν πάθεσι ~ NVW

140,1 μνεία : μνήμη E T BAF GQ P L NVW

141,1 κίνησις NW ‖ καρδίας κίνημα ~ BAF ‖ 2 προκατεχομένη E Ppc W

142,1 λογισμοῦ W ‖ γέγονε συγκατάθεσις ~ edd. ‖ 2 κίνημα : νίκημα D N Wpc ‖ δέ καὶ : δὲ Eac T X οὖν GQ

---

138 a. Lc 14, 11

---

1. Le terme de πρόληψις apparaît dans 5 opuscules sur 8, et ausi dans *Nic.* (I, 23), dès lors qu'on corrige πρόσληψις, leçon donnée jusqu'ici dans *Nic.* I, 23, *Causid.* III, 34 et 4 occurrences de *Bapt.* sur 5, en πρόληψις. Aussitôt après qu'il a employé le terme une première fois, Marc s'efforce de donner une définition du concept. On peut aussi se référer à la glose donnée au tome I de la traduction anglaise de la *Philocalie* : «cet état de prépossession ou de préjugé résulte d'actions peccamineuses répétées, qui prédisposent l'homme à céder à telle ou telle sorte de tentation. Bien qu'en principe il garde la liberté de choisir, en pratique la force de l'habitude lui rend la résistance de plus en

137 Le péché est un feu brûlant. Autant tu lui soustrairas de matière, autant il baissera et selon que tu lui en rajouteras, il flambera en proportion.

138 Tu t'es laissé exalter par les louanges? Attends-toi au déshonneur. Il est dit en effet : « Celui qui s'élèvera sera abaissé[a]. »

139 Quand nous aurons rejeté de notre intellect tout vice volontaire, alors nous nous mettrons à combattre les passions venant d'une prédisposition[1].

140 Une prédisposition est le souvenir involontaire de méfaits antérieurs, que le combattant empêche de se développer en passion, tandis que le vainqueur le renverse dès son premier assaut.

141 Cet assaut est un mouvement du cœur sans accompagnement d'images; il est contenu comme dans un défilé par les gens expérimentés.

142 Là où des images accompagnent les pensées, il y a eu consentement, car l'assaut non coupable est un mouvement non accompagné d'images. Or il y a celui qui

---

plus difficile. » Pour les trois opuscules contenus dans la *Philocalie*, « prepossession » est partout la traduction choisie. O. Hesse traduit « Empfänglichkeit » (réceptivité, sensibilisation) dans les opuscules à chapitres, mais « alte » ou « frühere Beschäftigung » (occupation préalable) dans *Bapt.*, *Nic.* et *Causid.*, « frühere Vorstellung » dans *Incarn.* X, 10. C.-A. Zirnheld traduit partout « prédisposition » — l'expression « emprise préalable » paraîtrait bien lourde, tout en rendant peut-être mieux la notion sous-jacente à ce mot —; nous l'avons suivie, sauf pour *Incarn.*, où « préjugé » semble plus en situation. Il n'y a probablement rien à tirer de l'emploi assez développé du terme dans des textes philosophiques stoïciens, car il est inséré dans une explication du développement intellectuel humain, nullement au plan de la vie morale et passionnelle : il s'agit de notions formées à partir de l'expérience, avant que la raison ne déploie son activité propre (cf. M. POHLENZ, *Die Stoa*, Göttingen 1949[2]), t. I, p. 56.

ὁ ἐκ τούτων ἐκφεύγων, ὡς δαλὸς ἐκ πυρός, καὶ ἔστιν ὁ μὴ ἀναστρέφων ἕως ἂν ἐκκαύσῃ φλόγα.

143 Μὴ λέγε· "Ο τι οὐ θέλω καὶ ἔρχεται. Πάντως γὰρ κἂν μὴ αὐτό, τὰς δὲ αἰτίας ἀγαπᾷς τοῦ πράγματος.

144 Ὁ ζητῶν ἔπαινον ἔγκειται πάθει· καὶ θλίψιν ἐπελθοῦσαν ἀποδυρόμενος ἀγαπᾷ τὴν ἡδονήν.

145 Ὡς ἐπὶ ζυγοῦ ἀστατεῖ τοῦ ἡδυπαθοῦντος ὁ λογισμός· ποτὲ μὲν κλαίει καὶ ἀποδύρεται δι' ἁμαρτίας, ποτὲ δὲ πολεμεῖ καὶ ἀντιλέγει τῷ πλησίον ἐκδικῶν τὰς ἡδονάς.

146 Ὁ πάντα δοκιμάζων καὶ τὸ καλὸν κατέχων ἀκολούθως ἀπὸ παντὸς πονηροῦ ἀφέξεται.

147 Μακρόθυμος ἀνὴρ πολὺς ἐν φρονήσει· ὁμοίως καὶ ὁ λόγοις σοφίας παραβάλλων τὸ οὖς αὐτοῦ.

D E T MZCX BAF GQ L P Y NVW

142,3 φεύγων E T BAF ‖ ἐκ² : ἀπὸ T AF L ‖ 4 post φλόγα sententias duas suppl. Syr. : *Lumen est animae scientia veritatis, quae cum intravit in animam, effugiant ex ea tenebrae erroris. Tunc potest distinguere bona a malis et aliena a domesticis. Sicut enim is qui moechans in domo non sua, cum audit vocem domini domus, timore et tremore fugit, ita quoque Satanas, quando appropinquat templum Domini (Christi : codd. 2) quod sumus, cum audit vocem Domini domus, fugit timore et tremore, contemptus et occultus.*

143,1 λέγε + τί ποιήσω E ‖ 2 αὐτὸ : αὐτὸ ἀγνοῇς D Pic. edd. ἀγνοεῖς AF ‖ ἀγαπᾷς : τρυγᾷς GQ

144,1 καὶ + ὁ E Tˢˡ MZCX BAF Nˢˡ ‖ 1-2 θλίψεως ἐπελθούσης GQ ‖ 2 ὁ ἀποδυρόμενος Nᵃᶜ W‖ ἡδονὴν : ἄνεσιν Y Obs. edd.

145,1 λογισμὸς + καὶ BAF Pic. edd. ‖ 2 μὲν : om. T MC L Y ‖ δι' : διὰ τὰς E T C AF L NVW διὰ τῆς τὰς X ‖ δὲ om. MZC L Y

146,2 πονηροῦ ἀφέξεται : ἀφ. πο. ~ B ἐκφάξεται πο. A ἀφάξεται πο. F πο. ἐκφεύξεται GQ πο. φεύξεται Xᵃᶜ L

147,1 ὁ : om. Z ὁ ἐν GQ

---

1. Outre l'ensemble de la tradition manuscrite directe de Marc, ces sentences propres au syriaque sont attestées au moins pour la première

s'échappe de là comme un brandon du feu et celui qui ne fait pas marche arrière jusqu'à ce que les flammes aient achevé de le brûler.

< **142 bis** La connaissance[1] de la vérité est une lumière pour l'âme ; lorsqu'elle entre dans l'âme, les ténèbres de l'erreur en sont expulsées. Alors elle peut discerner les biens des maux et ce qui est étranger de ce qui lui est propre.

142 ter De même en effet que l'adultère, dans une maison qui n'est pas la sienne, quand il entend la voix du maître de la maison, s'enfuit tout craintif et tremblant, de même aussi Satan, quand il s'approche du temple du Seigneur que nous sommes, en entendant la voix du Seigneur de la maison, fuit avec crainte et tremblement, méprisé et se cachant. >

143 Ne dis pas : Ce que je ne veux pas arrive tout de même. Assurément, à défaut de la chose elle-même, tu en chéris les causes.

144 On se met en quête de louange, et voilà qu'on est plongé dans la passion ; et tout en déplorant la tribulation qui arrive, on chérit le plaisir.

145 La pensée du voluptueux est instable comme si elle était posée sur un fléau de balance : tantôt il pleure et se lamente à cause de ses péchés, tantôt il fait la guerre à son prochain et le contredit pour défendre ses voluptés.

146 Celui qui examine tout pour ne garder que le bien s'abstiendra logiquement de tout mal.

147 C'est être fort avisé que d'être longanime, comme aussi de prêter l'oreille au langage de la sagesse.

phrase par DADISHO QATRAYA, *Commentaire du Livre d'Abba Isaïe*, CSCO 326, p. 198/327, p. 152.

148 Χωρὶς μνήμης Θεοῦ γνῶσις ἀληθὴς εἶναι οὐ δύναται · ἐκτὸς γὰρ τῆς προτέρας ἡ δευτέρα νόθος ὑπάρχει.

149 Τὸν σκληροκάρδιον ὠφελεῖ λεπτοτέρας γνώσεως λόγος, διότι ἐκτὸς φόβου μετανοίας πόνους οὐ καταδέχεται.

150 Τῷ πραεῖ ἀνθρώπῳ πιστολογία συμβάλλεται, καθότι οὐ πειράζει Θεοῦ μακροθυμίαν καὶ οὐ τύπτεται ἐν πυκνῇ παραβάσει.

151 Ἄνδρα δυνατὸν μὴ ἐλέγξῃς ἐπὶ κενοδοξίᾳ, ἀλλὰ τὴν ἐπιφορὰν τῆς μελλούσης ἀτιμίας ὑπόδειξον · τούτῳ γὰρ τῷ τρόπῳ ὁ συνετὸς ἡδέως ἐλέγχεται.

152 Ὁ μισῶν ἔλεγχον κατὰ πρόθεσιν ἔγκειται τῷ πάθει. Ὁ δὲ ἀγαπῶν δηλονότι κατὰ πρόληψιν παραφέρεται.

153 Μὴ θέλε ἀκούειν ἀλλότρια πονηρεύματα · τῷ γὰρ τοιούτῳ θελήματι καὶ οἱ χαρακτῆρες τῶν πονηρευμάτων ἐνδιαγράφονται.

154 Κακοῖς λόγοις ἐνηχηθεὶς σεαυτῷ ὀργίζου, καὶ μὴ τῷ λαλήσαντι · πονηρᾶς γὰρ ἀκοῆς πονηρὸς καὶ ὁ ἀποκρισιάριος.

155 Εἴ τις ματαιολόγοις ἀνθρώποις περιτύχοι, ὑπεύθυνον ἑαυτὸν ἡγείσθω τῶν τοιούτων ῥημάτων, κἂν μὴ προσφάτως, ἀλλ᾽ ἐκ παλαιοῦ χρεωστήματος.

156 Ἐὰν ἴδῃς τινὰ καθ᾽ ὑπόκρισιν ἐπαινοῦντά σε, ἐν ἰδίῳ καιρῷ παρ᾽ ἐκείνου ψόγον ἐκδέχου.

D E T MZCX BAF GQ L P Y NVW

148,2 ὑπάρχει : τυγχάνει NVW
149,1 σκληροκάρδιον + οὐκ Τ Obs. edd.
150,1 χρηστολογία Τ
151,3 ἡδέως ἐλέγχεται : δέχεται L
152,1 τῷ om. E^{ac} A Obs. ‖ 2 περιφέρεται E AF Q L
153,1 πανουργήματα P ‖ 3 ἐνδιαγράφονται : ἐνδιατρέφονται D MZCX B P ἐνδιαστρέφονται F διαγράφονται L διατρέφονται Y edd.

148 Sans souvenir de Dieu, il ne peut y avoir de véritable connaissance ; en dehors du premier, la seconde est en effet inauthentique.

149 Pour un cœur endurci, ce qui fait profit, c'est une connaissance d'une teneur fort légère, vu que, sauf si on lui fait peur, il n'endosse pas les fatigues de la pénitence.

150 Parler avec assurance convient bien à l'homme doux, dans la mesure où il ne met pas à l'épreuve la longanimité de Dieu et ne subit pas les blessures de fréquentes transgressions.

151 A un homme puissant, ne fais pas reproche de sa vanité ; montre-lui plutôt le déshonneur qui viendra l'assaillir. C'est une façon, s'il est sensé, de lui faire aisément des reproches.

152 Qui déteste la réprimande est plongé dans la passion de propos délibéré ; mais qui l'apprécie, s'y laisse évidemment entraîner par prédisposition.

153 Ne désire pas entendre parler des délits d'autrui ; un tel désir en effet inscrit aussi en toi les traits de ces délits.

154 Toi à qui l'on inflige des propos désagréables, irrite-toi contre toi-même, non contre celui qui les tient : à méchante oreille, en effet, méchant messager.

155 Si quelqu'un tombe en la compagnie de vains discoureurs, qu'il s'estime lui-même responsable de pareils propos, sinon dans l'immédiat, du moins en vertu d'une dette ancienne.

156 Si tu vois quelqu'un te couvrir de louanges hypocrites, attends-en des blâmes au moment qui lui ira.

154,1 ὁ κακοῖς edd. ‖ ἐνηχηθεὶς : ἀνοιχθεὶς F ‖ σεαυτὸν M σεαυτοῦ F ἑαυτῷ GQ NVW ‖ μὴ P[sl]
155,1 περιτύχων V περιτύχῃ W
156,2 ψόγον παρ' ἐκείνου ~ BAF

157 Τὰ παρόντα θλιβερὰ προσσυνάλλασσε τοῖς μέλλουσιν ἀγαθοῖς, καὶ οὐδέποτέ σου τὸν ἀγῶνα χαυνώσει πλημμέλεια.

158 Ὅταν διὰ σωματικὴν παροχὴν ἄνθρωπον ὡς ἀγαθὸν ἐκτὸς τοῦ Θεοῦ ἐπαινέσῃς, ὕστερον ὁ αὐτός σοι πονηρὸς καταφανήσεται.

925 **159** Πᾶν ἀγαθὸν παρὰ Κυρίου οἰκονομικῶς ἐπέρχεται· καὶ οἱ φέροντες αὐτό εἰσιν ἀγαθοῦ διάκονοι.

160 Ἀγαθῶν καὶ κακῶν τὰς μετεμπλοκὰς ὁμαλῷ λογισμῷ ὑποδέχου· καὶ οὕτως ἀνατρέπει ὁ Θεὸς τῆς ἀνωμαλίας τὰ πράγματα.

161 Ἡ ἀνισότης τῶν λογισμῶν τὰς τῶν ἰδικῶν μεταβολὰς ἐπιφέρει· ὁ Θεὸς γὰρ τὰ ἀκούσια τοῖς ἑκουσίοις προσφυῶς ἀπένειμε.

162 Τὰ αἰσθητὰ τῶν νοερῶν εἰσιν ἔκγονα, τὸ δέον φέροντα δικαίᾳ ψήφῳ Θεοῦ.

163 Καρδίας ἡδυπαθούσης, λογισμοὶ ἀναφύονται· καὶ ἐκ τοῦ καπνοῦ τὴν ἐγκειμένην ὕλην ἐπιγινώσκομεν.

164 Παράμενε τῇ διανοίᾳ, καὶ οὐ κοπιάσεις ἐν πειρασμοῖς· ἐκεῖθεν δὲ ἀναχωρῶν ὑπόμενε τὰ ἐπερχόμενα.

165 Εὔχου μὴ ἐλθεῖν σοι πειρασμόν· ἐλθόντα δὲ κατάδεξαι ὡς σὸν καὶ οὐκ ἀλλότριον.

D E T MZCX BAF GQ L P Y NVW

157,1 παρόντα + ἀγαθὰ μὴ προχαίρου, μᾶλλον δὲ τὰ X GQ ‖ προσυνάλλασσα M συνάλλασσε GQ ‖ 2 πλημμέλεια : ἀμέλεια G

158,2 πονηρός σοι ~ E T C P W σοι πονηρώτατος BF ‖ 3 φανήσεται W
159,2 αὐτὰ NVW‖ ἀγαθὸν E ἀγαθοὶ N ἀγαθῶν W

160,1 μεταπλοκὰς E^{ac} ἔμπλοκὰς E^{pc} ‖ 2-3 τῆς ἀνωμαλίας τὰ πράγματα : τὰς ἀνωμαλίας τῶν πραγμάτων W

161,1 ἰδικῶν : ἀδίκων T ἰδίων G ἰδ. ἀνιδέων Y ἰδ. ἀνιδίων Obs. ἰδ. ἀνιδίως Pic. edd.

162,1 νοητῶν E ‖ ἔστιν Z F P L Y V Obs. edd. ‖ 2 δικαίᾳ : om. E T X GQ P L Y NVW edd. δικαίως Syr.

157 Troque à l'avance les tribulations présentes contre les biens à venir, et jamais un écart de conduite ne fera se relâcher ton combat.

158 Lorsque des largesses matérielles t'auront fait louer la bonté d'un homme sans égard à Dieu, plus tard tu auras l'occasion de t'apercevoir que cet homme est pervers.

159 Tout bien provient du Seigneur selon ce qu'il dispense, et ceux qui l'apportent sont des serviteurs du bien.

160 Reçois en toute sérénité de pensée les biens et les maux imbriqués ensemble ; c'est encore une façon dont Dieu détruit les effets de l'inégalité.

161 C'est le manque d'équanimité dans les pensées qui introduit des vicissitudes dans notre propre existence, car Dieu à chaque démarche volontaire a lié naturellement l'involontaire.

162 Le sensible est le rejeton de l'intelligible, apportant ce qui convient, par un juste décret de Dieu.

163 Quand le cœur se fait accessible à la volupté, des pensées s'y forment et à leurs exhalaisons nous discernons la matière sous-jacente.

164 Reste au plan de l'intellect et tu ne seras pas lassé par les tentations ; mais si tu le quittes, supporte les événements.

165 Prie qu'il ne te vienne pas de tentation, mais s'il en vient, accueille-la comme tienne et non comme étrangère.

163,1 λογισμοὶ : λογισμοὶ λοιμοὶ E Z AF P Y Obs. edd. λογισμοὶ λοιμοὶ καὶ λόγοι D MZCX B G^meQ L ‖ 1-2 ἐκ τοῦ καπνοῦ : ἐν τῷ κάπνῳ D MZCX BAF Y edd.

164, 1-2 πειρασμοῖς : λογισμοῖς AF πειρασμῷ Q

165,1 προσεύχου BAF ‖ ἐπελθεῖν BAF ‖ ἐπελθόντα AF

166 Ἆρον τὴν ἔννοιαν ἀπὸ πάσης πλεονεξίας, καὶ τότε δυνήσει ἰδεῖν τὰς μεθοδείας τοῦ διαβόλου.

167 Ὁ λέγων πάσας εἰδέναι τὰς μεθοδείας τοῦ διαβόλου, ὡς οὐκ οἶδεν, ἑαυτὸν τέλειον εἰσφέρει.

168 Ὅταν ἐξέλθῃ ὁ νοῦς τῶν σωματικῶν φροντίδων, βλέπει κατ' ἀναλογίαν τὰς τῶν ἐχθρῶν πανουργίας.

169 Ὁ λογισμοῖς συναπαγόμενος ἐκτυφλοῦται ὑπ' αὐτῶν· καὶ τὰς μὲν ἐργασίας τῆς ἁμαρτίας βλέπει, τὰς δὲ αἰτίας αὐτῶν ἰδεῖν οὐ δύναται.

170 Ἔστιν ὁ ποιῶν προφανῶς ἐντολήν, δουλεύων πάθει, καὶ διὰ πονηρῶν λογισμῶν ἀγαθὴν πρᾶξιν ἀφανίζων.

171 Ἐμφερόμενος ἐν ἀρχῇ κακοῦ μὴ λέγε· οὐ μὴ νικήσῃ με. Καθὸ ἂν γὰρ ἐμφέρῃ, κατὰ τοσοῦτον ἤδη νενίκησαι.

172 Ἕκαστον τῶν γενομένων ἀπὸ μικροῦ ἄρχεται καὶ κατὰ μέρος τρεφόμενον λαμβάνει τὴν αὔξησιν.

173 Δίκτυόν ἐστι πολύπλοκον ἡ τῆς κακίας μέθοδος· ὁ μερικῶς ἐμπλακείς, ἐὰν ἀμελήσῃ, περιεκτικῶς σφίγγεται.

174 Μὴ θέλε ἀκούειν δυστυχίας ἐχθρῶν ἀνθρώπων. Οἱ γὰρ ἡδέως ἀκούοντες τῶν τοιούτων ῥημάτων καρποὺς τρυγῶσι τῆς ἰδίας προθέσεως.

175 Μὴ πᾶσαν θλῖψιν ἐπέρχεσθαι τοῖς ἀνθρώποις δι' ἁμαρτίαν νόμιζε· εἰσὶ γάρ τινες εὐαρεστοῦντες καὶ πειραζό-

D ET MZCX BAF GQ L P Y NVW

167,1 μεθοδείας : παγίδας E T X BAF ‖ 2 τέλειον ἑαυτὸν ~ D ET BAF Q L V

168,1 φροντίδων + τότε X GQ P ‖ 2 τῶν ἐχθρῶν τὰς πανουργίας ~ GQ

170,1 ἐντολὴν προφανῶς ~ T BAF L ‖ 2 λογισμῶν πονηρῶν ~ Y Obs. edd. ‖ ἐξαφανίζων T BAF GQ

171,1 ἀρχῇ + τοῦ G NVW‖ 2 γὰρ ἂν ~ E X γὰρ om. O A Y W Obs. ‖ εἰσφέρει D φέρῃ B φέρει AF ἐκφέρῃ NV

172,1 γεναμένων G γινομένων X AF W γεννομένων Z

166 Arrache ton intelligence à toute cupidité et tu pourras dès lors percer à jour les ruses du diable.

167 Celui qui affirme connaître toutes les ruses du diable, sans le savoir s'y laisse prendre à fond.

168 Chaque fois que l'intellect s'est dégagé des soucis matériels, il perçoit à proportion les habiletés frauduleuses des ennemis.

169 Qui se laisse entraîner par ses pensées est aveuglé par elles ; il perçoit bien les œuvres du péché, mais il est incapable d'en voir les causes.

170 On peut apparemment accomplir le commandement et être esclave de la passion ; ainsi, par des pensées perverses, on annulle une action bonne.

171 Entraîné jusqu'au seuil du mal, ne dis pas : Il ne me vaincra sûrement pas. Dans la mesure où tu t'y es déjà laissé entraîner, tu es d'ores et déjà vaincu jusqu'à ce point-là.

172 Tout ce qui vient à l'être a de petits commencements, puis alimenté peu à peu, prend de l'ampleur.

173 C'est un filet aux replis multiples que les intrigues du vice ; celui qui s'est laissé partiellement envelopper, s'il fait preuve de négligence, y est enserré de toute part.

174 Ne désire pas t'entendre raconter l'infortune de tes ennemis. En effet ceux qui prennent plaisir à de tels récits vendangent des fruits de leur propre projet.

175 Ne va pas penser que toute tribulation qui survient aux hommes a pour cause leur péché. Il en est en effet qui

173,1 ὁ : ᾧ D Pic. edd. καὶ ὁ GQ ‖ 2 περισφίγγεται T L
174,2 ῥημάτων om. G N ‖ 3 ἰδίας : τοιαύτης T
175,2 ἁμαρτίας W

μενοι. Γέγραπται γὰρ ἀσεβεῖς καὶ ἄνομοι ἐκδιωχθή-
σονται [a]. Ὁμοίως καί · «Οἱ εὐσεβῶς θέλοντες ζῆν ἐν Χριστῷ
5 διωχθήσονται [b].»

176 Ἐν καιρῷ θλίψεως βλέπε τὴν προσβολὴν τῆς
θλίψεως · ἐπειδὴ γὰρ ἡ προσβολὴ παραμυθεῖται τὴν θλίψιν,
εὐπαράδεκτος γίνεται.

928 **177** Τινὲς φρονίμους λέγουσι τοὺς διακριτικοὺς τῶν
αἰσθητῶν πραγμάτων. Φρόνιμοι δέ εἰσιν οἱ ἐπικρατοῦντες
τῶν ἰδίων θελημάτων.

178 Πρὸ ἀναιρέσεως τῶν κακῶν μὴ ὑπακούσῃς τῇ καρδίᾳ
σου. Οἵας γὰρ ἐνθήκας ἔχει, τοιαύτας καὶ προσθήκας ἐπιζητεῖ.

179 Ὥσπερ εἰσὶν ὄφεις συναντῶντες ἐν νάπαις, καί εἰσιν
ἕτεροι φωλεύοντες ἐν οἰκίαις, οὕτως εἰσὶ πάθη λογιστικῶς
μορφούμενα, καί εἰσιν ἕτερα πρακτικῶς ἐγκείμενα, εἰ καὶ ἐξ
ἄλλων εἰς ἄλλας εἰκόνας μετεμορφώθησαν.

180 Ὅταν ἴδῃς τὰ ἐγκείμενα ὑποστατικῶς κινούμενα,
καὶ εἰς πάθος προκαλούμενα τὸν νοῦν ἡσυχάζοντα, γίνωσκε
ὅτι ὁ νοῦς ποτε καὶ τούτων προηγήσατο, καὶ εἰς πρᾶξιν
ἤγαγε, καὶ τῇ καρδίᾳ ἐνέθηκεν.

181 Οὐ συνίσταται νέφος ἐκτὸς αὔρας ἀνέμου, καὶ οὐ
γεννᾶται πάθος ἐκτὸς ἐννοίας.

D E T MZCX BAF GQ L P Y NVW

175,4 ὁμοίως + δὲ D MZCX Q ‖ χριστῷ ἰησοῦ E X[sl] transp. Syr.
176,1 προσβολὴν et 2 προσβολὴ : *causa* Syr. ‖ 1-2 τῆς θλίψεως : τῆς
ἡδονῆς E T CX BAF GQ P L Y NVW ‖ 2 ἡ προσβολὴ om. E T X BAF GQ
P L NVW ‖ θλίψιν : + καὶ D MZC B L φύσιν X[ac]
177,2 εἰσιν : ἀληθῶς BAF Syr. ὄντως X
179,2 εἰσὶ + τὰ NVW ‖ 3 μορφούμενα ... πρακτικῶς om. Y ‖ ἐγκείμενα :
ἐνεργούμενα NVW ‖ 4 μεταμορφούμενα Q
180,2 προσκαλούμενα T Y W ‖ 3 ὁ νοῦς ποτε καὶ τούτων : καὶ ὁ ν. π.
τούτων L

plaisent à Dieu et sont éprouvés. Il a été écrit effectivement qu'impies et iniques subiront des persécutions [a], mais parallèlement que « ceux qui veulent vivre dans le Christ avec piété seront persécutés [b] ».

176 En cas de tribulation, considère l'origine de son assaut. En effet, dès lors que cette origine console de la tribulation, celle-ci devient aisée à accepter.

177 L'on tient parfois pour avisés ceux qui ont du discernement dans les affaires du monde sensible. Mais les gens avisés, ce sont ceux qui ont de la maîtrise sur leurs propres désirs.

178 Avant d'en avoir arraché les vices, ne donne pas d'audience à ton cœur. Tel son capital, en effet, tels les intérêts dont il va se mettre en quête.

179 Il est des serpents qu'on rencontre au fond des vallons et d'autres nichés dans les maisons. De même certaines passions prennent la forme de pensées et d'autres gisent dans les actions, même s'il y a eu passage d'un type d'images à l'autre.

180 Lorsque tu vois ce qui gisait se mouvoir en prenant consistance réelle et exciter à la passion un intellect qui était au repos, sache que cet intellect, à un moment quelconque, avait pris les devants sur ces mouvements et les avait traduits dans la pratique, puis capitalisés dans son cœur.

181 Un nuage ne s'assemble pas sans les souffles du vent et la passion ne naît pas sans action de l'intelligence.

181,1 αὔρας + καὶ edd.

175 a. cf. Ps 36, 28   b. 2 Tm 3, 12

182 Ἐὰν μηκέτι ποιῶμεν «τὰ θελήματα τῆς σαρκός[a]», κατὰ τὴν Γραφήν, ῥαδίως ἐν Κυρίῳ ὑπολήξει τὰ προεγκείμενα.

183 Τὰ μὲν ὑποστατικὰ τοῦ νοὸς εἴδωλα πονηρότερά εἰσι καὶ ἐπικρατέστερα. Τὰ δὲ λογιστικὰ τούτων αἴτια καὶ προηγητικὰ τυγχάνει.

184 Ἔστι κακία καρδιακῶς κατέχουσα διὰ τὴν χρονίαν πρόληψιν. Καὶ ἔστι κακία λογιστικῶς πολεμοῦσα διὰ τῶν καθημερινῶν πραγμάτων.

185 Ὁ Θεὸς τὰς πράξεις κατὰ τὰς προθέσεις λογίζεται. «Δῴη γάρ σοι, φησί, Κύριος κατὰ τὴν καρδίαν σου[a].»

186 Ὁ ἐν θεωρίᾳ συνειδήσεως μὴ ἐγκαρτερῶν οὐδὲ τοὺς σωματικοὺς πόνους ὑπὲρ εὐσεβείας καταδέχεται.

187 Φυσικὴ βίβλος ἐστὶ ἡ συνείδησις. Ὁ ἐμπράκτως ἀναγινώσκων αὐτὴν λαμβάνει πεῖραν θείας ἀντιλήψεως.

188 Ὁ μὴ αἱρούμενος τοὺς ὑπὲρ ἀληθείας πόνους ἑκουσίως ὑπὸ τῶν ἀκουσίων χαλεπωτέρως παιδεύεται.

189 Ὁ γνοὺς τὸ θέλημα τοῦ Θεοῦ καὶ κατὰ δύναμιν ποιῶν αὐτὸ διὰ μικρῶν πόνων τοὺς μεγάλους ἐκφεύξεται.

190 Ὁ ἐκτὸς προσευχῆς καὶ ὑπομονῆς πειρασμοὺς νικῆσαι θέλων οὐκ ἀπώσεται αὐτούς, ἀλλ᾽ ἢ πλέον ἐμπλακήσεται.

D E T MZCX BAF GQ L P Y NVW

182,2 ὑπολήξει ἐν κυρίῳ ~ T BAF L
183,1-2 πονηρότερά ... ἐπικρατέστερα G^mg ‖ 1 ἐστι E Z GQ L Y edd. ‖ 2 ἐπικρατέστερα : ἐγκρατ. NVW ‖ 3 τυγχάνει om. Z edd.
185,1 ὁ om. B Q P ‖ κατὰ : καὶ GQ ‖ 2 σοι γὰρ [γὰρ om. E] ~ G W ‖ φησί + ὁ D X BAF GQ L NVW om. P
186,2 καταδέξεται GQ
187,1 ἡ om. D M edd. ‖ ὁ + οὖν BAF ‖ ἐμπράκτως : ἐμπρακτηκῶς D εἰσπράκτως X πρακτικῶς BAF

182 Si nous n'accomplissons plus «les désirs de la chair[a]», selon l'expression de l'Écriture, facilement dans le Seigneur s'évanouira ce qui gisait auparavant en nous.

183 Les représentations qui ont pris consistance dans l'intellect sont plus mauvaises et plus puissantes. Mais les pensées en sont la cause et le prélude.

184 Il y a tel vice qui est en possession du cœur à cause d'une prédisposition de longue date et tel autre qui mène la lutte au moyen de pensées à cause des actions quotidiennes.

185 Dieu évalue les actions en fonction des intentions. «Que le Seigneur, est-il dit en effet, te donne selon ton cœur[a].»

186 Qui ne porte pas sur sa conscience un regard ferme et persévérant n'accepte pas non plus de peiner corporellement pour la piété.

187 La conscience est un livre naturel; qui le lit activement fait l'expérience du secours divin.

188 Celui qui n'assume pas de bon gré les travaux pour la vérité se fait éduquer plus péniblement par ceux qui sont contre son gré.

189 Qui connaît la volonté de Dieu et l'accomplit selon son pouvoir échappera à de grands labeurs grâce à des petits.

190 Qui veut vaincre les tentations sans recours à la prière et à la patience ne les chassera pas, mais en sera enveloppé davantage.

188,1 ἀληθείας : εὐσεϐείας Z ἀσεϐείας A
190,2 ἀλλ' ἤ : ἀλλὰ MX GQ P Y W edd.

---

182 a. cf. Ep 2, 3   **185** a. Ps 19, 5

191 Ὁ Κύριος εἰς τὰς ἰδίας ἐγκέκρυπται ἐντολάς, καὶ τοῖς ζητοῦσιν αὐτὸν κατ' ἀναλογίαν εὑρίσκεται.

192 Μὴ εἴπῃς· ἐποίησα ἐντολὰς καὶ οὐχ εὗρον τὸν Κύριον. «Γνῶσιν γὰρ μετὰ δικαιοσύνης», κατὰ τὴν Γραφήν, πολλάκις εὕρηκας. «Οἱ δὲ ὀρθῶς ζητοῦντες αὐτὸν εὑρήσουσιν εἰρήνην[a].»

193 Εἰρήνη ἐστὶ τῶν παθῶν ἀπαλλαγή· αὐτὴ δέ, ὡς λέγει ὁ ἅγιος Ἀπόστολος, ἐκτὸς ἐνεργείας τοῦ ἁγίου Πνεύματος οὐκ εὑρίσκεται[a].

929 **194** Ἄλλο πρᾶξις ἐντολῆς καὶ ἄλλο ἀρετή, κἂν ἐξ ἀλλήλων τὰς τῶν ἀγαθῶν ἀφορμὰς λαμβάνωσι. **195** Πρᾶξις

D E T MZCX BAF GQ L P Y NVW

191,1 ὁ om. edd. ‖ ἐκκρύπτεται ἐντολὰς D ἐγκέκρυπται ἐντ. Q κέκρυπται ἐντ. N
192,2 κατὰ τὴν γραφὴν om. BAF Y edd. ‖ 3 αὐτὸν ζητοῦντες ~ T Q L NVW
193,1-2 αὐτὴ ... ἀπόστολος : om. W ‖ 2 ἅγιος om. MZCX GQ ‖ ἀπόστολος : Paulus Syr.
194, 2 λαμβάνωσι + τὰ πάντα MZC Y edd. λαμβάνουσι T GQ NVW

---

192 a. Pr 16, 8   **193** a. cf. Rm 8, 2 et 6

---

1. Ces sentences 194 et 195 reproduisent la doctrine d'ARISTOTE, selon laquelle «ce qu'il nous faut prendre comme symptôme de nos dispositions morales, c'est le plaisir ou la peine qui s'ajoute à nos œuvres» (*Éthique à Nicomaque* II, 3 [1104 b 3-5], trad. Gauthier-Jolif). S'abstenir du plaisir ou affronter le danger en y trouvant de la joie est le signe qu'on est parvenu à la vertu (tempérance ou courage) en ce domaine. Ἀρετή est donc employé ici au sens de «vertu», «disposition morale bonne». En *Bapt.* V, 9-11 on trouve une pensée assez voisine : tant qu'on n'accomplit pas les pratiques de la vie religieuse avec joie et amour de l'effort, c'est qu'on nourrit une complaisance latente pour la volupté. Mais ἀρεταί, employé ici au pluriel, a plutôt le sens de «performances», «prouesses». Il semble que la signification soit à peu près la même en *Bapt.* V, 245-265 mais on aboutit là à séparer absolument la complaisance avec laquelle l'homme considère ces actes louables de leur exécution, cette dernière n'étant possible que sous l'action du

191 Le Seigneur se cache dans ses propres commandements et se laisse trouver dans la mesure où on l'y recherche.

192 Ne dis pas : J'ai accompli les commandements et je n'ai pas trouvé le Seigneur. « La connaissance avec la justice », comme dit l'Écriture, tu les as souvent trouvées. « Or ceux qui le cherchent avec droiture trouveront la paix[a]. »

193 La paix consiste à se débarrasser des passions ; mais, comme le dit le saint Apôtre, on ne la trouve pas sans action du Saint Esprit[a].

194 Autre chose[1] est l'accomplissement du commandement, autre chose la vertu, bien qu'ils s'empruntent mutuellement leurs points de départ vers le bien. **195** On

---

Christ. Dans *Paen.* ἀρετή n'est employé qu'au pluriel et seulement 4 fois, au sens de « comportements » qui constituent la pénitence (VII, 2, 2.7.12) ou le rendent acceptable (XI, 26). Dans *Causid.* au contraire le mot n'apparaît qu'au singulier, mais le sens n'en est pas pour autant unifié. En effet que l'humilité soit « la grande vertu » (I, 20-21), cela se comprend, au moins en contexte chrétien. Mais quand le même mot est employé pour la prière sans relâche (IV, 33), il ne peut s'agir que de la « pratique centrale » d'une vie d'ascète, voire de chrétien. En *Justif.* 33 il était d'ailleurs précisé que la prière était plutôt « mère de la vertu » que vertu elle-même, tandis qu'en *Justif.* 93 vertu et prière étaient opposées côte à côte aux simples discours. Dans *Causid.* X, 19 et XI, 18, voire en I, 20, on peut sans doute traduire plus vaguement « comportement digne de louange ». On doit donc probablement admettre qu'ἀρετή varie entre ces deux pôles d'« acte » et de « disposition » (ἕξις = *habitus*), cette dernière pouvant être cachée, mais s'exprimant normalement par des œuvres. Ce second sens, celui de « disposition », prévaut exclusivement dans *Nic.*, où le mot est assez fréquent : 9 fois, tant au singulier qu'au pluriel. Cela aussi bien quand est fournie une liste de vertus assez longue (VII, 40-46) que lorsque 3 vertus seulement sont opposées aux 3 « géants » (cf. XIII, 17). Mais ailleurs, dans le Marc authentique, il faut traduire ἀρετή au coup par coup. Qu'il s'agisse d'équipement moral ou d'actes d'ascèse (*v.g. Bapt.* V, 9-15), Marc prend plusieurs fois le soin de spécifier que tout cela ne relève pas de la seule action humaine, mais s'accomplit sous la motion

ἐντολῆς λέγεται ἐν τῷ πρᾶξαι τὸ προστεταγμένον · ἀρετὴ δὲ ἐν τῷ ἀρέσκειν τῇ ἀληθείᾳ τὸ γεγενημένον.

196 Ὥσπερ εἷς μέν ἐστιν ὁ αἰσθητὸς πλοῦτος, κατὰ δὲ κτῆσιν πολυμερής, οὕτω μία ἐστὶν ἡ ἀρετή, πολυτρόπους ἔχουσα τὰς ἐργασίας.

197 Ὁ ἐκτὸς ἔργου σοφιζόμενος καὶ λαλῶν λόγον πλουτεῖ ἐξ ἀδικίας· καὶ «οἱ πόνοι αὐτοῦ, κατὰ τὴν Γραφήν, εἰς οἴκους ἀλλοτρίους ἔρχονται[a]».

198 «Πάντα ὑπακούσεται τῷ χρυσίῳ», φησί, καὶ τῇ χάριτι τοῦ Θεοῦ τὰ νοητὰ διοικηθήσεται.

199 Συνείδησις ἀγαθὴ διὰ προσευχῆς εὑρίσκεται, καὶ προσευχὴ καθαρὰ διὰ συνειδήσεως· θάτερον γὰρ θατέρου κατὰ φύσιν προσδέεται.

200 Ὁ Ἰακὼβ τῷ Ἰωσὴφ χιτῶνα ποικίλον ἐποίησε[a], καὶ ὁ Κύριος τῷ πραεῖ γνῶσιν ἀληθείας χαρίζεται, καθὰ γέγραπται ὅτι· «Διδάξει πραεῖς ὁδοὺς αὐτοῦ[b]».

D E T MZCX BAF GQ L P Y NVW

195,3 γινόμενον L
196,2 μία+ μὲν C AF ‖ 3 ἐργασίας : ἐνεργείας AF
197,1 λόγον : λόγους W ‖ 3 εἰσέρχονται D E T GQ L NVW
198,2 νοητὰ : νοήματα E GQ P
199,3 προσδέεται : προσδέδεται A προσδέχεται F W
200,2-3 καθὰ γέγραπται ὅτι : καθὰ γέγ. E ὅτι Z κύριος γὰρ ὡς φησὶν ἡ γραφή GQ om. BA ‖ 3 διδάξει : δόξαξει C διδάξει γάρ φησι BA διδάσκει GQ διδάξει κύριος NW

---

197 a. Pr 5, 10 **200** a. cf. Gn 37, 3 b. Ps 24, 9

de la grâce et de l'Esprit (cf. *Bapt.* V, 230). Ou alors la «vertu» ne dépasse pas la simple abstention du péché (*Justif.* 24) et, du reste, plutôt que comme l'épanouissement d'une nature dans sa ligne, l'ἀρετή sera considérée comme l'accomplissement d'un commandement (*Bapt.*

parle d'accomplissement du commandement dans le cas où est exécuté ce qui est ordonné, de vertu par contre là où il y a complaisance sincère en ce qui s'est fait.

196 Une est la richesse sensible, mais multiples les voies de son acquisition; de même une est la vertu, multiformes les moyens de l'exercer.

197 Qui subtilise et bavarde sans travailler s'enrichit au moyen de l'injustice et, d'après l'Écriture, « le fruit de ses travaux aboutit dans des demeures étrangères[a] ».

198 « Tout obéira à l'or », est-il dit[1], et ce qui est intelligible sera gouverné par la grâce de Dieu.

199 Une conscience bonne se découvre par la prière et une prière pure par la conscience; chacune des deux, en effet, a par nature besoin de l'autre.

200 Jacob fit faire à Joseph une tunique bariolée[a], et le Seigneur gratifie l'homme doux de la connaissance de la vérité, selon qu'il est écrit : « Il enseignera aux doux ses chemins[b]. »

III, 40). Il est possible qu'en *Leg.* 195 Marc ait rattaché ἀρετή à ἀρέσκω : P. CHANTRAINE (*Dict. étym.*, t. I, Paris 1968, *s.v.*) estime qu'il n'y a « aucun rapport sémantique net » entre les deux mots; en revanche H. FRISK (*Griechisches etymologisches Wörterbuch*, t. I, Heidelberg 1960) paraît considérer cette étymologie comme acceptable.

1. La *Philocalie* a renoncé à indiquer ici une référence scripturaire, malgré la présence du terme φησι. Plutôt que citation, en effet, il y a ici réminiscence, bornée aux 2 mots πάντα ὑπακούσεται, de *Qo* 10,19, où il est question cependant d'obéissance à l'argent, non à l'or, et où Rahlfs lit ἐπακούσεται σὺν τὰ πάντα. Y aurait-il interférence avec quelque dicton profane (relatif, par exemple, à la légende de Danaé : ATHÉNAGORE, *Supplique* XXIX, 3, cite à ce propos 3 vers d'Euripide (Ὦ χρυσέ, δέξιωμα κάλλιστον βροτοῖς...). L'indication φησι est assez vague pour permettre de le conjecturer.

201 Πάντοτε ἐργάζου τὸ ἀγαθὸν κατὰ δύναμιν, καὶ ἐν καιρῷ τοῦ μείζονος μὴ στρέφου ἐπὶ τὸ ἔλαττον. «Ὁ γὰρ στραφεὶς εἰς τὰ ὀπίσω, φησίν, οὐκ ἔστιν εὔθετος ἐν τῇ βασιλείᾳ τῶν οὐρανῶν [a]. »

D E T MZCX BAF GQ L P Y NVW

201,2 ἐπὶ : εἰς GQ ‖ 3 φησι εἰς τὰ ὀπίσω ~ T BAF L ‖ εὔθετος ἔστε ~ NV ‖ 3-4 εἰς τὴν βασιλείαν BAF NVW ‖ 4 οὐρανῶν + τοῦ πατρὸς καὶ τοῦ

201 En tout temps œuvre pour le bien selon ton pouvoir
et, quand tu as l'occasion de faire plus grand, ne te tourne
pas vers ce qui est plus petit. Car, est-il dit, « quiconque
retourne en arrière n'est pas apte au royaume des cieux [a] ».

υἱοῦ καὶ τοῦ ἁγίου πνεύματος [+ αὐτῷ ἡ δόξα P N + καὶ P] νῦν καὶ ἀεὶ καὶ
εἰς τοὺς αἰῶνας τῶν αἰώνων ἀμήν GQP N.

---

201 a. Lc 9, 62.

Περὶ τῶν οἰομένων ἐξ ἔργων δικαιοῦσθαι

Migne
col. 929

1 Ἡ τῶν ἔξωθεν κακοπιστία ἐν τοῖς ὑπογεγραμμένοις ἐλέγχεται ὑπὸ τῶν βεβαιοπίστων καὶ ἐπεγνωκότων τὴν ἀλήθειαν.

2 Ὁ Κύριος πᾶσαν ἐντολὴν ὀφειλομένην δεῖξαι θέλων τὴν δὲ υἱοθεσίαν ἰδίῳ αἵματι τοῖς ἀνθρώποις δεδωρημένην φησίν· «Ὅταν πάντα ποιήσητε τὰ προστεταγμένα ὑμῖν, τότε εἴπατε· δοῦλοι ἀχρεῖοί ἐσμεν, καὶ ὃ ὠφείλομεν ποιῆσαι
5 πεποιήκαμεν[a].» Διὰ τοῦτο οὐκ ἔστι μισθὸς ἔργων ἡ βασιλεία τῶν οὐρανῶν, ἀλλὰ χάρις δεσπότου πιστοῖς δούλοις ἡτοιμασμένη.

3 Οὐκ ἀπαιτεῖ δοῦλος ὡς μισθὸν τὴν ἐλευθερίαν, ἀλλ᾽ εὐαρεστεῖ ὡς ὀφειλέτης, καὶ κατὰ χάριν ἐκδέχεται.

4 «Χριστὸς ἀπέθανεν ὑπὲρ τῶν ἁμαρτιῶν ἡμῶν, κατὰ τὰς Γραφάς[a]», καὶ τοῖς εὖ δουλεύουσιν αὐτῷ τὴν ἐλευθερίαν χαρίζεται· φησὶ γάρ· «Εὖ, δοῦλε ἀγαθὲ καὶ πιστέ, ἐπὶ ὀλίγα ἐγένου πιστός, ἐπὶ πολλῶν σε καταστήσω· εἴσελθε εἰς τὴν
5 χαρὰν τοῦ Κυρίου σου[b].»

D E T MZCX BAF GQ L P Y NVW

Tit. om. X *oratio secunda* codd. Syr. plerique.

1, 2 ἐλεγχθήσεται T NVW ἐξελέγχεται BAF

2,2 δεδωρημένην τοῖς ἀνθρώποις ~ E Pic. edd. ‖ τοῖς ἀνθρώποις om. Z Y Obs. ‖ 3 πάντα ἐποιήσετε E ποιήσητε πάντα τὰ ~ T AF L πάντα ποιήσητε edd. ‖ 4 εἴπατε + ὅτι D B GQ L ‖ ἀχρεῖοι δοῦλοι ~ X ‖ καὶ ὃ + τι GQ ὃ om. T P V ᾶ B

3,2 εὐαρεστεῖ : εὐχαριστεῖ Emg T X Q

La Justification par les œuvres

1 La foi erronée des gens du dehors se trouve confondue, dans le texte ci-dessous, par les gens à la foi ferme, qui ont reconnu la vérité.

2 Le Seigneur, voulant montrer que tout commandement représente une dette, cependant que la filiation est un don fait aux hommes au prix de son propre sang, déclare : « Quand vous aurez fait tout ce qui vous a été prescrit, dites : Nous sommes des esclaves inutiles, nous nous sommes simplement acquittés de ce dont nous étions redevables[a]. » C'est pourquoi le royaume des cieux n'est pas le salaire des œuvres, mais une grâce du Maître, qu'il a préparée pour ses esclaves fidèles.

3 Un esclave ne réclame pas la liberté comme un salaire, mais il cherche à plaire, comme un débiteur, et il la reçoit par manière de grâce.

4 « Le Christ est mort pour nos péchés, conformément aux Écritures[a] », et ceux qui le servent bien, il les gratifie de la liberté. Il dit en effet : « C'est bien, serviteur bon et fidèle ; en peu de choses tu as été fidèle, sur beaucoup je t'établirai. Entre dans la joie de ton Seigneur[b]. »

4.1-2 κατὰ τῆς γραφῆς ὑπὲρ τῶν ἀ. ἡ. ~ W ‖ 2 ἐλευθερίαν : υἱοθεσίαν D MZC [χαρίζεται τ. υ. ~ Z] ‖ 4 ἐγένου : ἧς BAF GQ P NVW ‖ 4-5 ἐπὶ ... σου : καὶ τὰ ἑξῆς T L ‖ εἴσελθε ... σου om. BAF ‖ 5 σου : om. Obs. edd.

---

2 a. Lc 17, 10   **4** a. 1 Co 15, 3   b. Mt 25, 21

932   **5** Οὔπω δοῦλός ἐστι πιστὸς ὁ ψιλῇ τῇ γνώσει ἐπερειδόμενος, ἀλλ᾽ὁ δι᾽ ὑπακοῆς τῷ ἐντειλαμένῳ Χριστῷ πιστεύων.

6 Ὁ τὸν δεσπότην τιμῶν ποιεῖ τὰ κελευόμενα. Σφαλεὶς
δὲ ἢ παρακούσας ὑπομένει ὡς ἴδια τὰ ἐπερχόμενα.

7 Φιλομαθὴς ὤν, γίνου καὶ φιλόπονος · ἡ γὰρ ψιλὴ γνῶσις
φυσιοῖ τὸν ἄνθρωπον[a].

8 Οἱ ἀπροσδοκήτως ἡμῖν συμβαίνοντες πειρασμοὶ οἰκονομικῶς ἡμᾶς φιλοπόνους διδάσκουσι, καὶ μὴ βουλομένους εἰς
μετάνοιαν ἕλκουσιν.

9 Αἱ ἐπερχόμεναι θλίψεις τοῖς ἀνθρώποις τῶν ἰδίων κακῶν εἰσιν ἔκγονα · ἐὰν δὲ αὐτὰς διὰ προσευχῆς ὑπομείνωμεν,
εὑρίσκομεν πάλιν ἀγαθῶν πραγμάτων ἐπιφοράν.

10 Τινὲς ἐπ᾽ ἀρετῇ ἐπαινεθέντες ἡδύνθησαν, καὶ τὴν τῆς
κενοδοξίας αὐτῶν ἡδονὴν ἔδοξαν εἶναι παράκλησιν. Ἕτεροι
ἐφ᾽ ἁμαρτίαις ἐλεγχθέντες ἐπόνεσαν, καὶ τὸν ἐπωφελῆ πόνον
ἐλογίσαντο εἶναι κακίας ἐνέργειαν.

11 Ὅσοι προφάσει ἀγώνων τῶν ἀμελεστέρων κατεπαί-
ρονται, οὗτοι ἐξ ἔργων σωματικῶν δικαιοῦσθαι νομίζουσιν.
Ὅσοι δὲ ἐπερειδόμενοι ψιλῇ τῇ γνώσει τοὺς ἀγνοοῦντας
εὐτελίζομεν, ἐκείνων πολὺ ἀφρονέστεροι τυγχάνομεν.

12 Ἐκτὸς τῶν κατ᾽ αὐτὴν ἔργων οὔπω βεβαία ἡ γνῶσις,
κἂν ἀληθὴς τυγχάνῃ. Διότι παντὶ πράγματι τὸ ἔργον ἐστὶ
βεβαίωσις.

D E T MZCX BAF GQ L P Y NVW

   5.1 δοῦλος πιστός ἐστι E ἐστὶ π. δ. T BAF L ‖ τῇ om. MC B Q L P ‖
2-3 πιστεύων : δουλεύων N
   7.1 γένου M ‖ 2 φυσιεῖ L V
   8.1 συμβαίνοντες ἡμῖν ~ E W ‖ 2 ἐκδιδάσκουσι E
   9.1 τοῖς om. Y Obs. ‖ 2 ἔκγονα : κυήματα G ‖ ὑπομένωμεν W ‖ 3
εὑρήσομεν Pic. edd.
   10.3 ἁμαρτίᾳ L N ‖ 4 εἶναι om. D

5 Il n'est pas encore un esclave fidèle, celui qui s'appuie sur la seule connaissance ; il l'est au contraire, celui qui par l'obéissance met sa confiance dans le Christ auteur du commandement.

6 Qui honore son maître en accomplit les ordres. S'il a fait une erreur ou a désobéi, il s'attribue les conséquences à endurer.

7 Tu aimes à apprendre ? Aime aussi à peiner : à elle seule, la connaissance enfle l'homme[a].

8 Les épreuves qui nous surviennent sans que nous nous y attendions sont une disposition providentielle qui nous instruit, si nous aimons à prendre de la peine, et nous traînent vers le repentir en dépit que nous en ayons.

9 Les tribulations qui assaillent les hommes sont les rejetons de leurs vices ; mais si nous les supportons grâce à la prière, nous y trouvons à l'inverse un supplément de biens.

10 Loués pour leur vertu, certains y prirent grand plaisir, et ce plaisir fait de vaine gloire, ils le crurent consolation spirituelle ; d'autres, réprimandés pour leurs péchés, en ressentirent de la peine, et cette peine utile, ils la prirent pour une action du vice.

11 Tous ceux qui s'exaltent sous prétexte de combats sur les points les plus négligeables sont des gens qui s'imaginent être justifiés par des œuvres matérielles. Mais nous sommes encore bien plus fous que ces gens-là, nous tous qui prenons appui sur la seule connaissance pour dénigrer les ignorants.

12 A part des œuvres qu'elle inspire, la connaissance n'est pas encore solide, même si elle se trouve être vraie. Car en toute matière, c'est l'œuvre qui consolide.

11,4 εὐτελίζουσι X G Syr. ἐξευτελίζομεν BA εὐτελίζουσιν οὗτοι Y edd. ‖ πολὺ : πολλοί MC A ‖ τυγχάνομεν : -νουσι X G^mg Y edd. Syr.
12,1 τῶν κατ'αὐτῆς ἔργων E τῶν κατ'ἀρετὴν ἔ. P Y edd. τῆς τῶν ἐ. πράξεως L ‖ γνῶσις : πίστις GQ ‖ 2 ἐστὶ + ἡ BF Q

---

7 a. cf. 1 Co 8, 1

13 Πολλάκις ἐκ τῆς περὶ τὴν πρᾶξιν ἀμελείας καὶ ἡ γνῶσις σκοτίζεται. Ὧν γὰρ αἱ ἐργασίαι καθόλου παρελογίσθησαν, τούτων καὶ αἱ μνῆμαι κατὰ μέρος οἰχήσονται. Ἡ Γραφὴ διὰ τοῦτο κατὰ γνῶσιν εἰδέναι Θεὸν ὑποτίθεται, ἵν' ὀρθῶς αὐτῷ ποτε διὰ τῶν ἔργων δουλεύσωμεν.

14 Ὅταν προφανῶς ἐπιτελῶμεν ἐντολάς, τὰ μὲν ἰδικὰ παρὰ Κυρίου ἀναλόγως λαμβάνομεν· ὠφελούμεθα δὲ κατὰ τὸν σκοπὸν τῆς προθέσεως.

15 Ὁ θέλων τι πρᾶξαι καὶ μὴ δυνάμενος ὡς ποιήσας ἐστὶ παρὰ τῷ καρδιογνώστῃ Θεῷ. Τοῦτο καὶ ἐπὶ ἀγαθοῖς καὶ ἐπὶ κακοῖς νοητέον.

16 Ὁ νοῦς ἐκτὸς τοῦ σώματος ἀγαθὰ καὶ κακὰ ἐκτελεῖ πολλά· τὸ δὲ σῶμα ἐκτὸς τοῦ νοὸς οὐδὲν τούτων ἐπιτελέσαι δύναται. Διότι ὁ νόμος τῆς ἐλευθερίας πρὸ τῆς πράξεως ἀναγινώσκεται.

17 Τινὲς μὴ ποιοῦντες τὰς ἐντολὰς πιστεύειν ὀρθῶς νομίζουσι. Τινὲς δὲ ποιοῦντες ὡς μισθὸν ὀφειλόμενον τὴν βασιλείαν ἐκδέχονται· ἀμφότεροι δὲ τῆς βασιλείας ἀπεσφάλησαν.

933   18 Παρὰ δεσπότου μισθὸς δούλοις οὐ κεχρεώστηται. Οὐδ' αὖ πάλιν οἱ μὴ δουλεύοντες ὀρθῶς ἐλευθερίας τυγχάνουσιν.

19 Εἰ «Χριστὸς ὑπὲρ ἡμῶν ἀπέθανε κατὰ τὰς Γραφάς [a]», καὶ «οὐ ζῶμεν ἑαυτοῖς, ἀλλὰ τῷ ὑπὲρ ἡμῶν ἀποθανόντι καὶ

D E T MZCX BAF GQ L P Y NVW

13.1 ἡ + γὰρ MZCX + θεῖα GQ ‖ 4 διὰ τοῦτο εἰδέναι θεὸν κατὰ γνῶσιν ~ C δ. τ. εἰδέναι κ. γν. θ. GQ P κατὰ γν. εἰδέναι θ. δ. τ. V διὰ τ. κατὰ γν. Obs. ‖ 5 ποτε + καὶ D MZC om. GQ ‖ δουλεύωμεν GQ
14.2 ἀναλόγως παρὰ κ. ~ T Z BAF L NVW ‖ 3 προθέσεως : προαίρεσεως GQ
15.2 τοῦτο + δὲ MZCX GQ L W
16.1 ἐπιτελεῖ Y W ‖ 2 ἐκτὸς : χωρὶς E ‖ ἐπιτελέσαι : ἐκτελέσαι C B W ἐπιτελεῖν GQ N ἐκτελεῖν V

13 Souvent de la négligence dans la pratique résulte aussi un obscurcissement de la connaissance. Ceux en effet chez qui les activités sont absolument négligées verront aussi leur mémoire s'en aller peu à peu. Si l'Écriture pose en préalable une science de Dieu par voie de connaissance, c'est pour que nous nous montrions un jour de bons esclaves de ce Dieu par nos actes.

14 Lorsque en surface nous accomplissons des commandements, nous recevons à proportion du Seigneur ce qui nous revient ; mais le profit que nous en retirons dépend du but que nous nous proposions.

15 Qui veut accomplir une action, même s'il ne le peut pas, c'est comme s'il l'avait faite pour le Dieu qui sonde les cœurs. Cela doit s'entendre du bien tout comme du mal.

16 L'intellect accomplit beaucoup de bien et beaucoup de mal à part du corps ; le corps pris à part de l'intellect est incapable d'accomplir rien de tout cela. C'est qu'aussi bien la loi de liberté se laisse connaître avant qu'il ne soit question de pratique.

17 Certains, sans accomplir les commandements, s'imaginent avoir une foi droite. Certains autres les accomplissent et attendent le Royaume comme un salaire qui leur serait dû. Les uns comme les autres se sont écartés du Royaume.

18 De maître à esclaves le salaire ne saurait être un dû ; en revanche ceux qui ne se montrent pas de bons esclaves n'obtiennent pas non plus la liberté.

19 « Christ est mort pour nous, conformément aux Écritures[a] », et « nous ne vivons pas pour nous-mêmes, mais pour

---

17.3 ἀπεκδέχονται BAF ‖ δὲ + τοῦ τε προσήκοντος καὶ BAF ‖ τῆς βασιλείας : τ. ἀληθείας E T ZCX BAF GQ L P^{pc} NVW τοῦ δέοντος P^{mg}
18.1 δεσπόταις Obs. ‖ 2 οἱ : εἰ edd. ‖ δουλεύσαντες E X BAF P Y NVW ‖ ἐλευθερίαν edd.
19.1 ἀπέθανε ὑπὲρ ἡμῶν ~ T B L ὑπὲρ τῶν ἁμαρτίων ἡ. ἀπ. X ἀπέθανε ὑπὲρ τῶν ἁμαρτίων ἡ. AF

---

19 a. cf. 1 Co 15, 3

ἐγερθέντι [b]», δηλονότι δουλεύειν αὐτῷ ἕως θανάτου κεχρεωστήκαμεν. Πῶς οὖν ὀφειλομένην τὴν υἱοθεσίαν λογισόμεθα ;

20 Χριστὸς Δεσπότης κατ᾽ οὐσίαν καὶ Δεσπότης
κατ᾽ οἰκονομίαν, ὅτι καὶ μὴ ὄντας ἐποίησε, καὶ τῇ ἁμαρτίᾳ
θανόντας διὰ τοῦ ἰδίου αἵματος ἐξηγόρασε· καὶ τοῖς οὕτω
πιστεύουσι τὴν χάριν ἐδωρήσατο. **21** Ὅταν οὖν ἀκούσῃς
τῆς Γραφῆς λεγούσης ὅτι «ἀποδώσει ἑκάστῳ κατὰ τὰ ἔργα
αὐτοῦ [a]», οὐκ ἔργα λέγει γεέννης ἢ βασιλείας ἀντάξια, ἀλλ᾽
ἔργα τῆς εἰς αὐτὸν ἀπιστίας ἢ πίστεως. Χριστὸς ἀποδίδωσιν
5 ἑκάστῳ οὐχ ὡς συναλλάκτης πραγμάτων, ἀλλ᾽ ὡς Θεὸς κτί-
στης καὶ ἀγοραστὴς ἡμῶν.

22 Ὅσοι τοῦ λουτροῦ τῆς παλιγγενεσίας ἠξιώθημεν, τὰ
ἀγαθὰ ἔργα οὐ δι᾽ ἀνταπόδοσιν προσφέρομεν, ἀλλὰ διὰ
φυλακὴν τῆς δοθείσης ἡμῖν καθαρότητος.

23 Πᾶν ἔργον ἀγαθὸν ὃ διὰ τῆς ἡμετέρας ἐργαζόμεθα
φύσεως ἀπέχεσθαι μὲν ποιεῖ τοῦ ἐναντίου κακοῦ. Προσθήκην δὲ ἁγιασμοῦ ἐκτὸς χάριτος ποιῆσαι οὐ δύναται.

24 Ὁ ἐγκρατὴς ἀπέχεται γαστριμαργίας, ὁ ἀκτήμων
πλεονεξίας, ὁ ἥσυχος πολυλογίας, ὁ ἁγνὸς φιληδονίας, ὁ
σεμνὸς πορνείας, ὁ αὐτάρκης φιλαργυρίας, ὁ πρᾶος ταραχῆς,
ὁ ταπεινόφρων κενοδοξίας, ὁ ὑποτακτικὸς φιλονεικίας, ὁ
5 ἐλεγκτικὸς ὑποκρίσεως. Ὁμοίως ὁ εὐχόμενος ἀπέχεται

D E T MZCX BAF GQ L P Y NVW

19.3-4 ἕως θανάτου δουλ. αὐτῷ ~ NVW ‖ ἕως θανάτου om. Obs.
20.1 χριστὸς : θεὸς Obs. ‖ 3 θανατωθέντας BAF N θανέντας V
21.1 ὅταν + δὴ E P ‖ 2 ὅτι + σὺ BAF ‖ ἀποδώσις A ‖ 3 αὐτοῦ : ἡμῶν E
‖ λέγει : νοήσεις GQ ‖ ἀξία L ‖ 4 εἰς αὐτὸν : ἑαυτοῦ T BAF Y edd. ‖
4 πίστεως + ἃ BAF P edd. + ὁ T X L Y ‖ χριστὸς + οὖν L om. Obs. ‖ 5 θεὸς
om. NVW
22.1 κατηξιώθημεν BAF ‖ 1-2 οὐ δι᾽ἀντ. τὰ ἀγ. ἔργα ~ BAF L ‖ 2
εἰσφέρομεν BAF

E T MZCX BAF GQ L P Y NVW

23 om. D ‖ 2 κακοῦ om. GQ ‖ 3 δὲ + τοῦ GQ

celui qui est mort et ressuscité pour nous[b] » ; il est partant évident que nous lui sommes devenus débiteurs, pour le servir jusqu'à la mort. Comment dès lors tenir la filiation pour notre dû ?

20 Christ est Maître du point de vue de la substance, Maître aussi du point de vue de l'économie, vu qu'il a fait exister ceux qui n'étaient pas et racheté par son propre sang ceux qui étaient morts par le péché, octroyant de plus la grâce à ceux qui tiennent cette foi. **21** Quand on entend donc l'Écriture parler de « rendre à chacun selon ses œuvres[a] », elle ne veut pas parler d'œuvres qui mériteraient la géhenne ou le Royaume, mais d'œuvres correspondant à l'incrédulité ou la foi en lui. Christ rendra à chacun non comme exécutant d'un contrat portant sur les actes, mais comme Dieu créateur et rédempteur de nos personnes.

22 Nous tous qui avons été jugés dignes du bain de régénération, nous présentons nos œuvres bonnes non afin d'être rétribués, mais en vue de préserver la pureté qui nous a été octroyée.

23 Tout ce que peut effectuer n'importe quelle œuvre bonne exécutée en vertu de notre propre nature, c'est que nous nous abstenions du vice opposé ; mais un progrès en sanctification, en dehors d'une grâce, elle ne peut l'opérer.

24 L'homme tempérant s'abstient de gloutonnerie, l'homme désintéressé, de l'appétit du gain, l'homme pacifié, du bavardage, le chaste, de la volupté, le pudique, de la fornication, l'homme indépendant, de l'amour de l'argent, le doux, du fracas, l'humble, de la vaine gloire, l'obéissant, de la contestation, le critique, de la simulation. De même l'homme qui a l'esprit

---

D E T MZCX BAF GQ L P Y NVW

24,2-3 ὁ σεμνὸς πορνείας om. M ‖ 3 ταραχῆς : ὀργῆς BAF ‖ 5 ὁμοίως + καὶ GQ ‖ ἀπέχεται : om. P

---

19 b. 2 Co 5, 15   **21** a. cf. Ps 61, 13

ἀνελπιστίας, ὁ πτωχὸς πολυχρηματίας, ὁ ὁμολογητὴς
ἀρνήσεως, ὁ μάρτυς εἰδωλολατρείας. Βλέπεις πῶς πᾶσα ἡ
ἕως θανάτου ἐπιτελουμένη ἀρετὴ οὐδὲν ἕτερον ἢ ἁμαρτίας
ἐστὶν ἀποχή. Ἁμαρτίας δὲ ἀποχὴ φύσεώς ἐστιν ἔργον, οὐ
10 βασιλείας ἀντάλλαγμα. Ἄνθρωπος μόλις φυλάσσει τὰ τῆς
ἑαυτοῦ φύσεως· Χριστὸς δὲ διὰ σταυροῦ τὴν υἱοθεσίαν
χαρίζεται.

25 Ἔστιν ἐντολὴ μερικὴ καὶ ἔστιν ἑτέρα περιεκτική. Πῇ
μὲν γὰρ μερικῶς κελεύει μεταδιδόναι τῷ μὴ ἔχοντι· πῇ δὲ
ἐντέλλεται πᾶσιν ἀποτάξασθαι τοῖς ὑπάρχουσιν.

26 Ἔστιν ἐνέργεια χάριτος τῷ νηπίῳ ἀγνοουμένη. Καὶ
ἔστι τῆς κακίας ἑτέρα τῇ ἀληθείᾳ ἐξομοιουμένη. Καλὸν δὲ
τὰ τοιαῦτα μὴ ἐνοπτρίζεσθαι διὰ τὴν πλάνην, μήτε
ἀναθεματίζειν διὰ τὴν ἀλήθειαν, ἀλλὰ πάντα δι' ἐλπίδος
5 προσφέρειν τῷ Θεῷ. Αὐτὸς γὰρ οἶδε τῶν ἀμφοτέρων τὸ
χρήσιμον.

936 27 Ὁ διαπεράσαι θέλων τὴν νοητὴν θάλασσαν μακροθυ-
μεῖ, ταπεινοφρονεῖ, ἀγρυπνεῖ, ἐγκρατεύεται. Ἐκτὸς δὲ τῶν
τεσσάρων τούτων, ἐὰν εἰσελθεῖν βιάσηται, θορυβεῖ μὲν τὴν
καρδίαν, περάσαι δὲ οὐ δύναται.

28 Ἡσυχία ὠφελεῖ τῶν κακῶν ἀργήσασα. Ἐὰν δὲ καὶ
τὰς τέσσαρας ἀρετὰς ἐν προσευχῇ προσλάβηται βοήθημα,
πρὸς ἀπάθειαν οὐδὲν αὐτῆς συντομώτερον.

29 Οὐκ ἔστιν ἡσυχάσαι τὸν νοῦν ἄνευ σώματος, οὔτε
λῦσαι τὸ τούτων μεσότοιχον ἄνευ ἡσυχίας καὶ προσευχῆς.

D E T MZCX BAF GQ L P Y NVW

24.6 ὁ πτωχὸς πολυχρ. om. Obs. ‖ πολυχρηματίας [et Syr.] : φιλοχρη- D
T X BAF P L NVW edd. ‖ 7 πῶς : ὅτι E ‖ πᾶσα om. D E MZCX BA ‖ 8-
9 ἁμαρτίας ... ἀποχή¹ om. T AF
25.1 ἑτέρα περιεκτική : ἐντολὴ περιεκ. BAF ἐντολὴ περιεκτικοτέρα
NVW ‖ πῇ et 2 : ἡ MZCX ‖ 2 γὰρ om. MZCX BAF Q W ‖ μεταδοῦναι Y
edd. ‖ 3 ἀποτ. πᾶσι ~ Z NVW
26.2 ἑτέρα τῆς κακίας ~ D T A L ἑτέρα τις κακία B F ‖ 3 μήτε + μὴν
AF Pic. edd. ‖ 6 χρήσιμον : ὠφέλιμον T BAF

de prière s'abstient de manquer d'espérance, le pauvre, de s'enrichir massivement, le confesseur, du reniement, le martyr, de l'idolâtrie. Tu le constates, la pratique jusqu'à la mort de toute vertu ne consiste en rien d'autre qu'à s'abstenir du péché. Or s'abstenir du péché, c'est œuvre de nature, et non monnaie d'échange pour le Royaume. L'homme préserve à grand peine ses prérogatives de nature, tandis que le Christ, par la Croix, fait la grâce de la filiation.

25 Il y a un commandement partiel et il y a un commandement d'ensemble. Ici en effet l'on ordonne, de manière partielle, de partager avec celui qui n'a rien ; là on commande de se défaire de toutes ses possessions.

26 Il y a une opération de la grâce que l'innocent méconnaît et il y en a une autre, du vice, celle-là qui a l'allure de la vérité. On fait bien de ne pas se laisser prendre au miroitement de ce genre de choses, parce qu'elles trompent, et de ne pas les anathématiser non plus, parce qu'il s'y trouve du vrai, mais bien de les présenter toutes devant Dieu dans l'espérance. Lui sait effectivement ce qu'il y a d'utile dans les deux cas.

27 Celui qui désire traverser la mer spirituelle exerce la longanimité, l'humilité, la vigilance, la tempérance. En dehors de ces quatre points, si l'on est contraint d'embarquer, le cœur se trouble et l'on ne parvient pas à traverser.

28 Le recueillement est utile, puisqu'il s'est mis en chômage des vices. Si dans la prière vient s'ajouter le secours des quatre vertus, il n'est pas de voie plus rapide que lui vers l'absence de passions.

29 Pas de recueillement possible pour l'intellect indépendamment du corps ; pas de suppression non plus de la cloison entre les deux sans recueillement et sans prière.

28,1 ἡ ἡσυχία NVW ‖ ὠφελεῖ om. GQ ‖ ἀργήσασα : ἀποκοπὴ GQ ‖ 2 ἀρετὰς + ταύτας L ‖ ἐν ... προσλάθηται om. M ‖ ἐν : ἐπὶ T BAF GQ ‖ προσλάθηται : προσλαμβάνηται GQ P προσλάθῃ Y edd. ‖ 3 συντομώτερον οὐδὲν αὐτῆς πρὸς ἀπάθειαν ~ W ‖ αὐτῇ E CX A GQ P Y NVW

30 « Ἡ σὰρξ ἐπιθυμεῖ κατὰ τοῦ πνεύματος, καὶ τὸ πνεῦμα κατὰ τῆς σαρκός[a].» Οἱ δὲ πνεύματι περιπατοῦντες ἐπιθυμίαν σαρκὸς οὐ μὴ τελέσωσιν.

31 Οὐκ ἔστι τελεία προσευχὴ χωρὶς νοητῆς ἐπικλήσεως· ἀπερισπάστως δὲ βοώσης ἐννοίας ἐπακούει ὁ Κύριος.

32 Νοῦς ἀπερισπάστως εὐχόμενος θλίβει καρδίαν. «Καρδίαν δὲ συντετριμμένην καὶ τεταπεινωμένην ὁ Θεὸς οὐκ ἐξουδενώσει[a].»

33 Καὶ ἡ προσευχὴ ἀρετὴ λέγεται, κἂν μήτηρ αὐτῶν τυγχάνῃ· ἀπογεννᾷ γὰρ αὐτὰς διὰ τῆς εἰς Χριστὸν συναφείας.

34 Ὃ ἐὰν πράξωμεν χωρὶς προσευχῆς καὶ ἀγαθῆς ἐλπίδος ὕστερον ἐπιβλαβὲς καὶ ἀτελὲς τυγχάνει.

35 Ὅταν ἀκούσῃς ὅτι «ἔσονται οἱ ἔσχατοι πρῶτοι, καὶ οἱ πρῶτοι ἔσχατοι[a]», μετόχους ἀρετῶν καὶ μετόχους ἀγάπης νόει. Ἀγάπη γὰρ ἐσχάτη μὲν ἀρετῶν τυγχάνει κατὰ γένεσιν· πρώτη δὲ εὑρίσκεται πασῶν κατὰ τὴν ἀξίαν, τὰς προγεγενημένας αὐτῆς ἐσχάτας ἀποδεικνύουσα.

36 Ἐὰν ἀκηδιάσῃς ὑπὸ κακίας πολυτρόπως θλιβόμενος, μνημόνευσον τῆς ἐξόδου καὶ τῶν χαλεπῶν κολάσεων.

37 Κρεῖσσον δὲ τὸ προσκολλᾶσθαι τῷ Θεῷ διὰ προσευχῆς καὶ ἐλπίδος ἢ μνήμας ἔχειν ἐξωτέρας, κἂν ἐπωφελεῖς τυγχάνωσιν.

D E T MZCX BAF GQ L P Y NVW

30.1 ἡ om. Pic. edd. ‖ 3 σαρκὸς : σαρκικὴν Y edd.
31.2 ἐπακούσει G W ‖ ὁ om. D T GQ L
32.1 ὁ νοῦς QW ‖ προσευχόμενος MZCX ‖ θλίβει : συντρίβει BAF
33.1 καὶ om. Pic. edd. ‖ κἂν : καὶ NVW ‖ 2 τυγχάνει NVW
34.1 ὃ om. edd. ‖ εὐχῆς T BAF L
35.1 ὅτι om. Y edd. ‖ 1-2 πρῶτοι ἔσχατοι — ἔσχατοι πρῶτοι ~ NVW AF ‖ 3 ἡ ἀγάπη AF ‖ 4 γένεσιν [et Syr.] : γέννησιν MZCX F NVW τάξιν W ‖ πᾶσι W ἁπασῶν edd. ‖ 5 προγεγραμμένας T B

30 « La chair convoite contre l'esprit et l'esprit contre la chair[a]. » Mais ceux qui se conduisent selon l'esprit n'iront jamais accomplir ce que convoite la chair.

31 Il n'est pas de prière parfaite sans invocation provenant de l'intellect ; mais si l'intelligence clame inlassablement, le Seigneur l'exauce.

32 A prier inlassablement, l'intellect oppresse le cœur. Or « un cœur broyé et humilié, le Seigneur ne le compte pas pour rien[a] ».

33 La prière elle aussi est qualifiée de vertu, même si en fait elle en est la mère, vu qu'elle les enfante, grâce à son union avec le Christ.

34 Toute action faite sans prière et sans bonne espérance se trouve finalement être nuisible et imparfaite.

35 Quand tu entends dire que « les derniers seront les premiers et les premiers, les derniers[a] », comprends cela de ceux qui participent aux vertus et de ceux qui participent à la charité. La charité est en effet la dernière des vertus pour ce qui est de la venue à l'existence, mais elle s'avère la première de toutes pour ce qui est de la dignité, reléguant nettement au dernier rang celles qui sont venues avant elle.

36 Éprouves-tu du dégoût sous l'oppression multiforme du vice ? Souviens-toi de l'issue dernière et des durs châtiments.

37 Mieux vaut, au demeurant, s'attacher à Dieu par la prière et l'espérance que posséder des souvenirs d'ordre extérieur, quand bien même ils se trouveraient avoir leur utilité.

36.1 ὑπὸ : ἀπὸ προσευχόμενος ἢ ἀπὸ W ‖ 2 μνημονεύων C -νευε L ‖ κολαστηρίων Y edd.

37.1 δὲ : γὰρ pauci edd.

---

30 a. Ga 5, 17   **32** a. Ps 50, 19   **35** a. Mt 20, 16

38 Οὐδεμία τῶν ἀρετῶν μόνη καθ' ἑαυτὴν ἀνοίγει τὴν φυσικὴν ἡμῖν θύραν, ἐὰν μὴ πᾶσαι ἀκολούθως ἐξήρτηνται.

39 Οὐκ ἔστιν ἐγκρατὴς ὁ λογισμοῖς τρεφόμενος · κἂν γὰρ ὠφέλιμοι ὦσιν, οὐκ εἰσὶ τῆς ἐλπίδος ὠφελιμώτεροι.

40 «Ἔστιν ἁμαρτία πρὸς θάνατον[a]» πᾶσα ἀμετανόητος · περὶ ἧς κἂν ἅγιος ὑπὲρ ἑτέρου προσεύξηται οὐκ εἰσακούεται.

41 Ὁ ὀρθῶς μετανοῶν οὐκ ἀντελλογεῖ τὸν κόπον τοῖς παλαιοῖς ἁμαρτήμασιν, ἀλλ' ἢ δι' αὐτοῦ τὸν Θεὸν ἐξευμενίζεται.

42 Εἰ ὅσα ἔχει ἡ φύσις ἡμῶν καλὰ καθ' ἡμέραν ποιεῖν αὐτὰ κεχρεωστήκαμεν, τί λοιπὸν περὶ τῶν προγεγενημένων κακῶν τῷ Θεῷ ἀνταποδώσομεν ;

43 Ὅσην ἂν ὑπερβολὴν ἀρετῆς σήμερον ποιήσωμεν, παρελθούσης ἀμελείας ἔλεγχός ἐστιν, οὐκ ἀνταπόδοσις.

44 Ὁ θλιβόμενος νοερῶς καὶ ἀναπαυόμενος σαρκικῶς 937 ὅμοιός ἐστι τῷ σαρκικῶς θλιβομένῳ καὶ νοερῶς διαχεομένῳ. Ἡ δ' ἐξ ἀμφοῖν θλῖψις ἑκούσιος συνεργεῖ πρὸς θάτερον, ἡ τῆς διανοίας τῇ σαρκικῇ, καὶ ἡ τῆς σαρκὸς πρὸς τὴν κατὰ διάνοιαν · τὸ γὰρ ἀσύνθετον αὐτῶν μοχθηρότερον γίνεται.

D E T MZCX BAF GQ L P Y NVW

38.1 ἑαυτὴν + ἡμῖν e l. seq. transp. L ‖ 1-2 τὴν φυσικὴν ἡμῖν θύραν : ἡμῖν τὴν φ. θ. D MZCX τὴν φ. θ. ἡμῶν E P ἡμῶν τὴν φ. θ. T BA Q τὴν θεϊκὴν θ. L ‖ 2 ἀκολούθως [et Syr.] : ἀλλήλων ἀκ. D E T BAF GQ P + ἀλλήλων CX P L Y edd.

39 οὐκ ... ὠφελιμώτεροι post **40** ἔστιν.... εἰσακούεται transp. D ‖ 1 ἐντρεφόμενος D MZC L στρεφό. T P^ac ἐνστρεφό. P^pc ‖ 2 ὦσιν : εἰσιν GQ ‖ εἰσὶ + οἴμαι GQ

40.1 πρὸς θ. πᾶσιν AF πᾶσα πρὸς θ. GQ πρὸς πᾶσα εἰς θ. W ‖ 2 περὶ : ὑπὲρ NVW ‖ εἰσακουσθήσεται BAF NVW

41.1-2 τῶν παλαιῶν ἁμαρτημάτων X τοῖς παλαιοῖς πλεμμελήμασιν F ταῖς παλαιαῖς ἁμαρτίαις GQ ‖ 2 ἀλλ' ἢ : ἀλλὰ X B GQ L ἀλλ' ἀεὶ edd. ‖ 2-3 δι' αὐτῶν τ. θ. ἐξ. T BAF ὑπὲρ τούτων τ. θ. ἐξ. X δι' ἑαυτοῦ τ. θ. ἐξ. edd. *sed quocumque per laudem placat Deum hoc decet ut existimet labores perfectionis* Syr.

42.1 καλὰ : ἀγαθὰ Y edd. ‖ 2 γεγενημένων BAF

38 Aucune d'entre les vertus ne donne tout son jour à notre nature, seule, par elle-même et sans que toutes s'articulent étroitement.

39 On n'est pas tempérant quand on se nourrit de pensées ; quand bien même elles seraient utiles, elles ne le sont pas plus que l'espérance.

40 « Il existe un péché qui conduit à la mort[a] » : celui, quel qu'il soit, qui n'est pas suivi de repentir, à propos duquel même un saint n'est pas exaucé quand il intercède pour un autre.

41 Celui qui se repent droitement ne fait pas de son labeur une compensation pour les péchés d'autrefois, mais par ce labeur se rend Dieu favorable.

42 Si tous les biens que comportent notre nature sont inclus d'ores et déjà dans notre dette d'action journalière, que nous restera-t-il à donner à Dieu en échange du mal commis autrefois ?

43 Tout supplément de vertu que nous réaliserions aujourd'hui est condamnation, non pas compensation, de notre négligence passée.

44 Celui qui est oppressé dans son intellect et en repos dans sa chair ressemble à celui qui est oppressé dans sa chair et détendu en son intellect. Une oppression assumée de plein gré, venant de l'une ou l'autre source, agit conjointement sur l'autre partie : celle de l'intelligence sur la chair et celle de la chair à l'égard de l'intelligence. Car le manque d'accord entre les deux en devient plus déplorable.

43.2 ἐστιν + καὶ N
44.1 σαρκικῶς : σωματικῶς D E T MZCX BAF GQ L P Syr. ‖ 3 ἑκούσιος : ἑκουσίως D MZCX G L V ἀκουσιος A ‖ πρὸς θάτερον om. M ‖ ἤ : ἤτε AF edd. ‖ 4 διανοίας ... τῆς² om. G ‖ τῆ σαρκικῆ : τῆ σαρκὶ X BA Q τῆς σαρκικῆς N ‖ πρὸς τὴν κατὰ : κατὰ τὴν G τῆ κατὰ Q P W πρὸς τὴν L Y Pic. edd. ‖ 5 σύνθετον Tᵖᶜ B Q Y NVW

---

40 a. cf. 1 Jn 5, 16

45 Μεγάλη ἀρετὴ τὸ ὑπομένειν τὰ ἐπερχόμενα καὶ ἀγαπᾶν τοὺς μισοῦντας[a], κατὰ τὸν λόγον τοῦ Κυρίου. Ἀγάπης δὲ ἀνυποκρίτου τεκμήριον ἀδικημάτων συγχώρησις.

46 Οὐκ ἔστιν ἀπὸ καρδίας συγχωρῆσαί τινι τὰ παραπτώματα ἐκτὸς γνώσεως ἀληθοῦς· αὕτη γὰρ ἴδια ἑκάστῳ τὰ ἐπερχόμενα δείκνυσιν.

47 Οὐδὲν ἀπολέσεις ὃ ἂν ἀφῇς διὰ τὸν Κύριον· τῷ γὰρ ἰδίῳ καιρῷ πολυπλασίως ἐλεύσεται.

48 Ὅταν ὁ νοῦς τοῦ τῆς εὐσεβείας σκοποῦ ἐπιλάθηται, τότε τὸ προφανὲς ἔργον τῆς ἀρετῆς ἀνόνητον γίνεται.

49 Εἰ παντὶ ἀνθρώπῳ βλαβερὰ ἡ κακοβουλία, πολλῷ μᾶλλον τοῖς τὴν ἀκρίβειαν ἐπανῃρημένοις.

50 Ἔργῳ φιλοσόφει περὶ βουλῆς ἀνθρώπου καὶ ἀνταποδόσεως Θεοῦ· οὐκ ἔστι γὰρ ὁ λόγος τῆς ἐργασίας σοφώτερος.

51 Τοῖς ὑπὲρ εὐσεβείας πόνοις ἐπακολουθεῖ ἡ ἀντίληψις. Τοῦτο δὲ γνωστέον διὰ νόμου θείου καὶ συνειδήσεως.

52 Εἷς παρέλαβε φρόνημα, καὶ ἀνεπισκέπτως ἐκράτησεν· ἕτερος δὲ παρέλαβε, καὶ τῇ ἀληθείᾳ συνέκρινε. Ζητητέον τίς αὐτῶν εὐσεβεστέρως ἐποίησε.

D E T MZCX BAF GQ L P Y NVW

45.3-4 ἀγάπης ... συγχώρησις om. P ‖ 3 δὲ MZCX L NVW ‖ ἀδικημάτων : ἁμαρτημάτων E ‖ 3-4 συγχώρησις + οὕτως γὰρ καὶ ὁ κύριος [χριστὸς NVW] τὸν κόσμον ἠγάπησεν D Esuppl MZCX GQ Psuppl NVW

46.1 τινι τὰ : τινι E C G τινα M Q W τινι τῷ AF ‖ 1-2 παραπτώματα : ἁμαρτήματα E παραπτώματι AF ‖ 2 γνώσεως ἀληθοῦς : ἀληθ. γν.~ E γν. ἀληθινῆς GQ

47.1 ὃ ἂν : ἐὰν B L ὧν ἂν GQ

49.1 πολλῷ : πολοὶ sic D πολὺ E ZC B L πολλοὶ M F

50.3 σοφώτερος : ὠφελιμώτερος G P σοφ. ἢ ὠφελιμώτερος W

45 C'est une grande vertu de supporter les événements et d'aimer qui nous hait[a], conformément à la parole du Seigneur. Et c'est l'indice d'une charité sans feinte que le pardon des injustices subies.

46 Il n'y a pas moyen de pardonner ses fautes à quelqu'un du fond du cœur en dehors d'une connaissance authentique ; c'est elle en effet qui montre à chacun que les événements lui sont appropriés.

47 On ne perdra rien de ce dont on fait l'abandon à cause du Seigneur : cela reviendra en son temps en bien plus grande quantité.

48 Toutes les fois que l'intellect laisse s'occulter le but à viser par la piété, l'œuvre apparemment vertueuse devient inutile.

49 Si un dessein malavisé est nuisible à quiconque, il l'est bien plus encore à ceux qui ont fait profession d'exactitude.

50 Que l'action soit ta philosophie touchant le dessein de l'homme et la rétribution de Dieu ; point de discours en effet qui soit plus sage que de passer aux actes.

51 Les labeurs assumés au profit de la piété sont accompagnés d'un secours. Il faut le reconnaître grâce à la loi divine et grâce à la conscience.

52 A l'un il est venu une idée et il s'en est emparé sans plus d'examen. Tel autre en a reçu une aussi et l'a soumise au jugement de la vérité. Il faut se demander lequel des deux a agi avec le plus de piété.

51.1 ἀκολουθεῖ X BAF Y + ἥ edd.
52.1 ἀπερισκέπτως E T BA Y edd. ‖ 3 τίς : ποῖος Y edd. ‖ ἐπόνησε Pic. edd.

---

45 a. cf. Mt 5, 44

53 Σημεῖον γνώσεως ἀληθοῦς ἡ τῶν θλιβερῶν ὑπομονὴ καὶ τὸ μὴ αἰτιᾶσθαι ἀνθρώπους ἐπὶ ταῖς ἑαυτῶν συμφοραῖς.

54 Ὁ ποιῶν ἀγαθὸν καὶ ζητῶν ἀνταπόδοσιν οὐ δουλεύει Θεῷ, ἀλλὰ τῷ ἰδίῳ θελήματι. Οὐκ ἔστιν ἁμαρτήσαντα τὴν ἀνταπόδοσιν διαδράσαι, εἰ μὴ διὰ μετανοίας προσηκούσης τῷ πράγματι.

55 Τινὲς λέγουσιν · «Οὐ δυνάμεθα ποιῆσαι τὸ ἀγαθὸν ἐὰν μὴ ἐναργῶς δεξώμεθα τὴν χάριν τοῦ Πνεύματος.» Ἀεὶ δὲ οἱ προαιρέσει ταῖς ἡδοναῖς ἐγκείμενοι ὡς ἀβοήθητοι παραιτοῦνται τὸ κατὰ δύναμιν.

56 Ἡ μὲν χάρις τοῖς ἐν Χριστῷ βαπτισθεῖσι μυστικῶς δεδώρηται · ἐνεργεῖ δὲ κατὰ ἀναλογίαν τῆς ἐργασίας τῶν ἐντολῶν, καὶ κρυφίως μὲν ἡ χάρις βοηθεῖν ἡμῖν οὐ παύεται, ἐφ' ἡμῖν δέ ἐστι ποιεῖν τὸ ἀγαθὸν ἢ μὴ ποιεῖν κατὰ δύναμιν.
5 Πρῶτον μὲν θεοπρεπῶς διεγείρει τὴν συνείδησιν. Ὅθεν καὶ κακοποιοὶ μετανοήσαντες τῷ Θεῷ εὐηρέστησαν. Πάλιν ἐν διδασκαλίᾳ τοῦ πλησίον ἐγκρύπτεται. Ἔστι δὲ ὅτε καὶ ἐν τῇ ἀναγνώσει τῇ διανοίᾳ παρέπεται, καὶ διὰ φυσικῆς ἀκολουθίας ἐκδιδάσκει τὸν νοῦν τὴν ἑαυτῆς ἀλήθειαν. Εἰ οὖν
10 τῆς μερικῆς ταύτης ἀκολουθίας μὴ κρύψωμεν τὸ τάλαντον, εἰς τὴν χαρὰν τοῦ Κυρίου ἐναργῶς εἰσελευσόμεθα[a].

940 57 Ὁ πρὸ τῆς ἐργασίας τῶν ἐντολῶν τὰς ἐνεργείας τοῦ Πνεύματος ἐπιζητῶν ὅμοιός ἐστι δούλῳ ἀργυρωνήτῳ ὃς

D E T MZCX BAF GQ L P Y NVW

53,1 σημεῖον γνώσεως ἀληθοῦς : γνῶσις ἀληθὴς ὑπάρχει GQ γνῶσις ἀληθὴς τυγχάνει P ‖ θλιβερῶν : θλιβομένων M ‖ 2 αἰτιᾶσθαι + τοὺς E GQ P ‖ ἑαυτῶν : δι'αὐτοῦ D ἑαυτοῦ M B Q N αὐτοῦ G
54,3 ἀνταπόδοσιν : ἁμαρτίαν NVW ‖ διαδρᾶναι T BAF L ‖ 4 πράγματι : σφάλματι A^pcF Q Y W edd. πταίσματι X
55,2 ἐναργῶς : ἐνεργῶς T ZX GQ P NVW ‖ τοῦ + ἁγίου E F + παναγίου B ‖ δὲ om. T GQ P NVW ‖ 3 ἀβοήθητον GQ W
56,1 εἰς χριστὸν E P ‖ 2 ἐργασίας : ἐνεργείας L ‖ 3 μὲν om. E BF suppl. Y^sl NVW ‖ βοηθεῖν ἡμῖν ἡ χάρις ~ Y edd. ἡ χ. βοηθεῖν NVW ‖ 4 ποιεῖν τὸ ἀγαθὸν ἢ μὴ ποιεῖν κατὰ δύναμιν : ποιεῖν ἢ μὴ π. τὸ ἀγ. κα. δύν. E X P Y NVW edd. ποιεῖν τὸ ἀγ. κα. δύν. ἢ μὴ π. MZCX ποιεῖν τὸ ἀγ. κατὰ δύν.

53 C'est un indice d'une connaissance véritable que de supporter les afflictions et de ne pas incriminer les hommes en cas de mauvaise fortune.

54 Qui fait le bien et réclame récompense est un serviteur non pas de Dieu, mais de son propre vouloir. Il n'y a pas moyen pour un pécheur d'échapper à la rétribution si ce n'est grâce à une pénitence proportionnée à son acte.

55 Certains disent : Nous ne pouvons pas faire le bien si nous ne recevons pas manifestement la grâce de l'Esprit. Mais ce sont toujours ceux qui par choix délibéré se sont enfoncés dans les voluptés qui, se prétendant laissés sans secours, demandent ce qui est en fait en leur pouvoir.

56 La grâce a été donné mystérieusement à ceux qui ont été baptisés en Christ ; elle agit toutefois à proportion de la façon dont on exécute les commandements. Secrètement, la grâce ne cesse de nous secourir, cependant qu'il dépend de nous de faire ou de ne pas faire le bien selon notre pouvoir. D'abord elle éveille de manière divine la conscience ; d'où vient que même des malfaiteurs, après s'être repentis, sont devenus agréables à Dieu. Elle gît encore cachée dans l'enseignement que donne le prochain. Parfois d'autre part elle suit l'intelligence qu'on a d'une lecture et en vertu d'un lien logique et naturel, instruit l'intellect de sa propre réalité. Si donc nous n'enfouissons pas le talent que constitue ce lien, avec ses limites, nous entrerons de manière manifeste dans la joie du Seigneur[a].

57 Celui qui, avant d'avoir exécuté les commandements, recherche de surcroît les opérations de l'Esprit ressemble à un esclave acheté à prix d'argent et qui, au moment même où on

---

Q ‖ 5 μὲν + γὰρ X ‖ ἐγείρει GQ ‖ 6 θεῷ : κυρίῳ E T BAF L NVW ‖ πάλιν + δὲ BAF ‖ ἐν : τῇ AF ‖ 7 ἐγκέκρυπται NVW ‖ ὅτε : ὅτι MZC ‖ τῇ om. P W ‖ 8 διὰ + τῆς Y edd. ‖ 9 διδάσκει Q ‖ 11 χαρὰν : χάριν MZ AF NVW ‖ ἐνεργῶς T MZCX B NVW *faciliter* Syr.

57,1 τοῦ + θεαρχικωτάτου BAF ‖ 2 ἐπιζητῶν : παραζ. E Y edd.

---

56 a. cf. Mt 25, 20-25

148 MARC LE MOINE

ἅμα τῷ ἀγορασθῆναι σὺν ταῖς ὠναῖς καὶ ἐλευθερίαν γραφῆναι ἐπιζητεῖ.

58 Ὁ τὰς ἔξωθεν ἐπιφορὰς δικαιοσύνη Θεοῦ παραγινομένας εὑρηκώς, οὗτος ζητῶν τὸν Κύριον εὗρε γνῶσιν μετὰ δικαιοσύνης.

59 Ἐὰν νοήσῃς κατὰ τὴν Γραφὴν ὅτι «ἐν πάσῃ τῇ γῇ τὰ κρίματα Κυρίου[a]», γενήσεταί σοι πᾶσα σύμβασις θεογνωσίας διδάσκαλος.

60 Κατὰ τὴν ἑκάστου ἔννοιαν ἀπαντᾷ τὸ ὀφειλόμενον· τὴν δὲ ποικιλίαν τῆς ἁρμοδίου ἐπιφορᾶς μόνος ὁ Θεὸς ἐπίσταται.

61 Ὅταν ἀτιμίαν τινὰ παρὰ ἀνθρώπων πάθῃς, εὐθὺς τὴν ἐπιφορὰν τῆς παρὰ Θεοῦ δόξης[a] ἐννόησον. Καὶ ἐπὶ μὲν τῇ ἀτιμίᾳ ἄλυπος καὶ ἀτάραχος ἔσῃ, ἐπὶ δὲ τῇ δόξῃ πιστὸς καὶ ἀκατάκριτος εὑρεθῇς ὅταν ἐλεύσηται.

62 Ἐπαινούμενος ὑπὸ πλήθους κατ' εὐδοκίαν Θεοῦ, ἐπιδεικτικὸν μηδὲν ἐπιμίξῃς τῇ κυριακῇ οἰκονομίᾳ, ἵνα μὴ πάλιν ἐκ μεταβολῆς εἰς τοὐναντίον ἐμπέσῃς.

63 Σπόρος οὐκ αὐξηθήσεται δίχα γῆς καὶ ὕδατος· καὶ οὐκ ὠφεληθήσεται ἄνθρωπος ἐκτὸς ἑκουσίων πόνων καὶ θείας ἀντιλήψεως.

64 Οὐκ ἔστι χωρὶς νέφους ἐπιχυθῆναι βροχήν, οὐδὲ χωρὶς συνειδήσεως ἀγαθῆς εὐαρεστῆσαι Θεῷ.

D E T MZCX BAF GQ L P Y NVW

57,3 τῷ : τὸ MZC B NVW τοῦ P ‖ καὶ + τὴν GQ ‖ ἐλευθερίας Y edd. ‖ 4 γραφῆναι ἐπιζητεῖ L NV : γραφ. ἐπιζητῶν D T MZCX W γραφ. παραζητεῖ E γραφ. ἐπιζητοίη B γραφ. αὐτῷ ἐπιζητεῖ A γραφ. ἐπιζητεῖν F γραφ. ζητεῖ G ζητεῖ γραφ. Q γραφ. παραζητῶν P Y γραφὴν παραζητεῖ Pic. edd. γραφὴν παραζητῶν Obs.
58,1 ἐπιχορὰς Obs. ‖ 1-2 παραγενομένας D MZC AF L
59,2 γίνεται D E MZCX
61,1 παρὰ + τῶν W ‖ ἀνθρώπου T BAF L NVW ‖ 4 εὑρεθῇς : ἔσῃ GQ ‖ ὅταν : ὁπόταν B ὅτε X

l'achète, se met en quête de son prix et par surcroît d'un écrit d'affranchissement.

58 Celui qui a découvert que les incidents extérieurs surviennent par la justice de Dieu, celui-là, en cherchant le Seigneur, a trouvé la connaissance en même temps que la justice.

59 Si tu comprends que, selon le mot de l'Écriture, « les jugements du Seigneur sont sur toute la terre[a] », tout événement subi deviendra pour toi un maître en la connaissance de Dieu.

60 Chacun fait face à son devoir selon sa propre conception. Dans la variété des récompenses appropriées, Dieu seul s'y reconnaît.

61 Subis-tu quelque outrage de la part des hommes, réfléchis aussitôt à la gloire qui te viendra de Dieu[a] et cet outrage te laissera sans tristesse et sans trouble, cependant que, pour ce qui est de la gloire, tu seras trouvé fidèle et sans reproche lorsqu'elle t'arrivera.

62 La foule te loue-t-elle en vertu du bon plaisir de Dieu, ne va pas mêler de l'ostentation à cette dispensation du Seigneur, de crainte qu'un renversement de situation ne te fasse tomber dans tout le contraire.

63 Une semence ne croîtra pas sans terre et sans eau et un homme ne trouvera pas de profit sans labeurs volontairement assumés et sans secours divin.

64 Impossible que sans nuage se déverse l'ondée, impossible également sans une bonne conscience de plaire à Dieu.

62.2 ἐπιδεικτικὸν + μὲν edd. ‖ μηδὲν ἐπιδεικτικὸν ~ BAF Q P NVW ‖ ἐπιμίξης : ἐπιδείξῃς E AF ‖ 3 ἐκ μεταϐολῆς suppl. G^mg ‖ ἐκπέσῃς F
64.1 χωρὶς bis : ἐκτὸς NVW ‖ 2 εὐαρεστῆσαι θεῷ : εὐχαρισθῆσαι κυρίῳ Z

59 a. Ps 104, 7   **61** a. cf. Jn 5, 44

65 Μὴ ἀπαναίνου μανθάνειν, κἂν λίαν φρόνιμος τυγχάνῃς · ἡ γὰρ οἰκονομία τοῦ Θεοῦ ὠφελιμωτέρα ἐστὶ τῆς ἡμετέρας φρονήσεως.

66 Ὅταν ὑφ' ἡδονῆς τινος ἡ καρδία παρακινήθῃ τοῦ τῆς φιλοπονίας τόπου, τότε λίθου βαρυτάτου δίκην ἐπὶ κατάβασιν ὀλισθήσαντος δυσεπικράτητος γίνεται.

67 Ὥσπερ μόσχος ἄπειρος βοτάναις ἐπιτρέχων κατήντησεν εἰς ἀμφίκρημνον τόπον, οὕτως εὑρίσκεται ψυχὴ κατὰ μικρὸν ὑπὸ λογισμῶν ἀποβουκολουμένη.

68 Ὅταν ὁ νοῦς ἀνδρισάμενος ἐν Κυρίῳ ἀφιστᾷ τὴν ψυχὴν ἀπὸ χρονίας προλήψεως, τότε ἡ καρδία ὡς ὑπὸ δημίων κολάζεται, τεινόντων αὐτὴν ἔνθα καὶ ἔνθα τοῦ νοὸς καὶ τοῦ πάθους.

69 Ὥσπερ οἱ ἐν θαλάσσῃ πλέοντες ἡδέως ὑπομένουσι τὸν ἡλιακὸν καύσωνα, οὕτως οἱ μισοῦντες τὴν κακίαν ἀγαπῶσιν ἔλεγχον. Διότι ἐναντιοῦται ὁ μὲν τοῖς ἀνέμοις, ὁ δὲ τοῖς πάθεσιν.

70 Ὥσπερ φυγὴ ἐν χειμῶνι ἢ ἐν σαββάτῳ [a] ὀδύνη γίνεται τῇ σαρκὶ καὶ βεβήλωσις τῇ ψυχῇ, οὕτως ἐπανάστασις παθῶν γηραλέῳ σώματι καὶ ψυχῇ καθιερωμένῃ.

71 Οὐδεὶς οὕτως ἀγαθὸς καὶ οἰκτίρμων ὡς ὁ Θεός · τῷ δὲ μὴ μετανοοῦντι οὐδὲ αὐτὸς ἀφίησι.

72 Πολλοὶ λυπούμεθα ἐπὶ ταῖς ἁμαρτίαις, τὰς δὲ αἰτίας αὐτῶν ἡδέως καταδεχόμεθα.

D E T MZCX BAF GQ L P Y NVW

65,2 τυγχάνῃς : ἧς BAF
66,2 φιλοθείας D ‖ 2-3 καταβάσει ἐνολισθήσαντος Y edd.
67,3 ἀποβουκολουμένη + τοῦ ἀγαθοῦ ἀπατωμένη Q
68,1 ἀφιστᾷ : ἀποσπᾷ D E GQ P Y V edd.
69,1 πλέοντες + ἐλπίδι κέρδους D E GQ P ‖ ἡδέως ὑπομένουσι : ὑπομ. ἡδ. ~ E ὑπομένουσι D ‖ 2 καύσωνα + διὰ τὸν πόρον NVW
70,2 παθῶν + ἐν GQ ‖ 3 ψυχῇ καθιερωμένῃ : ἀφιερωμένῃ ψυχῇ T BAF L καθιερ. ψυχῇ NVW

65 Ne refuse pas d'apprendre même s'il se trouve que tu sois très sage ; la dispensation divine est plus utile en effet que notre propre sagesse.

66 Toutes les fois qu'une volupté quelconque fait dévier le cœur loin du lieu où l'on s'applique au labeur, il devient comme une pierre très lourde qui glisserait vers le bas de la pente, difficile à arrêter.

67 Comme un taurillon inexpérimenté courant à travers prés aboutit dans un endroit entouré de précipices, ainsi une âme, par le fait des pensées, se retrouve peu à peu égarée loin du troupeau.

68 Toutes les fois que l'intellect, virilisé dans le Seigneur, arrache l'âme à une prédisposition de longue date, le cœur est comme châtié par des exécuteurs publics qui l'écartèleraient entre l'intellect et la passion.

69 De même que les navigateurs, sur mer, supportent de bon gré l'ardeur du soleil, de même les ennemis du vice chérissent la remontrance. C'est que l'une est l'adversaire des vents, l'autre, celui des passions.

70 Comme une fuite en hiver ou lors du sabbat[a] devient une souffrance pour la chair et une souillure pour l'âme, ainsi une insurrection renouvelée de passions pour un corps vieillissant et une âme consacrée.

71 Personne n'est bon et miséricordieux comme Dieu ; mais à qui ne se repent pas, même lui ne pardonne pas.

72 Nous sommes nombreux à nous affliger de nos péchés, mais pour ce qui est de leurs causes, nous les acceptons avec plaisir.

71.1 οὐδεὶς οὕτως — ὡς ὁ θεός [ὡς ὁ κύριος GQ] : οὕτως — οὐδεὶς ὡς ὁ θ. T οὕτως — ὡς ὁ θ. οὐδεὶς BAF
72.1-2 αὐτῶν αἰτίας ~ edd. ǁ 2 καταδεχόμεθα : κατέχομεν NVW

---

70 a. cf. Mt 24, 20

941   **73** Ἀσφάλαξ ὑπὸ γῆν ἕρπων τυφλὸς ἀστέρας ἰδεῖν οὐ δύναται · καὶ ὁ μὴ πιστεύων περὶ προσκαίρων οὔτε περὶ τῶν αἰωνίων πιστεύειν δύναται.

74 Χάρις πρὸ χάριτος ἡ ἀληθὴς γνῶσις δεδώρηται ἀνθρώποις παρὰ Θεοῦ, πρὸ πάντων τῷ δωρησαμένῳ πιστεύειν τοὺς μετόχους αὐτῆς ἐκδιδάσκουσα.

75 Ὅταν ἐνάμαρτος ψυχὴ τὰς ἐπερχομένας θλίψεις οὐ καταδέχεται, τότε οἱ ἄγγελοι περὶ αὐτῆς λέγουσιν · «Ἰατρεύσαμεν τὴν Βαβυλῶνα, καὶ οὐκ ἰάθη[a].»

76 Νοῦς ἐπιλαθόμενος τῆς ἀληθοῦς γνώσεως ὑπὲρ τῶν ἐναντίων ὡς συμφερόντων τοῖς ἀνθρώποις διαμάχεται.

77 Ὥσπερ ἐν ὕδατι πῦρ χρονίσαι οὐ δύναται, οὕτως οὐδὲ λογισμὸς αἰσχρὸς ἐν φιλοθέῳ καρδίᾳ, διότι πᾶς φιλόθεος ἐστὶ καὶ φιλόπονος. Ἑκούσιος δὲ πόνος ἐχθρὸς ἡδονῆς κατὰ φύσιν ὑπάρχει.

78 Πάθος ἔργου νομὴν κρατῆσαν διὰ τοῦ θελήματος ὕστερον καὶ μὴ θέλοντι τῷ μετόχῳ βιαίως κατεπεγείρεται.

79 Τῶν ἀκουσίων λογισμῶν τὰς αἰτίας ἀγαπῶμεν, καὶ διὰ τοῦτο ἐπέρχονται · τῶν δὲ ἑκουσίων δηλονότι καὶ τὰ πράγματα.

80 Οἴησις καὶ ἀλαζονεία βλασφημίας εἰσὶν αἴτια · φιλαργυρία δὲ καὶ κενοδοξία ἀσπλαγχνίας καὶ ὑποκρίσεως.

D E T MZCX BAF GQ L P Y NVW

73.1 τυφλὸς + ὢν D MZCX GQ Y edd.

74.1 δεδώρηται + τοῖς NVW A ‖ 2 ἀνθρώποις om. W Obs. ‖ παρὰ θεοῦ : ὑπὸ τοῦ θεοῦ MZCX P edd. ὑπὸ θεοῦ Y ‖ 2-3 πιστεύειν τῷ δωρησαμένῳ ~ D MZCX ‖ 3 αὐτῆς om. NVW ‖ διδάσκουσα NVW

75.1 ἐναμάρτητος D ἐφάμαρτος BAF GQ ‖ τὰς : καὶ Pic. edd. ‖ θλίψεις : θλίψεις αὐτῇ E edd. αὐτῇ θλίψεις T BAF L ‖ 2 καταδέχεται vel -ξηται E BAF L NVW

76.1 ἐπιλανθανόμενος B L NV

73 Une taupe qui rampe en aveugle sous la terre ne peut voir les astres ; celui qui ne croit pas à propos des réalités du temps ne peut pas croire non plus à celles de l'éternité.

74 Grâce avant la grâce, la véritable connaissance a été donnée à des hommes par Dieu, et avant toute chose elle apprend à ceux qui y participent à croire en celui qui l'a donnée.

75 Lorsqu'une âme enfoncée dans le péché n'accepte pas les tribulations qui surviennent, les anges disent à son sujet : « Nous avons soigné Babylone, et elle n'a pas été guérie[a]. »

76 Un intellect oublieux de la véritable connaissance mène le combat contre les hommes pour des objectifs qui lui sont adverses, mais qu'il se croit profitables.

77 De même que dans l'eau le feu ne peut durer, ainsi une pensée honteuse dans un cœur aimant Dieu, parce que quiconque aime Dieu aime aussi le labeur ; or le labeur volontairement assumé est de nature ennemi de la volupté.

78 Une passion qu'on a volontairement laissée maîtresse du domaine de l'action s'éveille ensuite même contre la volonté de celui qui s'y est impliqué, en lui faisant violence.

79 Nous chérissons les causes des pensées involontaires, moyennant quoi elles surviennent ; quant aux pensées volontaires, nous en aimons bien sûr aussi les actions.

80 S'en croire et se vanter sont des causes de blasphème ; aimer l'argent et être vaniteux sont des causes de dureté et d'hypocrisie.

77.1 ὕδασι : Υ edd. ‖ 2 ἐν om. edd. ‖ φιλοθέων L ‖ καρδία : ψυχῇ P ‖ ὅτι Υ edd. ‖ 3-4 κατὰ φύσιν ἡδονῆς ~ edd. ἡδ. κατὰ φ. τῶν παθῶν GQ W
78.1 ἔργου : ἔργων Τ BAF G^ac ἔργῳ Χ L P W ‖ 2 κατεπαίρεται GQ Υ
79.1 λογισμῶν : πόνων G W ‖ 2 δὲ om. Υ edd. ‖ καὶ : καὶ αὐτὰ Χ om. P
80.1 αἰτίαι Ζ

75 a. Jr 51, 9

81 Ὅταν ἴδῃ ὁ διάβολος ὅτι ὁ νοῦς ἐκ καρδίας προσηύξατο, τότε μεγάλους καὶ κακοτέχνους πειρασμοὺς
ἐπιφέρει. Μικρὰς γὰρ ἀρετὰς μεγάλαις ἐπιφοραῖς ἀναιρεῖν
οὐκ ἀνέχεται.

82 Λογισμὸς ἐγχρονίζων δηλοῖ τὴν τοῦ ἀνθρώπου προσ-
πάθειαν· ταχέως δὲ ἀναιρούμενος σημαίνει πόλεμον καὶ
ἐναντιότητα.

83 Τρεῖς εἰσι νοητοὶ τόποι εἰς οὓς ὁ νοῦς ἐκ μεταβολῆς
εἰσέρχεται· κατὰ φύσιν, παρὰ φύσιν, ὑπὲρ φύσιν. Καὶ ὅταν
μὲν εἰς τὸν κατὰ φύσιν εἰσέλθῃ, εὑρίσκει ἑαυτὸν αἴτιον τῶν
πονηρῶν λογισμῶν καὶ ἐξομολογεῖται τῷ Θεῷ τὰς ἁμαρτίας
5 ἐπιγινώσκων τὰς αἰτίας τῶν παθῶν. Ὅταν δὲ εἰς τὸν παρὰ
φύσιν γένηται, ἐπιλανθάνεται τῆς δικαιοσύνης τοῦ Θεοῦ καὶ
τοῖς ἀνθρώποις διαμάχεται ὡς ἀδικοῦσιν αὐτόν. Ὅταν δὲ εἰς
τὸν ὑπὲρ φύσιν εἰσαχθῇ, εὑρίσκει τοὺς καρποὺς τοῦ
ἁγίου Πνεύματος, οὓς εἶπεν ὁ Ἀπόστολος, «ἀγάπην, χαράν,
10 εἰρήνην», καὶ τὰ ἑξῆς[a]. Καὶ οἶδεν ὅτι ἐὰν προκρίνῃ τὰς
σωματικὰς φροντίδας, ἐμμένειν ἐκεῖ οὐ δύναται. Καὶ ὁ
ἀναχωρῶν τοῦ τόπου ἐκείνου ἐμπίπτει εἰς τὴν ἁμαρτίαν καὶ
εἰς τὰς ἐπακολουθούσας αὐτῇ δεινὰς συμβάσεις, κἂν μὴ
προσφάτως, ἀλλὰ τῷ ἰδίῳ καιρῷ, καθὼς οἶδεν ἡ τοῦ Θεοῦ
15 δικαιοσύνη.

84 Τοσοῦτον ἑκάστου ἡ γνῶσις ἀληθὴς τυγχάνει ὅσον
αὐτὴν πραότης καὶ ταπείνωσις καὶ ἀγάπη βεβαιώσουσι.

D E T MZCX BAF GQ L P Y NVW

81,2 πειρασμοὺς : λογισμοὺς L Y edd.‖ 3 μικρὰς — ἀρετὰς μεγάλαις
ἐπιφοραῖς : μεγάλας — ἀρετὰς μικραῖς ἐπιφοραῖς D T MZCX μικραῖς
ἐπιφοραῖς μεγάλας ἀρετὰς BAF NVW μικραῖς — ἀρεταῖς μεγάλας
ἐπιφορὰς Pic. edd. μικραῖς — ἀρεταῖς μεγάλαις ἐπιφοραῖς Obs. ‖ 4 οὐκ
ἀνέχεται : βούλεται GQ οὐ βούλεται P

83,2 ὑπὲρ — παρὰ M GQ ‖ φύσιν[2] + καὶ AF ‖ 8 εἰσαχθῇ : συνάχθη A
ἀχθῇ GQ ‖ 9 ἁγίου : παναγίου BAF ‖ οὓς : ὡς E L NVW ‖ εἶπεν :
ἀπαριθμεῖται BAF ‖ 11 φροντίδας om. L ‖ ὁ om. E ZX BF Y edd. ‖ 13
αὐτῷ NVW ‖ δύνας E F ‖ κἂν : καὶ εἰ L ‖ 14 πρόσφατον T Y N edd. ‖
καθὼς : ὡς T Y edd. ‖ ἡ om. E edd.

81 Lorsque le diable voit que l'intellect a prié du fond du cœur, il déchaîne alors des tentations violentes et subtiles ; car les petites vertus, il tient pour inadmissible de les détruire par de grands déchaînements.

82 Une pensée qui perdure indique chez l'homme un attachement passionnel[1] ; une pensée rapidement supprimée est signe qu'on lui fait la guerre et s'y oppose.

83 Les lieux intellectuels où l'intellect pénètre à la suite d'une transformation sont de trois sortes : selon la nature, contre la nature, au-dessus de la nature. Et quand il entre dans le lieu selon la nature, il se découvre lui-même responsable des pensées perverses et il confesse à Dieu ses péchés, reconnaissant les causes de ses passions. Lorsqu'il arrive dans le lieu contre nature, il devient oublieux de la justice de Dieu et combat les hommes comme injustes à son égard. Enfin lorsqu'il est introduit dans le lieu au-dessus de la nature, il découvre les fruits du Saint Esprit, dont a parlé l'Apôtre, « charité, joie, paix », et le reste[a]. Et il sait que s'il donne la préférence aux soucis matériels, il ne peut demeurer en cet endroit. Et en s'en écartant, il tombe dans le péché ainsi que dans les terribles séquelles qui en découlent, sinon sur-le-champ, au moins au moment approprié, tel que le connaît la justice de Dieu.

84 En chacun la connaissance est véridique pour autant que la douceur, l'humilité et la charité la fortifient.

84,2 βεϐαίωσιν D -ουσιν E T A GQ L NVW

---

83 a. cf. Ga 5, 22

1. Προσπάθεια traduit ici par « attachement passionnel », est unique dans cet opuscule mais réapparaît quatre fois dans *Bapt.* (III, 59,63 ; V, 87 ; XI, 85). Le mot serait, d'après M. POHLENZ (*Kleine Schriften*, Hildesheim 1965, t. I, p. 511-512) une innovation terminologique du stoïcisme d'époque impériale (Épictète) empruntée par CLÉMENT D'ALEXANDRIE (v.g. *Strom.* I, 9, 2 ; IV, 139, 5). D'après F. PFISTER, *Die Reisebilder des Herakleides*, Vienne 1951, p. 141, προσπάθεια serait déjà attesté dans l'écrit qu'il édite là (en I,10) et qui date du IIIe siècle avant notre ère. Il s'agit du lien affectif qui se crée indûment entre notre âme et les objets matériels que nous sommes bien obligés d'utiliser.

944　　**85** Πᾶς ὁ βαπτισθεὶς ὀρθοδόξως ἔλαβε μυστικῶς πᾶσαν τὴν χάριν· πληροφορεῖται δὲ λοιπὸν κατὰ τὴν ἐργασίαν τῶν ἐντολῶν.

86 Ἐντολὴ Χριστοῦ κατὰ συνείδησιν ἐπιτελουμένη κατὰ τὸ πλῆθος τῶν ὀδυνῶν τῆς καρδίας δωρεῖται παράκλησιν. Πλὴν ἕκαστον αὐτῶν ἰδίῳ καιρῷ παραγίνεται.

87 Ἔχε παράμονον δέησιν ἐπὶ παντὶ πράγματι, ὡς μηδὲν ἐπιτελεῖν ἐκτὸς βοηθείας Θεοῦ.

88 Οὐδὲν προσευχῆς εἰς συνεργίαν δυνατώτερον, καὶ πρὸς εὐδοκίαν Θεοῦ οὐδὲν αὐτῆς ὠφελιμώτερον.

89 Πᾶσα ἐργασία ἐντολῶν ἐν αὐτῇ περικέκλεισται. Τῆς γὰρ εἰς Θεὸν ἀγάπης οὐδὲν εἴρηται ἀνώτερον.

90 Προσευχὴ ἄρρεμβος σημεῖον φιλοθείας τῷ παραμένοντι. Ἀμέλεια δὲ αὐτῆς καὶ ῥεμβασμὸς φιληδονίας τεκμήριον.

91 Ὁ ἀθλίπτως ἀγρυπνῶν καὶ μακροθυμῶν καὶ προσευχόμενος Πνεύματος ἁγίου ἐναργῶς μέτοχος τυγχάνει. Ὁ δὲ θλιβόμενος ἐν τούτοις καὶ θελήματι ὑπομένων, καὶ οὗτος ταχέως τυγχάνει τῆς ἀντιλήψεως.

92 Ἐντολὴ ἐντολῆς ἀποδέδεικται διαφορωτέρα· διὸ καὶ πίστις πίστεως βεβαιοτέρα εὑρίσκεται. Ἔστι «πίστις ἐξ ἀκοῆς[a]», κατὰ τὸν Ἀπόστολον, καὶ ἔστι πίστις «ἐλπιζομένων ὑπόστασις[b]».

D E T MZCX BAF GQ L P Y NVW

86,1 χριστοῦ : θεοῦ T BAF L NVW *domini* Syr. ‖ 3 αὐτῶν + ἐν D G P W

87,1 ἐπὶ : ἐν E A GQ N τῷ V ‖ παντὶ om. P ‖ 2 ἐπιτελεῖν + δυνάμενος Pic. edd. ‖ θεοῦ om. Z Y edd.

88,1 συνεργίαν : συνεργείαν θεοῦ A Q ἐνεργείαν W

89,1 περιέγκλεισται AF περιέχεται GQ ‖ 2 εἴρηται : εἴρηται ἢ γεγένηται X ἐστιν Q W

90,1 ἀρρέμβαστος BAF Q W

85 Tout homme baptisé dans l'orthodoxie a reçu mystérieusement l'intégralité de la grâce ; mais il reçoit par la suite pleine assurance en fonction de son accomplissement des commandements.

86 Un commandement du Christ qu'on accomplit selon sa conscience procure de la consolation à proportion de la multitude des douleurs du cœur. Toutefois chacun de ces éléments survient en son temps particulier.

87 Maintiens une supplication constante à l'occasion de toute action, de manière à ne rien faire en dehors du secours de Dieu.

88 Rien de plus puissant que la prière en fait de coopération, rien de plus utile pour obtenir la bienveillance de Dieu.

89 Tout accomplissement des commandements a été enclos dans la prière. Car il n'est rien qui n'ait été déclaré supérieur à la charité envers Dieu.

90 Une prière sans distraction est un signe d'amour de Dieu en celui qui y persévère. La négliger, s'en laisser distraire, est un signe d'amour de la volupté.

91 Qui pratique sans en être oppressé les veilles, la longanimité et la prière jouit manifestement d'une participation à l'Esprit Saint. Quant à celui qui en subit l'oppression, mais la supporte à coup de volonté, bien vite, lui aussi, il bénéficie de soutien.

92 Tel commandement surpasse tel autre, c'est chose établie ; voilà pourquoi également telle foi s'avère plus ferme que telle autre : il y a, selon l'Apôtre, « une foi issue de l'ouïe[a] », et il y a une foi qui est « la substance de ce que l'on espère[b] ».

91,2 τοῦ παναγίου πνεύματος BAF ‖ ἐνεργῶς T MX GQ P ‖ 3-4 καὶ οὗτος ταχέως [et Syr.] : καὶ οὗτως ταχέως D E T M BA ταχέως καὶ οὗτως Y edd. ‖ 4 ἐπιτυγχάνει D E MZCX Y edd. ‖ τῆς om. GQ P

92 a. Rm 10, 17   b. He 11, 1

93 Καλὸν τὸ διὰ λόγων ὠφελεῖν τοὺς πυνθανομένους, κρεῖσσον δὲ τὸ δι᾽ ἀρετῆς καὶ προσευχῆς συνεργεῖν αὐτοῖς. Ὁ γὰρ διὰ τούτων ἑαυτὸν προσφέρων τῷ Θεῷ βοηθεῖ καὶ τῷ πέλας διὰ τοῦ ἰδίου βοηθήματος.

94 Εἰ θέλεις συντόμῳ λόγῳ ὠφελῆσαι τὸν φιλομαθῆ, ὑπόδειξον αὐτῷ προσευχὴν καὶ πίστιν ὀρθήν, καὶ τῶν ἐπερχομένων ὑπομονήν· πάντα γὰρ λοιπὸν τὰ καλὰ διὰ τούτων εὑρίσκεται.

95 Περὶ ὧν τις ἤλπισεν εἰς Θεὸν οὐκ ἔτι περὶ ἐκείνων τῷ πλησίον διαμάχεται.

96 Εἰ πᾶν ἀκούσιον ἐκ τῶν ἑκουσίων τὴν αἰτίαν ἔχει, κατὰ τὴν Γραφήν, οὐδεὶς οὕτως ἐχθρὸς ἀνθρώπου, ὡς αὐτὸς ἑαυτοῦ τυγχάνει. Ἑκούσιον λέγει τὸν λογισμόν, ἀκούσιον δὲ τὴν σύμβασιν.

97 Πάντων τῶν κακῶν προηγεῖται ἄγνοια· δευτέρα δὲ ταύτης ἐστὶν ἀπιστία.

98 Φεῦγε πειρασμὸν δι᾽ ὑπομονῆς καὶ δεήσεως· εἰ δὲ ἐκτὸς τούτων ἀντιτάσσει, περισσοτέρως ἐπέρχεται.

99 Ὁ πρᾶος κατὰ Θεὸν τῶν σοφῶν ἐστι σοφώτερος· καὶ ὁ ταπεινὸς τῇ καρδίᾳ τῶν δυνατῶν δυνατώτερος, ἐπειδὴ τὸν ζυγὸν τοῦ Χριστοῦ κατὰ γνῶσιν βαστάζουσι[a].

D E T MZCX BAF GQ L P Y NVW

93.1 τὸ om. W ‖ 2 προσευχῆς — ἀρετῆς ~ W ‖ 4 ἰδίου : οἰκείου GQ ‖ βοηθήματος : θελήματος BF G

94.3 λοιπὸν [et Syr.] : λοιπὰ edd. om. E C BAF P NVW

96.1 ἀκουσίων T ‖ 1-2 τὴν αἰτίαν ἔχει κατὰ τὴν γραφὴν : ἔχει τὴν αἰτ. κ. τὴν γ. T X B NVW ἔχει κ. τὴν γ. τὴν αἰτ. L ‖ 3-4 ἑκούσιον ... σύμβασιν : om. BAF Q W iterum habet E[mg] ‖ 3 ἑκούσιον + δὲ D MZCX ‖ λέγει : λέγομεν D MZCX L

97.1 προηγεῖται + ἡ T L edd. ‖ ἄγνοια : ἔννοια BF ‖ 2 αὐτῆς D Q Y edd. ‖ ἐστὶν + ἡ D T X GQ Y edd. N

98.1 φύγε AF Y edd.

93 Il est bon de se rendre utile par des discours à ceux qui cherchent à s'informer ; mais il est mieux de coopérer avec eux par la vertu et la prière. En effet, tout en s'offrant à Dieu par ces moyens-là, on apporte aussi de l'aide au prochain grâce à celle que soi-même on reçoit.

94 Désires-tu être utile par un discours concis à celui qui veut s'instruire ? Présente-lui prière et droite foi, ainsi que la patience devant les événements : tout ce qu'il y a de bien se laisse ensuite découvrir à travers ces trois-là.

95 Ce qu'on s'est mis à espérer recevoir de Dieu n'est plus objet de dispute avec le prochain.

96 Si tout ce qui arrive à l'homme contre son gré a sa cause dans ce qu'il fait de son plein gré, conformément à l'Écriture[1], c'est bien qu'il n'a de pire ennemi de lui-même. De plein gré s'entend de la pensée, contre son gré, des circonstances.

97 En tête de tous les vices marche l'ignorance, en second, l'incrédulité.

98 Échappe à la tentation par la patience et la supplication. Si tu lui fais face en te passant de ces moyens-là, ses assauts redoubleront de vigueur.

99 Qui a la douceur voulue par Dieu est plus sage que les sages et qui a le cœur humble est plus puissant que les puissants, vu que tous deux portent le joug du Christ[a], comme le veut la connaissance.

---

99 a. cf. Mt 11, 29

---

1. La référence à l'Écriture ne doit pas, ici, constituer un renvoi à un texte impossible à repérer. On peut l'interpréter à la lumière de *Causid.* XXI, 9-14 : là aussi, il est fait appel à l'Écriture pour appuyer l'assertion qu'aucun des accidents subis involontairement (ἀκουσίων) par l'homme ne lui arrive indépendamment de la justice de Dieu. Le passage résume un développement commencé en XVI, 3 et qui, lui, contient plusieurs citations précises de l'Écriture et aussi une référence générale au message des prophètes : Parce qu'ils (le peuple élu et les nations) ont dit et fait telle et telle chose, il leur est arrivé telle et telle autre.

945   **100** Ὅσα ἐκτὸς προσευχῆς ἢ λαλοῦμεν, ἢ πράττομεν,
ὕστερον ἢ σφαλερά, ἢ ἐπιβλαβῆ τυγχάνουσι, καὶ ἡμᾶς
ἀγνώστους διὰ τῶν πραγμάτων ἐλέγχουσιν.

101 Ἐξ ἔργων καὶ λόγων καὶ ἐννοίας δίκαιος εἷς, ἐκ δὲ
πίστεως καὶ χάριτος καὶ μετανοίας πολλοί.

102 Ὥσπερ μετανοοῦντι ὑψηλοφρονεῖν ἀλλότριον, οὕτως
ἑκουσίως ἁμαρτάνοντι ταπεινοφρονεῖν ἀδύνατον.

103 Οὐκ ἔστι συνειδήσεως κατάγνωσις ἡ ταπεινοφροσύνη, ἀλλὰ χάριτος Θεοῦ καὶ συμπαθείας ἐπίγνωσις.

104 Ὅπερ ἐστὶν οἶκος αἰσθητὸς τῷ κοινῷ ἀέρι, τοῦτο
νοῦς λογικὸς τῇ θείᾳ χάριτι· **105** ὅσην ἂν ἐκβάλῃς ὕλην,
τοσοῦτον αὐτομολήσει· καὶ ὅσην ἂν ἐμβάλῃς, τοσοῦτον
ὑποχωρήσει. **106** Ὕλη οἴκου σκεύη καὶ βρώματα, ὕλη δὲ
νοὸς κενοδοξία καὶ ἡδονή.

107 Χώρημα καρδίας ἐλπὶς εἰς Θεόν· στενοχωρία δὲ
αὐτῆς φροντὶς σωματική.

108 Μία μέν ἐστι καὶ ἀναλλοίωτος ἡ χάρις τοῦ Πνεύ-
ματος· ἐνεργεῖ δὲ ἰδίᾳ ἑκάστῳ καθὼς βούλεται [a]. **109** Ὥσπερ ὑετὸς ἐπιχεθεὶς τῇ γῇ τοῖς φυτοῖς προσφυῆ παρέχει
ποιότητα, γλυκεῖαν μὲν τοῖς γλυκέσι, στυφὴν δὲ τοῖς
στυφοῖς, οὕτω ἡ χάρις, ταῖς καρδίαις τῶν πιστῶν ἀτρέπτως
5   ἐπιβάλλουσα, ἁρμοζούσας ταῖς ἀρεταῖς τὰς ἐνεργείας
χαρίζεται. Τῷ διὰ Χριστὸν πεινῶντι γίνεται τροφή, καὶ τῷ

D E T MZCX BAF GQ L P Y NVW

100,2 σφαλερὰ ἢ ἐπιβλαβῆ : βλαβερὰ ἢ ἐπισφαλῆ A βλαβερὰ ἢ ἐπιβλαβῆ
G P βλαβερὰ καὶ ἐπισφαλῆ L βλαβερὰ ἢ σφαλερὰ V *damnosa et noxia* Syr.
‖ 2-3 καὶ … ἐλέγχουσι om. M P N suppl. P^mg ‖ 3 ἀγνώστως C Q W
   101,1 ἐννοίων X ‖ δίκαιος εἷς [*unus qui justus fuit* Syr.] : δικαίωσις D
[διχέοσις sic D] MZ X BAF L Y NVW edd. ‖ 2 πολλοί D E C [et Syr.] +
δικαιοῦνται T BA P L φιλόθεος M πολλοῖς Z πολλῆς θησαυροὶ σωτηρίας
πολλοί X Y edd. + δίκαιοι F GQ NVW
   103,2 χάριτος : χάρις F Q W
   104,2 λογικὸς : λογιστικὸς D T ZC Y NVW edd. ‖ χάριτι + καὶ W
   105,1-2 ὅσον — ὅσον E GQ P ‖ 1 ἐκβάλῃς + τὴν X GQ P

100 Tous nos dires, toutes nos actions d'où la prière est exclue se révèlent par la suite ou erronés ou nuisibles et démasquent à travers nos actions notre manque de connaissance.

101 Œuvres, discours, réflexion font un juste ; foi, grâce et pénitence en font un grand nombre.

102 Nourrir des pensées exaltées est étranger à l'homme en proie au repentir ; de même nourrir des pensées humbles est impossible à l'homme qui pèche de son plein gré.

103 Penser humblement ne consiste pas à condamner sa conscience, mais à discerner la grâce de Dieu et les sentiments qui s'y accordent.

104 Ce qu'est la maison perceptible aux sens pour l'air ordinaire, l'intellect raisonnable l'est pour la grâce de Dieu : **105** autant tu expulses de matière et autant l'air entre de lui-même ; autant tu introduis de matière et autant il s'en retirera. **106** La matière, pour la maison, ce sont les ustensiles et les aliments ; la matière pour l'intellect, ce sont la vaine gloire et la volupté.

107 Élargissement du cœur que l'espérance en Dieu, rétrécissement que le souci matériel.

108 Unique et immuable est la grâce de l'Esprit ; mais elle opère proprement en chacun de la façon qu'elle veut[a]. **109** La pluie, s'étant répandue sur la terre, procure aux plantes la qualité convenant à leur nature, douceur aux douces, âcreté aux âcres. De même la grâce, qui s'infuse indifféremment dans le cœur des fidèles, les gratifie des opérations appropriées aux vertus. Pour qui a faim à cause du Christ, elle se fait nourriture,

---

107,1 χώρημα : χώρησις P χώρταμα V
108,2 ἑκάστῳ ἰδίᾳ ~ GQ ἐν ἑκάστῳ Y ἑκάστῳ edd.
109,2 προσφυῶς T ‖ 2-3 προσφυῆ παρέχει τὴν ποιότητα E παρέχει ποιότ. προσφ. ~ NVW ‖ 3 στυφὴν : στυφίαν T πιχρὰν G ‖ 4 στυφοῖς : στυφέσιν D MZC L στυφοῦσι T X στυφοτέροις GQ W ‖ 5 ἁρμοζούσα MZ

---

108 a. cf. 1 Co 12, 11

διψῶντι πόμα ἡδύτατον · τῷ ῥιγῶντι ἔνδυμα, καὶ τῷ κο-
πιῶντι ἀνάπαυσις · τῷ προσευχομένῳ ἐλπὶς καρδιακή, καὶ
τῷ πενθοῦντι παράκλησις. 110 Ὅταν δὴ οὖν ἀκούσῃς τῆς
θείας Γραφῆς λεγούσης περὶ τοῦ ἁγίου Πνεύματος ὅτι
ἐκάθισεν ἐφ᾽ ἕνα ἕκαστον τῶν ἀποστόλων ᵃ, ἢ ὅτι ἐφήλατο
ἐπὶ τὸν προφήτην ᵇ, ἢ ἐνεργεῖ ᶜ, ἢ λυπεῖται ᵈ, ἢ σβέννυται ᵉ, ἢ
5   παροξύνεται ᶠ καὶ πάλιν τοὺς μὲν ἀπαρχὴν ἔχοντας ᵍ, τοὺς δὲ
πλήρεις Πνεύματος ἁγίου ʰ, μὴ τομὴν ἢ τροπὴν ἢ ἀλλοίωσίν
τινα ἐννοήσῃς ἐπὶ τοῦ Πνεύματος · ἀλλὰ πίστευε καθ᾽ ὃν
προειρήκαμεν τρόπον ἄτρεπτον καὶ ἀναλλοίωτον καὶ
παντοδύναμον, δι᾽ ὃ ἐν ταῖς ἐνεργείαις καὶ μένει ὅ ἐστι, καὶ
10   ἑκάστῳ τὸ δέον ἀποσώζει θεοπρεπῶς. Αὐτὸ μὲν γὰρ ἡλίου
δίκην ἐπὶ τοὺς βαπτισθέντας τελείως ἐκκέχυται. Ἕκαστος
δὲ ἡμῶν, καθ᾽ ὃ ἂν τὰ ἐπισκοτοῦντα πάθη μισήσας περιαιρῇ,
ἀναλόγως φωτίζεται · καθ᾽ ὃ δὲ ἂν ἀγαπῶν αὐτὰ διαλογί-
ζεται, ὁμοίως σκοτίζεται.

111 Ὁ μισῶν πάθη περιαιρεῖ τὰς τούτων αἰτίας. Ὁ δὲ
ταῖς αἰτίαις ἐγκείμενος ὑπὸ παθῶν καὶ μὴ βουλόμενος πολε-
μεῖται.

948   112 Ὅταν ὑπὸ τῶν πονηρῶν λογισμῶν ἐνεργώμεθα,
ἑαυτοὺς καὶ μὴ πατρῴαν ἁμαρτίαν αἰτιασώμεθα.

113 Ῥίζαι τῶν λογισμῶν εἰσιν αἱ προφανεῖς κακίαι, ἃς
χερσὶ καὶ ποσὶ καὶ στόματι ἐκδικοῦμεν ἑκάστοτε.

D E T MZCX BAF GQ L P Y NVW

109,7 ῥιγοῦντι F G W ‖ 8 ἐλπὶς καρδιακὴ : πληροφορία GQ
110,1 δὴ om. D M L W ‖ 2 θείας : om. E GQ ἁγίας Y edd. ‖ περὶ : παρὰ
W ‖ 5 πάλιν om. L ‖ 6 τροπὴν ἢ τομὴν ~ NVW τομὴν edd. ‖ 7 ἐπὶ : εἶναι E
περὶ GQ P ‖ 8 τρόπον προειρήκαμεν ~ T BAF ‖ ἄτρεπτον + αὐτὸ εἶναι
MZCX ‖ 9 δι᾽ὃ : δι᾽ὃν D MC F edd. διὸ καὶ Q W ‖ 11 ἐκκέχυται τελείως ~
Y edd. ἐκκέχυται MC V ‖ 12 καθ᾽ὃ ἂν : καθ᾽ὃ B καθ᾽ὃν ἂν G edd. ‖
περιάρῃ MZ ‖ 13 φωτίζεται + καὶ T B ‖ καθ᾽ὃ δὲ ἂν : κατ᾽ἂν δὲ D MZCX
N καθ᾽ὃ δὲ E G W καθ᾽ὃ ἂν T BAF Pᵃᶜ V
111,1 μισῶν + τὰ W ‖ 2 ὑπὸ + τῶν P W Y edd.

pour qui a soif, breuvage très agréable, pour qui gèle, vête-
ment, pour qui peine, repos, pour qui prie, cordiale espérance
et pour qui est en deuil, consolation. **110** Lorsque tu entends
donc la divine Écriture dire du Saint Esprit qu'il est descendu
sur chacun des apôtres[a], ou qu'il s'est précipité sur tel prophète[b], ou qu'il opère[c] ou est contristé[d], qu'il est éteint[e], exas-
péré[f], ou encore que les uns en possèdent les prémices[g] tandis
que d'autres en sont remplis[h], ne va pas penser à un décou-
page, un changement ou une altération quelconque de l'Esprit.
Crois plutôt à ce que nous avons dit plus haut, à une façon
d'être inchangé, inaltéré et tout puissant moyennant laquelle il
demeure ce qu'il est dans ses opérations et en même temps
ménage à chacun ce qu'il lui faut de la manière qui sied à Dieu.
Pour lui, en effet, à l'instar du soleil, il a été répandu parfaitement sur les baptisés ; chacun de nous, maintenant, dans la
mesure où, en les détestant, il a extirpé les passions qui l'enté-
nébraient, reçoit à proportion la lumière ; dans la mesure
même, au contraire, où il entretient avec elles un commerce
affectueux, il en est enténébré.

111 Qui déteste les passions en extirpe les causes. Qui reste
installé parmi ces causes, subit, qu'il le veuille ou non, une
guerre de la part des passions.

112 Quand nous nous prêtons à l'opération des pensées
perverses, prenons-nous en à nous-mêmes, et non à une faute
paternelle.

113 Racines des pensées sont les vices manifestes dont
nous nous faisons dans chaque cas les défenseurs, avec nos
mains, nos pieds, notre bouche.

112,1 λογισμῶν om. Obs. ‖ ἐνεργώμεθα : πολεμούμεθα D MZCX
ἐνεργούμεθα T BAF GQ P Y W πολεμώμεθα L ‖ 2 ἑαυτοὺς αἰτιασώμεθα
καὶ μὴ πατρῴαν ἁμ. ~ edd. ‖ αἰτιώμεθα GQ P
113,2 ἑκάστοτε : πάντοτε E [et Syr.] ἕκαστος Y edd.

110 a. Ac 2, 3   b. cf. 1 R 10, 10   c. cf. 1 Co 12, 11   d. cf. Ep 4, 30
e. cf. 1 Th 5, 12   f. cf. Es 63, 10   g. cf. Rm 8, 23   h. cf. Ac 2, 4

114 Οὐκ ἔστι προσομιλεῖν πάθει κατὰ διάνοιαν, μὴ ἀγαπῶντα τὰς τούτου αἰτίας. Τίς γὰρ αἰσχύνης καταφρονῶν κενοδοξίᾳ προσομιλεῖ ; ἢ τίς ἐξουδένωσιν ἀγαπῶν ἐπὶ ἀτιμίᾳ ταράσσεται ; Τίς δὲ καρδίαν συντετριμμένην καὶ τεταπεινω-
5 μένην[a] ἔχων ἡδονὴν σαρκὸς παραδέχεται ; ἢ τίς τῷ Χριστῷ τελείως πιστεύων[b] μεριμνᾷ περὶ προσκαίρων ἢ διαμάχεται ;

115 Ὁ ἀθετούμενος ὑπό τινος καὶ μήτε λόγῳ μήτε ἐννοίᾳ τῷ ἀθετοῦντι φιλονεικῶν γνῶσιν ἀληθῆ κέκτηται καὶ πίστιν βεβαίαν ἐπιδείκνυται τῷ Δεσπότῃ.

116 « Ψευδεῖς οἱ υἱοὶ τῶν ἀνθρώπων ἐν ζυγοῖς τοῦ ἀδικῆ-σαι[a] », ἑκάστῳ τὸ δίκαιον τοῦ Θεοῦ ἀποσῴζοντος.

117 Εἰ οὔτε τῷ ἀδικοῦντί ἐστι περίσσεια, οὔτε τῷ ἀδικουμένῳ ὑστέρημα, « ἐν εἰκόνι μὲν διαπορεύεται ἄνθρωπος, πλὴν μάτην ταράσσεται[a] ».

118 Ὅταν ἴδῃς τινὰ ἐν πολλαῖς ἀτιμίαις ὀδυνώμενον, γίνωσκε ὅτι λογισμοῖς κενοδοξίας ἐμφορηθεὶς ἡδέως τῶν καρδιακῶν σπερμάτων θερίζει τὰ δράγματα.

119 Ὁ σωματικαῖς ἡδοναῖς πέρα τοῦ δέοντος ἐναπολαύ-σας ἑκατονταπλασίοις πόνοις ἀποτίσει τὴν περίσσειαν.

120 Ἀρχικὸς ὑποτακτικῷ χρεωστεῖ λέγειν τὸ ὀφειλό-μενον · παρακουόμενος δὲ τὴν ἐπιφορὰν τῶν κακῶν προ-διαγγέλειν.

D E T MZCX BAF GQ L P Y NVW

114.1 πάθει : πάθος E πάθη MZC G πάθεσι X B NVW ‖ κατὰ διάνοιαν om. Obs. ‖ 2 ἀγαπῶντας D MZC -πῶντι NVW -πᾶν Obs. ‖ τούτων D MZC BAF Y NVW ‖ 4-5 καὶ τεταπεινωμένην om. X ‖ 5 χριστῷ : κυρίῳ BAF ‖ 6 πιστεύων τελείως ~ E T πιστεύων GQ τ. πιστεύειν F
115.2 ἀληθείας NVW ‖ 2 κέκτηται om. BAF ‖ καὶ om. F ‖ πίστιν om. B F
116.1 οἱ : om. D C A οἷοι M V ‖ 2 ἑκάστῳ + δὲ D MZC L Y γὰρ X ‖ ἀποσῴζοντος τοῦ θεοῦ ~ E παρὰ τῷ θεῷ ἀποσῴζεται D MZCX L παρὰ τῷ θεῷ ἀποσῴζονται Ppc
117.2 μὲν : om. M C ὄντως X μέντοι BF
118.1 πολλαῖς + καὶ βαρείαις BAF ‖ ἀτιμίαις + ἀθυμοῦντα καὶ ΒΑ

114 Il ne peut se faire qu'on entretienne en son intellect de la familiarité avec une passion sans en chérir les causes. En effet, qui, tout en méprisant la honte, est le familier de la vaine gloire ? ou qui, aimant à être tenu pour rien, sera troublé par un outrage ? Qui, ayant le cœur tout broyé par l'humilité[a], accueillera la volupté charnelle ? ou bien qui, tout en mettant parfaitement sa foi dans le Christ[b], se fera du souci ou se battra pour des réalités éphémères ?

115 Traité indignement par quelqu'un, n'a-t-on à son endroit aucune parole, aucune pensée belliqueuse, c'est qu'on est entré en possession de la vraie connaissance et qu'on fait preuve d'une foi solide envers le Maître.

116 « Ils sont trompeurs, les fils des hommes pour commettre l'injustice sur les balances[a] », Dieu aéu contraire ménage à chacun ce qui est juste.

117 Si celui qui commet l'injustice n'en tire rien de plus et celui qui la subit n'en a rien de moins, c'est que « l'homme chemine comme un reflet et de plus se trouble en vain[a] ».

118 Quand tu vois un homme endolori par de multiples outrages, reconnais qu'il s'était laissé emporter par des pensées de vaine gloire et qu'il lui est agréable de récolter les gerbes de ce qui était semé dans son cœur.

119 Qui a joui de voluptés physiques au-delà du nécessaire paiera cet excès par un centuple de labeurs.

120 Un supérieur a cette dette envers son subordonné d'avoir à lui signifier son devoir et, si l'autre désobéit, de lui annoncer les maux qui vont l'attaquer.

ὀδυνοῦντα καὶ F ‖ ὀδυνώμενον G[mg m2] P[sl] ‖ 2 ἡδέως : ἀηδῶς T X A GQ L P Y ἀειδῶς sic F ἀηδῶς τῶν W

119,1 πέρα : παρὰ Z ‖ τοῦ δέοντος : τὸ δεὸν D MZCX L ‖ 1-2 ἀπολαύσας Y edd.

120,1 ἀρχικῶς P ὁ ἀρχικὸς W ‖ 2-3 προδιαγγέλλειν : προαναγγέλλειν D MZC P L NV προαγγέλλειν X BA P[pc]G W προαγγέλλει F

---

114 a. cf. Ps 50, 19   b. cf. He 12, 2   **116** a. Ps 61, 10   **117** a. Ps 38, 7

121 Ὁ ἀδικούμενος παρά τινος καὶ μὴ παραζητῶν τῷ ἀδικοῦντι τὰ δέοντα κατ᾽ ἐκεῖνο τὸ μέρος πιστεύει τῷ Χριστῷ, καὶ ἑκατονταπλασίονα λαμβάνει ἐν τῷ αἰῶνι τούτῳ, καὶ κληρονομεῖ ζωὴν τὴν αἰώνιον[a].

122 Μνήμη Θεοῦ ἐστι πόνος καρδίας ὑπὲρ εὐσεβείας γινόμενος. Πᾶς δὲ ὁ ἐπιλανθανόμενος τοῦ Θεοῦ ἡδυπαθὴς καὶ ἀνάλγητος γίνεται.

123 Μὴ λέγε ὅτι ὁ ἀπαθὴς θλίβεσθαι οὐ δύναται· κἂν γὰρ μὴ ὑπὲρ ἑαυτοῦ, ἀλλ᾽ ὑπὲρ τοῦ πλησίον τοῦτο κεχρεώστηκεν.

124 Ὅταν ὁ ἐχθρὸς τῶν ἐν τῇ λήθῃ ἁμαρτημάτων πολλὰ κρατήσῃ χειρόγραφα, τότε καὶ ἐν τῇ μνήμῃ ταὐτὰ ποιεῖν τὸν χρεωφειλέτην ἀναγκάζει τῷ τῆς ἁμαρτίας νόμῳ εὐλόγως ἀποχρώμενος.

125 Εἰ βούλει διηνεκῶς μνημονεύειν Θεοῦ, μὴ ἀπωθοῦ ὡς ἀδίκους τὰς ἐπιφοράς, ἀλλ᾽ ὡς δικαίως ἐρχομένας ὑπόμενε. Ἡ μὲν γὰρ ὑπομονὴ δι᾽ ἑκάστης συμβάσεως τὴν μνήμην ἀνακινεῖ, ἡ δὲ παραίτησις μειοῖ τὸν ἔφεδρον τῆς καρδίας πόνον καὶ διὰ τῆς ἀνέσεως τὴν λήθην ἐργάζεται.

949　**126** Ἐὰν θέλῃς παρὰ Κυρίου ἐπικαλυφθῆναι τὰς ἁμαρτίας σου, μὴ φανεροποιήσῃς ἀνθρώποις τὰς σεαυτοῦ ἀρετάς. Ὁ γὰρ ἂν πράττωμεν ἐπὶ ταύταις, τοῦτο καὶ ὁ Θεὸς ἐπ᾽ ἐκείναις ἐργάζεται.

D E T MZCX BAF GQ L P Y NVW

121,2 τὰ δέοντα : τὸ δέον G W om. Q ‖ 2 κατ᾽ἐκεῖνο τὸ μέρος : κἀκείνῳ τῷ μέρει G κἀκεῖνο τῷ μέρει P^pc ἐκείνῳ τῷ μέρει W ‖ ἐκεῖνο + μὲν D MZC ‖ 3 ἑκατονπλασίον B ἑκατονπλασίως edd. ‖ 4 καὶ + ἐν τῷ μέλλοντι M X P ‖ κληρονομεῖ ζωὴν τὴν αἰώνιον : ζωὴν αἰών. κληρο. B W ζ. αἰ. κληρονομήσει T AF P L NV

122,2 ὁ om. edd. ‖ ἡδυπαθὴς : -παθεῖ GQ

123,1 ὁ om. T Z B W ‖ γὰρ om. Y edd. ‖ 2 τῶν πλησίων D MZC

124,2 ταὐτὰ ποιεῖν D T C P^pc : τὰ αὐτὰ π. X BF GQ P^ac W Syr. αὐτὰ ποιεῖν A NV ποιεῖν αὐτὰ edd. ‖ 3 νόμῳ : λόγῳ Y edd.

121 Qui subit une injustice sans chercher à tirer satisfaction de son offenseur met, de ce point de vue-là, sa foi dans le Christ ; il en reçoit le centuple dans ce monde-ci, avec pour héritage la vie éternelle[a].

122 Le souvenir de Dieu est un labeur que le cœur s'inflige en vue de la piété. Qui au contraire a oublié Dieu devient voluptueux et insensible.

123 Ne va pas dire que l'homme libéré des passions ne peut pas être affligé : il porte cette dette, sinon pour lui-même, du moins pour le prochain.

124 Quand l'ennemi a mis la main sur beaucoup de créances provenant des fautes commises dans l'oubli, il force le débiteur à commettre les mêmes, cette fois dans sa mémoire, mésusant avec à propos de la loi du péché.

125 Si tu veux te souvenir constamment de Dieu, ne repousse pas les attaques sous prétexte qu'elles sont injustes, supporte-les en les tenant pour justement advenues. Les supporter ainsi, en effet, ranime à chaque événement le souvenir ; les refuser, au contraire, diminue le labeur soutenu du cœur et, par le relâchement, opère l'oubli.

126 Si tu veux que tes péchés soient couverts devant le Seigneur, n'étale pas tes vertus devant les hommes. En effet ce que nous faisons à l'égard de ces dernières, Dieu l'opère à l'égard des premiers.

125,1 μνημονεύειν διηνεκῶς ~ T BAF L ‖ ἀπωθοῦ : ἀπώθει ἀπὸ θεοῦ W ‖ 2 ἐπερχομένας D AF L NVW ὑπερχομένας B ‖ 4 ἔφεδρον : ἔφοδον M νοερὸν GQ φαιδρὸν Y edd. *stabilis* Syr. ‖ 5 πόνον : φρόνημα GQ

126,2 φανεροποιήσῃς + τοῖς X NVW ‖ τὰς σεαυτοῦ ἀρετάς : ἐὰν ἔχῃς ἀρετήν GQ ‖ ἑαυτοῦ D E F P Y ‖ 3 ἂν πράττωμεν : ποιοῦμεν T ἂν ποιῶμεν BF L ποιῶμεν A NVW ‖ 3-4 ὁ θεὸς ἐπ'ἐκείναις : ἐπ'ἐκείν. E ὁ θ. ἐπ'ἐκείνας A ἐπ'ἐκ. ὁ θ. GQ P

121 a. cf. Mc 10, 30

127 Κρύψας ἀρετὴν μὴ ἐπαίρου ὡς δικαιοσύνην ἐκτελῶν· δικαιοσύνη γάρ ἐστι οὐ μόνον τὸ κρύπτειν τὰ καλά, ἀλλὰ καὶ τὸ μὴ ἐννοεῖν τι τῶν ἀπηγορευμένων.

128 Μὴ χαῖρε ὅταν εὖ ποιήσῃς τινί, ἀλλ᾿ ὅταν ἀμνησικάκως ὑπομείνῃς τὴν παρεπομένην ἐναντιότητα. Ὃν τρόπον γὰρ αἱ νύκτες τὰς ἡμέρας, οὕτω αἱ κακίαι τὰς εὐποιίας διαδέχονται.

129 Κενοδοξία καὶ φιλαργυρία καὶ ἡδονὴ ἄσπιλον εὐποιίαν διαμεῖναι οὐκ ἀφίουσιν, εἰ μὴ πρότερον αὗται φόβῳ Θεοῦ καταπέσωσιν.

130 Εἰς τὰς ἀκουσίους ὀδύνας τὸ ἔλεος τοῦ Θεοῦ θαυμασίως ἐγκέκρυπται, τὸν ὑπομένοντα εἰς μετάνοιαν ἕλκον καὶ ἀπαλλάττον τῆς αἰωνίου κολάσεως.

131 Τινὲς ἐργαζόμενοι ἐντολὰς ἐν ζυγῷ ἀντιρρέψαι αὐτὰς ταῖς ἁμαρτίαις ἐκδέχονται· τινὲς δὲ δι᾿ αὐτῶν τὸν ἀποθανόντα ὑπὲρ τῶν ἁμαρτιῶν ἡμῶν ἐξευμενίζονται. Ζητητέον τίς αὐτῶν ἔχει ὀρθὸν τὸ φρόνημα.

132 Γεέννης φόβος καὶ παραδείσου πόθος παρέχουσι τὴν τῶν θλιβερῶν ὑπομονήν· καὶ τοῦτο οὐκ ἐξ ἑαυτῶν, ἀλλ᾿ ἐκ τοῦ γινώσκοντος τοὺς διαλογισμοὺς ἡμῶν.

133 Ὁ πιστεύων περὶ τῶν μελλόντων τῶν ὧδε ἡδέων ἀδογματίστως ἀπέχεται· ὁ δὲ ἀπιστῶν ἡδὺς καὶ ἀνάλγητος γίνεται.

D E T MZCX BAF GQ L P Y NVW

127.1 ἀρετὰς T AF ‖ 3 μὴ — τι : μηδὲν E T GQ L NVW μήδε X μηδὲν — τι F μὴ P Y
128.2-3 γὰρ τρόπον ~ Y edd. ‖ 3 νύκται A NVW ‖ εὐποιίας : ἀρετὰς edd.
129.2 ἀφίουσιν : ἀφιᾶσιν E T BF L Pᵖᶜ Y edd. ἀφείλουσιν Z
130.1-2 θαυμασίως Gᵐᵍ om. Q W ‖ 2 ἐγκρύπτεται M C ‖ 2-3 ἕλκων — ἀπαλλάττων D E G

127 Quand tu as dissimulé une vertu, ne t'exalte pas comme si tu avais accompli la justice ; car la justice ne consiste pas seulement à dissimuler ses beaux côtés, mais encore à ne plus penser à rien de défendu.

128 Ne te réjouis pas lorsque tu as fait du bien à quelqu'un, mais quand tu supportes sans rancune la contradiction qu'on t'inflige par la suite. Car de la même façon que les nuits succèdent aux jours, les méchancetés viennent après les bienfaits.

129 La vaine gloire, l'amour de l'argent et la volupté ne laissent pas subsister sans souillure la bienfaisance ; c'est un préalable pour celle-ci qu'eux succombent devant la crainte de Dieu.

130 Sous les souffrances involontairement subies se cache de façon admirable la pitié de Dieu, tirant la victime vers le repentir et la délivrant du châtiment éternel.

131 Certains, en accomplissant les commandements, escomptent que cela fera pencher la balance contre leurs péchés. D'autres, à cause de ces derniers, accueillent la propitiation de celui qui est mort pour nos péchés. La question est de savoir lequel des deux groupes se fait là une idée juste.

132 La crainte de la géhenne et le désir du paradis procurent la patience devant les tribulations, et cela non de leur fait propre, mais grâce à celui qui connaît nos manières de raisonner.

133 Celui qui a foi dans les biens à venir s'abstient sans autre enseignement des voluptés d'ici-bas ; l'incroyant devient voluptueux et insensible.

131,1 ἐργαζόμενοι + τὰς D X GQ P ‖ ἐντολὰς : + ὡς E BAF NVW ‖ ἀντιρρίψαι M L ‖ 2 τὰς ἁμαρτίας A ‖ αὐτὸν Z B PᵖᶜY Pic. edd.
132 γεένης ... ἡμῶν post **133** ὁ ... γίνεται ~ T BAF Gᵐᵍ L NVW ‖ 1 παραδείσου πόθος : βασιλείας ἔρως GQ
133,1 ὧδε : ἐνταῦθα BAF ‖ 2 ἀδογματίστως : ἀδήκτως L

134 Μὴ εἴπῃς· Πῶς ἡδυπαθήσει ὁ πένης, μὴ ἔχων τὰ αἴτια; Δύναται γάρ τις καὶ διὰ μόνων τῶν λογισμῶν ἀθλιωτέρως ἡδυπαθεῖν.

135 Ἕτερόν ἐστι γνῶσις πραγμάτων καὶ ἕτερόν ἐστιν ἀληθείας ἐπίγνωσις. Καθόσον δὲ διαφέρει τῆς σελήνης ὁ ἥλιος, κατὰ τοσοῦτον τῆς προτέρας ἡ δευτέρα ὠφελιμωτέρα τυγχάνει. Ἡ τῶν πραγμάτων γνῶσις κατ᾽ ἀναλογίας τῆς 5 ἐργασίας τῶν ἐντολῶν προσγίνεται, ἡ δὲ τῆς ἀληθείας ἐπίγνωσις κατὰ τὸ μέτρον τῆς εἰς Χριστὸν ἐλπίδος. Εἰ οὖν θέλεις «σωθῆναι καὶ εἰς ἐπίγνωσιν ἀληθείας ἐλθεῖν [a]», πειρῶ πάντοτε ὑπερβαίνειν τὰ αἰσθητὰ καὶ διὰ μόνης ἐλπίδος προσκολλᾶσθαι τῷ Θεῷ. Οὕτω γὰρ ἀκοντὶ μὲν παρατρεπό-

---

D E T MZCX BAF GQ L P Y NVW

134.2 μόνων om. W ‖ διαλογισμῶν E NVW
135.1 ἐστιν[2] om. NVW ‖ δὲ : T οὖν BA om. Q Y W ‖ 2-3 ὁ ἥλιος τῆς σελήνης ~ Y edd. ‖ 3 ἡ δευτέρα τῆς προτέρας ~ L ἡ δευτέρα X ‖ 4 τυγχάνει : ὑπάρχει T B L καθέστηκεν A ‖ ἡ + γὰρ D MZCX Y + οὖν Syr. ‖ τῆς om. E Y edd. ‖ 9 κολλᾶσθαι GQ

---

135 a. 1 Tm 2, 4

1. Une scholie assez intéressante s'est introduite à cet endroit dans le *Vatopedinus 57* (**Vm**), au fol. 308v. : Ἰστέον ὅτι ἡ γνῶσις τῶν πραγμάτων τοῖς πρακτικοῖς ὥρισται, ἡ δὲ τῆς ἀληθείας ἐπίγνωσις τοῖς θεωρητικοῖς, καὶ πράγματα μέν εἰσι τὰ δημιουργήματα καὶ ἡ τῶν ὄντων θεωρία καθὼς ἔχει φύσεως, ἡ δὲ τῆς ἀληθείας ἐπίγνωσίς ἐστιν ἡ τοῦ νοὸς φυλακή, ἡγοῦν ἡ προσοχή. (« On doit savoir que la connaissance des actions est réservée aux actifs, la connaissance de la vérité aux contemplatifs ; et la connaissance des actions est celle des ouvrages et la contemplation des êtres, tels qu'ils sont de nature, la connaissance de la vérité est la garde de l'intellect, autrement dit l'attention »). — Le premier terme de l'antithèse posée ici par Marc, ἡ γνῶσις τῶν πραγμάτων, reparaît trois autres fois dans *Justif.* (162, 2 ; 163, 1 ; 211, 00), chaque fois opposé à un terme plus parfait : la prière pure dans les deux premiers cas, l'opération persévérante dans le long chapitre final, où la γνῶσις τῶν πραγμάτων est aussi qualifiée de « simple connaissance » comme chez Syméon. En *Justif.* 162 et 163 il s'agit sans doute des faits, de la situation concrète, de détails où mieux vaut ne pas descendre tant qu'on bénéficie d'une grâce de prière ; dans le troi-

134 Ne dis pas : Comment un pauvre se laisserait-il aller à la volupté, lui qui ne possède rien pour la causer ? On peut en effet se laisser aller à la volupté, et assez misérablement, rien que par les pensées[1].

135 Autre chose est de s'y reconnaître pour agir et autre chose de connaître la vérité. Autant il y a de différence entre la lune et le soleil, autant il y en a entre l'une et l'autre connaissances du point de vue de l'utilité. S'y reconnaître pour agir, on y arrive progressivement, dans la proportion où on exécute les commandements ; quant à connaître la vérité, cela se mesure à notre espérance dans le Christ. Si donc tu désires « être sauvé et parvenir à la connaissance de la vérité[a] », efforce-toi en permanence de dépasser le sensible et de t'attacher à Dieu par la seule espérance. De cette façon-là, par des diversions que tu

---

sième cas au contraire, d'une connaissance abstraite, associée, comme lot des novices et gens lents à apprendre, à une expérience passagère. Ici, au chap. 135, ce doit être aussi une notion réaliste de l'état des choses qui est envisagée ; l'appréciation en est un peu plus favorable qu'ailleurs, puisqu'elle est censée croître à proportion de l'exécution des commandements. Peut-être est-ce donc bien, comme le dit la scholie, un équivalent approximatif de la vie pratique, opposée à quelque chose qui correspondrait à la vie contemplative. O. Hesse a signalé de multiples similitudes entre ce chap. 135 (ainsi que les chap. 136 et 154) et le *Logos* 38 de Macaire-Syméon ; voir Introd., *supra*, ch. 1, III et n. 2, p. 28. Même à supposer cependant que Marc ait ici emprunté à Syméon, il aurait tout de même remplacé le second ἡ γνῶσις par ἐπίγνωσίς, ce qui pourrait bien être une allusion à la terminologie scripturaire, où le composé ἐπίγνωσίς (joint à τῆς ἀληθείας) est presque devenu un terme technique pour désigner la connaissance décisive de Dieu qui est impliquée dans la conversion à la foi chrétienne. Chez Syméon aussi, la connaissance du premier degré a rapport avec l'expérience de la vie : elle donne, par des constatations sur les événements, de vagues indications sur la justice de Dieu ; la connaissance du second degré, en revanche, ne procède plus par inférences, mais par une assurance interne, don spécial du Seigneur. Chez Marc, cet aspect expérimental et mystique est, comme d'habitude, éclipsé ; il insiste, non sans austérité, sur le devoir de s'appuyer sur la seule espérance en Dieu (le mot ἐλπίς revient trois fois en 135, 6.9.12), sans plus être accompagné, comme chez Syméon, du terme πληροφορία. En outre MACAIRE-SYMÉON (*Logos* 38, 2, 9) paraît faire intervenir au stade inférieur, à côté de l'authentique espérance, un autre espoir plus équivoque, celui des biens apparents.

10 μενος εὑρήσεις ἀρχὰς καὶ ἐξουσίας διὰ τῶν προσβολῶν
πολεμούσας σοι, ταύτας δὲ διὰ προσευχῆς νικῶν καὶ μένων
εὔελπις εἴσῃ τὴν τοῦ Θεοῦ χάριν τῆς μελλούσης ὀργῆς[b]
ῥυομένην σε.

136 Ὁ συνιὼν τὸ ὑπὸ τοῦ μακαρίου Παύλου μυστικῶς
εἰρημένον, τὴν πάλην ἡμῶν πρὸς τὰ πνευματικὰ τῆς
πονηρίας[a] εἶναι φήσαντος, γνώσεται καὶ τὴν παραβολὴν τοῦ
Κυρίου ἣν ἔλεγε «πρὸς τὸ δεῖν πάντοτε προσεύχεσθαι καὶ μὴ
5 ἐκκακεῖν[b]».

952 **137** Ὁ νόμος τυπικῶς ἓξ ἡμέρας ἐργάζεσθαι, τῇ δὲ
ἑβδόμῃ σχολάζειν παρακελεύεται[a]· διότι ψυχῆς ἔργον ἐστὶν
ἡ διὰ χρημάτων εἴτ' οὖν πραγμάτων εὐποιία· σχολὴ δὲ
αὐτῆς καὶ κατάπαυσις τὸ πωλῆσαι πάντα καὶ δοῦναι
5 πτωχοῖς[b] κατὰ τὸν λόγον τοῦ Κυρίου· καὶ διὰ τῆς ἀκτημο-
σύνης καταπαύσαντα τῇ νοερᾷ σχολάζειν ἐλπίδι. Εἰς ταύτην
τὴν κατάπαυσιν καὶ ὁ Παῦλος μετὰ σπουδῆς ἡμᾶς εἰσελθεῖν
προτρέπεται λέγων· «Σπουδάσωμεν εἰσελθεῖν εἰς ἐκείνην
τὴν κατάπαυσιν[c].» Ταῦτα δὲ εἰρήκαμεν οὐκ ἀποκλείοντες
10 τὰ μέλλοντα, οὔτε ὧδε τὴν καθολικὴν ἀνταπόδοσιν εἶναι
ὁρίσαντες, ἀλλ' ὅτι χρὴ πρῶτον ἐν τῇ καρδίᾳ ἐνεργοῦσαν
ἔχειν τὴν χάριν τοῦ ἁγίου Πνεύματος, καὶ οὕτω κατ' ἀναλογίαν εἰσελθεῖν εἰς τὴν βασιλείαν τῶν οὐρανῶν. Τοῦτο
φανεροποιῶν ὁ Κύριος ἔλεγεν· «Ἡ βασιλεία τῶν οὐρανῶν
15 ἐντὸς ὑμῶν ἐστι[d].» Τοῦτο καὶ ὁ Ἀπόστολος ἔλεγεν· «Ἔστι

D E T MZCX BAF GQ L P Y NVW

135.10-11 πολεμούσας σοὶ διὰ τῶν προσβολῶν ~ T BAF πολεμοῦντάς
σοι [σε scr. V] διὰ τ. π. NV ‖ 11 προσευχῆς : τῶν προσευχῶν T BAF NVW
τῆς προσευχῆς G Y edd. ‖ νικῶν : ἀπωθούμενος L ‖ 12 εἴσῃ [scis tu Syr.] :
ἕξεις D E X GQ P Y εἰς F edd. ‖ χάριν τοῦ θεοῦ ~ Y edd.

136.1 μακαρίου [Syr.] : ἁγίου D MZCX GQ P Y edd. ‖ 1-2 εἰρημένον
μυστικῶς ~ BAF L NVW ‖ 2 πάλιν T B Q ‖ 3 εἶναι om. edd. ‖ φήσαντος
+ πάθη L ‖ 4 ἣν ἔλεγε om. Y edd.

137.1 ἐξ ἡμέρας τυπικῶς ~ edd. ‖ 3 διὰ + τῶν NVW ‖ χρημάτων +
εὐπραγία L ‖ εἴτ'οὖν πραγμάτων : ἤτουν πρ. D T M V εἶτα πρ. E ἤτοι πρ.

n'auras pas voulues, tu verras principautés et puissances te combattre de leurs assauts ; et par la prière, tu seras vainqueur dans cette lutte ; demeuré plein d'espérance aussi, tu connaîtras la grâce de Dieu, qui t'arrache à la colère qui vient[b].

136 Si l'on comprend la parole mystérieuse du bienheureux Paul, selon laquelle la lutte se déroule pour nous contre les esprits du mal[a], on pénétrera aussi la parabole dite par le Seigneur « sur notre devoir de toujours prier, sans jamais nous lasser[b] ».

137 La Loi ordonne, en figure, de travailler six jours et de prendre du loisir le septième[a]. C'est que le travail de l'âme est de faire du bien au moyen des richesses ou des actes, son loisir et son repos, de tout vendre et de le donner aux pauvres[b], selon la parole du Seigneur, puis en se reposant grâce à ce dépouillement, de prendre du loisir dans l'espérance de l'intellect. A entrer dans ce repos, Paul aussi nous exhorte avec zèle en disant : « Mettons notre zèle à entrer dans ce repos[c]. » En parlant ainsi, nous n'excluons pas les biens à venir et nous n'affirmons pas que la rétribution universelle a lieu ici-bas. Mais c'est qu'il faut posséder au préalable travaillant en son cœur la grâce du Saint Esprit et entrer ainsi, à proportion, dans le royaume des cieux. Pour mettre cela en évidence, le Seigneur disait : « Le royaume des cieux est au-dedans de vous[d]. » L'Apôtre disait cela aussi : « La foi est la substance de ce qu'on

GQ ἤγουν πρ. N ἢ διὰ πρ. L^{m2} om. BAF Y edd. ‖ 4 καὶ κατάπαυσις αὐτῆς ~ B καὶ κατάπ. αὐτοῖς A ‖ 6 σχολάζειν τῇ νοερᾷ ~ T BAF L NVW ‖ ταύτην + οὖν D MZCX P^{sl} ‖ 7 παῦλος : ἀπόστολος L ‖ μετὰ σπουδῆς ἡμᾶς : ἡμῶν μετὰ σπ. edd. ‖ εἰσελθεῖν : ἐλθεῖν T om. Y Obs. edd. ‖ 10 εἶναι om. Obs. ‖ 11 ὁρίζοντες E P^{pc} ‖ ἐνεργοῦσαν post πνεύματος l. seq. ~ edd. ‖ 12 ἁγίου [Syr.] : παναγίου BAF om. X L NVW ‖ 14 φανεροποιῶν + καὶ MZCX W + γὰρ Syr. ‖ 15 ἐστι^1 + καὶ τὰ ἑξῆς T L‖ ἀπόστολος : παῦλος E

135 b. cf. Mt 3, 7   **7**   **136** a. cf. Ep 6, 12   b. cf. Lc 18, 1   **137** a. cf. Dt 5, 3-14 b. cf. Mt 19, 21   c. He 4, 11   d. Lc 17, 21

πίστις ἐλπιζομένων ὑπόστασις[e]»· καὶ πάλιν· «Οὕτως
τρέχετε ἵνα καταλάβητε[f]»· καὶ πάλιν· «Δοκιμάζετε ἑαυτοὺς
εἰ ἐστε ἐν τῇ πίστει· ἢ δὲ οὐκ ἐπιγινώσκετε ὅτι Χριστὸς
Ἰησοῦς οἰκεῖ ἐν ὑμῖν, εἰ μήτι ἄρα ἀδόκιμοί ἐστε[g];»

138 Ὁ ἀλήθειαν ἐγνωκὼς ταῖς θλιβεραῖς ἐπιφοραῖς οὐκ
ἀντιτάσσεται· οἶδε γὰρ ὅτι εἰς φόβον Θεοῦ ὁδηγοῦσι τὸν
ἄνθρωπον.

139 Αἱ παλαιαὶ ἁμαρτίαι κατ᾽ εἶδος μνημονευθεῖσαι
βλάπτουσι τὸν εὔελπιν· μετὰ λύπης μὲν γὰρ ἀναδοθεῖσαι τῆς
ἐλπίδος ἀφιστῶσιν· ἀλύπως δὲ ἐξεικονισθεῖσαι τὸν παλαιὸν
μολυσμὸν ἐναποτίθενται.

140 Ὅταν ὁ νοῦς κρατήσῃ δι᾽ ἀρνήσεως τὴν μονολόγιστον ἐλπίδα, τότε ὁ ἐχθρὸς προφάσει ἐξομολογήσεως τὰ
προγεγενημένα κακὰ ἐξεικονίζει, ἵνα τὰ χάριτι Θεοῦ ἐπιλη-
σθέντα πάθη ἀναζωπυρήσῃ καὶ λεληθότως ἀδικήσῃ τὸν
5 ἄνθρωπον. Τότε γὰρ κἂν φαιδρὸς καὶ μισοπαθὴς ὑπάρχῃ, ἐξ
ἀνάγκης σκοτισθήσεται συσχεθεὶς ἐπὶ τοῖς πεπραγμένοις.
Κἂν ὁμιχλώδης ἔτι καὶ φιλήδονος εἴη, συγχρονίσει πάντως
καὶ ἐμπαθῶς προσομιλήσει ταῖς προσβολαῖς, ὡς πρόληψιν
εὑρεθῆναι τὴν τοιαύτην μνήμην καὶ οὐκ ἐξομολόγησιν. Ἐὰν
10 θέλῃς Θεῷ προσφέρειν ἀκατάκριτον ἐξομολόγησιν, μὴ μνη-
μόνευε κατ᾽ εἶδος τὰς παρατροπάς, ἀλλ᾽ ὑπόμενε γενναίως
τὰς τούτων ἐπαγωγάς.

D E T MZCX BAF GQ L P Y NVW

137.18 ἢ : εἰ δὲ Υ edd. ‖ ῗ ἐπιγινώσκετε + ἑαυτοὺς NVW ‖ 18-19 ἰησοῦς
χριστὸς ~ GQ χριστὸς Ε ὁ θεὸς V ‖ 19 μήτι : μή τοι GQ
138.1 ἐπεγνωκὼς Χ GQ Ρ ‖ 2 θεοῦ : κυρίου Ε T Β L
139.2 βλάπτουσι ... ἀναδοθεῖσαι om. Μ ‖ ἀντιδοθεῖσαι edd. ‖
3 ἀφίστασιν Υ edd.
140.1 δι᾽ἀρνήσεως κρατήσῃ ~ Τ BAF NVW + τῶν πάθων D MZCX Ρᵖᶜ
δι᾽ἀρν. τῶν παθῶν χρ. L κρ. δι᾽ἀρνήσεως ἑαυτοῦ Υᵖᶜ δι᾽ἀπαρνήσεως
ἑαυτοῦ κρ. Ε GQ Ρᵃᶜ κρ. δι᾽ἀρν. τῶν ἁμαρτίων Syr. ‖ 1-2 μονολόγιστον :
veram Syr. ‖ 3 προγεγενημένα : προγεγραμμένα Ε Τ ΜC G L edd. ‖ κακὰ :
πάθη NVW ‖ 5 φαιδρὸς + τις D MC σφοδρῶς AF σφοδρὸς W ‖ 7 ἔτι : om.
D MZCX ἐστι NVW L ‖ ἔτι ... εἴη : εἰ καὶ φιλήδονος ~ D MZ εἴη καὶ φιλ.

espère[c] » ; et encore : « Courez de façon à atteindre le but[f] » ;
et encore : « Examinez-vous vous-mêmes pour savoir si vous
êtes dans la foi ; ou bien ne reconnaissez-vous pas que le Christ
Jésus habite en vous ; à moins certes que l'examen ne tourne
contre vous[g] ? »

138 Qui est parvenu à la connaissance de la vérité ne se
met plus en bataille contre les assauts des tribulations ; il sait
en effet qu'ils guident l'homme vers la crainte de Dieu.

139 Les péchés d'autrefois, quand il s'en souvient dans le
détail, nuisent à qui entretient en soi l'espérance. Accompa-
gnée de chagrin, leur évocation détourne de l'espérance ; si au
contraire on se les représente sans chagrin, ils tachent à nouveau de l'ancienne souillure.

140 Le moment où l'intellect, grâce au renoncement,
n'étreint plus que l'unique pensée de l'espérance est celui où
l'ennemi, sous prétexte de confession, lui suggère l'image des
maux autrefois présents en lui. Le but est de lui faire ranimer
la flamme des passions oubliées par la grâce de Dieu et de causer du tort à cet homme à son insu. Dès lors, même s'il était
resplendissant de haine pour les passions, il subira forcément
un obscurcissement, tombé qu'il est sous la contrainte de ses
actes passés. Et s'il se trouve encore être embrumé par l'amour
de la volupté, il se mettra forcément au ton des attaques
subies ; en proie à la passion, il se familiarisera avec elles, si
bien que de tels souvenirs seront en lui une prédisposition au
mal, non une confession. Si tu désires offrir à Dieu une confession qui ne te condamne pas, ne forme pas un souvenir détaillé
de tes égarements. Supporte en revanche généreusement leurs
rappels en arrière.

C ἦ καὶ φιλ. X ‖ ἐγχρονίσει L ‖ 8 ὁμιλήσει E ‖ 9 οὐκ om. N ‖ 10
ἀκατακρίτως E T edd. ‖ 11 παρατροπὰς : ἁμαρτίας σου λίαν γὰρ μολύνεις
[μολύνουσι A] τὴν διάνοιαν BAF + λίαν γὰρ μολύνεις τ. δ. Pic. edd. ‖ 11-
12 ἀλλ ... ἐπαγωγάς om. BAF ‖ 11 ὑπόμενε : ὑποτήρει NVW

137 e. cf. He 11, 1   f. 1 Co 9, 24   g. 2 Co 13, 5

141 Τὰ ἀνιαρὰ διὰ τὰς προσγεγενημένας ἁμαρτίας ἐπέρχονται πάσης πλημμελείας τὸ προσφυὲς ἐπικομίζοντα.

142 Ὁ γνωστικὸς καὶ εἰδὼς τὴν ἀλήθειαν οὐ διὰ μνήμης τῶν πραχθέντων, ἀλλὰ δι' ὑπομονῆς τῶν ἐπερχομένων ἐξομολογεῖται τῷ Θεῷ.

143 Ἀποβαλὼν πόνον καὶ ἀτιμίαν μὴ ἐπαγγέλλου
953 δι' ἑτέρων ἀρετῶν μετανοεῖν· κενοδοξία γὰρ καὶ ἀναλγησία δουλεύειν τῇ ἁμαρτίᾳ καὶ διὰ δεξιῶν πεφύκασιν. **144** Ὥσπερ γὰρ τὰς ἀρετὰς πόνοι καὶ ἀτιμίαι, οὕτω καὶ τὰς κακίας ἡδοναὶ καὶ δόξαι τίκτειν εἰώθασι.

145 Πᾶσα σωματικὴ ἡδονὴ ἐκ προλαβούσης ἐστὶν ἀνέσεως· ἄνεσιν δὲ γεννᾷ ἀπιστία.

146 Ὁ ὢν ὑπὸ ἁμαρτίαν οὐ δύναται μόνος περιγενέσθαι τοῦ σαρκικοῦ θελήματος. Διότι τὸν ἐρεθισμὸν ἄπαυστον καὶ ἐγκείμενον ἔχει τοῖς μέλεσιν.

147 Ἐμπαθεῖς ὄντας προσεύχεσθαι δεῖ καὶ ὑποτάσσεσθαι· μόλις γὰρ ἔστι μετὰ βοηθείας πολεμῆσαι ταῖς προλήψεσιν.

D E T MZCX BAF GQ L P Y NVW

141,1 τὰ : πάντα γὰρ τὰ X ‖ ἀνιαρὰ + γὰρ D MZC NV + πάθη BAF G ‖ 2 ἐπέρχονται πάσης πλημμελείας om. Obs. ‖ ἐπέρχεται T X L NVW ‖ post ἐπικομίζοντα aliam sententiam add. Syr. *si vis ergo ne accidat tibi quid afflictationis, cave primum ne facias quid iram movens Dei, quia illud hoc sequitur decenter*
142,1 καὶ + ὁ Q W
143,1 ὁ ἀποβαλὼν D ‖ 2 ἑτέρων ἀρετῶν : ἑτέρου ΒΑ ἑτέρου F ἄλλων ἀρ. GQ ‖ 3 καὶ διὰ + τῶν X BAF GQ
144,2 γὰρ [et Syr.] : om. T BAF G L Y NVW edd. ‖ 3 δόξαι : κενοδόξιαι C BAF QW *amor gloriae* Syr.
145,2 γέννᾳ + ἡ C Y edd.
146,1 ἁμαρτίας D ZC ‖ 2 θελήματος : φρονήματος BAF GQ NVW ‖

141 Les afflictions[1] surviennent à raison des péchés passés, en produit naturel de tout excès. <Si donc tu veux qu'il ne te survienne rien d'affligeant, prends garde au préalable de ne rien faire qui suscite la colère de Dieu, car l'un est la suite normale de l'autre[2]>.

142 Celui qui a la connaissance, qui sait la vérité, fait sa confession à Dieu non pas en se souvenant de ses actions passées, mais en supportant ce qui lui survient.

143 Si tu rejettes le labeur et l'humiliation, ne promets pas de marquer ton repentir par d'autres vertus : la vaine gloire et l'insensibilité sont par nature les esclaves du péché, même à travers des actes de droiture. **144** Car labeurs et humiliations engendrent couramment les vertus, voluptés et honneurs en font autant pour les vices.

145 Toute volupté physique provient d'un relâchement antérieur ; or le relâchement, c'est le manque de foi qui l'engendre.

146 Qui est soumis au péché ne peut à lui seul triompher du vouloir de la chair, vu que l'excitation est en lui incessante, incrustée dans ses membres.

147 Quand on est en proie aux passions, il faut prier et se soumettre, car à peine avec du secours peut-on combattre les prédispositions.

2-3 ἔχει καὶ ἐγκείμενον τοῖς — ~ D MZC Y ἔχει καὶ τοῖς — ἐγκείμενον BAF ‖ 3 μέλεσιν : πάθεσιν E T X GQ L P Y NVW edd.
147,1 ἐμπαθεῖς + οὖν D E BAF

---

1. O. HESSE, *Markos Eremites*, p. 196, fait remarquer que les traducteurs anciens ont, par inadvertance, tous rendu ἀνιαρά (les afflictions) comme s'il y avait eu ἀνίατα (les maux incurables), ce qui a suscité une protestation, en réalité sans objet, des censeurs théologiens (encore dans Migne : *Caute legas et hunc locum*)
2. Voir l'apparat critique pour la traduction latine de cet ajout présent seulement dans les mss syriaques.

148 Ὁ μεθ' ὑποταγῆς καὶ προσευχῆς πυκτεύων τῷ θελήματι ἀθλητής ἐστιν εὐμέθοδος, τὴν νοητὴν πάλην διὰ τῆς τῶν αἰσθητῶν ἀποχῆς προφανῶς ἐπιδεικνύμενος.

149 Ὁ μὴ συναλλάσσων τῷ Θεῷ τὸ ἑαυτοῦ θέλημα ὑποσκελίζεται ἐν τοῖς ἰδίοις ἐπιτηδεύμασι καὶ ὑποχείριος τῶν ἀντιπάλων γίνεται.

150 Ὅταν ἴδῃς δύο κακοὺς ἔχοντας πρὸς ἀλλήλους ἀγάπην, γίνωσκε ὅτι ἕτερος τῷ ἑτέρῳ συνεργεῖ πρὸς τὸ θέλημα.

151 Ὑψηλόφρων καὶ κενόδοξος ἡδέως ἀλλήλοις συναλλάσσουσιν· ὁ μὲν γὰρ δουλικῶς ὑποπίπτοντα ἐπαινεῖ τὸν κενόδοξον, ὁ δὲ συνεχῶς ἐπαινοῦντα μεγαλύνει τὸν ὑψηλόφρονα.

152 Φιλαλήθης ἀκροατὴς ἀμφοτέρωθεν πορίζεται τὴν ἀλήθειαν. Ἐπὶ μὲν τοῖς ἀγαθοῖς μαρτυρούμενος προθυμότερος γίνεται· ἐπὶ δὲ τοῖς κακοῖς ἐλεγχόμενος μετανοεῖν ἀναγκάζεται.

153 Δεῖ ἡμᾶς κατὰ τὴν προκοπὴν καὶ τὸν βίον ἔχειν καὶ κατὰ τὸν βίον ὀφείλομεν τῷ Θεῷ τὰς προσευχὰς ἀναφέρειν.

154 Καλὸν μὲν τὴν κεφαλαιωδεστέραν κρατεῖν ἐντολήν, καὶ μηδὲν κατ' εἶδος μεριμνᾶν, μηδὲ κατ' εἶδος προσεύχεσθαι, ἀλλὰ μόνον «ζητεῖν τὴν βασιλείαν[a]», κατὰ τὸν λόγον τοῦ Κυρίου. Εἰ δὲ περὶ ἑκάστης χρείας ἔτι φροντίζο-
5 μεν, ὀφείλομεν περὶ ἑκάστης προσεύχεσθαι. Ὁ γὰρ ἐκτὸς προσευχῆς τι ποιῶν ἢ φροντίζων οὐκ εὐοδοῦται ἐπὶ τῷ τέλει τοῦ πράγματος. Καὶ τοῦτο ἔστιν ὃ εἶπεν ὁ Κύριος· «Οὐ δύνασθε χωρὶς ἐμοῦ ποιεῖν οὐδέν[b].»

D E T MZCX BAF GQ L P Y NVW

148,1 ὑποταγῆς : ἡδονῆς B ὑπομονῆς A ‖ πυκτεύων καὶ προσευχῆς ~ BAF L ‖ 2 εὐμέθοδος + ὁ edd.

151,1 ἀλλήλοις ἡδέως ~ AF Pic. edd. ἡδέως Y Obs.

152,1 φιλόθεος — ἀμφοτέρων GQ ‖ πορίζει MZC P Y Obs. ‖ 2 ἀλήθειαν [et Syr.] : ὠφέλειαν D T CX AF GQ P NVW

148 Celui qui, avec la soumission et la prière, se livre à un pugilat contre son vouloir est un athlète bien entraîné, qui, au moyen de son abstinence des réalités sensibles, manifeste au grand jour sa lutte intellectuelle.

149 Qui n'engage pas son vouloir vis-à-vis de Dieu est pris au piège de ses occupations égoïstes et tombe sous la coupe des adversaires.

150 Quand tu vois deux méchants qui ont de l'affection l'un pour l'autre, sache que chacun se fait le complice du vouloir de l'autre.

151 L'homme hautain et le vaniteux font aisément bon ménage : le premier loue le vaniteux, qui succombe servilement, le second exalte le hautain, qui le loue continuellement.

152 Qui écoute avec amour de la vérité se procure cette vérité des deux parts : lui porte-t-on témoignage pour le bien, il en devient plus zélé, le rabroue-t-on pour le mal, il est contraint au repentir.

153 Il nous faut avoir une vie qui corresponde à notre croissance ; et en correspondance avec notre vie, ce nous est un devoir d'offrir à Dieu nos prières.

154 C'est une bonne chose que de nous accrocher à la forme la plus résumée du commandement, de ne nous faire aucun souci spécifique, de ne rien spécifier quand nous prions et seulement de « chercher le Royaume[a] », selon la parole du Seigneur. Si nous continuons en revanche à nous préoccuper de chacun de nos besoins, cela nous oblige à prier pour chacun d'eux. Qui agit ou se préoccupe sans prier n'est pas dans la bonne voie pour accomplir son action. C'est bien ce qu'a dit le Seigneur : « Sans moi vous ne pouvez rien faire[b]. »

153.1 δεῖ + δὲ GQ + γὰρ V ‖ 2 κατὰ : καὶ Q W ‖ τῷ θεῷ : om. Obs. post ἀναφέρειν transp. Pic. edd.
154.4 κυρίου : θεοῦ GQ ‖ ἔτι : ἐστι F om. Y edd. ‖ 5 ὀφείλομεν + καὶ Z GQ P NVW

---

154 a. cf. Mt 6, 33   b. Jn 15, 5

155 Τὸν παραλογιζόμενον τὴν περὶ προσευχῆς ἐντολὴν ἀτοπώτεραι παρακοαὶ διαδέχονται, ἑτέρα τῇ ἑτέρᾳ καθάπερ δέσμιον παραπέμπουσαι.

156 Ὁ τὰ ἐνεστῶτα θλιβερὰ προσδοκίᾳ τῶν μεταγενεστέρων ἀγαθῶν προσδεχόμενος γνῶσιν ἀληθείας εὕρηκε καὶ ὀργῆς καὶ λύπης ῥαδίως ἀπαλλαγήσεται.

157 Ὁ κακουχίαν καὶ ἀτιμίαν ὑπὲρ ἀληθείας αἱρούμενος 956 ἀποστολικὴν ὁδὸν πορεύεται, τὸν σταυρὸν ἄρας καὶ τὴν ἅλυσιν περικείμενος[a]. Ὁ δὲ ἐκτὸς τῶν δύο τούτων τῇ καρδίᾳ προσέχειν πειρώμενος πλανᾶται κατὰ νοῦν, καὶ ἐμπίπτει εἰς πειρασμοὺς καὶ παγίδας τοῦ διαβόλου.

158 Οὔτε τοῖς κακοῖς λογισμοῖς ἐκτὸς τῶν αἰτιῶν, οὔτε ταῖς αἰτίαις ἐκτὸς τῶν λογισμῶν ἐστι πολεμοῦντα νικῆσαί ποτε. Ὅταν γὰρ τὸ ἓν μονομερῶς ἀποβάλωμεν, μετ' οὐ πολὺ διὰ τοῦ ἑτέρου τοῖς ἀμφοτέροις ἐμφερόμεθα.

159 Ὁ φόβῳ κακοπαθείας καὶ ὀνειδισμοῦ τοῖς ἀνθρώποις μαχόμενος ἢ ὧδε δι' ἐπιφορᾶς περισσοτέρως κακοπαθεῖ, ἢ ἐν τῷ μέλλοντι αἰῶνι ἀνηλεῶς κολάζεται.

160 Ὁ πᾶσαν κακὴν ἐπιφορὰν ἀποκλεῖσαι βουλόμενος ὀφείλει διὰ προσευχῆς συναλλάσσειν τῷ Θεῷ τὰ πράγματα, καὶ κρατεῖν μὲν νοερῶς τὴν εἰς αὐτὸν ἐλπίδα, τὴν δὲ φροντίδα τῶν αἰσθητῶν κατὰ δύναμιν παραλογίζεσθαι.

D E T MZCX BAF GQ L P Y NVW

155.2-3 καθάπερ δέσμιον om. T ‖ 3 παραπέμπουσιν T παραπέμπουσα edd.

156.1-2 τῶν μεταγενεστέρων : τῶν μελλόντων καὶ μεταγ. CX τῶν μελλόντων GQ ‖ 3 ῥαδίως : ταχέως Y edd.

157.3 τούτων τῶν δυὸ ~ L ‖ 3-4 προσέχειν τῇ καρδίᾳ ~ BAF Y edd. πρ. τὴν καρδίαν P ‖ 4-5 πίπτει E ‖ 5 πειρασμὸν E T BAF L NVW ‖ παγίδα T Z A L P Syr.

158.1 τοὺς κακοὺς λογισμοὺς GQ τοῖς λογισμοῖς τοῖς κακοῖς Y edd. ‖ 2 τὰς αἰτίας GQ ‖ πολεμοῦντας E πολεμοῦσι M πολεμοῦντα τινα X ‖ 4 ἐμφυρόμεθα BF L

155 Celui qui transgresse le commandement relatif à la prière se laisse entraîner par la suite à des désobéissances plus absurdes encore ; il y a comme un lien, une chose conduisant à l'autre.

156 Celui qui accueille les tribulations présentes dans l'attente des biens qui en résulteront a découvert la connaissance de la vérité et sera facilement débarrassé de la colère comme de la tristesse.

157 Qui choisit les mauvais traitements et les outrages pour la vérité chemine dans la voie apostolique : il a pris sa croix et il est entouré de chaînes[a].Celui par contre qui, tout en excluant les uns et les autres, tente de faire attention à son cœur, a l'intellect égaré et tombe dans les tentations et les filets du diable.

158 Pas plus que les pensées mauvaises à part de leurs causes, les causes ne se laissent jamais vaincre par le combattant à part des pensées. Rejetons-nous l'une d'elles toute seule, il ne faut guère de temps à l'autre pour nous entraîner dans les unes et les autres.

159 Qui lutte avec les hommes par peur d'être maltraité ou insulté ou bien n'en ressent que plus abondamment ici-bas les mauvais traitements qui lui surviennent ou bien est impitoyablement châtié dans le monde à venir.

160 Qui veut se caparaçonner contre tout événement pénible doit par la prière contracter un engagement vis-à-vis de Dieu quant à ses actions et s'attacher pour ce qui est de l'intellect à l'espérance en lui, tandis qu'il compte pour rien, autant qu'il le peut, le souci des réalités sensibles.

159.2 ἐπιφορῶν Q Y W ‖ 2-3 ἐν τῷ μέλλοντι αἰῶνι : ἐν τῷ μέλλοντι X ἐκεῖ E

160.1 ἀποκλεῖσαι : νικῆσαι G ‖ 3 νοερῶς : *occulte* Syr. et ibid. 175,2 ‖ 4 φροντίδα : μέριμναν E ‖ παραλογίζει M παραλογίζεται AF

---

157 a. cf. Ac 28, 20

161 Ὅταν εὕρῃ ὁ διάβολος ἐκτὸς ἀνάγκης ἄνθρωπον τοῖς σωματικοῖς ἐνασχολούμενον, πρότερον ἁρπάζει αὐτοῦ τὰ τῆς γνώσεως λάφυρα· εἶθ' οὕτω τὴν εἰς Θεὸν ἐλπίδα ὡς κεφαλὴν ἀποτέμνει.

162 Εἴ ποτε λάβοις καθαρᾶς προσευχῆς ὀχυρὸν τόπον, τὴν γνῶσιν τῶν πραγμάτων ἀναδιδομένην παρὰ τοῦ ἐχθροῦ ἐν τῷ καιρῷ μὴ καταδέχου, ἵνα τὸ μεῖζον μὴ ἀπολέσῃς. Κρεῖσσον γὰρ τοῖς τῆς προσευχῆς βέλεσι κατατοξεύειν
5 αὐτὸν κάτω που συγκεκλεισμένον ἢ προσομιλεῖν αὐτῷ τὰ σκῦλα προσφέροντι καὶ ἀποσπᾶν ἡμᾶς τῆς κατ' αὐτοῦ δεήσεως μηχανωμένῳ.

163 Ἡ τῶν πραγμάτων γνῶσις ἐν καιρῷ πειρασμοῦ καὶ ἀκηδίας ὠφελεῖ τὸν ἄνθρωπον· ἐν καιρῷ δὲ καθαρᾶς προσευχῆς καταβλάπτειν εἴωθε.

164 Διδάσκειν ἐν Κυρίῳ λαχὼν καὶ παρακουόμενος θλίβου νοερῶς, καὶ μὴ ταράσσου προφανῶς· θλιβόμενος γὰρ οὐ συγκατακριθήσῃ τῷ παρακούοντι· ταρασσόμενος δὲ ἐν τῷ αὐτῷ πράγματι πειρασθήσῃ.

165 Ἐν καιρῷ ἐξηγήσεως μὴ κρύψῃς τὰ τοῖς παροῦσι προσήκοντα, τὰ μὲν εὐπρεπῆ σαφεστέρως, τὰ δὲ σκληρὰ αἰνιγματωδῶς διηγούμενος.

166 Τοῦ ἐν ὑποταγῇ σου μὴ ὄντος σφάλμα μὴ προσενέγκῃς εἰς πρόσωπον. Τοῦτο γὰρ ἐξουσίας μᾶλλον ἢ συμβουλίας ἐστί.

D E T MZCX BAF GQ L P Y NVW

161,2 πρῶτον NVW ‖ 3 θεὸν : χριστὸν BA

162,1 ὀχυρὸν : om. E AF G καθαρὸν T B L καθαρὸν τὸν NVW ‖ τρόπον Y ‖ 2 παρὰ : ὑπὸ GQ ‖ 3 ἐν τῷ καιρῷ : om. T X BAF NVW Syr. + ἐκείνῳ Pᵐᵍ ‖ μὴ τὸ μεῖζον ~ Tᵖᶜ CX AF Q W ‖ 5 κάτω που : κατὰ τόπον D ZC Ỳ edd. ‖ 6 σκῦλα : φαῦλα Q W ‖ προφέροντι D ZCX P προσάγοντι E προσφέροντα NVW

D E T MZCX AF GQ L P Y NVW

163,1-3 ἤ ... εἴωθε om. B ‖ 1 γνῶσις : πεῖρα Y χώρα edd. ‖ 2 καθαρᾶς om. Q W

161 Le diable repère-t-il un homme qui s'adonne sans nécessité aux occupations matérielles, il commence par lui arracher les dépouilles de la connaissance, puis il lui coupe, comme on fait d'une tête, l'espérance en Dieu.

162 Si jamais tu as obtenu le lieu fortifié d'une prière pure, n'accepte pas la connaissance dans le domaine de l'action que l'ennemi t'offrira en l'occurrence, de crainte d'y perdre ce qui vaut plus. Mieux vaut en effet d'en haut cribler des flèches de la prière cet ennemi, enfermé plus bas, que de parlementer avec lui : il nous proposera le fruit de ses pillages, machinant par là de nous détourner de demander de l'aide contre lui.

163 La connaissance dans le domaine actif est pour l'homme une aide utile en cas de tentation et de lassitude ; en revanche, en cas de prière pure, c'est d'habitude une occasion de dommage.

164 S'il t'est échu une tâche d'enseignement dans le Seigneur et qu'on ne t'écoute pas, sois oppressé dans ton intellect, mais ne te trouble pas extérieurement. Ton oppression t'épargnera d'être condamné avec le mauvais auditeur ; mais si tu te laisses troubler, tu subiras la tentation d'agir de la même façon que lui.

165 Au cas où tu aurais un texte à expliquer, ne cache pas ce qui s'applique aux gens présents, en étant plus clair sur ce qui est honorable et plus énigmatique sur les points désagréables.

166 Ne mets pas carrément en face de sa faute quelqu'un qui n'est pas ton subordonné ; cela relève en effet de l'autorité bien plutôt que du conseil.

D E T MZCX BAF GQ L P Y NVW

164,2 θλιβόμενος + μὲν D MZC B W ‖ 3 παρακούσαντι T F P L NVW ‖ δὲ om. edd.

165,2 σαφέστερον T BF

167 Τὰ πληθυντικῶς λεγόμενα γίνεται πᾶσιν ὠφέλιμα, ἑκάστῳ τὰ ἴδια κατὰ συνείδησιν ἐμφανίζοντα.

168 Ὁ λαλῶν ὀρθῶς ὀφείλει καὶ αὐτὸς ὡς παρὰ Θεοῦ λαμβάνειν τὰ ῥήματα. Ἡ γὰρ ἀλήθεια οὐ τοῦ λαλοῦντός ἐστιν, ἀλλὰ τοῦ ἐνεργοῦντος Θεοῦ.

169 Παρ'ὧν οὐκ ἔχεις ὁμολογίαν ὑποταγῆς, μὴ φιλονείκει ἀνθισταμένοις τῇ ἀληθείᾳ, ἵνα μὴ μῖσος ἐγείρῃς κατὰ τὴν θείαν Γραφήν [a].

957   **170** Ὁ ὑποτακτικῷ ὅπου οὐ δεῖ ἀντιλέγοντι παραχωρῶν πλανᾷ αὐτὸν ἐν ἐκείνῳ τῷ πράγματι, καὶ τὰς συνθήκας τῆς ὑποταγῆς ἀθετεῖν παρασκευάζει.

171 Ὁ φόβῳ Θεοῦ νουθετῶν ἢ παιδεύων τὸν ἁμαρτάνοντα τὴν ἐναντιουμένην τῷ σφάλματι ἀρετὴν ἑαυτῷ περιποιεῖται. Ὁ δὲ μνησικακῶν καὶ κακοθελῶς ὀνειδίζων τῷ ὁμοίῳ πάθει κατὰ τὸν πνευματικὸν περιπίπτει νόμον.

172 Ὁ καλῶς μαθὼν τὸν νόμον φοβεῖται τὸν νομοθέτην καὶ ἐλπίζων ἐπ' αὐτῷ ἐκκλίνει ἀπὸ παντὸς κακοῦ.

173 Μὴ γίνου δίγλωσσος, ἑτέρως μὲν τῷ λόγῳ, ἑτέρως δὲ τῇ συνειδήσει διακείμενος. Τὸν γὰρ τοιοῦτον ἡ Γραφὴ ὑπὸ κατάραν ἵστησιν [a].

174 Ἔστιν ὁ ἀλήθειαν λέγων καὶ ὑπὸ ἀφρόνων μισούμενος κατὰ τοὺς ἀποστόλους, καὶ ἔστιν ὁ ὑποκρινόμενος καὶ

D E T MZCX BAF GQ L P Y NVW

167.1 πληθυντικῶς : παρρησιαστικῶς Syr. ‖ λεγόμενα : γινόμενα Y[mg] edd. ‖ 2 ἐμφανίζοντα [participium videtur legisse Syr.] : ἐμφανίζονται D E ZX BF edd. ἐμφανιζόμενα T GQ L P Y

168.1 αὐτὸς + εὐχαριστεῖν X BAF Pic. edd. ‖ 2 λαμβάνειν [Syr. ut vid. et Obs. Pic.] : -νων D T CX A G Q edd. -νοντα W F ‖ ῥήματα + λαλεῖν D MZCX P[sl] L

169.2 ἀνθισταμένοις : -μένου E -μενος Z F L P edd. ἀντικαθισταμένοις X -μένων Q Y W ‖ 3 θείαν om. E T BAF

171.1 νουθετῶν : νομοτεθῶν C edd. ‖ 4 περιπίπτει νόμον : νό. περιπεσεῖται T περιπέσεται νό. ΒΑ περιπέσει νό. F περιπεσεῖται νό. L

167 Ce qui est dit au pluriel est utile à tous, manifestant à chacun selon sa conscience ce qui le concerne en propre.

168 Celui qui parle de manière juste doit à son tour prendre son langage comme un don de Dieu. La vérité, en effet, n'est pas le fait de celui qui parle, mais de Dieu qui opère en lui.

169 Ceux qui ne se reconnaissent pas ouvertement tes subordonnés, ne les querelle point quand ils s'opposent à la vérité, de peur d'éveiller l'animosité contre la Sainte Écriture[a].

170 Celui qui cède au subordonné qui le contredit là où il ne faut pas le fait errer sur le point en question et prépare la destruction des engagements de l'obéissance.

171 Qui, sous la crainte de Dieu, discipline ou éduque le pécheur acquiert pour soi-même la vertu opposée à cette faute. Celui qui au contraire se souvient des injures et insulte avec malveillance succombe, conformément à la loi spirituelle, à la passion correspondante.

172 Qui apprend honnêtement la loi redoute le législateur, et en même temps espère en lui, ce qui lui évite toute espèce de mal.

173 N'acquiers pas une langue double, avec des disposi-tions différentes dans tes paroles et dans ta conscience : sur un tel homme l'Écriture fait planer une malédiction[a].

174 Il y a celui qui dit la vérité et s'attire, à l'instar des apôtres, la haine des insensés, et il y a celui qui feinte et de ce

---

172.2 ἐλπίζων ἐπ'αὐτὸν F P φοβούμενος αὐτὸν GQ
173.3 κατάρας edd.
174.1 ὁ om. MC ‖ 2 κατὰ τοὺς ἀποστόλους correxi [e Syr. *sicut fecerunt apostoli*] : κ. τὸν -λον codd. edd. ‖ ὁ om. T MC BAF

---

169 a. cf. Pr 10, 12   **173** a. cf. Si 28, 13

διὰ τοῦτο ἀγαπώμενος. Ὅμως οὐδέτερον τῶν ἀνταποδόσεων τούτων πολυχρόνιον γίνεται, διότι ὁ Κύριος ἐν ἰδίῳ καιρῷ ἑκάστῳ τὸ δέον ἀνταποδίδωσιν.

175 Ὁ τὰ μέλλοντα μοχθηρὰ ἀναιρεῖν βουλόμενος ὀφείλει τὰ ἐνεστῶτα ἡδέως ὑποφέρειν· οὕτω γὰρ νοερῶς συναλλάσσων πρᾶγμα πράγματι διὰ μικρῶν ὀδυνῶν μεγάλας ἐκφεύξεται.

176 Ἀσφάλισαι λόγον ἀπὸ καυχήσεως καὶ λογισμὸν ἀπὸ οἰήσεως, ἵνα μὴ παραχωρηθεὶς πράξῃς τὰ ἐναντία. Οὐ γὰρ ἐξ ἀνθρώπου μόνον τελεσιουργεῖται τὸ ἀγαθόν, ἀλλὰ τοῦ παντεπόπτου Θεοῦ.

177 Ὁ παντεπόπτης Θεός, ὥσπερ τοῖς ἔργοις ἡμῶν ἀξίας ἐπιφορὰς ἀπένειμεν, οὕτω καὶ τοῖς λογισμοῖς καὶ τοῖς ἑκουσίοις νοήμασιν.

178 Οἱ ἀκούσιοι λογισμοὶ ἐκ προλαβούσης ἁμαρτίας ἀναφύονται, οἱ δὲ ἑκούσιοι ἐκ τοῦ αὐτεξουσίου θελήματος, ὅθεν αἴτιοι εὑρίσκονται τῶν προτέρων οἱ δεύτεροι.

179 Ταῖς μὲν παρὰ πρόθεσιν κακαῖς ἐννοίαις λύπη παρέπεται· διὸ καὶ συντόμως ἐξαφανίζονται· ταῖς δὲ κατὰ πρόθεσιν χαρά· ὅθεν καὶ δυσαπάλλακτοι γίνονται.

180 Ὁ φιλήδονος λυπεῖται ἐν ψόγοις καὶ κακοπαθείαις, ὁ δὲ φιλόθεος ἐν ἐπαίνοις καὶ πλεονεξίαις.

181 Ὁ μὴ γινώσκων τὰ κρίματα τοῦ Θεοῦ ἀμφίκρημνον ὁδὸν κατὰ νοῦν διαβαίνει καὶ ὑπὸ παντὸς ἀνέμου ῥᾳδίως

D E T MZCX BAF GQ L P Y NVW

174,4 τούτων : om. E αὐτῶν X ‖ ὁ om. M NVW ‖ 5 τὸ δέον : τὰ δέοντα Pᵐᵍ ‖ ἀποδίδωσιν AF GQ NVW

175,1 ἀναιρεῖν βουλόμενος : ἀνατρέπειν β. καὶ ἀναιρεῖν L ἀνελεῖν β. V ‖ 2 τὰ ἐνεστῶτα ἡδέως ὀφείλει ~ QW ‖ γὰρ + ἂν NVW ‖ 3 πρᾶγμα : om. D Q edd. πράγματα A Yᵐᵍ ‖ ὀδυνῶν : ἡδονῶν AF ‖ 4 ἐκφεύξεται + τιμωρίας X W

176,2 παραχωρήθῃς MZCX παραχωρήθῃς καὶ GQ W ‖ 3 μόνου MZ Q

fait est aimé d'eux. Néanmoins aucune des deux réactions qu'on s'est ainsi mérité ne dure bien longtemps, vu que le Seigneur, au moment qu'il juge opportun, rend à chacun ce qu'il a dûment mérité.

175 Celui qui veut abolir les maux à venir doit supporter volontiers les maux présents. Réconciliant ainsi dans son intellect une situation de fait avec une autre, il échappera par de petites souffrances aux grandes.

176 Assure ton langage contre la forfanterie et ta pensée contre la suffisance, de peur, après qu'on t'aura cédé le pas, d'aller dans l'action en sens tout contraire. Car le bien ne s'accomplit pas du fait de l'homme seulement, mais aussi de celui du Dieu qui voit tout.

177 Le Dieu qui voit tout, de même qu'à nos œuvres, a imparti de justes conséquences à nos pensées et à nos conceptions volontaires.

178 Les pensées involontaires germent de péchés commis au préalable, les volontaires, de la volonté délibérée, si bien que cette deuxième catégorie se trouve responsable de la première.

179 Les idées mauvaises contraires à un propos de vie sont accompagnées de tristesse, aussi disparaissent-elles promptement ; celles qui s'accordent à un propos de vie vont avec de la joie, d'où la difficulté à s'en débarrasser.

180 L'ami de la volupté s'afflige quand il subit rebuffades et déplaisirs ; l'ami de Dieu, au milieu des louanges et de l'abondance.

181 Qui méconnaît les jugements de Dieu marche quant à l'intellect sur une route bordée de deux précipices. Il tourne

NW ‖ 3-4 ἀλλὰ τοῦ — θεοῦ : ἀλλ'ἐκ τ. — θ. D W om. E T BAF P^mg NVW ἀλλὰ καὶ παρὰ τ. — θ. L ἀλλὰ τοῦ θεοῦ Syr.
177,1-2 ἀπένειμεν ἀξίας ἐπιφορὰς ~ T BAF L ἀξ. ἐπιφ. ἀπονέμει GQ ‖ 3 ἐννοήμασι L
178,3 ὅθεν : διὸ BAF L

ἀνατρέπεται· ἐπαινούμενος γαυριᾷ καὶ ψεγόμενος πικραίνεται, εὐωχούμενος ἀσελγαίνει καὶ κακοπαθῶν
5 ἀποδύρεται, συνιὼν φανητιᾷ καὶ μὴ νοῶν σχηματίζεται,
πλουτῶν ἀλαζονεύεται καὶ πτωχεύων ὑποκρίνεται, κορε-
σθεὶς θρασύνεται, καὶ νηστεύων κενοδοξεῖ, τοῖς ἐλέγχουσι
φιλονεικεῖ, καὶ τοῖς συγγνώμην αὐτῷ ἀπονέμουσιν ὡς
ἀνοήτοις ἐφευρίσκει. Ἐὰν μή τις οὖν κατὰ χάριν Χριστοῦ
10 γνῶσιν ἀληθείας καὶ φόβον Θεοῦ κτήσεται, οὐ μόνον ἐκ τῶν
παθῶν, ἀλλὰ καὶ ἐκ τῶν συμβάσεων δεινῶς τραυματίζεται.

960   **182** Ὅταν λῦσαι θέλῃς πρᾶγμα συμπεπλεγμένον, ζήτει
περὶ αὐτοῦ τί Θεῷ ἀρέσκει, καὶ εὑρήσεις αὐτοῦ τὴν λύσιν
ἐπωφελῆ.

183 Ἐν οἷς ἂν πράγμασιν εὐδοκῇ ὁ Θεός, ἐν τούτοις καὶ
πᾶσα ἡ κτίσις ὑπηρετεῖ· ἐν οἷς δὲ αὐτὸς ἀποστρέφεται,
ὁμοίως καὶ ἡ κτίσις ἀντιτάσσεται.

184 Ὁ ἀντιτασσόμενος ταῖς σκυθρωπαῖς ἐπιφοραῖς, ὡς
οὐκ οἶδεν, ἀντιμάχεται τῇ κελεύσει τοῦ Θεοῦ· ὁ δὲ
καταδεχόμενος αὐτὰς μετὰ γνώσεως ἀληθοῦς, οὗτος κατὰ
τὴν Γραφὴν «ὑπομένει τὸν Κύριον[a]».

185 Πειρασμοῦ ἐπελθόντος μὴ ζήτει διὰ τί ἢ διὰ τίνος
ἐλήλυθεν, ἀλλ' ὅπως ἂν αὐτὸν εὐχαρίστως καὶ ἀμνησικάκως
ὑπομείνῃς.

186 Ἀλλότριον κακὸν οὐ προστίθησιν ἁμαρτίαν, ἐὰν μὴ
ἡμεῖς αὐτὸ κακαῖς ἐννοίαις παραδεξώμεθα.

D E T MZCX BAF GQ L P Y NVW

181.3-4 πικραίνεται : ἐπικραίνεται Obs. χαλεπαινεῖ ΒΑ χαλεπαίνεται F
ἐρεθίζεται Pic. edd. ‖ 4 ἀσελγεῖ D T MZCX P L ‖ 7 θρασύνεται :
θεραπεύεται Β σαθρύνεται NVW ‖ 8-9 ὡς ἀνοήτους Α NVW om. Obs. ‖ 9
ἐφευρίσκει : προσέχει Ε GQ P Υᴾᶜ προσέχειν ἐφευρίσκειν Dᴾᶜ ἐφυθρίζει
Obs. edd. ‖ οὖν μή τις ~ P L NVW μήτε οὖν edd. ‖ χριστοῦ : θεοῦ Χ κυρίου
BAF ‖ 10 θεοῦ : κυρίου Τ Syr. om. F ‖ κτήσεται [et Syr.] : αἰτήσεται MZ
Obs. edd.

182.1 συμπεπλεγμένον : ἐμπεπλεγμένον Ε BAF GQ ‖ 2 τὴν λύσιν
αὐτοῦ ~ Y edd.

aisément à tout vent. Le loue-t-on qu'il se rengorge, le rabroue-t-on qu'il s'aigrit.Régalé, il perd toute retenue, maltraité, il se lamente. S'il comprend, il se pavane et, s'il ne comprend pas, il fait semblant. Dans la richesse, il étale sa jactance, dans l'indigence, il joue un personnage ; rassasié, il devient insolent ; jeûnant, il s'en vante ; il se dispute avec qui le réprimande et tient pour insensés ceux qui lui accordent indulgence. Si donc quelqu'un n'acquiert point, par la grâce du Christ, la connaissance de la vérité et la crainte de Dieu, non seulement ses passions, mais jusqu'aux événements lui infligent de terribles blessures.

182 Désires-tu résoudre une affaire très enchevêtrée, demande-toi ce qui est à son sujet le plaisir de Dieu, et tu trouveras la solution avantageuse.

183 Dans les affaires qui agréent à Dieu, toute la création se fait serviable elle aussi ; dans celles qui suscitent son aversion, on rencontre de la part de la création opposition toute pareille.

184 Celui qui refuse la cruauté des événements, sans le savoir combat l'ordre de Dieu ; celui qui les accueille avec une connaissance vraie, selon le mot de l'Écriture, « supporte le Seigneur[a] ».

185 Une épreuve te survient-elle, ne t'enquiers pas pourquoi ni par qui elle t'est arrivée, mais vois à la supporter avec gratitude et sans rancune.

186 Le mal qui est en autrui n'accroît en rien notre péché si nous-mêmes ne lui faisons pas accueil par des réflexions mauvaises.

183,2 ἡ om. D MZCX B G ‖ δὲ : δὲ ἂν E M edd. ἂν δὲ Z

184,1 ὡς om. Pic. edd. ‖ 2 ἀντιμάχεται : ἀντιτάσσεται X GQ P

185,2 εὐχαρίστως : ἀλύπως X + καὶ ἀλύπως W ‖ ἀμνησικάκως : ἀλύπως G

186,2 παραδεξώμεθα ἐννοίαις ~ E L Y edd.

---

184 a. cf. Ps 26, 14

187 Εἰ οὐκ ἔστι ῥᾳδίως εὑρεῖν τὸν ἐκτὸς πειρασμῶν εὐαρεστήσαντα, εὐχαριστεῖν δεῖ τῷ Θεῷ ἐπὶ πάσῃ συμβάσει. **188** Εἰ μὴ νυκτερινῆς ἄγρας ἀπέτυχεν ὁ Πέτρος, οὐκ ἂν τῆς ἡμερινῆς ἐπέτυχε[a]. Καὶ εἰ μὴ αἰσθητῶς ἐτυφλώθη ὁ Παῦλος, οὐκ ἂν πνευματικῶς ἀνέβλεψε[b]. Καὶ εἰ μὴ ὡς βλάσφημος ἐσυκοφαντεῖτο ὁ Στέφανος, οὐκ ἂν τῶν οὐρανῶν αὐτῷ ἀνεῳχθέντων τὸν Κύριον ἐθεάσατο[c].

189 Ὥσπερ ἡ κατὰ Θεὸν ἐργασία ἀρετὴ λέγεται, οὕτως ἡ παρὰ προσδοκίαν θλίψις πειρασμὸς ὀνομάζεται.

190 Ὁ Θεὸς τὸν Ἀβραὰμ ἐπείραζε[a], τοῦτ' ἔστι πρὸς τὸ συμφέρον ἔθλιβεν, οὐχ ἵνα μάθῃ ὁποῖός ἐστιν — ᾔδει γὰρ αὐτὸν ὁ εἰδὼς τὰ πάντα, πρὶν γενέσεως αὐτῶν —, ἀλλ' ὅπως ἀφορμὰς αὐτῷ παράσχῃ τῆς τελείας πίστεως.

191 Πᾶσα θλίψις ἐλέγχει τὴν ῥοπὴν τοῦ θελήματος, εἴτε εἰς δεξιὰ ῥέπει, εἴτε εἰς ἀριστερά. Διὰ τοῦτο ἡ συμβατικὴ θλίψις πειρασμὸς ὀνομάζεται, τῷ μετόχῳ πεῖραν τῶν κεκρυμμένων θελημάτων παρέχουσα.

192 Φόβος Θεοῦ ἀναγκάζει ἡμᾶς πολεμεῖν τῇ κακίᾳ· ἡμῶν δὲ πολεμούντων ἡ χάρις τοῦ Κυρίου ἀναιρεῖ αὐτήν.

193 Σοφία ἐστὶν οὐ μόνον τὸ διὰ φυσικῆς ἀκολουθίας εἰδέναι τὴν ἀλήθειαν, ἀλλὰ καὶ τὸ ὑπομένειν ὡς ἰδίαν τὴν τῶν ἀδικούντων πονηρίαν. Οἱ μὲν γὰρ τῇ προτέρᾳ ἐναπομείναντες πρὸς ὑπερηφανίαν ἐπήρθησαν, οἱ δὲ ἐπὶ τὴν δευτέραν φθάσαντες ταπεινοφροσύνην ἐκτήσαντο.

D E T MZCX BAF GQ L P Y NVW

187,1 πειρασμοῦ Ε ΖΧ NVW Υ edd.
188,1 ἐπέτυχεν Obs. ‖ 2 ἐτυφλοῦτο Υ edd. ‖ 3 πνευματικῶς : νοητῶς Α GQ ‖ 4 ἐσυκοφαντήθη BAF GQ L P ‖ 5 ἀνοιχθέντων D T ‖ κύριον [et Syr.] : θεὸν E T GQ L P
189,1 οὕτως + καὶ GQ ‖ 2 ὀνομάζεται : λέγεται Υ edd.
190,1 διὸ ὁ θεὸς Ε ‖ ἐστιν : ἦν ΑF ‖ 2-3 ᾔδει ... αὐτῶν om. Υ NVW Obs. ‖ 3 γενένεως αὐτῶν : γενέσθαι αὐτόν edd.
191,3 ὀνομάζεται : λέγεται Τ BAF L

187 Étant donné qu'on ne découvre pas facilement quelqu'un qui ait trouvé grâce sans épreuves, il faut remercier Dieu pour tout ce qui arrive. **188** Si Pierre n'avait pas manqué sa pêche de nuit, il n'en aurait pas réussi une de jour[a]. Et si Paul n'avait pas été rendu aveugle quant aux sens, il n'aurait pas recouvré la vue quant à l'esprit[b]. Et si Étienne n'avait pas été accusé faussement de blasphème, les cieux ne se seraient pas ouverts pour lui laisser contempler le Seigneur[c].

189 De même que l'activité selon Dieu est appelée vertu, la tribulation inattendue est dénommée épreuve.

190 Dieu éprouva Abraham[a], c'est-à-dire lui imposa des tribulations pour son bien. Non pas qu'il voulût apprendre quel homme était Abraham — il le savait, lui qui sait toutes choses avant qu'elles ne viennent à l'être —, mais il voulait lui offrir des incitations à la foi parfaite.

191 Toute tribulation dévoile l'inclination de la volonté : penche-t-elle à droite ou à gauche ? Voilà pourquoi la tribulation liée aux événements s'appelle épreuve : à qui y a part, elle présente un test de ses vouloirs cachés.

192 La crainte de Dieu nous force à combattre le vice ; mais une fois le combat engagé, la grâce du Seigneur nous enlève ce vice.

193 La sagesse ne consiste pas seulement à savoir la vérité grâce à la logique des natures, mais à supporter comme nous revenant en propre la méchanceté des fauteurs d'injustice. En effet ceux qui s'en sont tenus au premier point se sont laissés exalter par la superbe ; au contraire ceux qui sont allés jusqu'au second ont acquis l'humilité.

192.1 ὁ φόβος GQ ‖ 2 ἡ χάρις τοῦ κυρίου Y + τοῦ θεοῦ X Q NVW Syr. + τοῦ χριστοῦ G ὁ κύριος Y edd. ‖ ἀναιρεῖ : πολεμεῖ Wtxt.
193.1 τὸ om. Obs. ‖ 3 πονηρίαν : τιμωρίαν Y edd. ‖ 4 ἀνεπύρθησαν F edd.

---

188 a. cf. Lc 5, 4-6   b. cf. Ac 9, 8   c. cf. Ac 7, 54-56   **190** a. cf. He 11, 17

194 Εἰ βούλει μὴ ἐνεργεῖσθαι ὑπὸ πονηρῶν λογισμῶν, ἐξουδένωσιν ψυχῆς καὶ θλίψιν σαρκὸς ὑποδέχου, καὶ τοῦτο οὐ μερικῶς, ἀλλ' ἐν παντὶ τόπῳ καὶ καιρῷ καὶ πράγματι.

195 Ὁ τοῖς θλιβεροῖς ἑκουσίως ἐμπαιδευόμενος ὑπὸ τῶν ἀκουσίων λογισμῶν οὐ κατέχεται. Ὁ δὲ τὰ πρότερα μὴ καταδεχόμενος ὑπὸ τῶν δευτέρων καὶ μὴ βουλόμενος αἰχμαλωτίζεται.

961   **196** Ὅταν ἀδικουμένου σου σκληρυνθῇ τὰ σπλάγχνα καὶ ἡ καρδία, μὴ λυποῦ, ὅτι οἰκονομικῶς ἐκινήθη τὸ προεγκεί-μενον, ἀλλὰ χαίρων ἀνάτρεπε τοὺς ἐπανακύπτοντας λογι-σμούς, εἰδὼς ὅτι τούτων ἐκ προσβολῆς ἀναιρουμένων καὶ τὸ
5   κακὸν μετὰ τὴν κίνησιν συναναιρεῖσθαι πέφυκε. Τῶν δὲ λογισμῶν ἐνδελεχούντων κἀκεῖνο προσθήκην λαμβάνειν εἴωθεν.

197 Ἐκτὸς συντριμμοῦ καρδίας ἀδύνατον καθόλου ἀπαλλαγῆναι κακίας. Συντρίβει δὲ καρδίαν ἡ τριμερὴς ἐγκράτεια, ὕπνου λέγω, καὶ τροφῆς, καὶ σωματικῆς ἀνέσεως. Ἡ γὰρ τούτων περισσεία ἡδυπάθειαν ἐντίθησι. Ἡ
5   δὲ ἡδυπάθεια τοὺς πονηροὺς λογισμοὺς παραδέχεται. Ἀντίκειται δὲ καὶ τῇ προσευχῇ καὶ τῇ προσηκούσῃ διακονίᾳ.

198 Κελεύειν ἀδελφοῖς λαχὼν φύλαττε τὴν τάξιν σου, καὶ μὴ διὰ τοὺς ἀντιλέγοντας παρασιωπήσῃς τὰ δέοντα. Ἐν οἷς μὲν γὰρ ὑπακούσωσι, μισθὸν ἕξεις ὑπὲρ τῆς ἐκείνων ἀρετῆς ·

D E T MZCX BAF GQ L P Y NVW

194,1 ὑπὸ + τῶν GQ P ‖ 2 καὶ θλίψιν σαρκὸς om. Syr. ‖ ὑποδέχου : καταδέχου D MZCX P^pc ἀντυποδέχου L ‖ 3 καιρῷ — τόπῳ ~ E AF GQ P NVW

195,1 ὁ + γὰρ D MZC L ‖ 2 κατέχεται : κατακυριεύεται G Y^pc κατακυριευθήσεται Q W καταδέχεται Obs. ‖ πρῶτα Y edd. ‖ 3 βου-λόμενος : καταδεχόμενος Obs. ‖ 4 αἰχμαλωτίζεται : τραυματίζεται P

196,1-2 καὶ ἡ καρδία : om. G καὶ τῇ καρδίᾳ suppl. G^mg ‖ 2-3 τὸ

194 Veux-tu n'être pas travaillé par des pensées dépravées ? Accepte l'anéantissement pour ton âme et la tribulation pour ta chair, et cela non pas de manière partielle, mais en tout lieu, toute occasion et toute action.

195 Celui qui se laisse volontairement éduquer par les tribulations ne devient pas la proie des pensées involontaires. Celui qui n'accepte pas les premières se trouve, même contre son gré, captif des secondes.

196 On t'a infligé une injustice et à l'intérieur de toi ton cœur se serre ? Ne te chagrine pas, car c'est une dispensation divine qui a mis en mouvement ce qui dormait là auparavant ; dans la joie, renverse les pensées qui te surgissent sachant qu'une fois celles-ci supprimées dès leur premier assaut, le mal aussi est supprimé tout naturellement en même temps que ce mouvement. Tandis que lorsque les pensées persistent, ce mal aussi prend normalement de l'extension.

197 Si l'on n'a pas le cœur broyé de contrition, il est impossible de se débarrasser tout à fait du vice. Or ce qui broie le cœur, c'est une continence à trois aspects, j'entends quant au sommeil, à la nourriture et à la détente physique. La surabondance en ces matières, en effet, imprègne d'un penchant à la volupté. Or le penchant à la volupté ménage·accueil aux pensées dépravées ; sans compter qu'il s'oppose à la prière et au service qui est dû.

198 Se trouve-t-il que tu aies à commander à des frères, garde ton rang, et ne va pas taire ce qu'il faudrait dire à cause des contradicteurs. Là où ils t'obéiront, en effet, tu auras un

---

προεγκείμενον : τὸ πρᾶγμα κείμενον F τὸ προκείμενον Y^ac edd. ‖ 3 ἀνατρέπου N ἐπανατρέπου V ‖ 4-5 καὶ τὸ κακὸν : κἀκεῖνα Y edd. ‖ 5 ἀναιρεῖσθαι iidem ‖ 6 κἀκεῖνα D CX BA edd. κἀκείνῳ M F G

197,4 ἡ γὰρ : ἡ δὲ D MZCX Y ἡ δὲ περὶ edd. ‖ 4-5 ἡ δὲ ἡδυπάθεια : ἡδυπάθεια δὲ edd.

198,1 ἀδελφοὺς W ‖ 3-4 ὑπακούσωσι — παρακούσωσι : -σουσι bis E X AF P edd. ‖ 3 ἔχεις L

ἐν οἷς δὲ παρακούσωσι, πάντως ἀφήσεις αὐτοῖς, καὶ λήψῃ τὰ ἴσα παρὰ τοῦ εἰρηκότος · «Ἄφετε, καὶ ἀφεθήσεται ὑμῖν[a]».

199 Πανηγύρει ἔοικε πᾶσα σύμβασις. Ὁ εἰδὼς πραγματεύεσθαι κερδαίνει πολλά · ὁ δὲ μὴ εἰδὼς ζημίας ὑποφέρει.

200 Τὸν ἀπὸ ἑνὸς λόγου μὴ ὑπακούοντα μὴ βιάζου μετὰ φιλονεικίας, ἀλλὰ τὸ κέρδος ὃ ἀπέβαλεν ἐκεῖνος σὺ περιποίησαι σεαυτῷ. Πλεῖον γὰρ τῆς ἐκείνου διορθώσεως ὠφελήσει σε ἡ σὴ ἀνεξικακία.

201 Ὅταν ἡ τοῦ ἑνὸς βλάβη εἰς τοὺς πολλοὺς διατρέχῃ, τότε οὐ δεῖ μακροθυμεῖν, οὔτε ζητεῖν τὸ ἑαυτοῦ συμφέρον, ἀλλὰ τὸ τῶν πολλῶν, ἵνα σωθῶσι, διότι τῆς μονομεροῦς ἀρετῆς ἡ πολυμερὴς ὠφελιμωτέρα τυγχάνει.

202 Ἐάν τις πέσῃ εἰς οἱανδήποτε ἁμαρτίαν καὶ μὴ λυπηθῇ κατὰ ἀναλογίαν τοῦ σφάλματος, εὐχερῶς πάλιν τῷ αὐτῷ περιπίπτει δικτύῳ.

203 Ὥσπερ λέαινα δάμαλιν φιλικῶς οὐ προσίεται, οὕτως ἀναισχυντία τὴν κατὰ Θεὸν λύπην[a] εὐμενῶς οὐ παραδέχεται.

204 Ὥσπερ λύκῳ πρόβατον οὐ συνέρχεται εἰς τεκνογονίαν, οὕτως οὔτε κόρῳ πόνος καρδιακὸς εἰς κύησιν ἀρετῶν.

205 Οὐδεὶς δύναται πόνον καὶ λύπην κατὰ Θεὸν ἔχειν, ἐὰν μὴ πρότερον τὰς τούτων αἰτίας ἀγαπήσῃ. **206** Φόβος Θεοῦ

D E T MZCX BAF GQ L P Y NVW

198,5 ἄφετε [ἄφεται scr. G] : ἀφίετε D MZC B LY edd.
199,1 προσέοικε MZCX ‖ 1-2 πραγματεύσασθαι D B
200,1 ὑπακούσαντα B ἀκούοντα AF ‖ μετὰ : διὰ NVW ‖ 2-3 περιποίησον GQ ‖ 4 σε ἡ σὴ ἀνεξικακία : σε ἡ ἀν. σου E σε ἡ ἀν. GQ P ἡ σὴ ἀν. NVW Pic. edd.
201,1 τοὺς om. E Z BAF G L W ‖ ἀνατρέχῃ D MZC Q L W ‖ 3 σωθῶμεν edd.
202,1 πέσῃ : ἐμπέσῃ D MZCX περιπέσῃ Q W ‖ οἱανδήτινα W ‖ 2 πάλιν om. BAF edd. ‖ 3 περιπίπτει : περιπεσεῖται X BAF edd.

salaire pour leur vertu ; là où ils te désobéiront, tu n'auras qu'à leur pardonner complètement et tu obtiendras la pareille de la part de celui qui a dit : « Remettez et l'on vous remettra[a]. »

199 Tout événement ressemble à une foire : celui qui sait faire des affaires gagne beaucoup, celui qui ne sait pas subit des pertes.

200 Celui qu'une seule intimation ne fait pas obéir, ne le contrains pas avec acrimonie ; au contraire, le gain qu'il a rejeté, toi, fais-le tien. Plus que l'amendement de l'autre, en effet, ta propre patience dans l'injure te sera profitable.

201 Quand le dommage subi par un seul s'étend à une multitude, il n'est plus question de se montrer longanime ni de chercher son propre avantage, mais bien celui de cette multitude, afin qu'elle soit sauvée, parce qu'à la vertu d'une seule partie, celle de beaucoup est supérieure en utilité.

202 Si quelqu'un est tombé dans quelque péché que ce soit et n'en est pas contristé à proportion de sa faute, il retombe tout facilement dans les mêmes filets.

203 Une lionne ne s'approche pas en amie d'une génisse ; de même l'impudence n'accueille pas de façon bienveillante la tristesse selon Dieu[a].

204 Un loup et une brebis ne se fréquentent pas pour avoir des petits ; pas davantage la satiété et le labeur accepté avec cœur pour enfanter des vertus.

205 Nul ne peut avoir labeur et tristesse selon Dieu s'il ne commence point par en chérir les causes. **206** Crainte de Dieu

---

203 ὥσπερ ... παραδέχεται om. F ‖ 1 δάμαλι D NVW δαμάλει T M P δάμαλις X ‖ 2-3 εὐμενῶς οὐ παραδέχεται : εὐμ. οὐ προσδέ. D MZCX οὐ προσδέ. εὐμ. GQ

205, 1 ἔχειν κατὰ θεὸν ~ E GQ P ‖ 2 πρότερον + καὶ et τούτων τὰς ~ edd.

206, 1 φόβος θεοῦ : φ. γὰρ θεοῦ D MZC φόβος G[ac] P[ac] Y Obs.

---

198 a. cf. Lc 6, 37   **203** a. cf. 2 Co 7, 10

καὶ ἔλεγχος εἰσδέχονται λύπην· ἐγκράτεια δὲ καὶ ἀγρυπνία
προσομιλοῦσι πόνῳ.

207 Ὁ γραφικαῖς ἐντολαῖς καὶ νουθεσίαις μὴ παιδευό-
μενος τῇ μάστιγι τοῦ ἵππου καὶ τῷ κέντρῳ τοῦ ὄνου[a]
ἐλασθήσεται· εἰ δὲ καὶ τούτοις ἀντιτάσσεται, ἐν κημῷ καὶ
χαλινῷ τὰς σιαγόνας[b] ἀχθήσεται.

208 Ὁ ὑπὸ τῶν μικρῶν εὐχερῶς νικώμενος καὶ τοῖς
964   μεγάλοις ἐξ ἀνάγκης δεδούλωται. Ὁ δὲ τούτων καταφρονῶν
κἀκείνοις ἐν Κυρίῳ ἀντιτάσσεται.

209 Μὴ πειρῶ ἐλέγχοις ὠφελεῖν τὸν ἐν ἀρεταῖς ἐγκαυχώ-
μενον, διότι ὁ αὐτὸς καὶ φιλενδείκτης καὶ φιλαλήθης εἶναι οὐ
δύναται.

210 Πᾶν ῥῆμα Χριστοῦ ἔλεον καὶ δικαιοσύνην καὶ σοφίαν
ἐμφαίνει Θεοῦ, καὶ τὴν τούτων δύναμιν διὰ τῆς ἀκοῆς
ἐμβάλλει τοῖς ἡδέως ἀκούουσιν. Ὅθεν οἱ ἀνελεήμονες καὶ
ἄδικοι ἀηδῶς ἀκούοντες τὴν τοῦ Θεοῦ σοφίαν[a] γνῶναι οὐκ
5   ἐδυνήθησαν, ἀλλὰ καὶ λαλοῦντα ἐσταύρωσαν. Καὶ ἡμεῖς οὖν
ἴδωμεν εἰ ἡδέως αὐτοῦ ἀκούομεν. Αὐτὸς γὰρ εἴρηκεν· « Ὁ
ἀγαπῶν με τὰς ἐντολάς μου τηρήσει καὶ ἀγαπηθήσεται ὑπὸ
τοῦ Πατρός μου, κἀγὼ ἀγαπήσω αὐτόν, καὶ ἐμφανίσω αὐτῷ
ἐμαυτόν[b].» Βλέπεις πῶς τὴν ἑαυτοῦ ἐμφάνειαν ἐν ταῖς
10   ἐντολαῖς ἐνέκρυψε ;

211 Πασῶν τῶν ἐντολῶν ἐστι περιεκτικωτάτη ἡ εἰς Θεὸν
καὶ εἰς τὸν πλησίον ἀγάπη, ἥτις ἐκ τῆς τῶν ὑλῶν ἀποχῆς

D E T MZCX BAF GQ L P Y NVW

206,3 ἀγρυπνία : πραότης καὶ ἔλπις Syr.
207,1 καὶ νουθεσίαις om. Y Obs. ‖ 3 εἰ ... ἀντιτάσσεται om. Syr. Obs. ‖
τούτοις ἀντιτάσσεται : ταῦτα ἀπώσεται E T G L P Y τούτοις τραχυτέρως
ἀντιτάσσεται NVW ‖ 4 ἀγχθήσεται D[pc] Y W.
208,3 κἀκείνοις : καὶ τοῖς μεγάλοις D MZCX P Y NVW edd. ‖
ἀντιστήσεται T Q P W
209,1 ἐλέγχοις : ἐλέγχους Z ἐν ἐλέγχοις B ἔλεγχων edd. ‖ 1-2 καυ-
χώμενον T Y W edd.
210,3 ὅθεν + καὶ Q W ‖ 4 ἀναγνῶναι D ‖ 5 καὶ λαλοῦντα [et Syr.] :

et remontrance rendent accessible à la tristesse ; continence et veille sont les amies familières du labeur.

207 Celui dont les préceptes et les admonestations de l'Écriture n'arrivent pas à faire l'éducation sera poussé en avant avec le fouet qui sert pour le cheval et l'aiguillon bon pour l'âne[a] ; s'il résiste même à cela, on contraindra ses mâchoires avec les rênes et le frein[b].

208 Qui a été facilement vaincu par les petites choses est inévitablement réduit en servitude par les grandes. Qui traite les premières avec mépris résiste dans le Seigneur aussi face aux secondes.

209 N'essaie pas de te rendre utile par des remontrances à qui se targue de ses vertus, vu que le même homme ne peut apprécier à la fois l'ostentation et la vérité.

210 Toute parole du Christ manifeste la miséricorde, la justice et la sagesse de Dieu et introduit, par la voie de l'ouïe, leur efficace dans l'intime des auditeurs bien disposés. De là vient que les gens sans miséricorde et sans justice, entendant de mauvaise grâce la sagesse de Dieu, n'ont pu la reconnaître ; voire, ils l'ont crucifiée tandis qu'elle parlait[a]. A nous aussi de voir si nous sommes ses auditeurs bien disposés. Lui-même a dit en effet : « Qui m'aime gardera mes commandements ; il sera aimé par le Père, et moi aussi je l'aimerai et me manifesterai à lui[b]. » Vois-tu comme il a caché sa manifestation dans ses commandements ?

211 De tous les commandements, le plus extensif est celui de l'amour envers Dieu et envers le prochain, qui consiste en

---

λαλουμένην BAF καὶ διδάσκοντα GQ καὶ λαλοῦντες edd. ‖ 5-6 οὖν ἴδωμεν : οὖν C συνίδωμεν BAF οὖν σκοπήσωμεν GQ ‖ 6 γὰρ om. T AF L ‖ 9 πῶς : ὅπως T BAF ‖ ἐν om. F L

211,1 πασῶν + οὖν GQ ‖ 2 εἰς om. ZX ‖ 2 et 5 ὑλῶν : ὑλικῶν edd. praeter Obs. et Pic. *visibilium* Syr.

---

207 a. cf. Pr 26, 3   b. cf. Ps 31, 9   **210** a. cf. 1 Co 2, 7-8   b. cf. Jn 14, 21.15.21

καὶ τῆς τῶν λογισμῶν ἡσυχίας συνίσταται. Τοῦτο εἰδὼς ὁ
Κύριος παραγγέλλει ἡμῖν λέγων · «Μὴ μεριμνήσητε περὶ τῆς
5 αὔριον ᵃ.» Καὶ εἰκότως · ὁ γὰρ τῶν ὑλῶν καὶ τῆς μερίμνης
αὐτῶν μὴ ἀπαλλαγείς, τῶν πονηρῶν λογισμῶν πῶς
ἀπαλλαγήσεται ; Ὁ δὲ τοῖς λογισμοῖς περιεχόμενος πῶς ἴδη
τὴν ὑπὸ τούτων καλυπτομένην ἁμαρτίαν ἐνυπόστατον, ἥτις
ἐστὶ σκότος καὶ ὁμίχλη ψυχῆς, ἐξ ἐννοιῶν πονηρῶν καὶ
10 λόγων καὶ πράξεων ἐμπεσοῦσα, τοῦ μὲν διαβόλου διὰ προσβολῆς ἀδιάστου πειράζοντος καὶ τὴν ἀρχὴν ὑποδεικνύοντος,
τοῦ δὲ ἀνθρώπου διὰ φιληδονίαν καὶ κενοδοξίαν ἡδέως προσ-
ομιλήσαντος ; Εἰ γὰρ καὶ κατὰ διάκρισιν οὐκ ἐβούλετο,
ἀλλὰ κατ᾽ ἐνέργειαν ἡδύνετο καὶ παρεδέχετο. Ὁ δὲ ταύτην
15 μὴ θεασάμενος τὴν περιεκτικὴν ἁμαρτίαν, πότε ἂν δεηθεὶς
περὶ αὐτῆς καθαρισθήσεσθαι, ὁ δὲ μὴ καθαρισθεὶς πῶς εὕρη
τὸν τόπον τῆς καθαρᾶς φύσεως ; Ὁ δὲ τοῦτον μὴ εὑρὼν πῶς
ἴδη τὸν ἐνδότερον οἶκον τοῦ Χριστοῦ ᵇ, εἴπερ οἶκος τοῦ Θεοῦ
ἐσμεν κατὰ τὸν προφητικὸν καὶ εὐαγγελικὸν καὶ ἀποστολι-
20 κὸν λόγον ; Χρὴ οὖν διὰ τῆς τῶν προειρημένων ἀκολουθίας
ζητῆσαι τὸν οἶκον τοῦτον καὶ διὰ προσευχῆς παραμένοντας
κρούειν, ὅπως ἢ ὧδε ἢ ἐν τῇ ἐξόδῳ ἀνοίξῃ ἡμῖν ὁ οἰκοδεσ-
πότης καὶ μὴ ἀμελήσασιν εἴπῃ · «Οὐκ οἶδα ὑμᾶς πόθεν
ἐστέ ᶜ.»
25 Οὐ μόνον δὲ ὀφείλομεν αἰτήσασθαι καὶ λαβεῖν, ἀλλὰ καὶ
τὸ δοθὲν φυλάξαι. Εἰσὶ γάρ τινες οἱ καὶ μετὰ τὸ λαβεῖν
ἀπολέσαντες. Διὸ τῶν προειρημένων πραγμάτων ψιλὴν μὲν
τὴν γνῶσιν, ἢ καὶ συμβατικὴν πεῖραν, ἴσως καὶ ὀψιμαθεῖς
καὶ νέοι κατέχουσι · τὴν δὲ μεθ᾽ ὑπομονῆς παράμονον

D E T MZCX BAF GQ L P Y NVW

211,9-10 καὶ λόγων : καὶ λογισμῶν M V Pˢˡ Syr. om. GQ ‖ 10 ἐμπεσοῦσα : λαβοῦσα τὴν ἀρχὴν GQ ‖ 11 ἀδιάστου : βιαστοῦ edd. praeter Obs.
et Pic. ‖ 12 φιληδονίας — κενοδοξίας GQ ‖ ἡδέως om. L ‖ 14 ἐνέργειαν :
διάνοιαν L ‖ ἡδύνετο : ἐδύνατο F Yᵃᶜ edd. ἡδύνατο G ‖ 15 δεηθεὶς : δεηθείη
MZCX P ἂν δεηθείη Y edd. *cum non supplicavit* Syr. ‖ 16 αὐτῆς + καὶ
MZC ‖ καθαρισθήσεσθαι : καθαρισθήσεται W ‖ 17 πῶς εὕρη : εὕροι F πῶς
ἂν εὕροι Pic. edd. ‖ 17 τοῦτον μὴ : τοῦτο μὴ D C μὴ τοῦτο E ‖ 18 ἐνδότερον : ἐνδότερῳ D B edd. ‖ 18-19 τοῦ θεοῦ ἐσμεν : ἐσμεν Z ἐσμεν τοῦ

l'abstention des réalités matérielles et dans le recueillement des pensées. Le Seigneur le sait, qui formule cet ordre à notre adresse : « Ne vous faites pas de souci pour le lendemain[a]. » Et c'est très juste : celui qui n'est pas débarrassé des réalités matérielles et de souci à leur sujet, comment sera-t-il débarrassé des pensées perverses ? Celui qui est enveloppé de ces pensées, comment verrait-il le péché bien concret dissimulé sous elles, ce péché qui est enténèbrement et brouillard, tombant sur l'âme depuis des réflexions, des discours et des actes dépravés ? Le diable, par un assaut non contraignant, procure la tentation et suggère le point de départ, l'homme se familiarise de bon gré avec elle, par amour de la volupté et par vaine gloire. Car même si du point de vue du discernement, il ne voulait pas cela, du point de vue de l'opération, il s'en délectait et l'acceptait. Or celui qui n'a pas vu ce péché dans son extension, ou qui alors demanderait à en être purifié et celui qui n'a pas été purifié, comment trouveront-ils le lieu réservé aux êtres purs ? Et celui qui ne l'a pas trouvé, comment verra-t-il la demeure intérieure du Christ[b], s'il est vrai que nous sommes la demeure de Dieu selon les paroles des prophètes, des évangiles et des apôtres ? Il faut donc, en vertu de l'enchaînement qu'on vient de dire, s'enquérir de cette demeure, y frapper en persévérant dans la prière, afin qu'ici-bas ou à l'issue de cette vie le maître de maison nous ouvre, au lieu de dire à notre négligence : « Je ne vous connais pas ; d'où êtes-vous[c] ? ».

Or, nous ne devons pas seulement demander et recevoir : il faut également garder le don reçu. Car il en est qui ont perdu après avoir reçu. Aussi la simple connaissance de l'état de fait dont on vient de parler, ou également l'expérience tirée des événements, des gens qui ont appris tard et aussi des jeunots les acquièrent peut-être ; mais l'activité patiente et persévé-

---

θεοῦ ~ GQ ‖ 19-20 καὶ εὐαγγελικὸν καὶ ἀποστολικὸν : ~ Y καὶ ἀποστολικὸν X F ‖ λόγον καὶ ἀποστολικὸν ~ W ‖ 20 λόγιον NVW ‖ 21 τοῦτον τὸν οἶκον ~ T BAF ‖ 23 ἀμελήσαντι μὴ ~ edd. ‖ 25 αἰτήσασθαι ὀφείλομεν ~ BAF ‖ 26 γὰρ om. BAF ‖ 28 συμβατικὴν + τὴν D E AF Pic. edd.

211 a. Mt 6, 34   b. cf. He 3, 6   c. cf. Lc 13, 25

30 ἐργασίαν, μόλις τῶν γερόντων οἱ εὐλαβεῖς καὶ πολύπειροι, οἱ
πολλάκις δι' ἀπροσεξίαν ἀπολέσαντες, καὶ δι' ἑκουσίων
πόνων ἀναζητοῦντες, καὶ εὑρίσκοντες. Τοῦτο οὖν ποιεῖν καὶ
ἡμεῖς μὴ παυσώμεθα, ἕως αὐτὴν ἀναφαίρετον κατ' ἐκείνους
κτησώμεθα.

965 35   Ταῦτα τοῦ πνευματικοῦ νόμου ἐκ πολλῶν ὀλίγα ἐγνώκα-
μεν τὰ δικαιώματα, ἃ καὶ ὁ μέγας ψαλμὸς ἐνδελεχῶς
ὑφηγεῖται τοῦ μαθεῖν αὐτὰ καὶ ποιεῖν τοὺς συνετῶς
ψάλλοντας ἐν Κυρίῳ[d]. Αὐτῷ ἡ δόξα εἰς τοὺς αἰῶνας τῶν
αἰώνων. Ἀμήν.

D E T MZCX BAF GQ L P Y NVW

211,31 ἀπροσεξίας edd. ‖ 32 ἀναζητήσαντες GQ ‖ καὶ εὑρίσκοντες :
καὶ εὑρίσκουσι X om. AF καὶ εὕροντες GQ ‖ 32-33 καὶ ἡμεῖς ποιεῖν ~
E Q L P VW ‖ 33 ἕως + ἂν E BF P[sl] ‖ ἀναφαίρετον om. G P[sl] ‖
33-34 κατ'ἐκείνους κτησώμεθα : κτησώμεθα μετ'ἐκείνους BF κτησώμεθα
GQ ‖ 33-34 ἕως ... κτησώμεθα om. A ‖ 34 κτησώμεθα + cum curavimus ne
auferatur a nobis Syr. ‖ 35-36 ἔγνωμεν D ZX[mg] Q P εὕρομεν X ‖
36 ψαλμὸς : ψαλμωδὸς E[mg] X GQ L edd. ‖ 36-37 ὑφηγεῖται ἐνδελεχῶς ~

rante, à peine parmi les anciens ceux qui sont avisés et expérimentés l'ont-ils, eux qui souvent l'avaient perdue par manque d'application, qui s'en sont de nouveau mis en quête, grâce à des labeurs volontaires, et l'ont trouvée. Nous aussi, ne cessons pas d'agir de la sorte, jusqu'au jour où nous aurons acquis cette activité à la façon inamovible de ces gens-là.

Voilà quelques décrets que nous avons discernés, parmi beaucoup d'autres, dans la loi spirituelle. Ces décrets, le grand psaume[1] aussi les explique continûment, afin que les apprennent et les exécutent ceux qui psalmodient intelligemment dans le Seigneur[d]. A lui la gloire pour les siècles des siècles. Amen.

---

edd. ‖ 37 αὐτὰ om. L ‖ συνεχῶς Q W ‖ 38 κυρίῳ + ἰησοῦ GQ ‖ δόξα + καὶ τὸ κράτος τιμή τε καὶ ἡ προσκύνησις νῦν καὶ ἀεὶ καὶ X + καὶ τὸ κράτος καὶ ἡ προσκύνησις ὀφείλεται νῦν τε καὶ GQ + νῦν καὶ P ‖ 38-39 τῶν αἰώνων om. BF.

---

211 d. cf. Ps 46, 8.

---

1. Le grand psaume est le psaume 118, le plus long de la Bible, dont chaque stique contient un terme désignant la loi de Moïse.

LA PÉNITENCE

ANALYSE

Un mot non défini Si le titre du troisième opuscule est attesté sous deux formes, une longue et une brève, le mot essentiel figure dans toutes les deux ; il revient d'ailleurs, lui ou le verbe correspondant, presque à chaque ligne du texte. Il est donc clair qu'il s'agit d'un écrit περὶ μετανοίας. Mais toute difficulté n'en disparaît pas pour autant, car le terme grec de μετάνοια est susceptible de multiples sens, aussi bien que *paenitentia* et « pénitence », par lesquels on le traduit le plus souvent en latin et en français, la gamme de significations ne se recouvrant d'ailleurs pas exactement dans les trois cas. Marc, cependant, ne voit pas, ou ne veut pas voir, les équivoques possibles, peut-être en partie parce qu'il souhaite utiliser indistinctement un bon nombre de textes scripturaires qui contiennent le nom ou le verbe, même s'ils n'y revêtent pas toujours la même acception. Il ne fournit donc aucune définition de départ, et la phrase qui en aurait un peu l'allure, en XI, 26-27 : « la pénitence consiste à demander miséricorde », est trop engagée dans le contexte immédiat pour couvrir vraiment tout ce qu'entend Marc. C'est seulement en lisant tout son exposé — on pourrait presque dire son plaidoyer, vu l'élan de conviction qui le soulève — que l'on aperçoit peu à peu ce qui est entendu ici par « pénitence ».

Il ne s'agit pas, bien sûr, d'une démarche d'allure sacramentelle, où la responsabilité de l'ensemble de l'Église serait engagée. Même la mention des novatiens, en VII, 18, n'amène pas Marc à évoquer un pouvoir de remettre les péchés qui serait concédé ou refusé à cette Église. Il s'agit simplement de savoir s'il est des péchés impardonnables, après lesquels il n'y a plus qu'à se laisser aller, puisque de toute façon le mal est fait. Dans ces conditions, il est bien difficile de décider ce qui vaut à ces déviationnistes, dont les origines étaient sûrement déjà assez anciennes au temps de Marc, le douteux privilège d'être les seuls nommément désignés par lui. Pour ses adversaires dans des controverses bien actuelles, on constate que notre auteur préfère s'en tenir aux allusions et aux périphrases. N'aurait-il pas usé ici du procédé polémique bien connu, consistant à ternir ses opposants par un rapprochement avec des hérétiques enfouis dans un passé révolu ?

S'il faut vraiment tenir les novatiens pour une engeance dont Marc n'avait qu'une connaissance livresque, la région d'Antioche serait la plus susceptible de faire l'affaire. En effet, d'après H. J. Vogt, *Cœtus sanctorum. Der Kirchenbegriff des Novatian und die Geschichte seiner Sonderkirche*, Bonn 1968, p. 264, les novatiens ou ne se seraient jamais manifestés en ces contrées ou en auraient disparu avant la fin du IVe siècle sans laisser de traces. C'est ce qui expliquerait, entre autres raisons, l'hostilité insolite des deux archevêques de Constantinople issus de cette partie de la Syrie, Jean Chrysostome et Nestorius, devant une secte inconnue d'eux jusqu'à leur arrivée dans la capitale et leur propension à la maltraiter comme franchement hérétique. Partout ailleurs en Orient, les novatiens existaient encore à cette époque, notamment en Asie Mineure, au témoignage de deux lettres (II, 155 et III, 243) de Nil d'Ancyre. A Alexandrie, ils s'accrocheront même jusqu'au patriarcat d'Euloge (580-607), à en juger par la longueur de l'écrit polémique qu'il avait composé contre eux. Si l'on admet donc qu'à l'inverse Marc les a mentionnés parce qu'il en connaissait personnellement, l'argument de O. Hesse[1], paraît un peu fragile : il suggère que *Paen.* se situerait mieux avant les mesures d'extermination prises par Cyrille d'Alexandrie, en 412, en liaison avec un édit de persécution d'Honorius. D'autre part, Marc offre à propos des novatiens un point de contact particulier avec au moins deux « antiochiens » célèbres, mais dont aucun n'est Jean Chrysostome ! Théodore de Mopsueste et Théodoret de Cyr sont avec Marc les seuls à indiquer que les adversaires de la pénitence avaient fait état, outre plusieurs autres passages de l'*Épître aux Hébreux*, du v. 12, 17, avec son allusion au cas d'Ésaü ; et Théodoret rétorque, comme Marc, que ledit Ésaü « déplorait non pas le

---

1. *Markos Eremites*, p. 252, n. 57.

péché, mais la bonne fortune de Jacob », donc que sa pénitence n'avait pu être agréée, puisqu'elle n'existait pas : cf. *Commentaire* de Théodoret *ad loc.* (*PG* 82, 776 A-B), et, dans le présent volume, un passage de *Paen.* omis dans toutes les éditions antérieures, après VIII, 6, avec la note afférente, qui donne un aperçu sur le fragment de Théodore.

Pas davantage, la μετάνοια selon Marc ne consiste en pratiques plus ou moins spectaculaires de « pénitence » qui seraient une expiation du mal commis. Par deux fois (VII, 2-4 et XI, 24-25), il énumère les « vertus » qui constituent la pénitence : ce sont la prière, la purification des pensées et la patience devant les événements. On voit que cette triade, qui ne diffère que par un membre de celle qui résumait le programme de la loi spirituelle, comporte uniquement des attitudes et des actes spirituels, mais nul exercice où le corps serait engagé[1]. Par là Marc contraste avec Jean Climaque : celui-ci, au cinquième échelon de son œuvre, décrit, par exemple, des pénitents assis sur le sac et la cendre, cachant leur visage avec leurs genoux, frappant leur front sur le sol ou agitant sans trêve leur tête et grinçant des dents, gémissant du fond du cœur à la façon des lions... Or il n'y a pas, à travers tout notre opuscule, une seule mention du jeûne, ni des veilles, ni même de l'exercice de la continence ou de l'isolement en pays étranger (ξενιτεία), qui étaient les pratiques pénitentielles les plus courantes à l'époque et que l'on trouve énumérées par exemple en *Bapt.* V, 2-5 (par celui qui interroge, il est vrai, et non par celui qui donne les solutions de Marc[2]). Il faut d'ailleurs dire qu'ici encore Marc n'emploie pas le terme μοναχός, voulant de toute évidence donner à son œuvre une portée qui ne soit pas restreinte aux ascètes de profession.

---

1. La première énumération s'accroche de plus à un paragraphe où a été développé un des thèmes favoris de Marc : la distinction entre commandements généraux et particuliers (cf. *Justif.* 25 ; *Bapt.* V, 217-220 ; *Causid.* VI, 8-11). Il vise à démontrer que dans le cas de chacune des trois vertus en cause, le Seigneur exhorte à un comportement d'ensemble, englobant toute prescription de détail. On est donc à l'opposé d'un catalogue de recettes pénitentielles.

2. Cf. toutefois aussi *Justif.* 197, où il s'agit bien d'un dit de l'auteur lui-même.

Enfin cette μετάνοια n'est pas non plus la conversion, le bouleversement total du cœur tel qu'il est en fait prêché en *Mt 4,17*, invoqué pourtant à cinq reprises dans l'opuscule, comme aussi dans le passage sur le massacre des Galiléens et l'écroulement de la tour de Siloé, également cité par notre Marc (VI, 16-23), tel enfin qu'il faisait déjà l'essence du message de Jean Baptiste, auquel il est fait ici allusion (II, 29)[1]. C'est qu'aussi bien l'imminence de l'événement eschatologique risque, dans l'Évangile, de ne laisser aux hommes qu'une seule chance de changer radicalement leurs voies. Or cette urgence n'existe pas chez Marc ; il en a conscience et, avec sa franchise habituelle, a touché dans plus d'une de ses œuvres au problème du retard de la Parousie, brièvement, mais plus explicitement que la plupart des écrivains chrétiens de son époque. Dans ce traité-ci, il nie d'abord que le Christ ait annoncé la proximité des derniers temps, puisque la Vérité ne saurait contredire les faits (I, 8-16) ; il réaffirme ensuite sa foi en une venue future du Royaume, mais aussi la présence actuelle de celui-ci dans la parole du Seigneur (II, 3-6, avec, bien sûr, une allusion à un de ses versets favoris dans ce contexte de l'imminence du Royaume : *He 11,1*). Mais il est bien évident que la seule « fin » vraiment menaçante, dans les perspectives de Marc, est le trépas individuel, cette « sortie » (de la vie), dont il est si souvent question chez lui.

En quoi consistera donc la μετάνοια ? Elle sera dans une conviction permanente de n'avoir pas atteint la perfection, un regret des fautes et des insuffisances que nous constatons à tout moment dans notre vie ; bref, en un sentiment assez voisin de ce que l'on appellerait volontiers « la componction », si le terme français n'avait un cachet quelque peu vieillot, voire un tantinet ridicule, et si Marc n'utilisait pas, bien qu'avec par-

---

1. On peut néanmoins penser que c'est ce type de μετάνοια, commencement radical de la vie chrétienne, que maints lecteurs par la suite ont considéré comme l'attitude fondamentale que Marc visait à promouvoir par ses exhortations en cet opuscule. Cela expliquerait que *Paen.* passe en tête de toute la série dans une bonne dizaine de mss, dont quelques-uns parmi nos plus anciens (comme le *Lavra Γ 42*, **D**, et le *Cryptoferratensis B α 19*, **N**).

cimonie, le mot grec qui en est techniquement l'équivalent, à savoir κατάνυξις[1]. Parmi les définitions que Jean Climaque, à l'encontre de Marc, prodigue autant que les descriptions, une ou deux conviendraient assez bien à la *metanoia* telle que conçue par son prédécesseur : « La pénitence est une pensée de condamnation pour soi-même... le pénitent est celui qui se condamne lui-même sans en avoir honte. La pénitence est la purification de celui qui a pris conscience[2]. » A la limite, il s'agirait plutôt de se rendre compte de sa situation d'indignité, de son péché, que de s'en repentir, car quels que soient les actes par lesquels elle se manifeste, cette situation persistera.

Double objectif du traité   Les procédés employés par Marc pour persuader ses lecteurs de la nécessité d'une telle « pénitence » traduisent assez bien le but double, la nature ambiguë et composite de son ouvrage. D'une part il dénonce en tant que moraliste les faits et gestes qui devraient empêcher n'importe quel homme de s'estimer parfait et exempté de la pénitence. D'autre part il expose en tant que théologien les raisons qui contraignent les imparfaits et même les parfaits, dans la mesure où il y en a, à se reconnaître structurellement pécheurs, et donc candidats permanents à la pénitence.

---

1. Cf. *Leg.* 15, 2 et, si l'on veut, *Nic.* VII, 64. Un autre terme grec très proche par le sens, πένθος (chagrin, deuil), ne se trouve également qu'une fois dans le Marc authentique, en *Causid.* IX, 11 — le même opuscule contient 2 fois le verbe correspondant (IX, 5 et 17) ; 2 emplois sont faits aussi en *Bapt.* (XVI, 20 et 40) ; un autre emploi, en *Justif.* 109, 9, n'a pas de portée spirituelle. C'est néanmoins à propos de ce dernier mot qu'ont déjà été faites les remarques adéquates sur le sens de μετάνοια, chez Marc : cf. J. PEGON, art. « Componction », *DSp* II[2] (1953), col. 1314, à la suite d'I. HAUSHERR, *Penthos, La doctrine de la componction dans l'Orient chrétien*, *OCA* 132, Rome 1944. Ce dernier souligne les intentions antimessaliennes de Marc (p. 22 et 31) ; il proclame ce dernier « un auteur difficile », mais cela surtout à propos de *Justif.* 139 (p. 28, n. 16) ; il tente de concilier l'exhortation de *Paen.* avec la spiritualité plus optimiste de *Nic.*, qui centre l'attention sur l'indulgente bonté de Dieu (p. 27) ; enfin il donne cette définition : « la pénitence, c'est-à-dire l'humilité à se croire pécheur » (p. 56).

2. *Échelle sainte* 15 (*PG* 88, 764 B) ; pour les descriptions de pénitences spectaculaires, cf. *ibid.* (765 A s.).

Le moraliste   Le moraliste, bien que la purification des pensées ait été déclarée — on l'a vu plus haut — partie intégrante de la pénitence, ne recourt pas à une analyse subtile des mouvements du cœur pour emporter la conviction ; il s'en prend aux comportements patents vis-à-vis du prochain : acception de personne dans les cas de griefs, manque de générosité dans le pardon et aussi dans le partage des richesses. La rancune, bien sûr, est à la portée de tous. Quant au mauvais usage des biens de ce monde, Marc en fait l'application analogique aux indigents, à ceux qui, pauvres de biens matériels, se refusent à communiquer les dons spirituels ou intellectuels dont ils sont pourvus (V, 18-20). Mais ce sont tout de même des possédants avares et cupides qui sont les premiers visés.

Cependant c'est surtout la première faute, l'acception de personne, qui paraît pratiquement réservée à une certaine classe sociale, les grands ou du moins les gens aisés d'un monde pré-byzantin fortement hiérarchisé, même si l'intrigue et la flatterie laissaient leur chance à des parvenus. On ne voit guère comment des moines, cénobites ou anachorètes égyptiens, retranchés volontairement de la « bonne société », ermites syriens ambulants à qui la marginalité permettait toute franchise, auraient eu souvent l'occasion de s'adonner à ce type de vice. Resteraient les dignitaires ecclésiastiques et nommément les évêques, qui, pouvant se montrer obséquieux envers les puissants et impérieux à l'égard des faibles, n'ont assurément pas toujours résisté à la tentation. Mais il n'y a pas le moindre indice, à travers toute l'œuvre de Marc, qu'il ait jamais revêtu la dignité épiscopale — du reste aucun manuscrit, à notre grande déception, ne rapproche son nom de celui d'une ville quelconque — et donc ait pu songer à morigéner des collègues. Il semble par conséquent qu'au moins sous son aspect de diatribe, le *De Paenitentia* s'adresse à des laïcs.

La transition vers la partie doctrinale pourra paraître à première vue un peu artificielle, opérée, comme elle l'est, par la distinction entre commandements généraux et particuliers. Effectivement Marc se lance ensuite dans une sorte de digression exégétique, portant sur quelques passages difficiles de l'*Épître aux Hébreux* qui semblaient exclure toute pénitence après le baptême. Après seulement, on voit où l'auteur voulait en venir, avec son trio de commandements et de vertus. Il n'écarte pas, comme plus haut, l'analyse psychologique, examinant le cas du spirituel qui néglige d'appeler au secours lors de la première incursion en lui de la passion. Au fond, ce dont cet homme aurait eu besion, c'était de faire appel à deux des vertus constitutives de la pénitence pour recouvrer la troisième : il aurait dû utiliser la prière, mais aussi le support des événements, ceux-ci ne se présentant pas toujours sous la forme d'aide prévue par l'homme en sa petite sagesse, mais pouvant surgir sous forme d'épreuve ou de tentation (IX, 12-19). Ainsi aurait-il pu, retournant à l'absence de passions, pratiquer la purification des pensées. On aperçoit déjà ce qui se laissera encore mieux constater plus loin, quand Marc alléguera qu'il faut toujours occuper de droite façon l'intellect générateur des pensées, sans quoi celui-ci se trouvera une activité de remplacement, déviée, gauchie (XI, 17-26). Notre auteur n'envisage aucunement un dépassement des pensées dans quelque extase apophatique, un silence total du remue-ménage intérieur sous l'influence de Dieu ; tout ce qu'il prône ou espère, c'est un redressement et une décantation[1].

Le théologien   Cependant, dès *Paen.* X Marc cesse de considérer le cas des parfaits qui se sont laissé aller à la négligence pour aborder celui des gens plus fidèles qui ont accédé à une perfection stable. Il commence par

---

1. L'ἡσυχία occupe une place assez restreinte dans le vocabulaire bigarré des opuscules à chapitres. *Leg.* n'a même que le verbe venant de cette racine, et encore une seule fois (180, 2). En revanche, *Justif.* en fait dans son paragraphe de conclusion (211, 3) l'une des deux composantes de la charité, avec l'abstention de ce qui est matériel. Les autres emplois sont regroupés dans les sentences 28 et 29 du même opuscule : l'ἡσυχία est là jointe à la prière, comme un facteur distinct d'elle ; il s'agit, semble-t-il, d'une « pacification » de l'intellect, lui permettant de n'être plus troublé par les passions — au même endroit (28, 3) se trouve le seul emploi d'ἀπάθεια dans les deux opuscules —, exigeant parallèlement un effort de discipline corporelle. Dans la voie de la simplification interne, évitant le plus possible, mais par un effort humain, le remue-ménage des « pensées », on placera aussi les conseils d'éliminer dans la prière les demandes de détail et dans la repentance, le souvenir concret de ses fautes passées (*Justif.* 139-140 et 154).

arguer qu'eux-mêmes pourront toujours trouver dans leur passé des mouvements entachés de vice et auront par conséquent matière à s'exciter au regret, à la *metanoia* jusqu'à leur mort. Mais ensuite il avance une idée théologique de portée beaucoup plus grande : même en admettant qu'il existe des parfaits, irréprochables depuis leur naissance, ceux-là aussi tomberaient sous le coup d'une condamnation générale encourue par l'humanité de par la faute d'Adam et levée seulement pour tout un chacun par la croix du Christ (X, 19-24). Ceci est lancé au passage plutôt que développé. Il n'en reste pas moins qu'une attitude de repentance suppose un état de culpabilité. Marc est aussi près que possible d'affirmer un « péché originel », au sens où on l'a longtemps entendu en Occident. L'allégation est difficilement conciliable avec ce qui sera l'une des thèses essentielles du *De Baptismo*, que nul homme, au départ, n'est plus handicapé que ne l'avait été primitivement Adam, même si chacun doit subir la mort, par la faute de celui-ci. Quand Marc, probablement un certain nombre d'années plus tard, reviendra, au moins pour quelques phrases, sur le sujet, il s'exprimera avec plus de prudence, rendant plus facile de distinguer entre la transgression personnelle d'Adam et les séquelles, en particulier la condamnation à mort, qui atteignent toute l'humanité[1]. Il y a donc apparence que notre auteur en est ici au premier stade de sa réflexion sur le problème, n'ayant pas encore rencontré les objections qui le forceront à préciser sa pensée.

Dans le reste de *Paen.*, il part sur une autre piste, sans doute plus intéressante, où il retournera, quoique dans une perspective un peu différente, vers la fin de *Causid.* (XX, 5 s.). Si ce n'est pour eux, les parfaits demanderont miséricorde pour les autres ; l'assemblage du monde n'existe peut-être que pour permettre cette intercession ; car au fond c'est cela, la *meta-*

---

1. Cf. *Incarn.* XXIII, 13-14 ; XXXI, 8-10 et 19 s. ; dans les deux passages, Marc, s'il déclare que tous nous sommes voués à la mort, spécifie : que nous soyons pécheurs ou bien justes. Donc certains sont atteints seulement par le châtiment, mais non par la culpabilité. Il subsiste cependant quelque équivoque — comme du reste en *Bapt.* — sur les notions de vie et de mort, lesquelles ne semblent pas purement physiques.

noia, une requête à la pitié (divine) : *Paen.* XI, 26-27. Marc en a ainsi fini avec l'argumentation ; il en revient au ton de l'exhortation morale, appuyée sur des exemples bibliques. Il avait déjà évoqué plus haut certains personnages, Samson, Saül, Héli et ses fils, dont le refus de pénitence avait été la perte. Il apporte maintenant des exemples de signe contraire. Et si les Ninivites ou les trois enfants dans la fournaise peuvent encore légitimement être présentés comme des pénitents, pour leurs propres péchés ou ceux du peuple, saint Pierre et saint Paul, au moins dans les passages des *Actes* et de la *Première à Timothée* mentionnés en *Paen.* X, apparaissent essentiellement comme des humbles. On peut donc dire que la notion de μετάνοια-pénitence, jamais bien fixe dans cet opuscule, s'éclipse pratiquement à la fin derrière celle d'humilité.

Raisons du traité On est en droit de se demander dès lors ce qui a poussé Marc à publier ce petit traité, complexe en sa brièveté et dont les idées ne sont peut-être pas absolument nettes. A en juger par ses ouvrages à chapitres, la pénitence tenait dans ses préoccupations spirituelles une place qui, sans être primordiale, n'était cependant pas négligeable. Comme conscience et regret du mal commis dans le passé, jointe à la prière, elle permet de comprendre le sens des épreuves subies ici-bas et d'espérer par leur moyen échapper à celles de l'au-delà (*Leg.* 93-95 et 114 ; *Justif.* 8 et 130) ; souvent les dires de notre auteur à son sujet ne dépassent pas le niveau du lieu commun le plus banal (*Justif.* 54 et 71), s'il raffine un peu davantage en distinguant la contrition salutaire de celle qui abat seulement l'homme en lui faisant ressasser ses vieux péchés[1]. On a vu d'autre part que la cible

---

1. Cf. *Paen.* VIII et n. 3 *ad loc.* ; et aussi *Leg.* 15-16. La recommandation de Marc a effarouché les catholiques imbus de l'esprit de la Contre-Réforme : le canon 7 du concile de Trente (14ᵉ session), sur la pénitence, n'affirmait-il pas *esse jure divino confiteri omnia et singula peccata mortalia quorum memoria cum debita et diligenti praemeditatione habeatur* ? Galland aussi bien que Fronton du Duc y sont allés de leur *Caute lege* en marge de ces avis, qui visent pourtant simplement et sagacement à ne pas rallumer certaines nostalgies en remâchant de scabreux souvenirs.

de sa diatribe morale est assez imprécise : laïcs possédants ou moines dépourvus ? On peut donc douter qu'ait été appliquée de manière à la rendre efficace la prescription formulée par *Justif.* 167 : parler au pluriel, en termes si généraux que chacun puisse aller découvrir dans l'admonestation ce qui le concerne. Les laïcs, en effet, ne pouvaient guère se sentir touchés par la seconde partie de l'ouvrage, même s'ils avaient été ébranlés par la première. Surtout depuis l'essor du mouvement monastique, ils risquaient de se considérer comme des chrétiens de deuxième zone et de s'accepter comme tels plutôt que de se targuer d'être parfaits n'ayant plus besoin de pénitence[1]. La dénonciation, sur un ton assez vif, de certaines attitudes à la fois arrogantes et obséquieuses doit être issue de la même profonde conviction qui inspirera en *Causid.* la défense des mœurs monastiques contre l'avocat et la critique de la complaisance envers les hommes, quintessence de l'esprit mondain. Mais elle semble avoir été accolée un peu hâtivement et sans grande nécessité interne à une attaque contre une déviation spirituelle tout à fait caractéristique des milieux monastiques, la prétention d'atteindre dès ici-bas au repos de la perfection.

La composition du *De Paenitentia* offrirait dès lors quelque analogie avec ce qui pourrait fort bien s'être passé dans le cas des écrits à chapitres, lorsque des pointes contre des spirituels trop satisfaits d'eux-mêmes ou de leurs œuvres ont été insérées dans un traité visant un autre but. Et ici aussi la doctrine de Marc sentirait encore un peu l'improvisation. Mais il allait, dans un délai impossible à déterminer, se remettre à la tâche et, sans doute sous le coup de nouvelles objections ou réflexions, produire une œuvre un peu plus achevée quant aux idées, sinon quant à la forme.

---

1. Ils y ont d'ailleurs été encouragés très tôt par certains évêques : que l'on pense à la distinction de deux modes de vie dans l'Église du Christ posée, comme un digne prélude à l'ère constantinienne, par EUSÈBE DE CÉSARÉE, dans sa *Démonstration évangélique* (I, 8, *GCS* 23, p. 39-40). Un Basile, cependant, et un Jean Chrysostome réagiront contre cette distinction indue.

Περὶ μετανοίας

I. Ὁ Κύριος ἡμῶν Ἰησοῦς Χριστός, ἡ τοῦ Θεοῦ δύναμις καὶ σοφία [a], θεοπρεπῶς ὡς οἶδεν αὐτὸς τῆς πάντων προνοῶν σωτηρίας, διαφόροις δόγμασι τὸν τῆς ἐλευθερίας θέμενος νόμον ἕνα σκοπὸν πρέποντα τοῖς πᾶσιν ὡρίσατο λέγων·

5 «Μετανοεῖτε [b]», ὡς ἐκ τούτου δυνατὸν ἡμῖν ἐπιγνῶναι ὅτι πᾶσα ἡ ποικιλία τῶν ἐντολῶν εἰς ἕνα καταλήγει τὸν τῆς μετανοίας ὅρον, καθὸ καὶ τοῖς ἀποστόλοις ἐν κεφαλαίῳ ἐνετείλατο εἰπών· «Λέγετε αὐτοῖς· Μετανοεῖτε. Ἤγγικε γὰρ ἡ βασιλεία τῶν οὐρανῶν [c]», οὐ πάντως χρονικὴν

10 εἰρηκὼς ἐγγύτητα τῆς βασιλείας ὡς ἔναγχος ἐπικειμένην τῷ κόσμῳ — οὐ γὰρ ἂν ἡ ἀλήθεια ἀκατάλληλα τοῖς πράγμασι διωρίζετο. Ἰδοὺ γὰρ καὶ οἱ τὸ τηνικαῦτα περιόντες καὶ οἱ μετ᾽ ἐκείνους ἐκοιμήθησαν ἀμοιρήσαντες τῆς καθόλου συντελείας —, ἀλλ᾽ εἰδὼς τὸν ἑαυτοῦ λόγον ὁ Κύριος καὶ

15 βασιλείας καὶ μετανοίας δύναμιν ἔχοντα. «Μετανοεῖτε, φησίν· ἤγγικε γὰρ ἡ βασιλεία τῶν οὐρανῶν [d].»

Εἰ γὰρ μὴ τοῦτο δοθείη, πῶς «ὁμοία ἐστὶν ἡ βασιλεία τῶν οὐρανῶν ζύμη, ἣν λαβοῦσα γυνὴ ἔκρυψεν εἰς ἀλεύρου σάτα

D NV MZCX TG PQ BAFW L Y

Tit. περὶ μετανοίας P Y Syr. : + τῆς [τοῖς AF] πᾶσι πάντοτε προσεχούσης [πρεπούσης V] ἧς [εἰς AF] τὴν δύναμιν [+ τῆς ἐνεργείας AF W + τῆς ἐν. ἣν edd.] οἱ πιστοὶ καὶ πρὸ τῆς ἐργασίας διὰ [+ τῆς χάριτος AFW] τοῦ βαπτίσματος [+ τὴν δύναμιν iterum V + ὑπὸ τοῦ ἁγίου πνεύματος T] ἔλαβον [ἐλάβομεν L] D NV MC TG Q BAFW L + διὰ τοῦ βαπτίσματος Z om. X

I,1 ἡμῶν + καὶ θεὸς Syr. ‖ ἰησοῦς + ὁ ZC ‖ 2 καὶ + θεοῦ [ut *I Co 1,24*) D T NV MZ P AF W edd. ‖ σοφία + αὐτοῦ Syr. ‖ 5 μετανοεῖτε : ἤγγικε γὰρ ἡ βασιλεία τῶν οὐρανῶν Q μετανοήσατε Y ‖ ἡμᾶς NV X ‖ γνῶναι M

La pénitence

L'appel à la pénitence   **I.** Notre Seigneur Jésus Christ, puissance et sagesse de Dieu[a], avisa au salut de tous de la façon qu'il savait digne d'un Dieu ; il édicta la loi de liberté au moyen d'enseignements divers, et à tous les hommes fixa un but unique, leur disant : « Faites pénitence[b]. » Par là, il nous rendait possible de reconnaître que toute la bigarrure des commandements aboutit à un terme unique, la pénitence, selon qu'il l'a intimé aussi aux apôtres en un résumé : « Dites-leur : faites pénitence, car le royaume des cieux s'est rapproché[c]. » Non pas du tout qu'il ait voulu parler d'une proximité du royaume dans le temps, qui viendrait tout juste de se mettre à peser sur le monde. La Vérité ne saurait en effet nous avoir fixé des termes inconciliables avec les faits. On voit effectivement que les gens de ce temps-là et ceux qui leur succédèrent se sont endormis sans avoir part à la consommation de l'univers. Mais le Seigneur savait bien que sa parole portait en elle en puissance et le royaume et la pénitence ; aussi dit-il : « Faites pénitence, car le royaume des cieux s'est rapproché[d]. »

Car si l'on ne concédait pas cela, comment « le royaume des cieux est-il semblable à du levain qu'une femme a pris pour

---

‖ 7 καθά NV CX L Y καθώς edd. ‖ 9-10 εἰρηκὼς χρονικὴν ~ L ‖ 10 εἰρηκὼς : εἰπὼν CX ‖ ὡς om. M L ‖ ἐνάγχως D V M ‖ 11 ἂν om. L ‖ κατάλληλα D M om. L ‖ 12 διωρίζετο : ὡρίζετο V διωρίσατο Q διορίζει Pᵃᶜ L διορίζεται Pᵖᶜ ‖ τὸ om. NV CX G Q BAFW L ‖ 13-14 τῆς καθόλου συντελείας ἀμοιρήσαντες ~ CT PQ L ‖ 15 μετανοίας καὶ βασιλείας ~ NV ‖ ἐπέχοντα δύναμιν CX δύν. ἐπέχοντα Q ἔχ. δύν. ~ A

I. a. cf. 1 Co 1, 24   b. Mt 4, 17   c. cf. Mt 10, 7 + 4, 17   d. Mt 4, 17

τρία ἕως οὗ ἐζυμώθη ὅλον^e»; ἢ καθότι ἡ τὸν τοῦ Κυρίου
20 λόγον ὑποδεξαμένη διάνοια ἔκρυψεν εἰς τὴν τριμερῆ ὑπόστα
σιν, σώματος λέγω καὶ πνεύματος καὶ ψυχῆς^f, κατὰ τὸν
Ἀπόστολον, καὶ πᾶσαν αὐτῶν τὴν ἐν τοῖς λογισμοῖς
λεπτότητα, ἀλεύρου δίκην πολυμερῶς διακεχυμένην, εἰς
μίαν τῆς πίστεως ζύμην συνήγαγεν, ἐξομοιωθῆναι τῷ
25 ἐνεργοῦντι λόγῳ καθόλου περιμένουσα. Οὕτως ὡμοίωσε τὸν
τῆς ἀληθείας λόγον καὶ κόκκῳ σινάπεως, μικρὸν μὲν ἐν τῇ
τῶν ἀκουόντων καρδίᾳ κατασπειρόμενον, διὰ δὲ τῆς προση
κούσης ἐργασίας αὐξανόμενον καὶ ὥσπερ δένδρον εὐμέγεθες
ὀρνέοις ἐν ὑψηλῷ τόπῳ, οὕτως εἰς οἶκον καταφυγῆς
30 γινόμενον ταῖς πλαζομέναις ἐννοίαις^g.

Τοῦτο δὲ ἀληθὲς ἂν εἴη ὁπότε καθαροὺς καὶ τοὺς ἀπο
στόλους εἶναι ἔφη διὰ τὸν λόγον ὃν ἤκουσαν^h, τῇ συνεισ
φερομένῃ τῷ λόγῳ δυνάμει πρὸς ἐργασίαν ἀποχρησαμένους
καὶ διὰ τοῦτο καθαροὺς γενομένους. «Ζῶν γὰρ ὁ λόγος τοῦ
35 Θεοῦ καὶ ἐνεργὴς ὑπάρχειⁱ.» Διὸ τοὺς μὴ χρησαμένους τῇ
968 τοιαύτῃ συνεισφορᾷ ὡς ἀπίστους κατέκρινεν εἰπών · «Εἰ μὴ
ἦλθον καὶ ἐλάλησα αὐτοῖς, οὕτως ἁμαρτίαν οὐκ εἶχον · νῦν δὲ
πρόφασιν οὐκ ἔχουσι περὶ τῆς ἁμαρτίας αὐτῶν^j.»

II. Τοῦτο δὲ εἰρήκαμεν οὐχ ὡς ἀπιστοῦντες περὶ τῆς
μελλούσης βασιλείας, ἥτις τοῖς ἰδίοις καὶ ἀορίστοις καιροῖς
ἀπαραβάτως ἐλεύσεται, ἀλλ' ὅτι ὁ λόγος τοῦ Κυρίου τὴν

D NV MZCX TG PQ BAFW L Y

I,19 ἡ om. D MZC Q L^{ac} ‖ κυρίου : θεοῦ καὶ F θεοῦ edd. ‖ 21 ψυχῆς καὶ
πνεύματος ~ CX Syr. ‖ 23 δίκην : τρόπον Y ‖ 24 ἐξομοιωθεῖσα Q ‖
25 συνεργοῦντι Y ‖ καθόλου om. Q Syr. ‖ περιμένουσα om. Syr. ‖ οὕτως
+ πάλιν Syr. ‖ 25-26 καὶ τὸν τῆς ἀλ. λόγον ~ PQ ‖ 26 καὶ om. T MZ
BAFW L ‖ ἐν : ἐπὶ Q ‖ 29 ὀρνέοις : om. AFW edd. ὀρνέων suppl. P^{mg} avi
Syr. ‖ ἐν : ἐφ' CX ‖ 30 γενόμενον D V F Y ‖ πλαζομέναις [et Syr.] :
πελαζομέναις BAFW edd. πλανωμέναις L ‖ διανοίαις AFW edd. ‖
31 τοῦτο : τότε F edd. ‖ ἀληθῶς BAFW edd. ‖ 31-32 καὶ τοὺς ἀποστόλους
καθαροὺς ~ CX PQ ‖ 32 τοῦ λόγου N A τῷ λόγῳ V X T Q Y ‖ 33 πρὸς
ἐργασίαν : πρὸς θεραπείαν Y ‖ 34 καὶ ... γενομένους om. L ‖ γινομένους
Y Z P ‖ 35 ὑπάρχων D X ‖ διὸ + καὶ BAFW edd. ‖ ἀποχρησαμένους C ‖
36 ἀπίστους + τινὰς καὶ μὴ ὑπακούσαντας CX + καὶ μὴ ὑπακούσαντας Q
+ τινὰς μὴ ὑπακούσαντας Y
II,1 τοῦτο : ταῦτα PQ L Y ‖ 2 μελλούσης suppl. P^{mg} ‖ ἀορίστοις :
ὡρισμένοις X L

l'enfouir dans trois mesures de farine jusqu'à ce que le tout lève[e] » ? Autrement dit, l'intelligence, après avoir reçu la parole du Seigneur, l'a enfouie dans la substance tripartite, à savoir celle du corps, de l'esprit et de l'âme[f], selon le mot de l'Apôtre, et elle a mêlé à l'unique levain de la foi tout ce que leurs pensées avaient de délié, en mélangeant ces multiples parcelles comme une farine et en attendant que ces dernières s'assimilent totalement à la parole agissant en elles[1]. De même la parole de vérité a été également comparée à une graine de moutarde, semée toute petite dans le cœur des auditeurs, ayant poussé grâce à son activité inhérente et, comme un arbre de bonne taille l'est pour les oiseaux dans un lieu élevé, devenue une demeure de refuge pour les idées errantes[g].

Cela se vérifie sans doute au moment où les apôtres sont déclarés purs, eux aussi, grâce à la parole qu'ils ont entendue[h] : ils ont utilisé pour passer à l'action la puissance introduite en eux en même temps que cette parole et de ce fait ils sont devenus purs. « Car la parole de Dieu est vivante et agissante[i]. » C'est pourquoi ceux qui n'ont pas utilisé pareil apport ont été condamnés en ces termes pour leur infidélité : « Si je n'étais pas venu et que je ne leur aie pas parlé, ils n'auraient pas de péché ; mais à présent ils n'ont pas d'excuse pour leur péché[j]. »

Dynamisme de la parole du Seigneur
II. Si nous avons tenu ce langage, ce n'est pas que nous manquions de foi dans le royaume à venir : il viendra infailliblement en son temps, indéterminable. Mais c'est que la parole du Seigneur contient la puissance même qui est dans le

---

I. e. Mt 13, 33   f. cf. 1 Th 5, 23   g. cf. Mt 13, 31-32   h. cf. Jn 15, 3   i. He 4, 12   j. Jn 15, 22

---

1. Le lien entre *Mt* 13,33 et *1 Th* 5,23 est déjà établi dans trois fragments parallèles du *Commentaire sur Matthieu* d'ORIGÈNE : fragm. 302, *GCS* 12, p. 135, où la femme de la parabole est l'Église. On ne trouve pas cette précision en *Paen.*, ni non plus dans le passage, autrement similaire, de CYRILLE D'ALEXANDRIE, *De adoratione in spiritu et veritate* XVII, *PG* 68, 1100 A. Un autre fragment caténaire, rapporté à *Lc* 13, 21 (fragm. 205, *GCS* 9, p. 316) identifie le levain avec l'Esprit Saint, et non plus avec la doctrine (on peut se demander d'ailleurs s'il est bien d'Origène).

αὐτὴν τῆς βασιλείας ἐπέχει δύναμιν, γενόμενος τοῖς πιστοῖς
5 ἐλπιζομένων ὑπόστασις [a], ἀρραβὼν τῆς μελλούσης κληρονο-
μίας [b], ἀπαρχὴ τῶν αἰωνίων ἀγαθῶν, τοῖς δὲ ἀπίστοις καὶ
βεβήλοις ἐνυπόστατος ἀθείας ἔλεγχος. Διό φησι·
«Μετανοεῖτε· ἤγγικεν ἡ βασιλεία τῶν οὐρανῶν [c].»

Εἰ οὖν τοὺς μόνον ἀκούοντας ὀφειλέτας ἔργου ὁ λόγος
10 δείκνυσι, συνεισφέρων ἐν τῇ καρδίᾳ τῶν λεγομένων τὴν
δύναμιν, τί πεισόμεθα ἡμεῖς, οἱ οὐ μόνον λόγων, ἀλλὰ
πολλῶν καὶ μεγάλων εὐεργεσιῶν συνεισελθούσας τὰς
δυνάμεις ἀθετήσαντες, καὶ οὐ μόνον τὸ ἓν τάλαντον, ἀλλὰ
καὶ τὰ πέντε, καὶ τὰ δύο εἰς γῆν κρύψαντες [d], σωματικῶς
15 ταῖς εὐεργεσίαις τοῦ Κυρίου ἀποχρησάμενοι· δι' ὧν εἰκὸς
καὶ ἄλογα εὐεργετούμενα ὑπακούει τῷ χειραγωγοῦντι, καθὸ
ἔχει φύσεως δύναμιν, ὡς καὶ θηρίων ἀγριότητα τραπῆναι
πρὸς λόγου ὑπακοὴν τοῦ εὐεργέτου; Κατὰ τοσοῦτον ἡμεῖς οἱ
αὐτεξιουσιότητι ὑπὲρ πάντα τὰ ζῷα τιμηθέντες, τῶν θηρίων
20 ἀγριώτεροι καὶ τῶν ἀλόγων ἀλογώτεροι πεφανερώμεθα.
Ἐκεῖνα γὰρ πρὸς τὸν ἀλλήλων πλησιασμὸν ἡδέως ἔχει, ὅθεν
καὶ νεμόμενα ἕκαστον ἀρκεῖται τῷ παρατυχόντι καὶ
ἀφθόνως τῷ ἑτέρῳ καταλείπει τὸ παρακείμενον, ἡμεῖς δὲ οἱ
τῶν ἀλόγων ἐπιστατεῖν καὶ κυριεύειν τεταγμένοι τῆς
25 φύσεως τὴν κακίαν προετιμήσαμεν, ὥστε καὶ μηδεμιᾶς
ἀνάγκης ἢ αἰτίας ἡμᾶς βιαζομένης ἀνηλεῶς καὶ ἐπιφθόνως
ἔχειν πρὸς τὸ ὁμόφυλον.

D NV MZCX TG PQ BAFW L Y

II,4 γινόμενος CX T PQ L ‖ 6 ἀπαρχὴ : ἀρχὴ TG ‖ 8 ἔγγικεν + γὰρ NV
MZC G BAFW Y ‖ 9 μόνον τοὺς ~ F edd. ‖ 10 δείκνυσι + καὶ Nˢˡ CX ‖
11 δύναμιν + ἐλέγχει Nᵐᵍ CX ‖ πεισόμεθα : ποιησόμεθα D X F Wᵃᶜ edd. ‖
ἀλλὰ + καὶ X TG Q L Y ‖ 12 πολλῶν καὶ om. T suppl. Gᵐᵍ ‖ 12-13
συνεισελθούσας δυνάμεις D NV MZCX Q συνεισελθούσης τῆς
δυνάμεως edd. ‖ 14 κατακρύψαντες CX L ‖ 15 δι'ὧν : δι'ἃς CX ‖
16 ὑπακούει εὐεργετούμενα ~ Y ‖ ὑπακούειν D Z B edd. ὑπακούῃ F ‖
καθὸ : καθ'ἣν CX PQ Y καθὼς V ‖ 17 ὡς : ὅπου Y ‖ θηρίον F edd. ‖
ἀγριώτατα G -τερα W ‖ μετατραπῆναι X L ‖ 18 λόγου ὑπακούειν τοῦ
εὐεργέτου V λόγους ὑπακοὴν τ. εὐ. Z ὑπακοὴν τοῦ εὐεργετοῦ λόγου X L
ὑπακοὴν τοῦ λόγου T ὑπακούειν τοῦ λόγου G λόγος ὑπακοῆς τ. εὐ. F edd.

royaume, étant devenue pour les croyants la substance des
biens espérés[a], les arrhes de l'héritage à venir[b], les prémices
des biens éternels ; pour les non croyants et les impies, elle est,
avec une réalité substantielle, un reproche contre leur
athéisme. Voilà pourquoi il est dit : « Faites pénitence, car le
royaume des cieux s'est rapproché[c]. »

Donc la parole indique à ceux qui se contentent d'écouter
leur devoir d'agir, en même temps qu'elle apporte dans leur
cœur la puissance de faire ce qui est dit. Dès lors qu'aurons-
nous à subir, nous qui avons réduit à néant les puissances qui
avaient été introduites en nous toutes ensemble non seulement par des paroles, mais par de nombreux et considérables
bienfaits, nous qui avons caché dans la terre non seulement le
talent unique, mais les cinq, mais les deux[d], nous qui avons
abusé charnellement des bienfaits du Seigneur ? Ces bienfaits,
impartis même à des êtres privés de raison, les auraient fait
obéir, sans doute, à celui qui les guide, dans la mesure où leur
nature le peut, de sorte que même une férocité de bêtes sau-
vages se transformerait en obéissance à la parole du bienfai-
teur. Tant nous, qui dépassons tous les animaux par cet
honneur du libre arbitre dont nous avons été parés, avons su
nous montrer plus féroces que les fauves et plus déraison-
nables que les êtres sans raison ! Ceux-ci en effet supportent
volontiers de se trouver à proximité les uns des autres, de sorte
que même au pâturage chacun se contente de ce que le hasard
lui fournit et abandonne sans jalousie à l'autre ce qui est à
côté. Nous au contraire, qui avons été préposés à la sur-
veillance et à la domination des êtres sans raison, nous avons
préféré le vice à la nature ; bien que nulle cause ou contrainte
ne nous y forçât, nous nous sommes comportés sans pitié et
avec envie à l'égard des gens de notre race.

λόγων ὑπακοὴν τ. εὐ. W ‖ 21 ἐκεῖνα + μὲν N^{sl} CX Q Y ‖ 22 ἐξαρκεῖται
BAFW edd. ‖ 24-25 τὴν κακίαν τῆς φύσεως ~ D NV MZ ‖ 25 μηδεμιᾶς +
ἡμᾶς CX e l. seq. ‖ 26 αἰτίας ἢ ἀνάγκης ~ TG ἀναγκαστικῆς αἰτίας
BAFW edd. ‖ ἡμᾶς om. Y ‖ βιαζούσης NV

II. a. cf. He 11, 1   b. cf. Ep 1, 14   c. Mt 4, 17   d. cf. Mt 25, 15-18

Τοὺς τοιούτους, οἶμαι, «ὄφεις, γεννήματα ἐχιδνῶν[e]» ὁ
Ἰωάννης ὠνόμασε, φυγεῖν τῆς μελλούσης ὀργῆς τὴν
30 μετάνοιαν εὑρηκότας ἧς ἀξίους καρποὺς ποιῆσαι παρακελεύεται ἐκ δύο χιτώνων μεταδοῦναι τῷ χρείαν ἔχοντι καὶ
περὶ βρωμάτων ὁμοίως ποιεῖν ἐντειλάμενος[f]. Εἰ δὲ τοὺς πρὸ
τῆς πίστεως τὸ δέον ἠγνοηκότας ὄφεσι διὰ τὸ ἀσυμπαθὲς
παρείκασεν, ἀπαρείκαστον ἂν εἴη κακὸν τὸ μετὰ πίστιν καὶ
35 γνῶσιν καὶ παροχὰς ἃς εἰλήφαμεν ἀδεῶς ἐξαμαρτάνειν.

III. Τὰ μὲν οὖν κρύφια παρήσω, ὅσα ἕκαστος λογιστικῶς
ἀποτελεῖν κατ' ἐξουσίαν ἔχει· εἴπω δὲ μόνον ἃ πρὸς
ἀλλήλους ἀπεχθῶς ἔχοντες ἐπιτηδεύομεν, μάλιστα πρὸς
τοὺς δοκοῦντας ἠδικηκέναι, μήτε μικροῖς μήτε μεγάλοις
5 κατὰ Θεὸν συντυγχάνοντες. Τῶν μὲν γὰρ ἀφανεστέρων ἢ
πτωχοτέρων προφανῶς κατεπαιρόμεθα, ὥσπερ μισθίων ἢ
δούλων κατεξουσιάζειν ἐθέλοντες, οὐκέτι ἐν Χριστῷ, ἀλλ' ἐν
σαρκὶ καὶ πλούτῳ ἐκδικοῦντες τὴν εὐγένειαν. Καὶ ὅταν μέν
τινα τῶν σοβαρωτέρων ἁμαρτάνοντα ἴδωμεν, ἐλέγξαι οὐ
10 τολμῶμεν, φαμὲν δὲ τοῖς παρατυχοῦσιν ὅτι γέγραπται· «Μὴ
πρὸ καιροῦ τι κρίνετε, ἕως ἂν ἔλθῃ ὁ Κύριος[a]», τῶν δὲ
ταπεινοτέρων μικράν τινα αἰτίαν εὑρόντες, εὐθέως κατεπι-
969 κείμεθα φανητιῶντες καὶ λέγοντες ὅτι γέγραπται· «Τὸν

D NV MZCX TG PQ BAFW L Y

II,29 ὠνόμασε : suppl. T^mg ἐκάλεσε B^txt et corr. mg ‖ φυγεῖν : φυγὴν D
C^pc W L + ἀπὸ NV C P^sl ‖ 30 μετάνοιαν + ἀπαγγέλλα P ‖ εἰρηκότες A W
‖ ἧς : οἷς AFW ‖ 30-31 καρποὺς ποιῆσαι παρακελεύοντας Μ κ.
παρακελεύεται π. ~ PQ Y π. κ. παρακ. Β π. κ. παρακ. καὶ AFW ‖ 31 ἐκ ...
ἔχοντι suppl. N^mg om. V ‖ μεταδιδόναι Q ‖ χρείαν N^mg Q Y [et Syr.] : μὴ
cett. [sic *Lc 3,11*] ‖ 32 ἐντειλάμενος : ἐντελλόμενος C T^pc PQ Y ‖ 33 ὄφεσι :
ὄφεις Q ‖ συμπαθὲς F edd. ‖ 34 τὸ om. L ‖ 35 ἃς εἰλήφαμεν : εἰρήκαμεν
μᾶλλον δὲ ἃς προ- G^mg εἰρ. μ. δὲ ἅσπερ εἰλήφαμεν Q

III,1 οὖν om. Μ Q suppl. P^sl ‖ ὅσα : ἃ BAFW edd. ‖ ἕκαστος + ἡμῶν C
‖ 2 ἀποτελεῖν : ἀποστέλλειν C ἐπιτελεῖν Χ Α ‖ κατ'ἐξουσίαν ἔχει
ἀποτελεῖν ~ BAFW edd. ‖ μόνον [et Syr.] : μᾶλλον D V X BAFW edd.
μόνα Y ‖ 3 ἀπαχθῶς F ἐπαχθῶς edd. ‖ 5 συντυγχάνοντες : -νοντας NV
συγχωροῦντες CX Q ἐντυγχάνοντες TG P Y ‖ τῶν + οὐ Κυρίῳ D

D NV MZCX G PQ BAFW L Y

7 post κατεξουσιάζειν def. T ‖ θέλοντες D V M G L ‖ 8 εὐγένειαν + καὶ

Tels sont ceux, je pense, que Jean a qualifiés de « serpents, d'engeance de vipères[e] », et qu'il exhorte à fuir devant la colère à venir, en trouvant une pénitence dont il leur commande de produire de dignes fruits, leur ordonnant et de donner l'une de leurs deux tuniques à qui en a besoin et d'en faire autant pour ce qui est des aliments[f]. Or si, avant de connaître la foi, et partant ce qu'il faut faire, ces gens se sont fait comparer à des serpents pour cause d'insensibilité, ce serait en nous un mal sans terme de comparaison possible, après avoir cru, après avoir reçu la connaissance et tant de présents, que de pécher impudemment !

Les maux qui rendent urgente la pénitence   **III.** Je laisserai donc de côté toutes les démarches cachées que chacun peut accomplir à volonté par la pensée pour parler seulement des comportements odieux auxquels nous nous adonnons dans nos relations mutuelles, surtout dans nos rapports avec des gens qui paraissent nous avoir lésés. Ni avec les petits ni avec les grands, ces rapports ne sont ce que veut Dieu. Avec les plus obscurs et les plus misérables, en effet, nous sommes ouvertement arrogants, cherchant à prendre à leur endroit les mêmes libertés qu'avec des salariés ou des esclaves, revendiquant d'être bien nés non plus dans le Christ, mais dans la chair ou par la richesse. Et quand nous voyons pécher quelqu'un de particulièrement altier, nous n'osons pas le réprimander, nous citons aux spectateurs éventuels la phrase de l'Écriture : « Ne jugez pas avant le temps, attendez la venue du Seigneur[a]. » Mais si nous trouvons un petit reproche à faire à des gens plus humbles, aussitôt nous nous y appesantissons avec ostentation, en citant cette autre phrase

---

προτιθέμενοι L ‖ 9 σοϐαρῶν Q ‖ 10 τολμῶμεν : δυνάμεθα F edd. ‖ παρατυγχάνουσιν D NV MZCX ‖ 11-12 τῶν δὲ — εὑρόντες : ὅταν δὲ τῶν — εὕρομεν NV ‖ 12 μιϰράν : μίαν P[ac] ‖ τινα om. P ‖ 12-13 ϰατεπιϰείμεθα : ϰατεπαιρόμεθα Y ‖ 13 φανητιῶντες : φαγγιῶντες D ‖ ὅτι om. Q L ‖ γέγραπται om. L

II. e. cf. Mt 23, 33 + 3, 7   f. cf. Lc 3, 11
III. a. 1 Co 4, 5

ἁμαρτάνοντα ἐνώπιον πάντων ἔλεγχε [b].» Καὶ οὕτως τὴν μὲν
15 ἑαυτῶν ὑπόκρισιν ἤτοι κακίαν ταῖς γραφικαῖς μαρτυρίαις
ἐνδιαστρόφως ἐπικαλύπτομεν, ἐκείνους δὲ ὡς κατὰ Θεὸν
ἐλέγχοντες διακείμεθα.
Ταῦτα μὲν οὖν ἐν τοῖς ὑποδεεστέροις. Τοὺς δὲ ἰσοδυνα-
μοῦντας ἐπὶ μικραῖς τισιν ἀφορμαῖς εὐθέως ἀποστρεφόμεθα,
20 πᾶσαν μηχανὴν ἐπινοοῦντες εἰς ἄμυναν. Καὶ οὐ πρότερον
αὐτοῖς εὐμενιζόμεθα, ἄχρις οὗ τῶν κατὰ γνώμην γενώμεθα.
Προφάσεως δὲ τοιαύτης ἐπιλαβόμενοι, ὡς ἐπ' ἀγαθῷ
χαίροντες τὴν πονηρίαν ἐπιδεικνύμεθα, καὶ μετὰ τὸ ἀμυνᾶσθαι καὶ τῆς κακίας ἐμπλησθῆναι, τότε φιλικώτερον αὐτοῖς
25 ὁμιλοῦμεν, δευτέρας φιλίας τὴν προλαβοῦσαν τοῦ κακοῦ
νίκην θεμέλιον προθέμενοι. Ἀνάγκη δὲ πᾶσα τὸ ἔργον
ὅμοιον τῷ θεμελίῳ ἐπακολουθῆσαι, καὶ πάλιν νεῖκος ἐπιζητεῖν, ὡς μηδέποτε ἄμαχον φιλίαν διαμεῖναι τῷ νικᾶν
βουλομένῳ, ἀλλ' ἀεὶ παρακολουθεῖν τῇ νίκῃ τὸ μῖσος, καθὼς
30 φησιν ἡ θεία Γραφὴ ὅτι «Μῖσος ἐγείρει νεῖκος [c]». Τὸ δὲ
τοιοῦτον νόσημα προσγίνεται τοῖς ἐν δόξῃ καὶ χρήμασι τὰ
πρωτεῖα μεταδιώκουσι, καθάπερ τῷ πρώτῳ τῆς νήσου τὸ
δυσεντέριον [d], ὅπερ καὶ νῦν ὁ μακάριος Παῦλος θεραπεύει
λέγων· «Τῇ ταπεινοφροσύνῃ ἀλλήλους προηγούμενοι,
35 ὑπερέχοντας ἑαυτῶν [e].»
Πρὸς μὲν οὖν τοὺς ταπεινοτέρους εἴτουν ἰσοτίμους οὕτως
διακείμεθα. Τὴν δὲ πρὸς τοὺς δυνατωτέρους πονηρίαν κε-
κρυμμένην οὖσαν καὶ πολύτροπον οὐδὲ εἰπεῖν ὡς ἔστιν ἢ

D NV MZCX G PQ BAFW L Y

III,15 ἤτοι : εἴτ'οὖν CX ἤγουν PQ Y ‖ 16 ὑποκαλύπτομαι F -πτομεν
edd. ‖ ἐκείνους : κἀκείνους X L ‖ 18 ἐν : ἐπὶ CX PQ ‖ τοὺς ὑποδεεστέρους
C ‖ 20 ἐπινοοῦντες : ἐννοοῦντες BAFW edd. ‖ εἰς : πρὸς NV Q edd. ‖
21 ἄχρις ... γενώμεθα : πρὶν ἂν πικρῶς ἐπιφερόμενοι φαρισαικῆς
ἐμπλησθῶμεν [ἀναπλ. P] ἀλαζονείας P[mg] L ‖ οὗ : οὖν G ἂν Q Y ‖ τῶν : τὸν
F αὐτοῖς edd. ‖ γενώμεθα : γενοίμεθα MZCX PQ[ac] BA W ‖ 22 τοιαύτης :
οἰκτρᾶς CX Q τῆς τοιαύτης A W τῆς αὐτῆς F edd. ‖ ὡς : εὐθὺς C εὐθὺς
ὡς X Q ‖ 23-24 ἀμυνᾶσθαι : ἀμύναντες F edd. ‖ 24 καὶ τῆς κακίας
ἐμπλησθῆναι om. BF edd. ‖ τότε + δὴ G[sl] PQ Y + δὲ X ‖ φιλικωτέρως
AFW edd. φιλονεικότερον L ‖ 26 προτιθέμενοι X τιθέμενοι Y ‖ ἔργον +
τῆς τοῦ κακοῦ οἰκοδομῆς C Q + οἰκοδομῆς X ‖ 27 ἀκολουθῆσαι L παρακο-
Y ‖ 27-28 ζητεῖν BAFW edd. ‖ 28-29 τῷ νικᾶν βουλομένῳ διαμεῖναι ~ CX

de l'Écriture : « Au pécheur, fais ta réprimande devant tout le monde[b]. » Et ainsi nous dissimulons perversement notre hypocrisie ou notre méchanceté sous les témoignages scripturaires, mais nous nous sentons comme si nous faisions à ces gens-là des réprimandes inspirées de Dieu.

Cela donc dans le cas des inférieurs. Quant à nos égaux en pouvoir, au moindre prétexte nous nous écartons d'eux en inventant toute sorte de machinations pour nous venger. Et nous ne nous adoucissons pas envers eux avant d'avoir mené les choses à notre guise. Lorsque nous avons saisi pareille occasion, nous nous en réjouissons comme d'une aubaine et faisons ainsi montre de notre dépravation. Une fois que nous nous sommes vengés et avons rassasié notre méchanceté, nous vivons avec eux dans un commerce plus amical : la victoire préalable du mal nous sert de fondement pour une deuxième amitié. Or de toute nécessité une œuvre de même ordre suit de ce fondement-là : on cherche de nouveau la dispute, si bien que l'amitié ne reste jamais sans dispute pour qui veut en tirer une victoire. Toujours, au contraire, la haine sert de compagne à la victoire, selon ce mot de la divine Écriture : « La haine suscite la dispute[c]. » Ce type de maladie survient à ceux qui cherchent le premier rang dans le renom et les richesses, tout juste comme la dysenterie avait atteint le Premier de l'île[d]. A présent encore le bienheureux Paul soigne ce mal en disant : « Que l'humilité vous fasse céder le pas les uns aux autres et prévaloir ainsi sur vous-mêmes[e]. »

A l'égard des plus humbles ou de nos égaux en droits, voilà donc quelles sont nos dispositions. Quant à notre perversité par rapport aux plus puissants, elle est cachée et multiforme, de sorte qu'il n'est pas facile d'en parler ou même de la conce-

---

‖ 29 ἀεί : ἀείπερ Y ‖ 30 φησιν + καὶ PQ ‖ 31 ἐγγίνεται CX ‖ δόξαις Y ‖ χρήμασι Z σχήμασι A ‖ 32-33 καθάπερ ... νῦν om. Q ‖ 32 νήσου [et Syr.] : νόσου P F edd. ἴσως νόσου W[mg] ‖ 34 ἡγούμενοι L Y ‖ 35 ὑπερέχοντες D MX Q L edd. ‖ 36 εἴτουν : ἤτοι X ἢ Q ‖ ἰσοτίμους : ἰσοτέρους V εἰσοδυνάμους G ‖ 38 ἢ : οὐδὲ V CX Q καὶ Z

III. b. 1 Tm 5, 20   c. Pr 10, 12   d. cf. Ac 28, 7-8   e. Ph 2, 3

νοῆσαι ῥᾴδιον. Οὐ γὰρ ὡς ἐντολὴν τηροῦντες ὑποκείμεθα
40 τοῖς ἀνωτέροις, ἀλλ' ἐκείνους ὑποτρέχομεν οὓς ἀδικῆσαι μὴ
δυνάμεθα, καὶ ὀφθαλμῷ μὲν βασκάνῳ τὰς εὐτυχίας αὐτῶν
καθορῶμεν πικρῶς, εὐδαιμονίαν δὲ αὐτῶν οὐδὲ κηρυττο-
μένην ἡδέως ἀκούομεν, καὶ σχήμασι μὲν καὶ λόγοις
εἰρηνικοῖς κολακεύομεν τοὺς τοιούτους, ἐναντίως δὲ ταῖς
45 ἐννοίαις πρὸς αὐτοὺς διακείμεθα, ὡς ἐφ' ἡμῖν πληροῦσθαι τὸ
λεγόμενον· «Τῶν λαλούντων εἰρήνην μετὰ τῶν πλησίον
αὐτῶν, κακὰ δὲ ἐν ταῖς καρδίαις αὐτῶν[f].»

IV. Ταῦτα δὲ εἰρήκαμεν τῶν ἀκοντὶ περιφερομένων, τοὺς
ἑκουσίως ἁμαρτάνοντας ἐξωτέρους δεῖξαι βουλόμενοι καὶ
πρὸς μετάνοιαν δυσκόλως ῥέποντας. Πῶς γὰρ οὐκ ἑκουσίως
οἱ μὴ θέλοντες ποιεῖν τὸ τοῦ Δανιὴλ καὶ εὑρεῖν ἄφεσιν,
5 λέγοντος· «Τὰς ἁμαρτίας σου ἐν ἐλεημοσύναις λύτρωσαι,
καὶ τὰς ἀδικίας σου ἐν οἰκτιρμοῖς πενήτων[a]»; Ἀλλ' ἐρεῖς·
Οὐκ ἔχω χρήματα, πῶς οἰκτειρήσω τὸν πένητα; Οὐκ ἔχεις
χρήματα, ἀλλ' ἔχεις θελήματα· ἀπόταξαι αὐτοῖς καὶ ἐν
ἐκείνοις ἐργάζου τὸ ἀγαθόν. Οὐ δύνασαι εὐποιῆσαι χειρὶ σω-
10 ματικῇ· εὐποίησον δεξιᾷ προαιρετικῇ. «Ὅταν ἁμάρτῃ εἰς σὲ
ὁ ἀδελφός σου, ἄφες αὐτῷ[b]», κατὰ τὸν λόγον τοῦ Κυρίου,
καὶ ἔσται σοι ἐλεημοσύνη μεγάλη. Εἰ ζητοῦμεν ἄφεσιν παρὰ
Θεοῦ, τοῦτο ποιεῖν ὀφείλομεν ἐπὶ πάσῃ πλημμελείᾳ πρὸς
ἕκαστον, ὅπως γένηται τό· «Ἄφετε καὶ ἀφεθήσεται ὑμῖν[c].»

D NV MZCX G PQ BAFW L Y

III,39 τηροῦντες : πληροῦντες NV MCX L ποιοῦντες Z ‖ ὑποκείμεθα
[et Syr.] : διακεί. BAFW edd. ‖ 40 μὴ : οὐ N Q L[ac] ‖ 42 πικρῶς om.V suppl.
N[mg] [m1] ‖ οὔτε G Y ‖ 43 σχήματι F edd. ‖ μὲν om. G L ‖ 44 εἰρηνικῶς C AF
L ‖ τοῖς τοιούτοις M ‖ 45 τὸ + ἐν τῇ γραφῇ Q ‖ 46 λεγόμενον : εἰρήμενον
τῇ γραφῇ CX
IV,1 εἰρήκαμεν + περὶ edd. ‖ παραφερομένων X G L ‖ 2 ἀκουσίως M
P[ac] ‖ 3 οὐχὶ AF edd. ‖ ἑκουσίως + ἁμαρτάνουσι CX Q ‖ 4 οἱ : εἱ AFW edd.
‖ τὸ ὑπὸ δανιὴλ εἰρημένον ποιεῖν CX ποιεῖν τὸ εἰρημένον ὑπὸ τοῦ δ. Q ‖
ἄφεσιν + παρὰ τοῦ θεοῦ N[mg] Y + καὶ Z ‖ 6 ἀδικίας codd. : ἀνομίας edd. ‖
ἐρεῖς : ἴσως ἐρεῖς CX ἐρεῖς ἴσως Q ἐρεῖς τύχον BAFW edd. ‖ 7 χρήματα
+ καὶ Q ‖ 7-8 πῶς ... χρήματα om. M ‖ 7 τὸν om. F edd. ‖ 9 ἐκείνοις :
αὐτοῖς D ‖ 10 προαιρετικῇ [Syr. dextera bonae voluntatis] : προαιρέσει D
NV Z X G[txt] BAFW L edd. ‖ ἁμαρτήσῃ N MC ‖ 12 ἔσται : ἐστι D NV

voir. Ce n'est point l'observation des commandements qui
dicte notre soumission envers nos supérieurs ; nous rampons
plutôt devant ceux à qui nous n'avons pas le pouvoir de faire
du tort ; nous contemplons d'un œil envieux et avec amertume
leur heureuse fortune. Nous n'éprouvons nul plaisir à
entendre proclamer leur bonheur. Par nos attitudes et nos
paroles pacifiques nous flattons de pareilles gens, mais nos dispositions mentales à leur égard sont hostiles. Si bien qu'en
nous se réalise ce propos : « Eux qui parlent de paix à leur prochain, ils ont des méchancetés dans leur cœur[f]. »

Se faire pardonner   **IV.** Nous avons énuméré ces traits de
ceux qui se laissent dériver sans le vou-
loir avec le dessein de montrer que les pécheurs de propos
délibéré sont plus exclus encore et ont bien de la peine à pencher vers la pénitence. Comment en effet n'agiraient-ils pas de
propos délibéré, ceux qui se refusent à faire ce que dit Daniel
et à y trouver le pardon : « Rachète tes péchés par des
aumônes et tes iniquités par tes miséricordes envers les pauvres[a] » ? Mais tu vas dire : Je n'ai pas de richesses, comment
exercerais-je la miséricorde envers le pauvre ? Tu n'as pas de
richesses, soit, mais tu as des volontés ; renonce à elles et opère
le bien par leur moyen. Incapable de bonnes actions avec ta
main corporelle, fais-en avec la droite de ton libre arbitre.
« Quand ton frère pèche contre toi, pardonne-lui[b] », selon la
parole du Seigneur, et ce sera pour toi une large aumône. Si
nous cherchons à obtenir de Dieu le pardon, nous devons tenir
cette conduite envers chacun, à l'occasion de toute faute, afin
que se réalisent les mots : « Pardonnez et il vous sera pardonné[c]. »

MZCX Q ‖ μεγάλη om. edd. ‖ ἄφεσιν + ἁμαρτίων BAFW edd. ‖ παρὰ +
τοῦ N C P ‖ 13 τοῦτο + καὶ ἡμεῖς CX Q

D NV MZCX TG PQ BAFW L Y

14 a γένη]ται exstat denuo T ‖ γένηται + καὶ ἐφ'ἡμῖν CX Q

III. f. Ps 27, 3
IV. a. Dn 4, 27   b. cf. Lc 17, 3   c. cf. Lc 6, 37

15 Μέγα μὲν τῷ ἔχοντι χρήματα τὸ μεταδιδόναι τοῖς πένη-
972 σιν, ἐλεεῖν δὲ τοὺς πλησίον ἐπὶ ἁμαρτήμασι τοσοῦτον μεῖζόν
ἐστι πρὸς ἄφεσιν, ὅσον ψυχὴ τιμιωτέρα σώματος κατὰ φύσιν
ὑπάρχει. Ὅσοι δὲ αἰτήσαντες ἄφεσιν παρὰ Θεοῦ ἐλάβομεν
πολλάκις, ὡς διὰ τοῦτο μηδὲν ἡμᾶς ἐντεῦθεν πονηρὸν ὑπο-
20 μένειν, τὸ αὐτὸ δὲ τοῖς πλησίον παρέχειν οὐ καταδεχόμεθα,
ὅμοιοί ἐσμεν τῷ δούλῳ ἐκείνῳ τῷ πονηρῷ ὃς μυρίων
ταλάντων ἄφεσιν λαβὼν παρὰ τοῦ δεσποτοῦ τῷ συνδούλῳ
ἑκατὸν δηνάρια δεομένῳ οὐ συνεχώρησεν ᵈ. Ὧ καὶ νομίμως ὁ
Κύριος διαλεγόμενος ἔφη· «Δοῦλε πονηρέ, πᾶσαν τὴν
25 ὀφειλὴν ἐκείνην ἀφῆκά σοι, ἐπεὶ παρεκάλεσάς με· οὐκ ἔδει
καὶ σὲ ἀφῆναι τῷ συνδούλῳ σου ᵉ;» «Καὶ ὀργισθείς, φησί,
παρέδωκεν αὐτὸν τοῖς βασανισταῖς, ἕως οὗ ἀποδῷ πᾶν τὸ
ὀφειλόμενον ᶠ.» Καὶ ἐπάγει λέγων· «Οὕτως ποιήσει ὑμῖν ὁ
Πατήρ μου ὁ ἐν τοῖς οὐρανοῖς, ἐὰν μὴ ἀφῆτε ἕκαστος τῷ
30 ἀδελφῷ αὐτοῦ τὰ παραπτώματα ἀπὸ τῶν καρδιῶν ὑμῶν ᵍ.»
Διὸ καὶ ἀλλαχοῦ τοὺς ποικίλαις εὐεργεσίαις παρ' αὐτοῦ
πλουτισθέντας, ἀνελεήμονα δὲ καὶ ἀσυμπαθῆ τρόπον
ἔχοντας ταλανίζει λέγων· «Οὐαὶ ὑμῖν τοῖς πλουσίοις, ὅτι
ἀπέχετε τὴν παράκλησιν ὑμῶν ʰ.» Ὄντως γὰρ πλοῦτος μὲν
35 ἡμῖν ἐστιν ἡ περιουσία τῶν διαφόρων παρ' αὐτοῦ
δωρημάτων· οὐαὶ δὲ ἡμῖν, ὅτι παρακαλέσαντες καὶ πολλάκις
ἐλεηθέντες αὐτοὶ παρακαλούμενοι οὐδένα ἠλεήσαμεν, ἀλλὰ
ἀπέχομεν τὸν παράκλησιν ἡμῶν.

D NV MZCX TG PQ BAFW L Y

IV,15 τὸν ἔχοντα Q ‖ τὸ om. D AFW edd. ‖ 16 ἐπὶ : ἐφ' CX PQ Y ‖
τοσοῦτον : τοσοῦτο Ρ τοῦτο Α ‖ 17 τιμιωτέρα + τοῦ Gˢˡ Q ‖ 17-18 σώματος
κατὰ φύσιν ὑπάρξει τιμιώτερα ~ CX Q ‖ 18 παρὰ + τοῦ CX Q ‖ 18-19
πολλάκις ἐλάβομεν ~ CX ἔλαβον πολλ. T L πολλ. ἔλαβον Q ἔλαβον μὲν
πολλ. BAFW edd. ‖ 19 ἐνταῦθα CX Q Y ‖ 19-20 ὑπομεῖναι CX PQ ‖ 20 τὸ
δὲ αὐτὸ ~ CX ‖ παρέχειν : μετέχειν BAFW edd. ποιεῖν L Syr. ‖ οὐκ
ἀνεχόμεθα CX ‖ 22 λαβὼν : εἰληφὼς BAFW edd. ‖ συνδούλῳ + τὰ L ‖
23 δεομένῳ + ἀφεθῆναι Tᵐᵍ om. F edd. ‖ 24 διαλεγόμενος ὁ κύριος ~ D N
MX ‖ 26 ἀφῆναι τῷ συνδούλῳ D V MC Pˢˡ ᵖᶜ : ἀφεῖναι τῷ -ον N ἀφεῖναι
τὸν -ον ZX TG Q Y ἐλῆσαι τὸν -ον BAFW L edd. et Syr. [ut Mt 18,33] ‖
σου + καὶ [om. edd.] ἀφιέναι αὐτῷ τὸ ἀφειλόμενον ὡς καὶ ἐγώ σοι ἠλέησα
BAFW edd. ‖ 27 παράδοτε edd. ‖ πᾶν om. T P ‖ 28 ποιήσει + καὶ C PQˢˡ ‖
29 μου : ὑμῶν PQ ‖ ἐν τοῖς οὐρανοῖς : ἐπουρανίοις CX ‖ 31 ἀλλαχοῦ +

C'est une grande chose, quand on a des richesses, que d'en donner leur part aux pauvres ; mais faire miséricorde au prochain à l'occasion de ses péchés est, pour se faire pardonner, chose plus grande encore, dans toute la mesure où l'âme est par nature plus précieuse que le corps. Or nous tous qui avons demandé à Dieu le pardon, l'avons reçu maintes fois, avec la conséquence que nous n'avons rien subi de mauvais découlant de nos actes ; pourtant nous n'acceptons pas d'offrir au prochain le même traitement. Nous ressemblons à cet esclave méchant qui, après avoir reçu rémission de son maître pour une dette de mille talents, ne voulait pas tenir quitte de cent deniers son compagnon d'esclavage qui le lui demandait[d]. Aussi, entré en compte avec lui, le Seigneur lui a-t-il justement : « Méchant esclave, je t'ai remis toute ta dette parce que tu m'en avais supplié ; ne devais-tu pas, toi aussi, faire remise à ton compagnon[e] ? » « Et dans son irritation, est-il dit, il le livra aux bourreaux jusqu'à ce qu'il ait restitué tout ce qu'il devait[f]. » Et il continue en disant : « C'est ainsi que mon Père qui est dans les cieux vous traitera si chacun de vous ne remet ses fautes à son frère du fond du cœur[g]. »

Voilà pourquoi également ailleurs il déclare malheureux ceux qui ont été enrichis de ses bienfaits variés et se comportent sans pitié ni compassion. « Malheur à vous, les riches, dit-il, car vous gardez pour vous votre consolation[h]. » Oui vraiment, en effet, elle est riche pour nous la surabondance des divers dons reçus de lui. Mais malheur à nous, car nos implorations nous ont fréquemment valu la pitié, et pourtant quand on nous implorait nous n'avons eu pitié de personne, nous gardons pour nous notre consolation.

ταλανίζει (quod e l. 33 transp.) CX G^sl PQ Y ἀλλαχῇ M L ‖ ποικίλαις : πολλαῖς D NV MZ ‖ 32-33 ἀνελεήμονα — ἔχοντας : ἀνελεήμονας — ἀσυμπαθεῖς τρόπους Q om. A ‖ 34 μὲν : om. D ἐν A W ‖ 35 ἐστιν ἡμῖν ~ D TG P ὑμῖν ἐστιν Z Y ‖ διαφερόντων L ‖ παρ'αὐτοῦ : ἡμῖν AF edd. ‖ 36 δωρημάτων : δωρεῶν T CX PQ ‖ ὑμῖν Y ‖ 36-37 πολλάκις ἐλεηθέντες αὐτοὶ καὶ ~ Y αὐτοὶ L ‖ 37 οὐδένα : οὐδὲν A W ‖ 38 ἀπέχομεν Z Y ἀπέσχαμεν CX

IV. d. cf. Mt 18, 23-32   e. Mt 18-32-33   f. Mt 18, 34   g. Mt 18, 35   h. Lc 6, 24

V. Εἰπὼν γὰρ περὶ πλουσίων οὐ πάντας αἰτιᾶται τοὺς
εὐποροῦντας. Εἴσι γὰρ ἐν αὐτοῖς καὶ οἱ ἀληθῶς τὸν πλοῦτον
διοικεῖν ἐπιστάμενοι πρὸς τὸ θέλημα τοῦ δεδωκότος Θεοῦ,
καὶ ἑκατονταπλασίονα, καθὼς γέγραπται, ἐν τῷ αἰῶνι
5 τούτῳ λαμβάνοντες [a], ὡς ὁ μακάριος Ἀβραάμ, καὶ ὁ δίκαιος
Ἰώβ, ἐλεήμονες γενόμενοι, πλέον ἐπλούτησαν καὶ ὧδε καὶ ἐν
τῷ μέλλοντι αἰῶνι· ἀλλὰ καθὰ προειρήκαμεν, τοὺς πλεονεκτικὸν τρόπον ἔχοντας, καὶ ἤτοι ἐν χρήμασιν, ἤτοι ἐν
διαφόροις οἰκτιρμοῖς νοσφιζομένους τὰς τοῦ Θεοῦ δωρεάς,
10 καὶ τὸν πλησίον μὴ βουλομένους ἐλεεῖν μέμφεται. Οὐ γὰρ ἡ
παρὰ Κυρίου δεδομένη κτῆσις τὸν ἔχοντα ἀδικεῖ, ἀλλ᾽ ἡ ἐξ
ἀδικίας ἐπιγινομένη πλεονεξία, καὶ ἡ ταύτης μήτηρ ἀσ-
πλαγχνία, ἃς παντελῶς διαφεύγοντες οἱ βεβαιόπιστοι ἄρδην
τοῖς παροῦσιν ἀπετάξαντο, οὐ τὴν τοῦ Θεοῦ κτίσιν ἀκρίτως
15 μισήσαντες, ἀλλὰ πεπιστευκότες τῷ τοῦτο ποιεῖν αὐτοὺς
ἐντειλαμένῳ Χριστῷ, παρὰ αὐτοῦ τὴν ἐφήμερον αὐτάρκειαν
ἐκδεχόμενοι.

Δύναται οὖν τις καὶ ἐκτὸς χρημάτων πλουτεῖν, συνέχων
ἐν πλεονεξίᾳ ἤτοι λόγον, ἢ γνῶσιν, ἢ οἱανδήποτε συμ-
20 πάθειαν, τὰ κοινῇ πᾶσι κεχαρισμένα. Λαμβάνει γάρ, ἵνα
μεταδῷ τῷ μὴ ἔχοντι ἑτέρῳ. Εἰ δὲ ἀνελεημόνως πρὸς τὸν
πλησίον διάκειται, τὸ οὐαὶ προσλαμβάνει, ὅτι ἀπέχει τὴν
παράκλησιν αὐτοῦ [b]. Παραπλήσιον δὲ τούτοις καὶ ὁ ἅγιος
Ἰάκωβος ὁ ἀπόστολος τοῖς οὕτω πλουτοῦσι λέγει· «Ἄγε

D NV MZCX TG PQ BAFW L Y

V,2 εὐποροῦντας : πλουτοῦντας D N (V legi nequit) MZ PQ ‖ καὶ ἐν
αὐτοῖς ~ Y ‖ ἀληθῶς : ἀγαθῶς CX Nᵖᶜ T + ἀγαθῶς L benigne [vel felici-
ter] Syr. ‖ 2-3 διοικεῖν τὸν πλοῦτον ~ NV ‖ 5 ὡς : ὥσπερ CX TG PQ L Y
‖ 6 καὶ ὧδε om. D ‖ 7 καθὰ : καθὼς V M καθάπερ P ‖ εἰρήκαμεν PQ ‖ 8 καὶ
om. Q Ý ‖ ἤτοι bis : εἴτε bis AFW edd. ‖ 9 δωρεάς : παροχὰς P ‖ 10 καὶ
τὸν πλησίον om. M ‖ τὸν : τοὺς CX TG Syr. ‖ ἐλεεῖν μὴ βουλ. ~ MCX TG
PQ ‖ ἐπιμέμφεται BAFW edd. ‖ 11 δεδομένη om. edd. ‖ κτῆσις : κτίσις
NV ZC AF edd. om. Syr. ‖ ἀδικεῖ τὸν ἔχοντα ~ CX TG P ‖ 12 ἀδικίας :
ἀπιστίας Tᵐᵉ Q Y ‖ ἐπιγενομένη Z F L Y edd. ‖ 13 διαφύγοντες TG
φεύγοντες BAFW edd. ‖ 14 κτίσιν τοῦ θεοῦ ~ PQ τοῦ θεοῦ κτῆσιν D M
TG AW Y τοῦ θ. κρίσιν F edd. ‖ ἀκρίτως om. Y ‖ 15 πιστεύσαντες L ‖
αὐτοὺς : αὐτοῖς D V Z A L αὐτὴν edd. ‖ 19 ἤτοι — ἢ¹ : ἤτοι — ἤτοι CTG
P L Y εἴτε — εἴτε Q ‖ ἢ² om. Q ‖ 19-20 συμπάθειαν : εὐμάθειαν NV ‖

Richesse et cupidité   **V.** Ce langage au sujet des riches n'est
                                 pas en effet une mise en accusation
contre tous ceux qui sont à leur aise. Car il en est parmi eux qui
savent vraiment administrer leur richesse selon la volonté de
Dieu qui la leur a donnée et qui reçoivent le centuple dès ce
monde-ci[a], ainsi qu'il est écrit. Par exemple le bienheureux
Abraham et le juste Job : ayant fait montre de miséricorde, ils
se sont enrichis davantage tant ici-bas que dans le monde à
venir. Mais, comme nous l'avons dit plus haut, ce sont les gens
d'un caractère cupide, ceux qui détournent les dons de Dieu en
ce qui regarde soit des richesses soit diverses œuvres de miséricorde, ceux qui se refusent à avoir pitié du prochain, qui font
l'objet de ces reproches. Ce n'est pas la propriété donnée par
le Seigneur qui rend injuste son possesseur, c'est la cupidité
qui vient y surajouter l'injustice, c'est la mère de la cupidité, la
dureté du cœur. Pour les éviter tout à fait, les gens fermes dans
la foi se sont abstenus complètement des réalités présentes,
non pour avoir détesté sans discernement la création de Dieu,
mais parce qu'ils ont eu foi au Christ, qui leur ordonnait cette
conduite, et ont par là obtenu de lui de quoi quotidiennement
se suffire.

On peut donc, même sans biens matériels, être un riche, si
l'on garde pour soi cupidement un discours, une connaissance
ou un attachement quelconque, alors que ce sont des dons
octroyés en commun à tous. On les reçoit en effet pour pouvoir en faire part à l'autre qui ne les a pas. Si l'on voue au prochain des dispositions dépourvues de miséricorde, on se
procure le « Malheur », parce qu'on garde pour soi sa consolation[b]. Une phrase très semblable à celle-là est d'ailleurs adressée par l'apôtre saint Jacques aux riches de ce type : « Allez !

---

20 κοινὰ D MZ ‖ πᾶσι + ἀνθρώποις CX G[sl] PQ Y ‖ κεχαρισμένα :
δεδωρημένα CX ‖ γάρ + τις CX Y ‖ 21 ἑτέρῳ τῷ μὴ ἔχοντι ~ Q Y τῷ μὴ
ἔχοντι BAFW edd. ‖ εἰ : ἢ D F οἱ edd. ‖ δέ + τις CX ‖ τὸν : τοὺς G L τὸ
M ‖ 22 πλησίον om. M ‖ διάκεινται BF edd. διακεῖσθαι M ‖ προλαμ-
βάνουσι — ἀπέχουσι edd. ‖ 23 αὐτῶν edd. ‖ παραπλήσια N παραπλησίως
BAFW edd. ‖ 24 ἰάκωβος ὁ ἀπόστολος : ἀπ. ἰάκ. TG PQ L Y ἱ. ὁ
ἀδελφόθεος A ‖ λέγει : ἐγκαλεῖ λέγων CX

V. a. cf. Mc 10, 30   b. cf. Lc 6, 24

25 νῦν, οἱ πλούσιοι, κλαύσατε ὀλολύζοντες ἐπὶ ταῖς
ταλαιπωρίαις ὑμῶν ταῖς ἐπερχομέναις ὑμῖν ᶜ.» Κλαίειν δὲ
καὶ ὀλολύζειν ἐπιτρέπων εἰς μετάνοιαν ἡμᾶς προτρέπεται.
973 Συνειδὼς δὲ ἀνεπιμέλητον τὸ πάθος φησίν· « Ὁ πλοῦτος
ὑμῶν σέσηπεν ᵈ», ὡς ἂν εἰπεῖν ἄχρηστός ἐστι, μὴ καὶ εἰς
30 ἑτέρους μεταδοθείς, ὄντινα οἱ πολλοὶ καὶ δίχα χρημάτων
κεκτήμεθα, ἐν τοῖς νοεροῖς ταμείοις τὴν πλεονεξίαν χρυσοῦ
δίκην κατορύξαντες. Περὶ οὗ καὶ ὁ προφήτης ἐκφαντι-
κώτατά φησι· «Προσώζεσαν καὶ ἐσάπησαν οἱ μώλωπές
μου ᵉ», τὸ ἀφιλάγαθον καὶ πλεονεκτικὸν τοῦ τρόπου μώλω-
35 πας λέγων, τὸ δὲ «προσώζεσαν καὶ ἐσάπησαν», τὴν μέχρις
ἐξόδου ἀμέλειαν, ὀζομενίαν καὶ σῆψιν εἶναι λογισάμενος.
Καὶ γάρ τινες αἱρούμεθα μᾶλλον ὑπὸ γῆν καταλεῖψαι τὴν
περιουσίαν ἢ μεταδοῦναι τῷ χρείαν ἔχοντι. Τότε δὴ ἐξόδου
καταλαβούσης προσόζει τῇ ψυχῇ τὸ τοιοῦτον τραῦμα, ὡς
40 σηπεδὼν καὶ ἀφροσύνης αἰτία· αἰώνιος μώλωψ αὐτῇ προσ-
γινόμενος οὐκ ἀφίησιν εἰσελθεῖν εἰς τὴν ἐπουράνιον Ἐκκλησίαν τῶν πρωτοτόκων ᶠ, καθὼς ὁ νόμος περὶ τῶν ἐχόντων
μῶμον διαγορεύει.

VI. Τάχα δὲ καιρὸς ἂν εἴη καὶ τοὺς χαλεπωτέρους μώλω-
πας γυμνῶσαι καὶ τῷ ἰατρῷ τῶν ψυχῶν ἐπιδεῖξαι. Τοῦ γὰρ
ἁγίου Παύλου εἰπόντος· «Τὸ ὑμῶν περίσσευμα εἰς τὸ
ἐκείνων ὑστέρημα ᵃ», ἡμεῖς τὸ ἐναντίον ποιοῦμεν, τὸ
5 ὑστέρημα τῶν πενήτων ἁρπάζοντες καὶ προστιθέντες τῷ

D NV MZCX TG PQ BAFW L Y

V,26 ὑμῖν : om. T BAFW L Y edd. suppl. Gᵐᵍ ‖ 27 ἐπιτρέπων :
προτρέπει NV ‖ προτρέπεται : ἐπιτρέπεται NV προτρέπει Gᵖᶜ PQ Y ‖
28 εἰδὼς CX PQ L Y ‖ πάθος + ἐστί F edd. ‖ 29 ὡσανεὶ T A ὡσανεὶ εἰπεῖν
ἢ οὕτως ὡς ἂν εἴποι Wᵐᵍ ᵐ² ‖ 29-30 εἰς ἑτέρους : ἑτέροις X ‖ 30 διαδοθείς
CX Q ‖ δίχα : διὰ Pᵃᶜ L ‖ 32-33 ἐμφαντικώτατα N MZ Cᵖᶜ BF ‖ 34 μου +
ἀπὸ προσώπου τῆς ἀφροσύνης σου CX ‖ τοῦ τρόπου : τοῦ προσώπου AW
τοῦ τρόπῳ F αὐτοῦ τρόπον edd. ‖ 36 ὀζομενίαν : ὀζοδίαν Pᵖᶜ om. TG ‖
σῆψιν : θλίψιν L ‖ λογισάμενος : ὁρισάμενος CX ‖ 37 αἱρούμεθά τινες ~ L
‖ ὑπὸ γῆν μᾶλλον ~ Q ‖ ἐπὶ γῆν N ἐπὶ γῆς Y ‖ καταλεῖψαι [et Syr.] :
καλύψαι AFW edd. ‖ 38 χρείαν CX PQ Y Syr. : μὴ cett. ‖ τότε δὴ : τοῦτο
δὲ Z τὸ δὲ L ‖ δὴ + τῆς CX ‖ 39 προσόζειν L ‖ 40-41 προσγενόμενος N T
Y ‖ 41 εἰς τὴν ἐπουράνιον εἰσελθεῖν ~ PQ ‖ 41-42 ἐκκλησίαν : βασιλείαν

Malheur à vous, les riches, pleurez et hurlez sur vos calamités, celles qui vont fondre sur vous[c]. » En nous invitant à « pleurer et hurler », c'est à la pénitence qu'il nous exhorte. Conscient d'ailleurs que cette passion n'a cure de rien, il déclare : « Votre richesse est tombée en putréfaction[d]. » Ce qui est une façon de dire qu'elle est inutile, n'ayant pas été communiquée aux autres, cette richesse dont beaucoup d'entre nous sont les propriétaires même sans avoir de biens matériels : n'avons-nous pas enfoui la cupidité, comme si c'était de l'or, dans les coffres-forts de notre intellect ? A ce sujet, le prophète s'exprime aussi de la façon la plus explicite : « Mes plaies sont devenues puantes et corrompues[e]. » C'est la cupidité de caractère et le manque d'amour pour le bien qu'il appelle « plaies », cependant que l'expression « devenues puantes et corrompues » est une constatation de la négligence allant jusqu'à la mort : elle est puanteur et pourriture. Effectivement certains d'entre nous préfèrent abandonner sous terre leur superflu plutôt que de le communiquer à qui en a besoin. Mais lorsque la mort nous surprend, une pareille blessure à l'âme s'empuantit comme une pourriture et une démence coupable. La plaie éternelle qui s'attache à cette âme ne lui permet pas d'entrer dans l'Église céleste des premiers-nés[f], conformément à ce que la loi statue au sujet des gens porteurs d'une tare.

Dénuement et superflu   **VI.** Mais peut-être serait-ce le moment de mettre également à nu les plaies les plus graves et de les montrer au médecin des âmes. Saint Paul avait dit : « Votre superflu doit aller à leur dénuement[a] » ; mais nous faisons, nous, le contraire : nous nous emparons du dénuement des misérables

---

BAFW P edd. ‖ 42 καθὼς + καὶ L ‖ τῶν suppl. P[sl] ‖ ἔχοντων om. D V MZ suppl. N[sl] ‖ 43 μῶμον : μώμων D V M νόμον W ‖ διαγορεύει : ἀπαγ. G Q ἐξάγ. edd.

VI,2 ἀπογυμνῶσαι C ‖ 5 ἀφαρπάζοντες BAFW edd. ἁρπάζομεν Q ‖ προστίθεμεν Q

V. c. Jc 5, 1   d. Jc 5, 2   e. Ps 37, 6   f. cf. He 12, 22-23
VI. a. cf. 2 Co 8, 14

ἡμετέρῳ περισσεύματι. Τοῦτο δὲ καὶ ἐκτὸς χρημάτων
πολλάκις κατεργαζόμεθα. Ὅταν πλημμελήσωμεν εἰς τὸν
ἀδελφὸν ἐπί τινι πράγματι, οὐ μόνον ἀθεράπευτον ἀφίεμεν,
ἀλλὰ καὶ ἀπολογίαν ἣν ἡμεῖς ἐχρεωστοῦμεν ταύτην παρ'
10 ἐκείνου τυραννικῶς λαμβάνομεν, οὐδὲν ἕτερον ποιοῦντες ἢ
καθὼς προείρηται, τὸ ἐκείνων ὑστέρημα προστιθέντες τῷ
ἡμετέρῳ περισσεύματι, τῇ Γραφῇ, ὡς εἰπεῖν, ἐναντιούμενοι.
Ἀλλ' οὐ διὰ τοῦτο ἡμῖν ἀπογνωστέον. Μὴ γένοιτο. Οὐ γὰρ
ἐπὶ τῷ πλήθει τῶν κακῶν κρινόμεθα, ἀλλ' ἐπὶ τῷ μὴ θέλειν
15 μετανοῆσαι καὶ γνῶναι τὰ τοῦ Χριστοῦ θαυμάσια, καθὼς
μαρτυρεῖ αὐτὴ ἡ ἀλήθεια · «Δοκεῖτε γάρ, φησίν, ὅτι ὧν τὸ
αἷμα ἔμιξε Πιλᾶτος μετὰ τῶν θυσίων ἁμαρτωλότεροι ἦσαν
παρὰ πάντας ἀνθρώπους; Οὔ, λέγω ὑμῖν · ἀλλ' ἐὰν μὴ
μετανοήσητε, ὡσαύτως ἀπολεῖσθε. Καὶ οἱ δέκα καὶ ὀκτὼ ἐφ'
20 οὓς ἔπεσεν ὁ πύργος τοῦ Σιλωάμ, καὶ ἀπέκτεινεν αὐτούς,
δοκεῖτε ὅτι ἁμαρτωλότεροι ἦσαν παρὰ πάντας ἀνθρώπους
τοὺς κατοικοῦντας Ἱερουσαλήμ ; Οὔ, λέγω ὑμῖν, ἀλλ' ἐὰν μὴ
μετανοήσητες πάντες , ὡσαύτως ἀπολεῖσθε[b].» Ὁρᾷς ὅτι διὰ
τὸ ἀποστῆναι τῆς μετανοίας κατακρινόμεθα.
25 Μετάνοια δέ, ὡς οἶμαι, οὔτε καιροῖς, οὔτε πράγμασι
περιώρισται, ἀλλὰ διὰ τῶν τοῦ Χριστοῦ ἐντολῶν ἀναλόγως
ἐπιτηδεύεται. Ἐντολαὶ δέ τινες περιεκτικώτεραι
τυγχάνουσι, πολλὰς τῶν ἑνικῶν ἐν ἑαυταῖς περιέχουσαι, καὶ
πολλὰς κακίας ὑφ' ἓν περικόπτουσαι. Οἷον γέγραπται ·

D NV MZCX TG PQ BAFW L Y

VI,7 πολλάκις [suppl. T^mg G^sl om. BAFW edd.] κατεργαζόμεθα [et
Syr.] : πολλ. ποιοῦμεν D MZ ποιοῦμεν πολλ. NV ‖ 7-8 τὸν ἀδελφὸν : τινα
τῶν ἀδελφῶν CX ‖ 8 ἐπὶ : ἐν NV ‖ πράγματι : παραπτώματι N ‖ ἀφείομεν
sic NV ἀφιώμεν Z ἀφίομεν sic BAFW ‖ 9 κεχρεωστήκαμεν CX
χρέωστοῦμεν TG ‖ 9-10 παρ'ἐκείνων τυραννικῶς V τυρ. παρ'ἐκείνου CX
τυρ. παρ'ἐκείνοις Z ‖ 11 προστίθεμεν PQ ‖ 12 εἰπεῖν : εἴρηται NV + διὰ
πάντων CX ‖ 13 ἡμῖν om. CX ‖ 14 κρινόμεθα : κολαζόμεθα CX ‖ 15 καὶ ...
θαυμάσια om. M ‖ τοῦ χριστοῦ τὰ ~ CX τὰ τοῦ θεοῦ TG ‖ 16 αὐτὴ ἡ
ἀλήθεια : αὐτὴ ἡ θεία γραφὴ λέγουσα CX [scriptura divina Syr.] + λέγουσα
Q ‖ 17 πιλᾶτος ἔμιξε ~ CX P^pc Q ‖ θυσίων + τῶν γαλιλείων F + γαλιλαίων
edd. ‖ 18 ἀνθρώπους + ἐπὶ [+ τῆς AW] γῆς BAFW τοὺς ἐπὶ γῆν edd. ‖

et l'ajoutons à notre superflu. Et cette manœuvre, nous l'exécutons souvent même sans avoir de biens matériels. Avons-nous commis une faute envers notre frère dans un domaine quelconque ? Non seulement nous le laissons partir sans guérison, mais nous exigeons impérieusement des excuses que nous lui devrions, ce qui est ne rien faire d'autre que ce que nous venons de dire, à savoir « ajouter de son dénuement à notre superflu » et, à tout prendre, nous mettre en contradiction avec l'Écriture. Mais ce n'est pas une raison pour nous de désespérer, loin de là ! Car ce n'est pas sur le grand nombre de méfaits que nous sommes jugés, c'est parce que nous refusons de faire pénitence et de reconnaître les merveilles du Christ. Témoin la Vérité en personne : « Pensez-vous, dit-il, que ceux dont Pilate a mêlé le sang avec leurs sacrifices avaient plus péché que tous les hommes ? Non vous dis-je. Mais si vous ne faites point pénitence, vous périrez de même. Et les dix-huit personnes que la tour de Siloé a tuées dans sa chute ? Croyez-vous qu'elles étaient plus coupables que tous les autres habitants de Jérusalem ? Non point, vous dis-je, mais si vous ne faites tous pénitence, vous périrez de même[b]. » Constate-le, c'est pour nous être détournés de la pénitence que nous sommes condamnés.

Les moyens de faire pénitence   Or la pénitence, à mon avis, n'est limitée ni à des occasions ni à des actes ; elle trouve, au contraire, au moyen des commandements du Christ, des applications proportionnelles. De ces commandements, d'ailleurs, certains sont de plus vaste portée, englobant de multiples commandements particuliers, excluant d'un coup des maux multiples. Par exemple il est

---

19 μετανοήσητε + πάντων C + πάντες X ‖ δεκαόκτω D M P L ‖ 20 ὁ πύργος ἔπεσεν ~ D ‖ αὐτούς om. D NV MZ ‖ 21 δοκεῖτε + φησί CX Q ‖ ἀνθρώπους om. D NV MZ ‖ 22 οὐχὶ T P ‖ 23 πάντες : om. BAFW edd. πάντων Y Q ‖ 24 κρινόμεθα T^ac G^ac Y ‖ 25 πράγμασι : πράξεσι Y^txt ‖ 26 περιορίζεται CX ‖ 29 πολλὰ D T^pc B W edd. + μόρια D NV M CX T^acG BAFW edd. μυρία T^pc μυρίας Z Y

VI. b. Lc 13, 1-5

30 «Παντὶ τῷ αἰτοῦντί σε δίδου^c», καί· «Τὸν αἴροντα τὰ σὰ
μὴ κωλύσης^c», καί· «Τὸν θέλοντα δανείσασθαι ἀπὸ σοῦ μὴ
ἀποστραφῇς^d.» Ταῦτα δὲ ἑνικά ἐστι· περιεκτικὸν δὲ ἐπὶ
976 τούτοις τό· «Πώλησόν σου τὰ ὑπάρχοντα, καὶ δὸς
πτωχοῖς^e»· καί· «Ἆρον τὸν σταυρόν σου, καὶ δεῦρο
35 ἀκολούθει μοι^f», σταυρὸν λέγων τὴν τῶν ἐπερχομένων
θλίψεων ὑπομονήν. Ὁ οὖν πάντα διαδοὺς πτωχοῖς καὶ ἄρας
τὸν σταυρὸν αὐτοῦ πάσας τὰς ἐντολὰς τὰς προειρημένας
ἐφάπαξ ἐποίησε. Καὶ πάλιν· «Βούλομαι, φησί, προσεύχεσθαι τοὺς ἄνδρας ἐν παντὶ τόπῳ, ἐπαίροντας ὁσίους
40 χεῖρας^g», καὶ ἐπὶ τούτοις· «Εἴσελθε εἰς τὸ ταμιεῖόν σου,
καὶ πρόσευξαι ἐν τῷ κρυπτῷ^h», καὶ πάλιν· «Ἀδιαλείπτως
προσεύχεσθεⁱ.» Ὁ δὲ εἰσελθὼν εἰς τὸ ταμιεῖον αὐτοῦ καὶ
ἀδιαλείπτως προσευχόμενος τὴν ἐν παντὶ τόπῳ προσευχὴν
περιέκλεισε. Καὶ πάλιν φησίν· «Οὐ πορνεύσεις, οὐ μοιχεύ-
45 σεις, οὐ φονεύσεις^j», καὶ ὅσα τοιαῦτα· καὶ ἐπὶ τούτοις·
«Λογισμοὺς καθαιροῦντες καὶ πᾶν ὕψωμα ἐπαιρόμενον^k.»
Ὁ δὲ καθαιρῶν λογισμοὺς πάσας τὰς προειρημένας κακίας
ἀπέκλεισε. Διόπερ οἱ φιλόθεοι καὶ βεβαιόπιστοι ἐπὶ τὰς
περιεκτικὰς ἐντολὰς βιάζονται καὶ τὰς μερικὰς δὲ κατὰ
50 σύμβασιν ἀπαντώσας οὐ παραπέμπονται.

VII. Ὅθεν λογίζομαι τὸ τῆς μετανοίας ἔργον ἐν ταῖς τρισὶ
ταύταις ἀρεταῖς ἐξυφαίνεσθαι, ἐν τῷ λογισμοὺς καθαιρεῖν,
καὶ ἀδιαλείπτως προσεύχεσθαι, καὶ τὰς ἐπερχομένας θλίψεις
ὑποφέρειν· ἅπερ οὐ μόνον φανερὰν, ἀλλὰ καὶ νοερὰν
5 ἐργασίαν ἔχειν ὀφείλει, ὥστε τοὺς ἐγχρονίσαντας ἀπαθεῖς
καταστῆσαι.

D NV MZCX TG PQ BAFW L Y

VI,30 τὸν αἴροντα : ἀπὸ τοῦ αἴροντος BAFW edd. (cf. Lc 6,30) ‖
31 ἀπὸ σοῦ δανείσασθαι ~ QV ‖ 32 ταῦτα δὲ ἑνικά ἐστι : αὗται ἑνικαί
εἰσιν ἐντολαὶ περιεκτικαὶ CX αὗται ἑνικαί εἰσιν Q ταῦτα ἑνικά ἐστι P ‖
34 δεῦρο om. X·PQ Y L Syr. ‖ 35 σταυρὸν + δὲ D Z ‖ 36 διαδοὺς : διδοὺς
M PQ^{ac} L δοὺς P^{pc} ‖ 37 πάσας τὰς προειρημένας ἐντολὰς ~ CX TG PQ
Y ‖ 38 πεποίηκε CX PQ ‖ καὶ om. Q ‖ 39 ὁσίας V BAFW edd. ‖ 40 χεῖρας
+ χωρὶς ὀργῆς καὶ διαλογισμῶν CX Q L Y ‖ 41 πρόσευξαι + τῷ D G P L
+ τῷ πατρὶ σοῦ τῷ AFW edd. ‖ 42-43 προσεύχεσθε ... ἀδιαλείπτως om.
edd. ‖ 43 τόπῳ : suppl. N^{sl} om. V Z BAFW L ‖ 44 οὐ πορνεύσεις φησί ~

écrit : « Donne à quiconque te demande[c] », et : « Ne t'oppose
pas à qui te prend ton bien[d] », et : « Ne repousse pas celui qui
désire te faire un emprunt. » Ce sont là des cas particuliers ;
mais voici qui est plus vaste et les embrasse : « Vends ce qui
t'appartient et donne le produit aux pauvres[e] » ; et : « Prends
ta croix et viens, suis-moi[f]. » La croix dont on parle ici, c'est la
patience devant l'assaut des tribulations. Celui donc qui distri-
bue tout aux pauvres et qui prend sa croix a en une seule fois
accompli tous les commandements susdits. Autre exemple :
« Je veux, est-il dit que les hommes prient en tout lieu en
levant des mains pures[g] » ; et en outre : « Retire-toi dans ta
chambre et prie dans le secret[h] » ; et encore : « Priez sans
cesse[i]. » Or celui qui entre dans sa chambre et prie sans cesse
a inclus la prière en tout lieu. Et il est dit encore : « Ne com-
mets pas pas d'impureté, ni d'adultère ni de meurtre[j] », ni
autres choses semblables. Et par dessus cela : « Supprimant les
pensées et toute idée altière qui surgit[k] ». Or celui qui supprime les pensées a exclu aussi toutes les mauvaises actions
susdites. C'est pourquoi les amis de Dieu, ceux dont la foi est
ferme, se portent avec violence vers les commandements généraux, mais ne mettent pas de côté, lorsqu'ils les rencontrent à
l'occasion, les commandements particuliers.

VII. J'en tire la pensée que l'œuvre de pénitence se tisse au
moyen des trois vertus que voici : supprimer les pensées, prier
sans cesse, supporter l'assaut éventuel des tribulations. Tout
cela requiert une activité non seulement extérieure, mais intellectuelle, capable de rendre ceux qui y persévèrent supérieurs
aux passions.

CX ‖ 45 οὐ φονεύσεις [+ οὐ κλέψεις X om. Q L] οὐ μοιχεύσεις ~ T P οὐ
μοιχεύσεις οὐ κλέψεις οὐ πορνεύσεις Syr. ‖ καὶ[1] om. X Q ‖ 46 ἐπαιρόμενοι
+ κατὰ τῆς γνώσεως [δόξης F edd.] τοῦ θεοῦ CX PQ[mg] BAFW Syr. (cf.
2 Co 10,5) ‖ 47 δὲ : οὖν CX ‖ λογισμοὺς καθαιρῶν ~ L ‖ 49 βιάζονται
ἐντολὰς — CX ‖ 49-50 ταῖς μερικαῖς — ἀπαντώσαις Y ‖ 49 δὲ : καὶ P[ac] +
ἐντολὰς Q om. Y
     VII,2 ἀρεταῖς [et Syr.] : ἐντολαῖς TG P F edd. ‖ 3 θλίψεις + προθύμως
CX Q ‖ 5 ὀφείλει ἔχειν ~ Z Y ‖ 6 καταστῆναι CX

VI. c. Lc 6, 30   d. Mt 5, 42   e. Mt 19, 21   f. cf. Mt 16, 24 + 19, 21
g. 1 Tm 2, 8   h. cf. Mt 6, 6   i. 1 Th 5, 17   j. cf. Rm 13, 9   k. 2 Co 10, 5

Ἐπειδὴ οὖν ἐκτὸς τῶν προειρημένων τριῶν ἀρετῶν οὐ
δύναται τελειωθῆναι τὸ τῆς μετανοίας ἔργον, καθὼς ὁ λόγος
ὑπέδειξε, πᾶσι πάντοτε προσήκειν οἶμαι τὴν μετάνοιαν
10 ἁμαρτωλοῖς τε καὶ δικαίοις τοῖς βουλομένοις σωτηρίας
τυχεῖν, διότι οὐδείς ἐστιν ὅρος τελειότητος, ὁ μὴ χρῄζων τῆς
τῶν προειρημένων ἀρετῶν ἐργασίας.

Καὶ γὰρ ἀρχομένοις μὲν εὐσεβείας εἰσαγωγή, μέσοις δὲ
προκοπή, τελείοις δὲ βεβαίωσις δι' αὐτῶν προσγίνεται, μήτε
15 χρόνοις, μήτε δικαιώμασιν ἀνακοπτομένων, ἢ μόνον τῇ ἀπὸ
ἀγνοίας κακοπιστίᾳ, καὶ τοῦτο τῷ εὐχερῶς ἐπὶ τὰς ἡδονὰς
ῥέποντι, καὶ προφάσει ἀπελπισμοῦ φιληδονοῦντι, καὶ τὸ τῶν
Ναβατιανῶν φρόνημα προσλαμβανομένῳ, καὶ μετάνοιαν
ἐκβάλλοντι, οἳ καὶ ἐπερείδονται τῷ Ἀποστόλῳ διαλεγομένῳ
20 πρὸς Ἑβραίους, τοὺς ἑκουσίως ἁμαρτάνοντας καὶ καθ'
ἡμέραν βαπτιζομένους λέγοντι· «Μὴ πάλιν θεμέλιον
καταβαλλόμενοι μετανοίας ἀπὸ νεκρῶν ἔργων καὶ πίστεως
ἐπὶ Θεόν, βαπτισμῶν διδαχῆς[a].» Τοῦτο δὲ εἴρηκεν οὐ τὴν

D NV MZCX TG PQ BAFW L Y

VII,7 ἐκτὸς : χωρὶς Q BA τρεῖς F ὑπὸ edd. ‖ εἰρημένον PQ ‖ τριῶν +
τούτων CX ‖ 8 τὸ — ἔργον οὐ — τελείωθηναι ~ CX ‖ ἔργον τῆς μετανοίας
~ D NV Z T A L ‖ 9 ἔδειξε A ἀπέδειξε F L edd. ‖ 11 τελειότης ὅρος ~ CX
‖ χρῄζων : χρονίζων F edd. ‖ 14 τελείοις : τελειουμένοις L ‖ 15 μήτε
δικαιώμασιν : μ. ποιήμασι P[mg] ‖ ἀνακοπτομένων : διακοπτομένων D NV
MZ PQ ἐγκοπτομένων CX ‖ 16 ἀγνοίας + καὶ F edd. ἀνθρωπίνας G ‖
τούτῳ D ‖ τὸ M om. Z BFW Y edd. ‖ ἐπὶ τὰς ἡδονας εὐχερῶς ~ L ‖ 17 καὶ[1]
om. D NV MZ L ‖ ἀφελπισμοῦ D NV M T ‖ 18 προσλαμβανομένῳ V C
BAFW L Y [qui apprehendit ibi Syr.]: προσϐαλλομένῳ D N Z TG PQ[pc]
προϐαλλομένῳ X ‖ 18-19 προσλαμβανομένῳ ... ἐκβάλλοντι :
προσϐάλλοντι M ἐμβάλλοντι A ‖ 19 οἳ καὶ ἐπερείδονται : οἳ ἐπερείδονται
D V MZ B W P εἰ καὶ ἐπερείδοντο F ὑπερείδονται δὲ Q ‖ 20-21 τοῖς —
ἁμαρτάνουσι — βαπτιζομένοις N BAFW Y edd. ‖ 23 διδαχῆς + χρείαν
ἔχετε T[mg m2]

VII. a. He 6, 1-2

1. Cette division tripartite, « commençants, moyens, parfaits », se
retrouve telle quelle en XI, 23 (où « moyens » sert également de substitut

Possibilité permanente de la pénitence   Ainsi donc, hors des trois vertus susdites, on ne peut conduire à sa perfection l'œuvre de la pénitence. Voilà ce que notre discours a souligné. La pénitence, par conséquent, convient à mon avis à tous et en tout temps, aux pécheurs comme aux justes, s'ils veulent obtenir le salut, vu qu'il n'est aucune définition de la perfection qui n'exige pas la pratique des vertus susdites.

Effectivement, pour les commençants, c'est l'entrée dans la piété, pour les gens moyens, le progrès, pour les parfaits, l'affermissement qui survient par elles[1] ; ni le temps qui passe ni les actions justifiantes ne les suppriment ; il n'y a pour ce faire que l'infidélité née de l'ignorance, et cela, c'est le fait de qui incline volontiers vers les voluptés et en conçoit l'amour, sous prétexte de désespérance, de qui s'attache à l'opinion des novatiens et rejette la pénitence, de ces gens même qui s'appuient sur les propos que l'Apôtre adresse à des Hébreux qui pèchent volontairement et se font quotidiennement baptiser. « Nous n'allons pas, dit-il, jeter à nouveau le fondement de la pénitence pour les œuvres mortes, de la foi en Dieu, de l'enseignement sur les baptêmes[a]. » Il a fait ces déclarations non

à « progressants », qui sera le terme usuel quand cette échelle s'imposera), mais nulle part ailleurs dans les œuvres de Marc, ce qui semble indiquer qu'elle n'est pas structurelle dans sa pensée (en *Justif.* 211, 27-31, il y a peut-être l'esquisse d'une tripartition, mais différente : les jeunes, ceux qui apprennent tard, les anciens expérimentés). Même si les trois termes techniques semblent plus tardifs, on peut trouver l'origine de cette échelle spirituelle chez PHILON, avec la gradation entre les trois patriarches (*e.g. De Abrahamo* 52) et chez ORIGÈNE, notamment par adaptation du schème de division de la philosophie en trois parties (voir *Comm. sur le Cantique*, Prol. 3). Dans des textes un peu plus proches du messalianisme, comme la *Grande Lettre* de MACAIRE-SYMÉON ou le *Livre des Degrés*, la répartition essentielle paraît plutôt se faire entre deux termes seulement : les justes et les parfaits dans le *Livre*, ceux qui sont capables de prière continue et ceux qui n'ont pas encore accédé à ce niveau dans la *Lettre* (9, 9 et 11, 1-4, éd. STAATS). Quand trois catégories d'hommes apparaissent dans le *Livre* (*e.g.* III, 11 ; XV, 10 ; XVI, 8, éd. Kmosko), la première ne semble pas faite de débutants, mais de gens réprouvés, qui ne se sont encore nullement engagés dans la voie de la perfection.

μετάνοιαν ἐκβάλλων — μὴ γένοιτο — ὡς ἐκεῖνοι λέγουσιν,
25 ἀλλ᾽ ἐν πάσῃ ἐργασίᾳ μετανοίας ἕνα θεμέλιον εἶναι τὸ ἓν
βάπτισμα ἐν Χριστῷ διδάσκων, τοῦ μὴ καθ᾽ ἡμέραν βαπτί-
ζεσθαι τοὺς ἐκ περιτομῆς πεπιστευκότας. Καὶ ἐπάγει·
«᾽Αδύνατον γὰρ τοὺς ἅπαξ φωτισθέντας, γευσαμένους τε τῆς
δωρεᾶς τῆς ἐπουρανίου καὶ μετόχους γενηθέντας Πνεύματος
30 ἁγίου καὶ καλὸν γευσαμένους Θεοῦ ῥῆμα δυνάμεις τε
μέλλοντος αἰῶνος, καὶ παραπεσόντας, πάλιν ἀνακαινίζειν εἰς
μετάνοιαν [b]», ἕνα εἰδὼς ἀνακαινισμὸν καὶ θεμέλιον ἐπὶ πάσῃ
μετανοίᾳ προκείμενον τὸ ἅγιον βάπτισμα. Καὶ μετ᾽ ὀλίγον
ἐπάγει· «῾Εκουσίως γὰρ ἁμαρτανόντων ἡμῶν μετὰ τὸ
977 35 λαβεῖν τὴν ἐπίγνωσιν τῆς ἀληθείας οὐκέτι ἀπολείπεται θυσία
περὶ ἁμαρτίας [c].»

VIII. ᾽Επεὶ οὖν ὅπου εἰσὶ τὰ πράγματα, ἐκεῖ ἁρμόζει καὶ
τὰ προσφυῶς λεγόμενα, δηλονότι οὐ μόνον ᾽Ιουδαίοις λέγει,
ἀλλὰ καὶ πᾶσι τοῖς ἑκουσίως ἁμαρτάνουσιν, ὧν πρῶτοί εἰσιν
οἱ λέγοντες μετὰ τὸ βάπτισμα μὴ εἶναι μετάνοιαν καὶ διὰ
5 τοῦτο αὐθαιρέτως λοιπὸν ἀπαγόμενοι τὴν ἀνομίαν
ἐργάζονται, φέροντες εἰς μαρτυρίαν καὶ τὸ ἐπὶ τοῦ ῾Ησαῦ
εἰρημένον, ἑαυτοῖς πανταχόθεν ἐναντιούμενοι. Καὶ γὰρ ἡ
θεῖα Γραφὴ μέμφεται τὸν ῾Ησαῦ μὴ μετανοήσαντα ἐπὶ τῇ
ἁμαρτίᾳ τῆς τῶν πρωτοτοκίων βεβηλώσεως καὶ τῆς ἐν τοῖς
10 ἔθνεσι συνουσιαστικῆς ἐπιμιξίας λέγουσα· «Μή τις πόρνος ἢ
βέβηλος ὡς ῾Ησαῦ, ὃς ἀντὶ βρώσεως μιᾶς ἀπέδοτο τὰ

D NV MZCX TG PQ BAFW L Y

VII.25 ἐν : ἐπὶ CX PQ ‖ ἕνα θεμέλιον μετανοίας ~ D NV MZCX Q ἕνα
μετανοίας θεμέλιον ~ TG L P[pc] ‖ ἐν om. AFW edd. ‖ 26 τοῦ BAFW T PQ :
τὸ D NV MZC Y καὶ X L Syr. ‖ 27 καὶ : διὸ καὶ L ὅθεν P[pc] ‖ ἐπάγει +
λέγων CX ‖ 28 φωτισθέντας : βαπτισθέντας Q ‖ τῆς om. X L ‖ 30 τε + τοῦ
Q ‖ 31 εἰς : πρὸς BAFW Y edd. ‖ 32 ἕνα εἰδῶς codd. : ἵνα εἰδῇς edd. ‖
33 καὶ : διὸ καὶ CX Q ‖ ὀλίγα BFW edd. ‖ 34 γὰρ om. T ‖ 36 ἁμαρτίων NV
P[pc]

VIII.1 ὅπου om. F edd. ‖ πράγματα : παραγγέλματα L ‖ καὶ om.
BAFW edd. ‖ 2 λέγειν F edd. ‖ 3 ἐξαμαρτάνουσιν BAFW edd ‖ 4 μὴ εἶναι
μετὰ τὸ β. ~ CX ‖ 5 λοιπὸν αὐθαιρέτως ~ PQ BAFW edd. ‖ ἀπατώμενοι
P[pc] L ἀγόμενοι Y

pas — à Dieu ne plaise ! — parce qu'il rejetait la pénitence,
comme ces gens-là l'affirment, mais pour enseigner que dans
toute activité de pénitence il existait un unique fondement,
l'unique baptême en Christ, afin que les croyants venus de la
circoncision n'aillent pas se faire baptiser quotidiennement. Et
d'ajouter : « Il est impossible en effet pour ceux qui ont été une
fois illuminés, qui ont une fois goûté au don céleste, qui sont
devenus participants de l'Esprit Saint, qui ont goûté la belle
parole de Dieu et les forces du monde à venir et qui sont
néanmoins tombés, de les rénover une seconde fois par la
pénitence[b]. » C'est qu'il savait qu'il n'y avait qu'un renouveau,
qu'un fondement préétabli de toute pénitence : le saint baptême. Et un peu plus loin il ajoute : « Car si nous péchons
volontairement après avoir reçu la connaissance de la vérité, il
n'y a plus de sacrifice pour le péché[c]. »

**Ésaü s'obstine
dans le mal**

VIII. Or là où existe telle situation de
fait, les paroles dites en fonction d'elle
s'adaptent aussi. Il est donc clair qu'il ne
s'adresse pas seulement aux Juifs, mais aussi à tous ceux qui
pèchent volontairement, au premier rang desquels sont ceux
qui nient l'existence d'une pénitence après le baptême et qui
dorénavant, en vertu de cet entraînement gratuitement
accepté, perpètrent l'iniquité. Ils apportent également comme
témoignage ce qui a été dit d'Ésaü, ce qui est se contredire
eux-mêmes de tout point de vue. En effet la divine Écriture
reproche à Ésaü de n'avoir pas fait pénitence pour le péché
commis en profanant son droit d'aînesse et en ayant un commerce sexuel avec des païennes. « Qu'il n'y ait pas, dit-elle, de
débauché ou de profanateur, tel Ésaü qui, pour un seul plat,

D NV MZCX TG PQ B L Y

6-21 φέροντες ... Ἰακώβ om. AFW edd. ‖ 6 καὶ εἰς μαρτυρίαν ~ Q ‖ ἠσαῦ :
ἠσαίου N ‖ 7 εἰρημένον : γενόμενον καὶ λεγόμενον P[s] ‖ ἑαυτοῖς ...
ἐναντιούμενοι om. M ‖ καὶ γὰρ ἡ : ἡ γὰρ L ‖ 9-10 τὴν — συνουσιαστικὴν
ἐπιμιξίαν NV MZ L Y ‖ 11 ἀντὶ : διὰ TG Y ‖ ἀπέδοτο : ἀνέδοτο D ἀπέδωκε
T Y

VII. b. He 6, 4-6   c. He 10, 26

πρωτοτοκία αὐτοῦ. Ἴστε γὰρ ὅτι καὶ μετέπειτα θέλων
κληρονομῆσαι τὴν εὐλογίαν ἀπεδοκιμάσθη, καίπερ μετὰ
δακρυῶν ἐκζητήσας αὐτήν· μετανοίας γὰρ τόπον οὐχ
15 εὗρε ᵃ.» Περὶ τῆς εὐλογίας οὖν λέγει ὅτι μετὰ δακρυῶν ἐκζητήσας αὐτήν, οὐ περὶ μετανοίας. Τοῦτο δὲ ἀληθές ἐστιν
ἐπειδὴ καὶ ἐν τῇ Κοσμογενίᾳ εὑρήκαμεν ὅτι ἐπὶ τῇ εὐλογίᾳ
ἔκλαυσε καὶ μετὰ δακρυῶν αὐτὴν ἐζήτησεν, ἐπὶ δὲ τῇ
ἁμαρτίᾳ οὐ μετενόησεν οὐδαμοῦ, ἀλλ᾽ ἢ μᾶλλον καὶ προσ-
20 έθηκε εἰπών· «Ἐλεύσονται αἱ ἡμέραι τοῦ πατρός μου, καὶ
ἀποκτενῶ τὸν ἀδελφόν μου Ἰακώβ ᵇ.» Τὰ δὲ ῥήματα ὁ
ἅγιος Παῦλος ὑστερόπρωτα εἴρηκε, καὶ τοῦτο οἰκονομικῶς
ποιῶν, ὡς οἶμαι, ὅπως τοῖς εὐλαβεστέροις διὰ τῆς τῶν
Γραφῶν ἐκ ζητήσεως σαφῶς γένηται τὸ νόημα, τοῖς δὲ
25 ἀμελεστέροις καὶ καταφρονηταῖς δυσεύρετον, ἵνα μὴ προφάσει μελλούσης μετανοίας ἀδεῶς ἐξαμαρτάνωσιν.

D NV MZCX TG PQ B L Y

VIII,12 αὐτοῦ om. TG B ‖ γὰρ om. L ‖ 15 οὖν om. D Z ‖ 17 καὶ om. L
‖ εὑρήκαμεν : εὑρίσκομεν D NV ZCX B Pᵖᶜ ‖ ὅτιπερ CX ‖ ἐπὶ +μὲν NV
CX ‖ 18 ἐξεζήτησεν B L ‖ 19 οὐ μετενόησεν οὐδαμοῦ : οὐ μετ. οὐδαμῶς
NV οὐδαμοῦ μετ. ~ PQ Y ‖ ἀλλ᾽ ἢ μᾶλλον καὶ : ἀλλ᾽οὖν καὶ μ. V ἀλλὰ
μᾶλλον καὶ Z Q ἀλλ᾽ ἢ καὶ μ. C ‖ 19-20 προσέθηκε + τῇ κακίᾳ NV CX Q
‖ 20 ἡμέραι + τῆς τελευτῆς NV CX ‖ 21 ἰακώβ om Y ‖ ῥήματα + ταῦτα
NV

D NV MZCX TG PQ BAFW L Y

22 ὑστερόπρωτα : ὕστερον πρῶτον F edd. τὰ ὕστερον πρώτερα Y ‖ εἴρηκε
[et Syr.] : ἔθεκε D V MZ Q τέθηκεν N CX P ‖ 23 ὡς οἶμαι ποιῶν ~ NV ‖
23 τοῖς + μὲν X TG BAFW L Y ‖ εὐλαβεστάτοις NV ‖ 24 γένοιτο F edd.
‖ 26 μεταμελλούσης M

VIII. a. He 12, 16-17   b. cf. Gn 27, 41

---

1. Ce passage s'éclaire, une fois comblée la lacune qui y perdurait
depuis l'*editio princeps* (cf. apparat critique, l. 6-21) et opéré le rapprochement avec un fragment de Théodore de Mopsueste commentant *He* 12, 17
(éd. STAAB, *Pauluskommentare*, p. 211) : « Il (l'auteur de l'Épître, soit Paul,
pour Théodore comme pour Marc) n'entend point par ces mots supprimer
la pénitence, mais enseigner qu'il n'est pas possible, quand on n'a pas
manifesté au bon moment le redressement adéquat, de le récupérer plus
tard, lorsqu'est sur le point d'arriver le moment d'une rétribution en rapport avec le caractère respectif de chacun ... Dans un premier temps,
(Paul) rappelle qu'Ésaü, abattu lorsqu'il n'a pas obtenu la bénédiction,

vendit son droit d'aînesse. Car, vous le savez, lorsqu'il voulut
par la suite hériter de la bénédiction, il fut exclu, bien qu'il
l'eût redemandée avec larmes : il ne trouva plus aucune place
pour la pénitence[a]. » De la bénédiction, donc, on nous dit qu'il
la redemanda avec larmes, mais non point de la pénitence. Or
cela est exact, puisque nous avons trouvé aussi dans la Genèse
qu'il pleura sur la bénédiction et la demanda avec des larmes,
mais pour le péché, il n'en fit pénitence en aucun endroit, et il
ajouta à sa méchanceté en disant : « Viendront les jours de
mon père, et je tuerai mon frère Jacob[b]. » Pour ce qui est des
mots, saint Paul les a placés sens dessus dessous, et à dessein,
me semble-t-il[1]. Il voulait que son idée devînt claire pour les
plus avisés, moyennant enquête dans les Écritures, qu'elle fût
au contraire difficile pour les plus négligents et les contemp-
teurs, de peur que, sous prétexte de pénitence à venir, ceux-ci
ne pèchent sans appréhension.

n'en est pas moins resté dans ses dispositions de méchanceté. Ultérieurement, ce n'est pas le pardon de ces péchés qu'il n'a pas obtenu, alors qu'il
s'est repenti ; car ce n'est pas cela qu'il demandait alors, mais la bénédiction, qu'il était impossible d'enlever à son frère qui l'avait méritée par son
caractère... (toutefois ses larmes n'ont pas été inutiles, puisqu'il a obtenu
une certaine bénédiction...) ; donc (Paul) n'entend point, par ce texte, supprimer la pénitence. » Ainsi, malgré l'impression que donne de prime
abord la rédaction de l'Épître, ce serait la bénédiction du premier-né, et
non point la pénitence, qu'Ésaü n'aurait plus, par la suite, trouvé l'occasion
de recouvrer. Même si Marc n'emploie pas exactement les termes techniques, en l'occurrence ὑπερϐατά, πρωθύστερα, il est clair qu'il recourt ici
à un thème exégétique au moyen duquel les Pères depuis longtemps
essayaient d'échapper à l'embarras où les mettaient certains versets scripturaires. Déjà IRÉNÉE, en *Adv. haer.* III, 7, 1-2, où la version latine a par
deux fois conservé le terme grec ὑπερϐατά, argue de l'habitude pauli-
nienne des « inversions de mots » pour une exégèse fort aventureuse de
2 Co 4, 4. Un fragment de provenance antiochienne (Diodore ou Théodore ? cf. STAAB, p. 98), à propos de *Rm* 9,11, nous assure que c'est une
caractéristique de l'Écriture, provenant soit de l'hébreu soit de la traduction, que de dire certaines choses avec des inversions de mots (ὑπερϐατά)
et d'en disposer d'autres en faisant passer le premier en second
(πρωθύστερα) et en opérant des rejets (ἀντιστρόφως). En revanche, l'idée
que l'Écriture serait à dessein semée de certaines obscurités, pour n'être
accessible qu'aux initiés, n'aurait-elle pas plutôt quelque résonance
alexandrine ? La méthode exégétique de Marc n'est sans doute pas aussi
homogène qu'on l'a parfois soutenu.

Ἐπειδὴ οὖν οἱ μὲν προφάσει μετανοίας κατὰ πρόθεσιν
ἔγκεινται τοῖς κακοῖς, οἱ δὲ διὰ τὸ μὴ πιστεύειν εἶναι
μετάνοιαν ἀπηλγηκότες ἑαυτοὺς παρέδωκαν τῷ διαβόλῳ,
30　ἀμφοτέροις δὲ τὸ πάθος πονηρὸν καὶ δυσίατον. Διὰ τοῦτο ἡ
ἀλήθεια πᾶσιν ἁρμόδιον προσφέρει βοήθημα λέγουσα·
«Μετανοεῖτε· ἤγγικε γὰρ ἡ βασιλεία τῶν οὐρανῶν[c]»· ὅπως
μήτε οἱ πνευματικοὶ καὶ οἱ ἐν προκοπῇ τυγχάνοντες ἀμελή-
σωσι τοῦ προστάγματος τούτου, ἐπ' αὐτοῖς, ὡς εἰπεῖν, τοῖς
35　λεπτοῖς καὶ ὀλίγοις ἀσφαλιζόμενοι, φησὶ γάρ· «Ὁ
ἐξουδενῶν τὰ ὀλίγα, κατὰ μικρὸν πεσεῖται[d].» Καὶ μὴ
εἴπῃς· Πῶς δύναται ὁ πνευματικὸς καταπεσεῖν; Τοιοῦτος
μὲν διαμένων οὐ καταπίπτει· ὅταν δὲ μικρόν τι τῶν
ἐναντίων καταδέξηται καὶ ἐπ' αὐτῷ μείνῃ ἀμετανόητος,
40　ἐκεῖνο αὐτὸ τὸ μικρὸν χρονίσαν καὶ αὐξηθὲν οὐκέτι ἀνέχεται
ὀρφανικῶς αὐτῷ συνεῖναι, ἀλλ' ἕλκει αὐτὸν πρὸς τὴν ἰδίαν
συγγένειαν σχοινίου δίκην τῇ μικρᾷ φιλίᾳ βιαίως ἐπισπώμενον. Καὶ εἰ μὲν διὰ προσευχῆς μαχησάμενος ἀποκόψει τῆς
προσπαθείας, ἐμμένει τοῖς ἰδίοις μέτροις μέντοι γε ὑπολήξας
45　τῆς προσούσης αὐτῷ ἀπαθείας τοσοῦτον ὅσον ἀπέτεμεν ἡ
τοῦ τυχόντος κακοῦ προσπαθεία· εἰ δὲ εἰς τέλος συνα-
πάγοιτο τῇ ἐπιτάσει τοῦ κρατοῦντος, τὸν τῆς μάχης καὶ
προσευχῆς κόπον περιστελλόμενος, ἀνάγκη δελεάζεται καὶ
ὑπὸ ἄλλων παθῶν. Καὶ οὕτως ἐκ διαδοχῆς ὑπὸ ἑκάστου
50　κατὰ μικρὸν συνηθικῶς ἀπαγόμενος, κατὰ τὸ μέτρον τῆς

D NV MZCX TG PQ BAFW L Y

VIII,27 ἐπεὶ P Y ‖ προφάσει + μελλούσης Q ‖ κατὰ πρόθεσιν : κατὰ
πρόφασιν καὶ προθέσει P ‖ 28 ἔγκειται D ἐγκείμεθα V C ‖ 31 βοήθημα :
τὸ βοήθημα V PQ Y βοηθείαν TG MZ ‖ 33 οἱ² om. TG PQ L Y ‖
34 πράγματος Q ‖ τούτου + ἀλλ' X ‖ 35 ὀλίγοις + καὶ μικροῖς NV CX Q
‖ ἀσφαλιζόμενοι + ἁμαρτήμασι NV CX ‖ 36 μικρὰ κατ' ὀλίγον A μικρὰ
εἰς τὰ μεγάλα κ. μ. L ‖ ἐμπεσεῖται L ‖ 37 πεσεῖν BAFW edd. ‖ 38 μικρὸν
δε ~ F δὲ edd. ‖ 39 παραδέξηται NV CX ‖ 40 αὐτὸ ἐκεῖνο ~ NV CX PQ A
‖ 40-41 ὀρφανικῷ αὐτῷ συνεῖναι ἀνέχεται ~ NV CX ‖ 41 ἰδίαν + αὐτοῦ Y
‖ 42 μικρᾷ [et Syr.] : μακρᾷ D MZCX TG PQ BAFW Y edd. ‖ βιαίως
ἐπισπώμενον : om. D βεβαίως ἐπι. N ‖ 43 ἀποκόψει + ἑαυτὸν τῆς τοῦ
κακοῦ προσπαθείας N CX Q ἑαυτὸν τῆς τοῦ κόσμου πρ. V ἑαυτὸν τῆς εἰς
τὸ κακὸν ῥοπῆς καὶ προσπ. T^mg ἑαυτὸν τῆς τοῦ κακοῦ ἐμπαθείας Y ‖

Nécessité permanente de la pénitence : le cas des « spirituels »

Ainsi donc les uns prennent prétexte de la pénitence pour s'enfoncer délibérément dans le mal ; les autres, pour ne pas croire à l'existence de la pénitence, se sont livrés au diable dans leur désespérance, si bien que la maladie des deux groupes est également pernicieuse et peu guérissable. C'est pourquoi la Vérité propose un secours applicable à tous en disant : « Faites pénitence, car le royaume des cieux s'est rapproché[c]. » Il s'agit d'empêcher les spirituels et les gens en cours de progrès de négliger ce précepte en se carrant dans la sécurité à propos de riens, que l'on dirait bien insignifiants. Aussi déclare-t-elle : « Qui méprise les riens déchoit peu à peu[d]. » Et ne va pas objecter : Comment le spirituel peut-il déchoir ? Spirituel, s'il le reste, il ne déchoit pas. Mais s'il accepte une petite chose qui y contredise et s'il demeure impénitent sur ce point, ce petit rien lui-même, en durant et s'accroissant, ne supporte plus une situation d'orphelin dans sa cohabitation avec cet homme : il tire celui-ci vers sa propre parenté, l'entraînant au moyen de cette petite compromission, avec autant de violence qu'avec un cordage. Si, après un combat par la prière, l'homme tranche cet attachement passionné au mal, il demeure dans ses normes propres, non sans une légère discontinuité dans sa possession de l'impassibilité, au moins dans toute la mesure où l'attachement au mal occasionnel l'en aura coupé. Il peut au contraire avoir été emporté jusqu'au bout par l'attraction qui le domine, s'être dispensé des efforts du combat et de la prière ; il est inévitable qu'il soit pris au piège d'autres passions également. Et ainsi chacune, étant la séquelle de l'autre, le détourne peu à peu par la force de l'habitude ; selon le degré de ce détourne-

---

44 ἰδίοις : οἰκείοις NV CX PQ Y om. edd. ‖ ὑπολήξας μέντοι γε ~ X ‖ 45 προσούσης : προσηκούσης AFW edd. ‖ ἀπέτεμεν : ἀπέστεμεν D A L ἀπέστειμεν F ἀφέστηκε edd. ‖ 46 προπαθείαν B πρὸς πάθος F W edd. ‖ 47 ἐπικρατοῦντος BAFW edd. ‖ καὶ + τῆς NV CX Q ‖ 48 ἀνάγκῃ + λοιπὸν NV CX Q ‖ δελεάζεται : -ζεσθαι BAFW X edd. ‖ 49 ὑπὸ + τῶν BAFW edd. ‖ ὑπὸ : ὑφ' X PQ Y ‖ 50 συνηθικῶς ἀπαγόμενος : συναπαγόμενος L

VIII. c. Mt 4, 17   d. Si 19, 1

ἀπαγωγῆς ἀποσχοινίζεται τῆς τοῦ Θεοῦ βοηθείας καὶ
φέρεται λοιπὸν καὶ εἰς μείζονα κακά, ἴσως καὶ μὴ
βουλόμενος, ὑπὸ τῆς βίας τῶν προκεκρατηκότων.

IX. Πάντως δὲ ἐρεῖς μοι· Οὐκ ἠδύνατο ἐν ἀρχῇ τοῦ κακοῦ τυγχάνων παρακαλέσαι τὸν Θεὸν καὶ μὴ ἐκπεσεῖν εἰς τὸ
ἔσχατον; Κἀγώ σοι λέγω ὅτι ἠδύνατο· ἀλλ' εὐτελήσας τὸ
μικρὸν καὶ θελήματι αὐτὸ παραδεξάμενος ὡς οὐδέν, οὐκέτι
5 παρακαλεῖ περὶ αὐτοῦ, ἀγνοῶν ὅτι τὸ μικρὸν ἐκεῖνο γίνεται
εἰσαγωγὴ καὶ αἰτία τοῦ μείζονος, οὕτως ἐπ' ἀγαθῷ, οὕτως
ἐπὶ κακῷ. Ὅταν δὲ μεγαλυνθὲν τὸ πάθος καὶ νομὴν κρατῆσαν διὰ τοῦ θελήματος, λοιπὸν καὶ παρὰ θέλημα βιαίως
αὐτῷ κατεπαίρεται.

10 Τότε νοήσας παρακαλεῖ τὸν Θεόν, πολεμῶν τῷ ἐχθρῷ ὃν
ἀγνοῶν ἐξεδίκα τὸ πρότερον, μαχόμενος ὑπὲρ αὐτοῦ τοῖς
ἀνθρώποις. Ἔστι δὲ ὅτε καὶ ὑπακουσθεὶς ὑπὸ Κυρίου τὴν
980 βοήθειαν οὐκ ἐδέξατο, διότι οὐκ ἦλθεν ὡς ἐνόμισεν ὁ
ἄνθρωπος, ἀλλ' ὡς ᾠκονόμησεν ὁ Κύριος πρὸς τὸ συμφέρον.
15 Εἰδὼς γὰρ ἡμῶν τὸ εὐτρεπὲς καὶ καταφρονητικόν, τὰ πολλὰ
βοηθήματα διὰ θλίψεων παρέχει τοῖς ἀνθρώποις, ἵνα μὴ
ἀθλίπτως ῥυσθέντες, πάλιν τὰ αὐτὰ ἐπιτηδεύωμεν ἁμαρτήματα. Ὅθεν ἀναγκαῖον εἶναί φαμεν τὸ ὑπομένειν τὰ ἐπερχόμενα, καὶ πάνυ προσφυὲς τῇ μετανοίᾳ.

D NV MZCX TG PQ BAFW L Y

VIII.51 τῆς τοῦ θεοῦ : τῆς θείας τοῦ θεοῦ D MZ T BFW edd. τῆς θείας
τοῦ κυρίου G τῆς θείας A ‖ 52 φέρεται : συμφ. Q ἀποφ. BAFW edd. ‖ καὶ¹
om. TG L Y ‖ 53 τῆς om. D MZ TG PQ B L Y ‖ προκεκμηκότων Q
κεκρατηκότων Y

IX.,1 μοι + ὅτι NV X ‖ ἐδύνατο + γὰρ Y ‖ 2 καὶ om. BAFW edd. ‖
ἐμπέσειν NV W ‖ 3 ἔσχατον + κακὸν NV CX Q Syr. ‖ ἐξευτελέσας BAFW
ἐξ εὐτελείας edd. ‖ 4 αὐτὸ : αὐτῷ D M A αὐτοῦ edd. ‖ 5 παρακαλεῖ περὶ
αὐτοῦ : περὶ αὐτοῦ παρέκαλεσε τὸν θεὸν NV CX Q ‖ 6 οὕτως — οὕτως :
ὡς — καὶ οὕτως G P ὡς — οὕτως καὶ Q οὕτως — καὶ οὕτως X BAFW
edd ‖ 7 μεγαλύνθη Q edd. ‖ 7-8 κρατῆσαν : κρατῆσαι F κρατήσῃ edd. ‖
9 αὐτοῦ L ‖ κατεπαίρεται : κατεπεγείρεται N C Y κατεγείρεται V
κατεπεγείοντα X ‖ 10 ὂν + καὶ G Q ‖ 10-11 ἀγνοῶν ὄν ~ Pᵃᶜ ‖ 11 ἐξεδίκα :
ἐξεδίκει Tᵃᶜ edd. ‖ τὸ om. AFW edd. ‖ αὐτῶν M ‖ 11-12 τοὺς ἀνθρώπους
D ‖ 12 ὅτε καὶ : ὅταν Z W ὅταν καὶ BA καὶ ὅταν F edd. ‖ ὑπακουσθείς :

ment, il est séparé du secours de Dieu et emporté dorénavant vers de plus grands maux encore, peut-être même contre son gré, sous la contrainte de ce qui d'abord s'était rendu maître de lui.

Dieu porte secours au moyen des tribulations   **IX.** Tu vas me dire assurément : Ne pouvait-il pas, au début du mal, faire appel à Dieu et ne pas tomber dans ces extrémités ? Je te dis, moi aussi, qu'il le pouvait, mais il a traité ce petit point en bagatelle et l'a accueilli volontairement, comme si ce n'était rien, sans rien demander de plus à son sujet, ne reconnaissant pas que cette vétille deviendrait la porte d'entrée et la cause d'une plus grosse affaire. Cela dans le bien autant que dans le mal. Une fois que la passion a grandi, que, grâce au vouloir, elle s'est emparée d'un morceau, elle se lève désormais dans cet homme même en faisant violence à sa volonté.

Alors, quand il s'en rend compte, il fait appel à Dieu dans sa lutte contre un ennemi pour qui son ignorance lui faisait prendre auparavant fait et cause, jusqu'à lutter dans l'intérêt de ce dernier contre les hommes. Mais il arrive que même entendu par le Seigneur, il n'en ait pas reçu de secours, parce qu'il n'en est pas allé selon les idées de l'homme, mais selon les plans providentiels du Seigneur pour le bien de cet homme. Lui sait en effet notre facilité à nous laisser retourner et surprendre ; aussi offre-t-il maints secours aux hommes par le moyen des tribulations, pour éviter que tirés d'affaire sans ces tribulations, nous nous adonnions aux mêmes fautes. Par suite, il est indispensable, nous l'affirmons, de patienter sous l'assaut des événements, et tout naturellement de s'attacher à la pénitence.

ὑπακουσθῆς Z ὑπακουσθῇ F edd. ‖ ὑπὸ + τοῦ V G BAFW Y edd. ‖ 13 παρεδέξατο N Q Y^pc κατεδέξατο T^pc προσδέξατο P παραχατεδέξατο Y^ac ‖ ὅτι Q ‖ καθὼς NV CX ‖ ἐνόμιζεν X G L Y ‖ ὁ om. F edd. ‖ 15 τὸ εὐτρεπὲς ἡμῶν ~ X P τὸ ἡμῶν εὐτρεπὲς Q ‖ εὐτρεπὲς restitui [*facilem inclinationem* Syr.] : εὐρεπὲς D V MZ AW P Y εὔπρεπὲς TG N CX^txt Q F εὐριπὲς B ἀμελὲς X^mg L ἀπρεπὲς edd. ‖ 16 διὰ + πολλῶν G^sl Q ‖ θλίψεων [et Syr.] : θλιψέως BAFW L edd. ‖ 18 τὸ om. D V MZ TG BAFW

X. Ἀλλ᾽ ἐρεῖς μοι πάντως · Οἱ ἀληθῶς εὑρεστηκότες τῷ Θεῷ καὶ εἰς τὸ τέλειον φθασάντες, ποίας ἔτι χρήζουσι μετανοίας; Ὅτι μὲν γὰρ ἐγένοντο τοιοῦτοι ἄνθρωποι καὶ εἰσι, σύμφημι. Ἀλλ᾽ ἄκουσον συνετῶς, καὶ γνώσῃ πῶς καὶ οἱ
5 τοιοῦτοι χρήζουσιν αὐτῆς. Τὸ ψεῦδος ἐκ τοῦ διαβόλου[a] εἴρηκεν εἶναι ὁ Κύριος, καὶ τὸ ἐμβλέψαι γυναικὶ πρὸς τὸ ἐπιθυμῆσαι μοιχείαν ἐλογίσατο[b], καὶ τὴν πρὸς τὸν πλησίον ὀργὴν φόνῳ παρείκασε[c], καὶ περὶ ἀργοῦ ῥήματος λόγον διδόναι ἐφανέρωσε[d]. Τίς οὖν ὁ τοιοῦτος ὁ καὶ ψεύδους
10 ἀπείραστος, καὶ πάσης τῆς καθ᾽ ὄψιν ἐπιθυμίας ἀμύητος, καὶ μηδέποτε ὀργισθεὶς τῷ πλησίον εἰκῆ, μηδὲ ἀργοῦ ῥήματος ὑπαίτιος εὑρεθείς, ὥστε μὴ χρῄζειν μετανοίας. Εἰ γὰρ καὶ νῦν οὐκ ἔστι τοιοῦτος, ποτὲ δὲ ἐγένετο, μετάνοιαν κεχρεώστηκεν ἕως θανάτου.

15 Θῶμεν δὲ ὅτι καὶ τούτων ἐκτός τινες εὕρηνται, καὶ ἀπὸ γεννητῆς πάσης κακίας ἀλλότριοι — ὅπερ ἀδύνατον, τοῦ ἁγίου Παύλου λέγοντος · «Πάντες ἥμαρτον καὶ ὑστεροῦνται τῆς δόξης τοῦ Θεοῦ, δικαιούμενοι δωρεὰν τῇ αὐτοῦ χάριτι[e]» —, ὅμως εἰ καὶ ἐτύγχανον τοιοῦτοι, πλὴν ἐκ τοῦ
20 Ἀδάμ εἰσι καὶ ὑπὸ τὴν ἁμαρτίαν τῆς παραβάσεως πάντως γεγόνασι καὶ διὰ τοῦτο τῷ θανάτῳ τῆς ἀποφάσεως κατεδικάσθησαν, σωθῆναι ἐκτὸς τοῦ Κυρίου μὴ δυνάμενοι. Σταυρωθέντος δὲ τοῦ Κυρίου καὶ τῷ ἰδίῳ αἵματι πάντας

D NV MZCX TG PQ BAFW L Y

X,1 πάντως + ὅτι T^m2 N CX ‖ ἀληθῶς om. N C ‖ εὑρεστηκότες : εὐαρεστήσαντες NV + καὶ καλῶς δουλεύσαντες ἢ καὶ εἴσετι δουλεύοντες T^mg ‖ 2 τὸ om. BF edd. ‖ φθάσαντες : ἐφθακότες B πεφθακότες AFW edd. ‖ 3 ἄνθρωποι + ἢ NV CX Q + εἰ P ‖ 4 εἶσι + τελείοι κἀγὼ NV C + κἀγὼ X + τελείοι Q ‖ σύμφημι + κἀγὼ Q σύμφημοι AFW ‖ ἄκουε NV T ‖ 6 εἶναι εἴρηκεν ~ FW P Y edd. ‖ κύριος [et Syr.] : θεὸς D MZ BAFW Y edd. ‖ 8-21 καὶ ... γεγόνασι cum aliquibus lectionibus variantibus tamen bis scripsit Q ‖ 8 ῥήματος : λόγου W ‖ 9 δοῦναι NV CX ‖ ὁ τοιοῦτος ὁ καὶ Y : τοιοῦτος ὁ D ἐστὶ ὁ τοιοῦτος ὁ καὶ NV CX ὁ τοι. ὁ TG MZ L ὁ τοιοῦτος Q¹ τοιοῦτος ... ὡς καὶ Q² τοιοῦτος ὁ καὶ P ὁ BAFW edd. ‖ ψεύδους + τοιοῦτος B ‖ 10 καθ᾽ὄψιν codd. : κατὰ τὸ ἐμβλέψαι edd. ‖ 11 εἰκῆ : εἰκεῖν F φιλονεικεῖν edd. suppl.Y^mg ‖ 12 ὑπαίτιος : αἴτιος TG ὑπέτης F ὑπηρέτης edd. ‖ ὥστε μὴ χρῄζειν : τίς οὖν ἄρα ἐστὶν ὁ μὴ χρῄζων Q² ‖ 13-14 ἕως θανάτου κεχρεώστηκεν ~ NV CX Q² P ‖ 15 ἐκτὸς τούτων ηὕρηναί τινες

Tous ont besoin de pénitence

X. Mais tu vas me dire bien sûr : Ceux qui ont véritablement su plaire à Dieu et qui sont allés jusqu'à la perfection, quel besoin ont-ils encore de pénitence ? Qu'il y ait eu des gens de cette sorte, qu'il y en ait, j'en suis d'accord. Mais écoute-moi sagement, et tu verras comment même de telles gens ont ce besoin. Le mensonge vient du diable[a], le Seigneur l'a dit, et regarder une femme pour la convoiter est compté par lui comme un adultère[b] ; la colère à l'égard du prochain, il l'a comparée à un meurtre[c], et de toute parole inutile, a-t-il révélé, il sera demandé compte[d]. Y a-t-il donc un homme pareil : qui n'a jamais tâté du mensonge, qui n'a pas la plus petite initiation à la convoitise des regards, qui ne s'est jamais mis en colère pour une futilité contre son prochain, qu'on n'a jamais trouvé coupable d'une parole inutile, de sorte qu'il n'aurait pas besoin de pénitence ? Même si à présent il n'est rien de tel, il l'a été quelque jour, il s'est mis à avoir besoin de pénitence jusqu'à la mort.

Supposons pourtant qu'on découvre quelques êtres indemnes de ces fautes, étrangers à tout vice engendré par eux — en fait c'est impossible, saint Paul ne dit-il pas : « Tous ont péché et sont privés de la gloire de Dieu, mais justifiés gratuitement par sa grâce[e] » ? S'il s'en trouvait néanmoins de tels, ils sont, avec cela, issus d'Adam et sont assurément nés sous le coup du péché que fut la transgression, et c'est pourquoi ils ont été condamnés par la sentence de mort, sans pouvoir être sauvés en dehors du Christ. Le Christ ayant été crucifié et ayant racheté tout homme par son sang, ces gens aussi, à ce moment-

---

~ NV τούτ. ἐκ. εὔ. τινες CX τούτ. ἐκ. τινὸς εὔ. G τούτ. ἑκάστος εὔ. Tᵃᶜ τούτ. τινὲς ἐκ. εὔ. ~ AFW Q¹ Q² edd. τούτ. ἐκτὸς εὕρηται L ‖ 16 γεννητῆς : γεννήσεως BAF edd. γενέσεως W ‖ ἀλλότριοι + ὤφθησαν NV CX ‖ 17 ἁγίου παύλου : ἀποστόλου Q² ‖ λέγοντος + ὅτι NV CX TG Q² P L ‖ 20 τῆς ἁμαρτίας AW ‖ τῆς παραϐάσεως πάντως om. Y ‖ πάντως : om. D MZC NV TG Q¹ πάντες X Q² W L Syr. edd. πᾶντος F ‖ 21 διὰ τοῦτο : ὑπὸ Tᵐᵍ ᵐ² Y ‖ 23 κυρίου : χριστοῦ P BAFW Syr. ‖ πάντας om. MZC X [qui tamen verbum post ἐξαγορασαμένου supplevit]

X. a. cf. Jn 8, 44   b. cf. Mt 5, 28   c. cf. Mt 5, 21-22   d. cf. Mt 12, 36
e. Rm 3, 23-24

ἐξαγορασαμένου, τότε καὶ αὐτοὶ λυτροῦνται. Εἶτα ὁ
25 λυτρωτὴς πᾶσι τίθησιν ὅρον ἕνα περιεκτικὸν τῶν πραγμάτων, καί φησι πρὸς τοὺς ἀποστόλους· «Λέγετε αὐτοῖς·
Μετανοεῖτε, ἤγγικε γὰρ ἡ βασιλεία τῶν οὐρανῶν[f]», θέμενος
ἅμα ἐντολὰς τὰς ἐκτελούσας τὴν μετάνοιαν, καὶ τὴν πλήρω-
σιν αὐτῶν ἕως θανάτου ὥρισεν εἰπών· «Ὁ ἀπολέσας τὴν
30 ψυχὴν αὐτοῦ ἕνεκεν ἐμοῦ καὶ τοῦ Εὐαγγελίου, εἰς ζωὴν
αἰώνιον φυλάξει αὐτήν[g].» Καὶ πάλιν ἀρνεῖσθαι πάντα
κελεύων προστίθησιν· «ἔτι δὲ καὶ τὴν ἑαυτοῦ ψυχήν[h]». Καὶ
σφραγίζει λέγων· «Ὁ λύσας μίαν τῶν ἐντολῶν τούτων τῶν
ἐλαχίστων καὶ διδάξας οὕτως τοὺς ἀνθρώπους ἐλάχιστος
35 κληθήσεται ἐν τῇ βασιλείᾳ τῶν οὐρανῶν[i].» Εἰ οὖν ἕως
θανάτου ὥρισε τὴν μετάνοιαν, καθὼς ἀποδέδεικται, ὁ πρὸ
θανάτου λέγων αὐτὴν τετελεκέναι, λύει τὴν ἐντολὴν ὑφαιρῶν
τὸν θάνατον.

XI. Ὅθεν μικροῖς τε καὶ μεγάλοις ἕως θανάτου ἀτέλεστος
ἡ μετάνοια. Εἰ γὰρ καὶ τῇ πράξει ἕως ἐκεῖ φθάσαι μὴ
δυνηθῶμεν, τῷ δὲ σκοπῷ ἐπιτηδεύειν ὀφείλομεν, ἵνα μὴ
981 κατὰ πρόθεσιν λύοντες τὴν ἐντολήν, ὑποβληθῶμεν τῷ κρί-
5 ματι, ἐλάχιστοι κληθέντες ἐν τῇ βασιλείᾳ τῶν οὐρανῶν.
Ζήτησον τοὺς ἀπ᾽ αἰῶνος τὸν βίον τοῦτον διοδεύσαντας, καὶ
εὑρήσεις διὰ μετανοίας τὸ τῆς εὐσεβείας μυστήριον ἐπὶ τοῖς
εὐαρεστήσασι τελεσθέν. Οὐδεὶς κατεκρίθη, εἰ μὴ ταύτης
κατεφρόνησε· καὶ οὐδεὶς ἐδικαιώθη, εἰ μὴ ταύτης ἐπεμελή-
10 σατο. Σαμψὼν καὶ Σαοὺλ καὶ Ἡλεὶ μετὰ τῶν υἱῶν αὐτοῦ
ἤδη μερικῶς ἁγιωσύνης μετάσχοντες, πρῶτον μὲν ταύτην

D NV MZCX TG PQ BAFW L Y

X,24 ἐξαγορασαμένου + ἡμᾶς NV C ἐξαγοραζομένου edd. ‖ εἶτα + καὶ
αὐτοὶ F καὶ αὐτὸς edd. ‖ 25 πᾶσι : om.V suppl. N^{mg} ‖ 25-26 πραγμάτων [et
Syr.] : προσταγμάτων D N MZ CX TG P B L Y ‖ 28 ἅμα + καὶ N CX Q ‖
28-29 ἐκπλήρωσιν N CX ‖ 30 καὶ + ἕνεκεν CX ‖ 31 ἀρνήσασθαι BAFW
edd. ‖ 31-32 κελεύων πάντα ~ PQ Y ‖ 32 κελεύων codd. : βουλεύων edd. ‖
δὲ om. AW ‖ 33 ἐπισφραγίζει N CX ‖ μίαν : post ἐλαχίστων transp. L ‖
34 καὶ ... ἀνθρώπους om. BAFW edd. ‖ 36 πρὸ + τοῦ NV CX PQ ‖
37 τετελειωκέναι NV ‖ θάνατον + καὶ παραβάτης ἐστι τῶν τοῦ χριστοῦ
ἐντολῶν X G^{mg} Q AW ‖ ὑφαιρῶν : ἀφαιρῶν Q
XI,1 τε om. D MZ ‖ 2 φθάσαι om. AF edd. ‖ 3 δὲ : μέντοι N CX μὲν V

là, sont délivrés. Puis le Rédempteur pose pour tous une norme unique, embrassant toutes les situations ; il déclare aux apôtres : « Dites-leur : Faites pénitence, car le royaume des cieux s'est rapproché[f]. » En même temps il édictait les commandements par lesquels se réaliserait la pénitence et il fixait la mort pour terme à leur accomplissement par ces mots : « Qui a perdu son âme pour moi et pour l'Évangile la préservera pour la vie éternelle[g]. » Et une autre fois, en ordonnant de renoncer à tout, il ajoute : « Et encore à sa propre âme[h]. » Et pour sceller le tout il dit : « Celui qui aura manqué au plus petit de ces commandements et enseigné aux hommes à faire de même sera appelé le plus petit dans le royaume des cieux[i]. » Donc, puisqu'il a fixé la mort pour terme à la pénitence, comme on vient de le démontrer, celui qui prétend qu'elle a été achevée dès avant la mort détruit le commandement en escamotant la mort.

La pénitence doit se prolonger jusqu'à la mort   **XI.** Il suit de là que pour les petits comme pour les grands, jusqu'à la mort, la pénitence est incomplète. Et même si nous ne pouvons pas aller dans la pratique jusqu'à ce moment-là, nous devons nous y appliquer par notre visée, de peur que, notre propos nous faisant détruire le commandement, nous ne soyons passibles du jugement et qualifiés de « plus petits dans le royaume des cieux ». Examine ceux qui depuis le début des âges ont accompli leur trajet en cette vie et tu feras cette découverte : dans le cas de ceux qui ont su plaire à Dieu, c'est par la pénitence que s'est accompli le mystère de la piété. Nul n'a été condamné s'il ne l'a pas méprisée et nul n'a été justifié sans y avoir donné tous ses soins. Samson, Saül, Héli, ainsi que ses fils, avaient commencé à avoir part à une relative sainteté ; leur première étape dans sa perte fut de négliger la pénitence ;

---

om. A ‖ 7-8 μυστήριον post τελεσθὲν ~ NV CX ‖ 8 εὐηρεστήσασι : εὐηρεστηκόσι NV CX PQ ‖ τελειωθέν A Ppc ‖ 11 μερικῶς [et Syr.] : μερικῆς D NV MZCX G PQ L ‖ ἁγιοσύνην BAFW edd. ‖ μετάσχοντες : μετεσχηκότες NV CX μετέχοντες Tpc A L·Y μετασχόντων B F edd.

X. f. Mt 4, 17   g. Mt 10, 39 + Mc 8, 35 + Jn 12, 25   h. Lc 14, 26   i. Mt 5, 19

ἀπώλεσαν τῆς μετανοίας ἀμελήσαντες, τῆς δὲ διορίας παρελθούσης ἔσχατον ὑπὸ δεινῷ θανάτῳ πεπτώκασιν.

Εἰ ὁ διάβολος οὐ παύεται πολεμῶν ἡμῖν, οὔτε ἡ μετάνοια
15 ἀργεῖν ὀφείλει ποτέ. Οἱ ἅγιοι καὶ ὑπὲρ τῶν πλησίων αὐτὴν προσφέρειν ἀναγκάζονται, ἐκτὸς ἐνεργοῦς ἀγάπης τελειωθῆναι μὴ δυνάμενοι. Μάθε πῶς ἡ φύσις διδάσκει ἡμᾶς ἕως θανάτου μὴ ἀφιέναι αὐτήν. Νοῦς λογιστικὸς ἀργεῖν οὐ δύναται, ἀλλὰ κἂν τέλειος ᾖ, καλῶς ἔχων ἐν τοῖς δεξιοῖς
20 ἐργάζεται· ἐὰν δὲ προφάσει τελειότητος παύσηται τῆς τῶν ἀγαθῶν ἐργασίας, πάντως ἐπὶ τὸ ἀριστερὸν νεύει· ἀποσχόμενος δὲ τοῦ ἀριστεροῦ πάλιν ἐπὶ τὸ δεξιὸν φυσικῶς ἕλκεται. Δεξιῶν δὲ ἐργασία καὶ ἀρχομένοις, καὶ μέσοις, καὶ τελείοις ἐστὶ προσευχή, καὶ λογισμῶν καθαίρεσις, καὶ τῶν ἐπερχο-
25 μένων ὑπομονή, ὧν χωρὶς οὐκ ἔστι κατορθῶσαι τὰς λοιπὰς ἀρετὰς δι᾽ ὧν γίνεται εὐπρόσδεκτος ἡ μετάνοια. Εἰ αἴτησις ἐλέους ἐστὶν ἡ μετάνοια, ἐπιμελεῖσθαι χρεία τῷ ἔχοντι ἵνα μὴ ἀκούσῃ· «Ἤδη κεκορεσμένοι ἐστέ[a].» Αἰτεῖσθαι δὲ μᾶλλον ἔτι χρεία τῷ μὴ ἔχοντι. «Πᾶς γὰρ ὁ αἰτῶν
30 λαμβάνει[b].» Εἰ οὖν ὁ ἐλεῶν ἐλεηθήσεται, διὰ ταύτην, ὡς οἶμαι, ὅλος ὁ κόσμος συνέστηκεν, ἕτερος δι᾽ ἑτέρου οἰκονομικῶς βοηθούμενος. Διὰ ταύτην ὁ Θεὸς τοὺς Νινευίτας διέσωσεν[c]· ἀμελήσαντας δὲ αὐτῆς τοὺς Σοδομίτας κατέφλεξεν[d].

D NV MZCX TG PQ BAFW L Y

XI,12 τῆς μετανοίας ἀμελήσαντες : om. Q suppl. P[mg] ‖ 13 ὑπὸ δεινῷ θανάτῳ : ὑπὸ δεινοῦ θανάτου N PQ ὑποδίκῳ θανάτῳ F edd. ‖ 14 εἰ om. BF edd. ‖ ἡμᾶς F edd. ‖ οὐδὲ N V [οὐδ'ἡ scr. V] CX TG Q ‖ 15 καὶ om. AF P[sl] ‖ 15-16 προσφέρειν αὐτήν ~ NV CX Q Y ‖ 16 ἐνεργοῦς : συνεργοῦς B ‖ 17 μάθεται V μάθετε Y ‖ πῶς + αὐτὴ NV CX ‖ 18 μὴ ἀφιέναι αὐτήν : μετανοεῖν Q ‖ λογιστικὸς : λογικὸς CX Q BA W L λογικῶς F edd. ‖ 19 ᾖ τέλειος ~ PQ ‖ 22 πάλιν τοῦ ἀριστεροῦ ~ Y PQ W ‖ φυσικῶς : κατά φησιν NV CX

D E NV MZCX TG PQ BAFW L Y

23 ab ἀρχομέ]νοις incipit cod E ‖ καὶ μέσοις om. E ‖ 23 καὶ[3] om. D MZ ‖ 24 κάθαρσις NV ‖ 26 ἀρετὰς : ἐντολὰς TG Q ‖ 27 ἐστιν ἐλέους ~ BAFW edd. ‖ 27-29 ἵνα ... ἔχοντι om. C F edd. suppl. T[mg] ‖ 29 μᾶλλον ἔτι χρεία

puis le temps fixé pour elle étant passé, ils finirent par succomber à une mort terrible.

Étant donné que le diable ne cesse de nous faire la guerre, jamais non plus la pénitence ne doit rester inactive. Les saints sont forcés de l'offrir aussi pour leurs proches, vu qu'ils ne peuvent sans une active charité arriver à la perfection. Apprends comment la nature nous enseigne à ne pas abandonner la pénitence avant notre mort. L'intellect, source des pensées, ne peut demeurer inactif ; serait-il arrivé à la perfection que cet heureux état le ferait travailler, et dans la bonne direction. Cesse-t-il de s'activer dans le bien, sous prétexte de perfection, il incline à coup sûr vers un gauchissement ; dès qu'il se retient de gauchir, la nature le tire de nouveau vers la rectitude. Or s'activer droitement, pour les commençants, comme pour les progressants, comme pour les parfaits, consiste en prière, en purification des pensées, en patience devant les événements ; sans tout cela, pas moyen de réaliser les autres vertus par lesquelles on rend sa pénitence plus acceptable. Si la pénitence consiste à demander miséricorde, c'est un besoin pour qui l'obtient d'avoir à cœur de ne pas s'entendre dire : « Déjà vous êtes rassasiés[a]. » C'est un besoin davantage encore pour qui ne l'obtient pas de la demander. « Car quiconque demande reçoit[b]. » Si donc à qui fait miséricorde, elle sera faite aussi, c'est à cause de la pénitence, à mon avis, que tout l'univers tient ensemble, l'un se trouvant secouru par l'autre en vertu du plan divin. A cause de la pénitence Dieu a sauvé les Ninivites[c] ; parce que les Sodomites l'avaient négligée, Dieu les a consumés d'en haut[d].

MZ BA : μᾶλλον ἔτι χρείαν D E C χρεία μᾶλλον NV χρεία X L μᾶλλον χρεία G ἔτι χρεία μ. T[suppl] Y ἐπὶ χρεία μᾶλλον P ὅτι χρεία Q ὅτι χρεία μᾶλλον W ‖ μὴ om. N ‖ 30 διὰ : γὰρ E[sl] G[sl] Q suppl. ‖ ταύτην : ταύτης NV M αὐτῆς CX γὰρ ταύτης G Q W ‖ ὡς om. CX 31 ὁ κόσμος ὅλος ~ E ‖ ἕτερος + δὲ Q ‖ δι᾽ : ὑπὸ L ‖ 32 ταύτης NV CX P αὐτῆς QW ‖ 32-33 ἔσωσεν V BAFW edd. ‖ 33 αὐτῆς τοὺς : αὐτὴν τοὺς A αὐτοὺς F

XI. a. 1 Co 4, 8   b. Mt 7, 8   c. cf. Jon 3, 5-10   d. cf. Gn 18, 20-22 + 19, 24-25

XII. Εἰ καὶ μέχρι θανάτου μετανοοῦντες ἀγωνισώμεθα,
οὐδὲ οὕτως τὸ δέον ἐπληρώσαμεν. Οὐδὲν γὰρ ἀντάξιον τῆς
βασιλείας τῶν οὐρανῶν. Ὥσπερ ἐσθίομεν καὶ πίνομεν, καὶ
λαλοῦμεν, καὶ ἀκούομεν, οὕτω καὶ μετανοεῖν φυσικῶς
5 κεχρεωστήκαμεν. Ἅπαξ ὁ ἄξιος θανάτου κατὰ τὸν νόμον
τεθανάτωται[a], ὁ δὲ ζῇ ἐν πίστει ζῇ[b] μετανοίας ἕνεκεν, κἂν
μὴ δι' ἰδίαν, ἀλλὰ διὰ τὴν τῆς παραβάσεως ἁμαρτίαν,
βαπτισθέντες ἐκαθαρίσθημεν, καθαρισθέντες ἐντολὰς
ἐλάβομεν. Ὁ μὴ ποιῶν τὸ δεύτερον τὸ πρῶτον ἐβεβήλωσεν,
10 «λήθην λαβὼν τοῦ καθαρισμοῦ τῶν παλαιῶν αὐτοῦ ἁμαρτημάτων[c]», ὧν οὐδεὶς ἀνελλιπὴς τὸ καθ' ἡμέραν εὑρίσκεται,
μηδέποτε μηδὲν τῶν προστεταγμένων παραλείψας. Διὰ
τοῦτο πᾶσιν ἂν εἴη ἀναγκαία ἡ μετάνοια. Αὕτη τὰ ποτὲ
ἑκούσια νῦν ἀκούσια ἀποδείκνυσι, διὰ τὸ μισῆσαι τὸ πάθος
15 καὶ ἀπέχεσθαι τοῦ πράγματος. Ὁ περιορίζων αὐτὴν
στρέφεται εἰς τὰ ὀπίσω, καὶ ἀνακαινίζει τὰ παλαιὰ παραπτώματα. Ὁ ἔχων γνῶσιν ἀληθείας οἶδεν ὅτι χρείαν ἔχει καὶ
μετανοίας· ἕκαστον γὰρ αὐτῶν ἐν ἀλλήλοις κατευθύνεται.
Χριστὸς ἡμᾶς ἐπὶ μετανοίας ἐγγυήσατο· ὁ ἀφίων αὐτὴν
984 20 ἀθετεῖ τὸν ἐγγυησάμενον. Κατὰ πρᾶξιν οὐδὲν ἄξιον ποιῆσαι
δυνάμεθα, ἐλεούμεθα δὲ μεγάλως διὰ τὴν πρόθεσιν. Ὁ
βιαζόμενος ἕως ἐξόδου καὶ κρατῶν αὐτήν, κἂν ἔν τισι πλημ-
μελήσῃ, διὰ τὴν βίαν σωθήσεται[d]· τοῦτο γὰρ ἐν

D E NV MZCX TG PQW BAF L Y

XII,1 εἰ + γὰρ Q ‖ 2 ἐκπληρώσαμεν D ἀνεπλ. NV πεπλ. C G[pc] ἀπεπλ.
X ἀποπλ. Q ‖ 3 οὐρανῶν + πεποιήκαμεν suppl. G[mg] QW ‖ ὥσπερ + οὖν
NV + γὰρ PQW ‖ 4 καὶ ἀκούομεν om. D V suppl. N[mg] ἀκούομεν (vel
λαλοῦμεν) + φυσικῶς NV CX ‖ 5 θανάτω AF edd. ‖ 6 ἐν πίστει ζῇ om. F
edd. ‖ 6-7 κἂν μὴ δι'ἄδιαν sic F καὶ μὴ δι'ἄδειαν edd. ‖ ἰδίαν + ἁμαρτίαν
(quod e verb. seq. transp.) NV CX ‖ ἁμαρτίαν + καὶ κατάκριμα Y ‖
8 ἐκαθάρθημεν G[pc] QW L ‖ καθαρισθέντες : + δὲ D καθαρθένθες QW L
‖ 9 ὁ δὲ μὴ ποιῶν QW ὁμοιοπίων F ὁμοιοποιῶν edd. ‖ πρῶτον : πρότερον
TG F ‖ ἐβεβήλωσεν : ἐμόλυνεν AF edd. ‖ 10 παλαιῶν : πάλαι E NV CX
PQW AF L Y (cf. 2 P 1,9) ‖ 10-11 ἁμαρτίων AF Y ‖ 11 ὧν : om. T ὂν suppl.
G[sl] ‖ ἀνελλιπῶς E ‖ εὑρίσκεται τὸ καθ'ἡμέραν ~ TG ‖ 13 ἂν εἴη om. L ‖
13 αὕτη + γὰρ G[sl] QW Y ‖ 14 τὰ πάθη QW AF edd. Syr. ‖ 15 ἀπέχεσθαι +
ἀπὸ NV C ‖ τοῦ πράγματος : αὐτῶν QW ‖ 17 ἀληθῆ AF edd. ‖

La pénitence,   **XII.** Quand bien même nous lutte-
une obligation   rions jusqu'au moment de la mort en fai-
de nature   sant pénitence, nous n'aurons pas encore
accompli là notre devoir. Car il n'est pas de prix pour le
royaume des cieux. De même que manger, boire, parler et
écouter, faire pénitence est aussi pour nous une obligation de
nature. Celui qui était digne de mort a été une bonne fois pour
toute mis à mort[a], conformément à la loi ; celui qui vit dans la
foi[b] vit en raison de la pénitence, même si ce n'est pas à cause
de notre propre péché, mais à cause du péché de la transgression, que nous avons été purifiés par le baptême et une fois
purifiés, que nous avons reçu les commandements. Celui qui
n'exécute pas le second point a profané la première réalité,
« vu qu'il a oublié la façon dont ont été purifiés ses péchés
d'autrefois[c] » — ces péchés dont nul n'est découvert exempt
chaque jour, comme si jamais il n'avait violé aucun des préceptes. C'est bien pourquoi la pénitence ne saurait qu'être
nécessaire à tout le monde. Grâce à elle, le volontaire de jadis
s'avère maintenant involontaire, du fait qu'on déteste la passion et qu'on s'abstient d'y succomber. Lui fixer un terme, c'est
retourner en arrière et renouveler les chutes d'autrefois. Qui
possède la connaissance de la vérité sait avoir besoin aussi de
pénitence : chacun des deux reçoit de l'autre une bonne direction. Le Christ s'est porté garant de la pénitence auprès de
nous ; qui abandonne celle-ci désavoue le garant. Dans le
domaine de l'action, nous sommes incapables de rien faire qui
ait de la valeur ; mais à cause de notre propos, nous faisons l'objet d'une extrême miséricorde. Celui qui s'y attache violemment, qui s'en rend maître jusqu'à la fin de ses jours, même s'il
a commis quelques écarts, sera sauvé à raison de cette violence[d] :

---

18 κατευθύνεται : κατορθοῦται NV CX ‖ 19 μετανοίᾳ D Z QW μετάνοιαν
E NV CX τῇ μετανοίᾳ L ‖ ἐνεγγυήσαντο D C TG QW ‖ ἀφίων : ἄφων NV
φεύγων X ἀφιεὶς Y^pc ‖ 20 ἐγγυησάμενον + ἄνευ μετανοίας edd. ‖ 21 ὁ om.
F edd. ‖ 22 καὶ κρατῶν αὐτὴν ἕως ἐξόδου ~ PQW ‖ τισι : τινι BAF edd. *in
uno unico* Syr.

XII. a. cf. He 9, 27   b. cf. Ga 2, 20   c. 2 P 1, 9   d. cf. Mt 11, 12

εὐαγγελίοις ὁ Κύριος κατεπηγγείλατο. Ὁ λέγων μὴ χρήζειν
25 αὐτῆς δίκαιον ἑαυτὸν κρίνει καὶ ἔγγονον κακὸν ᶜ ὑπὸ τῆς
Γραφῆς ὀνομάζεται. Ὁ οἰήσει δικαιοσύνης ὡς τελέσας
αὐτὴν διακείμενος, ὡς οὐκ οἶδεν, ἀντιστρόφως συνδυάζει
ταῖς ἡδοναῖς, εἴπερ οἴησις καὶ ἀλαζονεία ἡδοναὶ
τυγχάνουσιν. Ὁ ἔχων οἴησιν οὐ δύναται σωθῆναι·
30 γέγραπται γάρ· «Ὁ κατοιόμενος καὶ καταφρονητὴς ἀνὴρ
ἀλαζὼν οὐδὲν οὐ μὴ περανεῖ ᶠ.» Εἰ οὐδὲν βλάπτει τὸν
τέλειον ἡ ταπεινοφροσύνη, μηδὲ αὐτὸς ἀφῇ τὴν ταύτης
αἰτίαν μετάνοιαν.

Ὁ πιστὸς Ἀβραὰμ καὶ ὁ δίκαιος Ἰὼβ γῆν καὶ σποδὸν ᵍ
35 ἑαυτοὺς ὠνόμασαν· ταῦτα δὲ τὰ ῥήματα ταπεινοφροσύνης
τεκμήριον. Ὁ δὲ μετανοίας κεκορεσμένος ταπεινοφρονεῖν οὐ
δύναται. Οἱ τρεῖς παῖδες οἱ ὄντως μεγαλομάρτυρες ἐκ μέσου
καιομένης φλογὸς ἐξωμολογοῦντο καὶ τὸ ἡμαρτηκέναι καὶ
ἠνομηκέναι λέγοντες, περὶ τῶν ποτὲ κακῶν μετενόουν,
40 λοιπὸν τέλειοι ὄντες· καὶ πᾶς σχεδὸν ὁ ὕμνος αὐτῶν
μετανοίας ἐπέχει δύναμιν ʰ.

XIII. Εἰ οὖν καὶ οἱ λίαν εὐαρεστήσαντες καὶ τέλειοι διὰ
πραγμάτων ἀποδειχθέντες, τούτῳ ἕως θανάτου ἐχρήσαντο
τῷ βοηθήματι, τίς ἔσται λοιπὸν ὁ προφάσει δικαιοσύνης

D E NV MZCX TG PQW BAF L Y

XII,24 ὁ κύριος ἐν εὐαγγελίοις ~ E PQW B L καὶ ὁ κ. ἐν εὐ. Y ‖
ἐπηγγείλατο BAF ‖ μὴ : μηκέτι AF edd. ‖ 25 αὐτῆς [et Syr.] : αὐτὴν E
μετανοίας NV CX QW ‖ 26 ὁ QW BA ‖ οἰήσει + γὰρ QW ‖
27 ἀντιστρόφως : ἀγχιστρόφως NV CX ἀντὶ σταυρώσεως W *perverse* Syr.
‖ συνδυάζει : συνδοιάζει ZC W συνδιάζει AF ‖ 29 τυγχάνουσιν om. L ‖ ὁ
+ δὲ QW ‖ σωθῆναι οὐ δύναται ~ NV CX ‖ 30-31 ἀλαζὼν ἀνὴρ ~ L ‖
32 τέλειον + γεγονότα λοιπὸν NV CX ‖ ἀφήτω L ‖ τὴν om. F edd. ‖ 34 ἰὼβ
+ ταπεινοφρονοῦντες Eᵐᵍ X W + ταπεινοῦντες Q ἰακὼβ Z ‖ 35 ὠνό-
μασαν : ὠνόμαζον NV CX ἐκάλεσαν W ‖ 36 τεκμήρια NV CX Y ‖
μετανοίας + μὴ A L ‖ οὐ om. M ‖ 37 ὄντως : ὄντες M QW A L ‖
μεγαλομάρτυρες : μεγάλοι μάρτυρες CX W Y μεγαλόφρονες καὶ
μεγαλομάρτυρες BF edd. ταπεινόφρονες καὶ μεγαλομάρτυρες A ‖ ἐκ
μέσου : εἰς μέσον QW ἐν μέσῳ L ‖ 38 φλογὸς καιομένης ~ L ‖ 40 ὄντες :
γεγονότες NV CX ‖ καὶ om. NV QW ‖ αὐτοῖς QW
XIII,1 εἰ : οἱ D B ‖ οἱ om. AF edd. ‖ διὰ + αὐτῶν τῶν NV CX + τῶν Pˢˡ
‖ 2 ἀποδειχθέντες : εὑρεθέντες NV CX QW ἀναδειχθέντες A Y ‖ 3 ἔσται :
ἐστι M PQW BAF

c'est ce que le Seigneur a promis dans les évangiles. Celui qui
prétend n'avoir pas besoin de pénitence se décrète juste, mais
se voit appeler engeance mauvaise[e] par l'Écriture[1]. Celui qui
se carre dans une bonne opinion de sa justice comme s'il avait
poussé la pénitence à sa perfection, tout au contraire, à son
insu, s'accouple aux voluptés, s'il est vrai que bonne opinion de
soi et forfanterie représentent des voluptés. Qui a cette bonne
opinion ne peut être sauvé. Il est écrit en effet : « L'homme
infatué de soi, méprisant et vaniteux n'arrivera jamais à rien[f]. »
Si l'humilité ne nuit aucunement au parfait, que même lui
n'aille pas en délaisser la cause, savoir la pénitence !

Exemples   Le fidèle Abraham et le juste Job se
de pénitence   sont qualifiés eux-mêmes de terre et de
                     cendres[g] ; or ces paroles-là sont une
preuve d'humilité. Celui qui est blasé sur la pénitence ne peut
penser humblement. Les trois enfants, ces martyrs authentiquement grands, du milieu de la flamme brûlante, confessaient
avoir commis et le péché et l'iniquité, se déclaraient pénitents
pour leurs fautes de jadis, alors que désormais ils étaient parfaits, et leur cantique presque tout entier respire la pénitence[h 2].

Pierre et Paul   **XIII.** Ainsi donc même ceux qui
                     avaient plu si fort à Dieu et fourni par
leurs actes la preuve de leur perfection se sont appuyés jusqu'à
la mort sur ce secours. Qui désormais pourra se fier à soi-

XII. e. cf. Pr 30, 12   f. Ha 2, 5   g. cf. Gn 18, 27 et Jb 42, 6   h. cf. Dn 3,
26-45

---

1. En plus de *Pr*, affleurent ici *Lc* 15, 7 et *Mt* 3, 7-9.
2. Aussi bien ici que dans *Causid.* XVI, 14-17 Marc attribue le cantique
de pénitence, qui est l'un des fragments deutérocanoniques du livre de
Daniel, en bloc aux « trois enfants ». Or la forme la plus répandue de la
version grecque de *Daniel*, imputée à tort ou à raison à Théodotion, fait
d'Azarias seul le chantre de ce cantique, tandis que la « Vieille Septante »,
très pauvrement représentée, spécifie : « Azarias... avec ses compagnons...
dirent » (*Dn 3,25*). Mais peut-être Marc n'a-t-il pas attaché d'importance
à ce détail, de sorte qu'on n'aurait pas vraiment là un indice qu'il ait connu
l'ancienne version.

θαρρῶν ἑαυτῷ καὶ μετανοίας καταφρονῶν; Ἐγὼ μὲν οἶμαι,
5 οὐδ᾽ ἂν κατὰ Παῦλον ἢ Πέτρον ἅγιός τις εἴη, οὐδ᾽ οὕτως
αἱρήσοιτο τὴν αἰτίαν τῆς ταπεινοφροσύνης καταλιπεῖν.
Διὰ τοῦτο Πέτρος ἑαυτὸν τῷ Κορνηλίῳ παρεπλησίασε
κρύψας μὲν τὸ τοῦ Θεοῦ ἐν τῷ μέρει τούτῳ, τὸ δὲ ἴδιον
φανερώσας εἰπών · «Ἀνάστα, κἀγὼ αὐτὸς ἄνθρωπός εἰμι[a]»,
10 μηδένα δὲ κοινὸν ἢ ἀκάθαρτον λέγειν θεόθεν δεδιδάχθαι
ὁμολογήσας[b].

Παῦλος δὲ τῆς δεδομένης αὐτῷ παρὰ Χριστοῦ χάριτος
ὑπολήγειν ἑαυτὸν ἕως θανάτου λογισάμενος οὕτως ἔφη ·
«Διώκω δὲ εἰ καὶ καταλάβω, ἐφ᾽ ᾧ καὶ κατελήφθην ὑπὸ
15 Χριστοῦ[c]», κατάληψιν τὴν μέχρις ἐξόδου ἐπιμονὴν εἰρηκώς,
καθάπερ καὶ τῷ πιστῷ Τιμοθέῳ, ἐπέστειλε φανερὰν αὐτῷ
τὴν ἐγγύτητα τῆς ἐξόδου καθιστῶν, λέγων · «Τὸν ἀγῶνα τὸν
καλὸν ἠγώνισμαι, τὸν δρόμον τετέλεκα, τὴν πίστιν
τετήρηκα[d]», οὐκ ἔνστασιν καὶ ὅρον χρονικὸν ἑαυτῷ ἐπι-
20 μετρήσας, ὡς καταπαύσας τοῦ δρόμου διὰ τελειότητα καὶ
μήκετι χρῄζων ἀγώνων τῶν ὑπὲρ τοῦ σώματος τοῦ
Χριστοῦ, μηδέποτε ἐπὶ γῆς καταπαυομένων, ὅ ἐστιν ἡ Ἐκκλησία[e], ἀλλὰ τὴν ἔξοδον αὐτοῦ τέλος δρόμου καὶ ἀγῶνος
εἴρηκε. Φησὶ γάρ · «Ἤδη σπένδομαι, καὶ ὁ καιρὸς τῆς ἐμῆς
25 ἀναλύσεως ἐφέστηκεν[f].» Ὁρᾷς ὅτι οὐκ εἶπεν · Ἀναπαύομαι,

D E NV MZCX TG PQW BAF L Y

XIII,4 οἶμαι : λέγω QW+ ὅτι P[sl] ‖ 5 οὐδ᾽ : εἰ δ᾽ NV ‖ πέτρον — παῦλον
~ NV CX PQW ‖ ἢ : καὶ P ‖ τις ἅγιος ~ PQW ‖ εἴη : ἦ NV CX ‖
6 αἱρήσοιτο : αἱρήσει τὸ F αἱρήσεται τὸ edd. ‖ ταπεινοφροσύνης +
μετάνοιαν ποτέ NV CX QW ‖ καταλείπειν D E NV Z CX TG AF ‖
7 τοῦτο + καὶ V CX + καὶ ὃ N + ὃ W ‖ τῷ κορνηλίῳ ἑαυτὸν ~ NV CX ‖
παρεπλησίασε : ἔλεγε om. F edd. unde εἶπεν suppl. edd. l. seq. ‖ 8 τὸ[1] : τὰ
Y ‖ 10 λέγειν + ἄνθρωπον N[mg] P Y ‖ δίδαχθαι QW δὲ διδάχθη F
ἐδιδάχθημεν edd. ‖ 12 χάριτος παρὰ χριστοῦ ~ NV CX edd. ‖ 13 ἑαυτὸν :
αὐτὸν F Y ἑαυτὸν οὕτως L οὐδαμοῦ edd. ‖ 14-15 ὑπὸ χριστοῦ : om. M ὑπὸ
τοῦ χρ. X T F + ἰησοῦ PQW ὑπὸ κυρίου G ‖ 15 ὑπομονὴν QW ‖

même, sous prétexte qu'il est juste, et mépriser la pénitence ? M'est avis que, serait-on un saint du calibre de Paul ou de Pierre, on n'en déciderait pas pour cela d'abandonner le motif de l'humilité. C'est bien pourquoi Pierre s'assimila à Corneille, en cachant dans cette vue partielle ce qui revenait à Dieu pour manifester ce qui lui était propre en disant : « Relève-toi, moi aussi je ne suis qu'un homme[a]. » Et de confesser en même temps qu'il avait appris de Dieu à ne qualifier personne de souillé ou d'impur[b].

Paul de son côté, après la grâce qui lui avait été confiée par le Christ, médite d'atténuer le « jusqu'à la mort », en s'exprimant ainsi : « Je poursuis ma course pour tâcher de saisir celui par qui j'ai été saisi, le Christ[c] » ; par « tâcher de saisir » il entend : persévérer jusqu'à la fin de ses jours. De même sa lettre au fidèle Timothée manifestait en ces termes à celui-ci la proximité de cette fin : « J'ai combattu le bon combat, j'ai accompli la course, j'ai gardé la foi[d]. » Il ne s'est pas fixé un arrêt, une limite dans le temps, comme s'il allait cesser sa course, étant donné sa perfection, comme s'il n'avait plus besoin de livrer pour le corps du Christ, qui est l'Église[e], de ces combats qui ne cessent jamais sur terre. Non, c'est sa sortie de ce monde qu'il a qualifiée de « fin de sa course » et de « son combat ». Ne dit-il pas en effet : « Je suis déjà répandu en libation et le moment de mon départ est venu[f] » ? Tu le vois, il n'a

---

16 ἀπέστειλε V ἐπέστελλε Z QW L ἐπιστέλλει AF edd. ‖ 17 καθιστῶν + καὶ P[sl] Y ‖ λέγων : δι'ὅ φησι CX N δι'ὅν φησι V καί φησι QW ‖ 17-18 τὸν¹ ... ἠγώνισμαι om. L ‖ 19 οὐκ : οὐ G[ac] οὐχὶ L ‖ ἔνστασιν : στάσιν CX TG[ac] L ‖ 19-20 ἐπιμετρήσας ἑαυτῷ ~ AF edd. ‖ 20 τοῦ δρόμου : τὸν δρόμον E Z AF edd. ‖ 21 χρῄζειν Y ‖ 22-23 ὁ ... ἐκκλησία : suppl. N[mg] om. V transp. l. 22 post χριστοῦ Syr. ‖ 23 ἀγώνων G[pc] BAF PQW Syr. ‖ 24 εἰρηκὼς CX ‖ 24-25 ἐμῆς ἀναλύσεως : ἀνα. μου NV CX ‖ 25 ὅτι om. L

XIII. a. Ac 10, 26   b. cf. Ac 10, 28   c. Ph 3, 12   d. 2 Tm 4, 7   e. cf. Col 1, 24   f. 2 Tm 4, 6.

ἀλλ'· «Ἤδη σπένδομαι», διὰ τῶν τοιούτων ῥημάτων τε καὶ πραγμάτων δεικνὺς πᾶσι τὸν τῆς μετανοίας ὅρον ἕως θύσεως καὶ θανάτου κεχρεωστημένον τῷ ἐπουρανίῳ βασιλεῖ Χριστῷ, ᾧ ἡ δόξα εἰς τοὺς αἰῶνας. Ἀμήν.

D E NV MZCX TG PQW BAF L Y

XIII,27 δείκνυσι NV QW ‖ ὅρον : φόρον D L^ac ‖ ἕως : μεχρὶ NV CX ‖ θύσεως : ἐξόδου QW λύσεως (forsitan post corr.) edd. ‖ 28 κεχρεωστημένον + παρ'ἡμῶν NV CX PQW ‖ βασιλεῖ : παμβασιλεῖ θεῷ καὶ NV CX ‖

pas dit : Je m'arrête, mais : « Je suis déjà répandu en libation ».
C'est montrer à tous par de telles paroles et de tels actes que
jusqu'à la dissolution et la mort, on est redevable de pénitence
au Christ, le roi céleste, à qui soit la gloire dans les siècles.
Amen.

29 χριστῷ + ἰησοῦ τῷ σωτηρὶ ἡμῶν N CX σωτηρὶ χρ. V + μεθ' οὗ τῷ πατρὶ
ἅμα τῷ ἁγίῳ πνεύματι Gᵐᵍ PQW ‖ δόξα + καὶ τὸ κράτος νῦν καὶ ἀεὶ καὶ
E N CX καὶ τὸ κρ. MZ L + τιμὴ καὶ προσκύνησις νῦν καὶ ἀεὶ καὶ PQW ‖
αἰῶνας + τῶν αἰώνων D E N CX BA PQW L.

LE BAPTÊME

DIALOGUE ENTRE L'INTELLECT
ET SA PROPRE ÂME

ANALYSE

A l'ouvrage de Marc sur *Le baptême*, que nous nous proposons d'étudier maintenant, peut être joint un autre écrit du même auteur, le *Dialogue entre l'intellect et sa propre âme*, même s'il n'en a été rapproché ni dans la tradition manuscrite ni par l'*editio princeps*, procurée par J. Picot en 1563 et reproduite à travers plusieurs intermédiaires dans la *Patrologie* de Migne. Ce maintien à distance peut provenir pour une part de la longueur respective des deux œuvres : la *Consultatio intellectus cum sua ipsius anima*, qui occupe moins de quatre colonnes de Migne[1], est un court factum à rajouter par manière de complément à une collection d'opuscules soit marciens soit hétéroclites ; le *De baptismo* est un véritable traité, venant sans doute juste à côté de celui *Sur l'Incarnation* pour ce qui est de l'ampleur. Une autre différence entre les deux se laisse encore remarquer, sans lien visible avec la première : le titre de *Consult.* est pratiquement immuable à travers la tradition manuscrite, celui de *Bapt.* présente d'assez nombreux flottements[2].

---

1. Picot a même interverti *Consult.* et *Causid.* par rapport à son manuscrit de base, le *Parisinus gr. 1037* (**F**), de sorte que le plus petit traité s'est trouvé en dernière position dans les éditions, jusqu'à ce que Galland ajoute à sa suite les deux nouvelles œuvres imprimées d'abord séparément par Remondini (*Jej.* et *Melch.*).

2. Le libellé fourni par Migne, « Réponse à ceux qui font des difficultés au sujet du divin baptême », s'il est en soi assez satisfaisant, se trouve seulement dans une famille restreinte de mss. « Interrogations sur le saint

L'œuvre :
une apologie
du baptême
Ces hésitations, néanmoins, ne portent pas sur l'essentiel : toujours le baptême est donné comme le sujet de cette œuvre de Marc que son titre même désigne clairement. De fait, même si l'écrit évolue à la frontière entre le dialogue et la série d'*érôtapokriseis*, même si le plan en est aussi imprécis que de coutume chez son auteur, la mention du baptême revient d'un bout à l'autre de l'ouvrage et constitue un facteur de relative ou apparente unité. Durant la première moitié du texte approximativement, soit jusqu'en V, 282, les choses sont particulièrement nettes. Une thèse générale est affirmée : ce n'est pas l'exécution des commandements qui donne accès à la sanctification, mais bien la réception du baptême, et par le fait même cette réception confère une liberté radicale d'exécuter les commandements ; cependant il reste au pouvoir de l'homme de laisser se réintroduire en lui des penchants mauvais et d'annuler ainsi les effets du baptême, ou du moins ceux que Marc met seuls en relief. Deux descriptions antithétiques sont encore parfaitement dans la ligne de ces affirmations premières, dont elles développent les conséquences. D'une part est dépeinte l'oblation pure de notre cœur, qui rend possible le déploiement de la grâce reçue dans le baptême (IV, 6-128). D'autre part la nouvelle invasion des penchants mauvais est analysée derechef et de façon plus minutieuse, la responsabilité personnelle de chacun dans cette réinstallation du mal soulignée avec une nouvelle force (cela jusqu'en V, 209). Finalement, en antithèse par rapport à cette détérioration et en couronnement de la peinture du culte spirituel, arrive l'assertion explicitée et triomphante : par le baptême, le croyant devient le temple du Christ-Esprit.

Au-delà du point où nous sommes parvenus (V, 282), un excursus qui traite nettement, mais rapidement, des diverses questions techniques posées par cette habitation divine se rattache encore assez bien aux développements précédents. Mais

baptême » est le titre le plus attesté. Mais un groupe de témoins généralement sérieux donne simplement : « Sur le saint baptême ». Le syriaque est plus explicite : « Sur le baptême, sous forme dialoguée, aux frères moines ».

ensuite s'impose avec une insistance croissante un nouveau thème, celui du péché d'Adam (à partir de IX, 26 approximativement) : Marc nie avec force que ce péché soit un facteur déterminant de notre perméabilité à l'assaut (προσϐολή) de Satan ; nous restons en fait libres de donner ou non accès à ces attaques extérieures, à l'instar de ce qu'il en était pour Adam lui-même, duquel nous avons hérité seulement la mortalité. Tant au cours du bref excursus, néanmoins, que durant le développement plus long sur l'hérédité adamique, le baptême est mentionné de place en place : VI, 6 ; VIII, 14 ; IX, 18, 32 ; XII, 13, 20 (en ce cas sous la forme d'une périphrase tirée de *Tite 3, 5*) ; XIII, 28 ; XIV, 2 ; XV, 18 ; XVII, 11, 19. Il n'y a donc qu'une longueur de texte équivalant à trois colonnes de Migne (1013, 1016 et 1024) où le rappel ne soit pas explicité ; et dans ce qui correspond à la dernière colonne de l'opuscule (1028), le mot « baptême » ou un dérivé reviennent à quatre reprises (XVII, 65.83.84.85). Qui plus est, Marc ne s'en tient pas à suggérer que des prémices ou un embryon de grâce et de présence divine sont implantés par le sacrement ; il appuie autant que faire se peut sur la perfection du don, en admettant seulement, grâce à l'exécution des commandements, un dévoilement progressif de ce qui était là tout entier, quoique « mystérieusement »[1].

Première partie : défense du baptême Même si d'autres thèmes interfèrent avec celui-là, l'œuvre peut et veut donc incontestablement être d'abord considérée comme une « apologie pour le baptême », plus, à vrai dire, qu'un « traité sur le baptême », malgré l'intitulé fourni par certains manuscrits. Car cette défense du baptême en est à peine une illustration : le rite en est supposé déjà bien connu. Un seul détail de la liturgie d'initiation est rappelé au passage, la réception du corps du Christ par les nouveaux baptisés (V, 96-98)[2].

---

1. Cf. les emplois de l'adverbe μυστικῶς en II, 55 ; IV, 25 ; V, 112.168 ; XVII, 64.82.
2. Unique allusion de Marc à l'eucharistie, en dehors de ses traités dogmatiques (*Melch.* VIII, 10-13 et *Incarn.* XLI, 4 - XLII, 10). Le fait qu'elle puisse être présentée, lors de cette unique mention, comme une

Quant aux effets du baptême, ils ne font l'objet d'aucune énumération détaillée ; et la description de ceux qui sont tout de même mentionnés avec quelque insistance s'amplifie en un cas seulement, en raison des difficultés ou ambiguïtés que pourraient faire naître certains énoncés de cette vérité. Marc s'en tient essentiellement à trois affirmations : le baptême purifie, il libère du, ou des péchés[1], il nous procure la présence intime d'une réalité désignée, pour le coup, par des expressions assez variées : la grâce du Christ ou du Saint Esprit, ou carrément l'inhabitation par cet Esprit ou, chose peut-être plus originale, par le Christ[2].

C'est à cette occasion que Marc se demande — ou se fait demander — comment l'Esprit n'est pas morcelé par sa pré-

___

nourriture pour débutants, par contraste avec celle, plus spirituelle, que constituent l'espérance et la renonciation aux « pensées », est un indice qu'elle ne devait pas jouer un rôle primordial dans la vie de l'auteur et de ses moines.

1. C'est toujours quand il reproduit un texte scripturaire que Marc utilise le pluriel « les péchés » — on le trouve cependant aussi en I, 24 et V, 246-247, mais à propos d'une situation postbaptismale. Quand il parle pour son compte, il accorde au singulier « le péché » une prépondérance indiscutable ; peut-être parce que celui-ci fait mieux ressortir l'aspect de domination par un tyran, dont l'homme est affranchi par le Christ, et moins l'aspect de « souillures », assez étranger à la pensée marcienne. Dès II, 57 d'autre part, ce terme de péché est accompagné de l'épithète πατρική ; et si en plusieurs cas par la suite il n'y a pas de déterminatif, dans quelques autres, au cours de la discussion, Marc se laisse entraîner à parler d'un « péché d'Adam » : ainsi en III, 48.75 ; IV, 115.119, V, 33-34 — les trois dernières occurrences représentant toutefois plutôt un résumé de la pensée de l'adversaire —, en IX, 26. Pourtant plus loin, en XII, 5 s. surtout, on le verra nier catégoriquement que nous ayons hérité d'Adam autre chose que la mort, et notamment « la transgression », celle-ci ayant été affaire toute personnelle, non transmissible. Suffit-il d'arguer d'une distinction tranchée entre παράβασις et ἁμαρτία, pour éviter d'avoir à imputer à notre auteur, sinon une contradiction, du moins un flottement de vocabulaire, voire de pensée ? Cela n'est pas sûr, car en XI, 22-24, il paraît bien établir une équivalence entre les deux termes de « péché » et de « transgression ».

2. Marc paraît peu porté à parler de grâce « de Dieu » : des occurrences de l'expression dans *Bapt.*, une est en liaison avec une réminiscence scripturaire (II, 31), deux sont placées dans la bouche des adversaires (XIV, 3 et XV, 19) ; trois disparaissent quand on remonte du texte de Migne à celui des mss (IV, 70 ; V, 54 et 167).

sence dans de multiples âmes, et aussi comment la Trinité n'est pas fragmentée si l'on pose telle ou telle Personne en délégué spécial à ce rôle d'habitant de l'âme humaine. La réponse concernant le premier point, donnée ici en IX, 7-25, correspond assez exactement à celle qu'on trouve en *Justif.* 110. Quant au second point, l'échange de répliques sur ce sujet (VI-VII) nous vaut la réaffirmation la plus nette de la foi définie à Nicée que l'on puisse trouver dans l'œuvre marcienne. Il se pourrait toutefois que si Marc a plus souvent encore parlé du Christ que de l'Esprit comme habitant divin des âmes, c'est que ce nom évoque sans hésitation possible une personne, non une substance qui se répartirait entre les baptisés. En outre, en parlant de « Christ », Marc accentue le rapport avec celui qui d'après Paul et les évangiles a subi la Passion rédemptrice, et non avec une quelconque Raison divine[1].

On doit remarquer cependant que le terme de *prosôpon* n'est pas employé au sujet de ce Christ. Il ne l'est d'ailleurs qu'une fois dans l'opuscule, en un contexte qui est celui de la traditionnelle « exégèse prosopique » remise en lumière par C. Andresen[2] : saint Paul, affirme Marc en IV, 9-10, endosse le « personnage » des Juifs infidèles et non baptisés de *Rm 7, 23 s.* Quant au terme d'*hypostasis,* il apparaît une fois en contexte trinitaire (VII, 10) et deux fois en lien direct avec *He 11, 1.* Ailleurs il sert seulement à définir ce qu'est Satan : « l'hypostase du diable » (XI, 21-22). Mais si Marc affirme ainsi la personnalité de Satan, on peut dire dès maintenant — et on

---

1. Même un verset comme *Jn 1, 3* perd tout rapport avec un rôle cosmique du Verbe, à être cité — avec quelque hésitation, il est vrai — en supplément de preuve après *Jn 15, 5* et *16* au sujet de la médiation du Christ en toute grâce (V, 251-256). — Quant à l'emploi de Λόγος en V, 233, il est si insolite qu'il a déconcerté plusieurs copistes ; le terme accompagnant une réminiscence scripturaire, il n'est pas entièrement sûr qu'il faille le traduire par « Verbe » ; peut-être « la parole » ou « le texte » suffiraient-ils. Nous verrons néanmoins « Verbe » reprendre son importance en *Incarn.,* pour désigner, souvent avec la précision « Verbe à nu », l'élément divin dans le Christ. D'un autre côté, si « Fils » est également rare, « Jésus » ne semble utilisé qu'en dépendance de citations scripturaires.

2. C. ANDRESEN, « Zur Enstehung und Geschichte des trinitarischen Personenbegriffes », *ZNTW* 52 (1961), p. 1-39 et en particulier p. 14-18.

aura à relever encore — qu'il ne fait pas la moindre allusion à une inhabitation, passée ou actuelle, de celui-ci dans l'homme.

Seconde partie   Après la solution des questions subsidiaires, cette défense du baptême, en dépit des mentions de celui-ci déjà relevées, passe sans doute au second plan. Les thèmes principaux des deux derniers cinquièmes, approximativement, de *Bapt.* pourraient, à la limite, être développés indépendamment de celui de l'efficacité du sacrement. Une sorte de contre-épreuve nous est fournie par l'opuscule beaucoup plus court dont nous avons déjà fait état, la *Consultatio intellectus cum sua ipsius anima*. Il se présente donc comme une mise en garde adressée par l'intellect à l'âme. En fait celle-ci joue un rôle purement passif et muet, en sorte qu'il est bien impossible de la cerner en tant qu'entité psychologique[1]. On ne peut qu'y voir, sinon le porte-parole, du moins le masque de certains spirituels qui auraient voulu reporter la responsabilité du péché, en tout ou en partie, sur d'autres que le pécheur lui-même. Ces boucs émissaires supposés sont énumérés deux fois (*Consult.* I, 7-8 et V, 5-6) : Adam, Satan, les autres hommes.

Mais plutôt qu'en les considérant en eux-mêmes, c'est en démontant le mécanisme interne du péché que Marc les disculpe plus ou moins totalement. A l'origine du mal, il place deux tendances, auxquelles il refuse assez étrangement, vu les termes qui lui servent à les désigner, toute valeur morale pri-

---

1. Si la distinction entre νοῦς et ψυχή est réduite ici à l'état de vestige, il n'en demeure pas moins qu'elle est d'origine hellénique, le *nous* étant la faculté directrice de la *psychè*, comme le dira encore JEAN DAMASCÈNE (*Expositio fidei* 50, l. 39-40), et son élément le plus pur — quand il n'est pas, comme dans la métaphysique néoplatonicienne à partir de Plotin, une hypostase supérieure à l'âme. Au contraire, la notion de πνεῦμα humain, aux racines beaucoup plus bibliques, ne joue aucun rôle dans l'anthropologie, somme toute rudimentaire, de Marc. Non loin sans doute de son époque, c'est ce *pneuma-rucho* qu'un JEAN D'APAMÉE essaiera de situer par rapport à l'âme-*napsho* dans sa *Deuxième Lettre à Eutrope et Eusèbe*. Mais malgré un certain nombre de parallèles entre eux, que nous serons encore amené à signaler, Jean fait partie du monde de pensée et de langue syriaque et Marc du grec.

mitive : ces penchants non raisonnés ne sont, dit-il, ni vices ni vertus, quoiqu'il s'agisse de la gloriole humaine et de la mollesse corporelle (II, 2). A la fin de l'opuscule, Marc les montrera se mettant en branle lors de la transgression d'Adam et Ève sous la forme de gourmandise à l'endroit du fruit défendu et de désir vaniteux d'une égalité avec Dieu. Cela implique presque assurément qu'ils aient déjà été latents chez les premiers parents, et non pas installés dans l'homme à raison d'un « péché originel ». Ces tendances ne sont, suivant qu'on les déchaîne ou les discipline, que des révélateurs d'une inclination (νεῦσις), d'un penchant de la volonté, dont par inférence il apparaît qu'elle était au départ complètement libre (II, 4-5 et 14-15). C'est de notre plein gré, dès lors, que nous donnons accès soit à Dieu soit à Satan. Et c'est à partir de ce stade seulement qu'on peut déceler une certaine responsabilité de ce dernier : tout comme dans le cas du premier couple, trouvant l'entrée libre, il installe désormais ses appareils.

Mais Marc n'insiste nullement sur cet aspect des choses ; il revient à une description de la détérioration intime de l'homme. La gloriole se manifeste dorénavant par un appétit plus ou moins voilé de pouvoir et d'honneurs ; la mollesse, sous le déguisement encore plus épais d'une pauvreté qui ne renonce pas aux jouissances, mais s'arrange sans doute pour les obtenir grâce à une vie de pique-assiette. Ces attaques montrent bien que les adversaires visés ne sont pas des séculiers aux passions débridées, mais des moines, dont l'hypocrisie cache le relâchement aux yeux d'autrui et peut-être aux leurs propres. Marc essaie, non sans gaucherie, d'englober dans sa dénonciation des ascètes plus sincères, mais donnant dans un mépris quasi manichéen des créatures. Deux autres vices sont alors adjoints au couple primitif : la cupidité, peut-être surtout en raison du témoignage paulinien de *1 Tm 6, 10*, déjà utilisé par *Leg.* 103[1], et surtout le manque de charité fraternelle, concrétisé dans la difficulté à pardonner les injures et le penchant à formuler des verdicts sur autrui.

---

1. En *Leg.* 107 et *Justif.* 129, Marc présente cependant le même trio vicieux sans recourir à la citation de *1 Tm*.

Consult.
esquisse de *Bapt.*

Or, en développant ce dernier thème qui lui est à juste titre très cher, Marc se livre à une première exégèse spirituelle du chapitre de la *Genèse* relatif à la transgression d'Adam. Vers la fin de *Consult.* (V, 23-24), il revient sur cet épisode et prend parti, presque sans avoir l'air d'y toucher, sur un problème d'interprétation qui passionnait dès longtemps les lecteurs du texte sacré, vu les implications théologiques qu'à tort ou à raison on y décelait : les tuniques de peau, « patience » de bonne texture proposée par le Seigneur (*Consult.* V, 26), apparaissent bien préférables aux feuilles de figuier, prétextes superficiels que nous cousons sur nous à la hâte ; pareille transposition mérite d'être considérée comme aussi personnelle qu'élégante. Mais le passage allégorisant situé plus haut dans l'opuscule (III, 19-46) est pour nous plus fertile en énigmes. D'une part, en effet, il est transmis dans une chaîne sur la *Genèse* sous le nom d'Origène[1] ; d'autre part il se retrouve, quant au sens général sinon quant à la lettre, à la fin de *Bapt.* (XVII, 19-29). A un détail final près néanmoins : ceux qui prétendent opérer un tri entre les fruits poussant au paradis de l'Église — ce qui est goûter de l'arbre de la connaissance du bien et du mal — subissent la mort dans *Consult.* (III, 35) ; ils découvrent simplement leur nudité, c'est-à-dire leurs infirmités morales, en *Bapt.* On peut penser que cette simple touche en *Bapt.* reprend sous une forme très resserrée la seconde interprétation allégorique proposée dans *Consult.* Ce dernier opuscule affirme par ailleurs le lien entre la faute et la mort sans apporter les distinctions pratiquées par Marc dans *Bapt.* Cela paraît être un premier indice que *Consult.* est l'esquisse, plutôt que le résumé, de la seconde partie de *Bapt.*

On remarquera en outre que *Bapt.* introduit son exégèse spirituelle avec une parfaite aisance, comme allant de soi, tan-

---

1. Le premier, O. HESSE, « Markos Eremites », p. 199, n. 10, a signalé ce rapprochement des passages de *Consult.* et *Bapt.* avec ORIGÈNE, *Selecta in Gen. 2, 15-17* (*PG* 12, 100 B-D). Pour les témoins du fragment attribué à Origène, cf. R. DEVREESSE, *Les anciens commentateurs grecs de l'Octateuque et des Rois* (*S e T* 201), Cité du Vatican 1959, p. 30 et 32 ; mais il faut noter que tous ces mss représentent un unique type de chaîne, ce qui rend l'attribution à Origène plus fragile.

dis que *Consult.*, si à l'aise pourtant quand il s'agit des tuniques de peau, éprouve ici, en III, 22-24, le besoin de s'appuyer sur une référence à *1 Co 10, 11*, montrant que ce qui est arrivé à Adam et Ève a valeur « typique ». Cela non point apparemment dans une intention polémique contre des contradicteurs, mais pour apaiser les propres scrupules de Marc ou ceux de tels de ses disciples devant pareille transposition de l'Écriture[1]. Cela aussi inciterait à placer *Consult.*, un peu tâtonnant, avant *Bapt.*, plus sûr de lui.

Enfin le binôme : gloriole humaine - mollesse, lâcheté corporelle se retrouve en *Bapt.* (V, 75.79) ; on sait déjà du reste qu'il correspond à une arête de l'anthropologie marcienne[2]. Mais il est inséré dans une étude désormais plus poussée sur la προσϐολή, ou assaut diabolique, et sur la complicité que cet assaut trouve en nous et qui lui permet de proliférer en multiples pensées à partir d'une obsession (*Bapt.* XI, 36-49, en particulier). C'est l'occasion pour Marc d'affirmer plus nettement encore que dans *Consult.* l'identité de situation entre l'homme actuel et l'Adam paradisiaque, pour ce qui est de la perméabi-

---

1. En *Consult.* III, 44-46, il est bien fait allusion à des gens dont la conception ne satisfait point Marc ; mais le désaccord porte moins sur la méthode exégétique que sur un point de théodicée, la nature du lien entre le péché et la mort. Incidemment la présence à cet endroit d'un adverbe très rare, un quasi-hapax (ἐπινοητικῶς) ne plaide pas en faveur de la provenance primitivement origénienne du passage : même dans son état actuel de délabrement, l'œuvre de l'Alexandrin constitue une masse où un mot a moins de chances d'être attesté une seule fois que dans les textes beaucoup plus courts de Marc, lequel emploie d'ailleurs, en *Melch.* VI, 54 et VIII, 29, deux autres hapax du vocabulaire exégétique.

2. On le trouve même en tel endroit où il semblerait ne rien avoir à faire, comme le préambule d'*Incarn.* (I, 10-17). Il n'est pas sans quelque analogie avec la *Pensée* suivante de PASCAL (236 Brunschvicg / 548 Lafuma) : « les deux sources de nos péchés sont l'orgueil et la paresse » — quoique celle-ci s'articule surtout avec l'opposition pascalienne entre le stoïcisme, qui présume trop de l'homme, et l'épicurisme, qui n'en attend pas assez. Chez Marc, il s'agit plutôt de répartir les responsabilités pour le péché entre le corps et l'âme, en évitant de n'en charger que l'un des deux. Cependant si le « relâchement » (ἄνεσις) est vice du corps en *Bapt.* V, 75 et 79, l'amour de la volupté, au fond identique à lui, est localisé dans l'âme en XIV, 9. De même, en *Justif.* 114, le refus du plaisir de la chair était lié à la possession d'un cœur contrit et humilié.

lité à la tentation. Car il est formel sur ce point : des trois choses survenues à Adam, l'assaut de la tentation, la transgression et la mort, nous n'avons hérité que la troisième (XVII, 47-48). Cette mort, cependant, a toute chance de ne pas être seulement un phénomène purement biologique. Marc la définit une fois (XII, 17-18) : « elle consiste à devenir étranger à Dieu » ; et de gloser immédiatement : « le premier homme étant mort en effet, c'est-à-dire étant devenu étranger à Dieu, nous n'étions plus non plus capables de vivre en Dieu ». En même temps il est vrai que Marc n'écarte pas la mort physiologique de son champ de vision, mais la maintient au contraire très lucidement à l'horizon de l'existence chrétienne. Elle est l'un des commandements et même le commandement parfait, sous forme, est-il spécifié, de mort pour la vérité du Christ (IX, 10-11). Le martyre demeure donc dans les perspectives de notre auteur, même si tel autre passage où la mort est définie comme le plus large des commandements, le renoncement à son être (V, 220-222), eût pu s'entendre de la vie monastique et de l'effort ascétique poursuivi jusqu'au terme des jours du moine[1]. C'est donc du côté de cette « mort » entendue au sens le plus global qu'il faut chercher l'équivalent marcien très approximatif du « péché originel » et c'est en une libération de la « mort spirituelle » ainsi qu'en une sanctification de la mort corporelle qu'il faut, selon Marc, faire consister la Rédemption. Car pour ce qu'une théologie postérieure appellera « concupiscence », elle est, d'après lui, un facteur lié à notre nature et également présent chez Adam. On ne peut donc pas rattacher son surgissement à la faute originelle, ni non plus mettre son exténuation ou sa déculpabilisation au nombre des effets marquants du baptême[2].

---

1. Dans les *Cent Chapitres* de DIADOQUE DE PHOTICÉ, dont il sera question ci-dessous, il semble que le martyre de la main des ennemis du Christ soit chose plus nettement reléguée dans le passé : voir en particulier le chap. 94, où il est spécifié que « maintenant, grâce au Seigneur, la paix des Églises abonde ».

2. Montrer que chez Marc la mort implique une hostilité envers Dieu et par conséquent un péché d'origine, avouer en même temps le flou extrême de son enseignement sur la concupiscence, telle est la voie où s'oriente K. JUESSEN, « Dasein und Wesen der Erbsünde nach Markus

Un antagoniste   En *Consult.* Marc mentionnait déjà à
possible :   quatre reprises (I, 17 ; III, 25 ; IV, 36 ; V,
Jérôme le Grec   10-11) le baptême, et même, la quatrième
fois, il y affirmait la présence dans le baptisé d'un allié intime,
seule aide efficace dans le combat spirituel, le Christ. Mais s'il
y était fait allusion, les effets obtenus par le sacrement
n'étaient pas encore l'enjeu du débat. Ne serait-il pas inter-
venu, après l'époque où fut composé et diffusé ce petit mono-
logue, un facteur nouveau, obligeant Marc à rédiger un
ouvrage plus ample, pour dialoguer sans acrimonie[1] avec des
interlocuteurs ayant formulé, peut-être par écrit, leurs questions et objections ? Un ouvrage plus bref encore que *Consult.*
et qui demeure passablement mystérieux malgré un article
pénétrant de Karl Rahner à son sujet[2] pourrait représenter un
vestige des publications de la partie adverse. Ce texte s'est fau-
filé dans le tome XL de la *Patrologie grecque* de Migne, au
contenu fort disparate — il s'y trouve rassemblées des œuvres
de Philon de Carpasie, Astérius d'Amasée, Némésius d'Émèse,
etc.—, où il occupe à peine plus de trois colonnes (859 B -
865 B). C'était seulement la seconde fois qu'il prenait place

---

Eremita », *ZKT* 62 (1938), p. 76-91, et, avec un peu plus de nuances peut-
être, A. GAUDEL, art. « Péché », *DTC* 12 (1933), col. 358-360. J. GROSS, *Ent-
wicklungsgeschichte des Erbsündendogmas im nachaugustinischen
Altertum und in der Vorscholastik*, Munich 1963, p. 158-165, disjoint cependant Gaudel de Juessen et écarte toute continuité entre la doctrine de
Marc et celle qui a prévalu plus tard dans l'Église, surtout occidentale. Il
cite, en dehors de nombreux extraits de *Bapt.*, certains chapitres de *Leg.* et
de *Justif.*, ainsi que *Paen.* X, 19-24. N'y voit-on pas s'exprimer une croyance
en une condamnation héréditaire incluant nettement plus que la mort
physique, un éloignement par rapport à Dieu, irrémédiable sans la venue
du Sauveur — et la réception du baptême — ? Dans les contextes où
n'étaient pas visés des adversaires essayant de reporter toute culpabilité
sur l'héritage adamique, Marc semble parler un langage tout à fait capable
de satisfaire les théologiens postérieurs qui ne seraient pas des augusti-
niens extrémistes.

   1. Cependant l'atmosphère se détériore vers la fin : cf. *Bapt.* XVI, 7, où
il est question de blasphème, et XVII, 6, qui s'exclame sur une perversion
de la foi.

   2. K. RAHNER, « Ein messalianisches Fragment über die Taufe », *ZKT*
61 (1937), p. 258-271.

dans un grand recueil patristique, quoiqu'il eût déjà été publié à l'extrême fin du XVIᵉ siècle et encore à plusieurs reprises depuis, soit seul, soit avec un autre opuscule attribué à tort ou à raison — et à notre avis plutôt à tort — au même auteur, « Jérôme le Grec[1] ». Provisoirement et pour faire court, on peut reprendre une partie du titre proposé par le premier éditeur-traducteur, Frédéric Morel : « Sur l'effet du baptême ». Car « Jérôme » ne dénie point toute efficacité au sacrement ; il soutient simplement que la réalité de celui-ci est vérifiable par les émotions religieuses constatées chez les baptisés orthodoxes et chez eux seuls.

Un écho de la controverse messalienne Or donc K. Rahner a établi indiscutablement contre P. Batiffol[2] que ce qu'il appelait, lui, « un fragment messalien sur le baptême » ne pouvait s'intégrer à un dialogue apologétique avec un interlocuteur juif composé au VIIIᵉ siècle par un prêtre hiérosolymitain nommé Jérôme, dont Jean Damascène nous atteste l'existence par un emprunt dans le florilège attaché à son troisième *Discours sur les images*. Rahner, toujours, a rendu au moins très probable que ledit « fragment » était beaucoup plus ancien, vu les ressemblances et oppositions qu'il présentait avec le *De baptismo* de Marc[3]. La problématique commune à Marc et au fragment est caractéristique de la controverse messalienne. Car il n'est pas essentiel au messa-

---

1. Le nom de « Jérôme » figure dans tous les mss que nous avons repérés, *e graecis patribus* ou *theologus graecus* étant évidemment des additions d'éditeurs modernes. La précision « prêtre de Jérusalem » est en rapport seulement avec le troisième texte qu'on a voulu attribuer au même auteur, celui qui provient du florilège proposé par JEAN DAMASCÈNE (*De imaginibus* III, 125, éd. Kotter, III, p. 194). — Pour l'histoire de ces pièces, suivie de l'édition de ce qui est en réalité un opuscule tout à fait indépendant et placé en premier dans les mss, cf. *infra*, t. 2, en appendice.

2. P. BATIFFOL, « Jérôme de Jérusalem, d'après un document inédit », *Revue des Questions historiques* 39 (1886), p. 248-255.

3. Ces ressemblances et oppositions sont soigneusement analysées dans son article, cité *supra*, p. 271, n. 2. — Marc y est du reste assez constamment appelé non seulement « Marc l'Ermite », mais aussi « Marc d'Ancyre » : c'est probablement dépasser (en fonction de la croyance en l'authenticité de *Nic.*) les données assurées sur notre mystérieux auteur.

lianisme de répudier purement et simplement le baptême. En majorité, les euchites ont même dû le considérer comme une condition *sine qua non* pour ces expériences spirituelles qui étaient leur but suprême, le constituant central de la vie chrétienne telle qu'ils la concevaient. Mais en retour le baptême et l'eucharistie, ainsi que certaines pratiques religieuses ne recevaient leur validité que de ces expériences spirituelles, pour lesquelles elles étaient une occasion, un excitant. En l'absence d'expériences, sacrements et pratiques étaient nuls et non avenus. Au contraire, selon Marc, comme on y a déjà fait allusion, le baptême peut exister bien réellement, mais μυστικῶς[1]. Et l'exécution des commandements, au lieu d'être une conséquence éventuelle de l'expérience mystique, en est la précondition, le présupposé. Aux indices doctrinaux accumulés par Rahner, on pourrait ajouter celui fourni par la convergence des citations scripturaires, qui va jusqu'à l'apparition chez les deux auteurs de mêmes variantes assez rares[2].

Or il semble bien que ce « messalien modéré[3] » vise à établir sa thèse plutôt qu'à la défendre contre des objections — surtout des objections cristallisées sous forme écrite. Marc,

---

1. Cf. *supra*, p. 263, n. 1. — K. RAHNER, *art. cit.*, p. 267, traduit cet adverbe par « unbewusst », soit « inconsciemment », à l'insu du sujet récepteur, ce qui nous paraît introduire une nuance un peu trop subjective. O. HESSE, « Markos Eremites », p. 117-118, et surtout p. 233, n. 87, propose d'y voir une allusion au sacrement de baptême et suggère une équivalence, *mutatis mutandis*, avec le terme latin médiéval *sacramentaliter*. Il nous a semblé qu'en traduisant « en mystère », on serait à la fois légitimement un peu plus vague et plus proche du terme grec, sans faire intervenir « la mystique » — comme le fait apparemment la traduction latine *mystice* —, qui n'a pas grand place chez Marc.

2. RAHNER lui-même (*art. cit.*, p. 266) signale la double définition de la foi à partir de *Rm 10, 17* et *He 11, 1*. Il relève aussi l'emploi dans des conditions identiques de *Lc 12, 49* et *17, 21* ; or, dans ces deux derniers versets Marc et Jérôme donnent un texte assez insolite, notamment quand, dans le second, ils substituent « royaume des cieux » à « royaume de Dieu », ce qui est rare. L'affirmation de Marc, en *Bapt.* IV, 25-26, suivant laquelle saint Paul nous a qualifiés de « temples de l'Esprit » — et non « de Dieu », comme le dit en réalité *1 Co 3, 16* — se comprend mieux quand on s'aperçoit que Jérôme avait déjà quelque peu contaminé *1 Co 3, 16* et *1 Co 6, 19.*

3. Selon l'expression de K. RAHNER, *art. cit.*, p. 270.

en revanche, écrit une défense du baptême contre des adversaires qui ont déjà formulé leurs critiques ; leur forme n'est du reste pas forcément celle sous laquelle elles sont énoncées dans les questions contenues dans *Bapt.*, où gaucherie et embarras sont faits pour donner plus facilement prise à la réfutation. Les argumentations du messalien transparaissent plutôt en filigrane dans les exposés au cours desquels Marc assimile et retouche en partie l'enseignement adverse. De plus, si l'on continue d'admettre, avec Rahner, que l'écrit messalien est seulement un fragment, il est très facile de comprendre pourquoi les développements de Marc débordent celui de l'auteur auquel il s'oppose ; pourquoi, par exemple, il n'est pas question de « combats » ascétiques dans l'opuscule messalien, alors que le thème est l'un de ceux placés le plus souvent par Marc sur les lèvres des contradicteurs[1].

Il semble toutefois que le prétendu fragment soit doté d'une chute assez appropriée, s'achevant sur une évocation eschatologique : sortie de cette vie et prise de possession du royaume des cieux. Serait-ce donc au début du texte qu'il faut supposer une amputation ?

Il serait au fond plus aisé d'envisager une autre solution. Nous aurions là le seul témoignage survivant à l'état séparé d'une « campagne de publicité » qui, à l'origine, ne se limitait pas à cette unique pièce. Et du reste, ce qui est devenu finalement partie intégrante des diverses collections pseudo-maca-

---

1. Par ailleurs, il faut bien dire que le début du texte de Jérôme, approximativement jusqu'en IV, 30, ne rencontre pas, comme la suite, des échos indiscutables chez Marc. Celui-ci en particulier, ne réagit nulle part à l'argument que Jérôme tire de la situation des gens qui ont reçu dans leur petite enfance un baptême fictif ou invalide. — Sur son silence au sujet du baptême des enfants, cf. *infra*, p. 290, n. 1 — Au demeurant, ce trait de mœurs relevé par notre messalien, soit l'hypothèse de parents cryptopaïens qui abandonnent leurs enfants sans les avoir fait baptiser, paraît un indice de l'antiquité de l'opuscule. En effet, même si certaines régions de l'Empire byzantin sont sans doute passées directement du paganisme à l'Islam, on situe mieux cette négligence témoignée au sacrement à une époque aussi proche que possible de celle du passage officiel de l'État romain au christianisme, c'est-à-dire sous la dynastie de Théodose et vers le début du Ve siècle.

riennes a bien pu également circuler d'abord sous forme de feuilles volantes, de tracts visant à secouer le sommeil dogmatique des religieux orthodoxes, à les obliger à se poser des questions quelque peu mal commodes, par exemple sur ce qui se produit en cas de baptême fictif ou invalide[1]. N'est-ce pas un procédé coutumier encore de nos jours de la part des sectes mystiques et marginales ? En tout cas il semble que l'on puisse sans imprudence supposer que Marc a cherché, dans la première partie de son *De baptismo*, à réfuter un écrit tout proche du « fragment » attribué à Jérôme le Grec, si ce n'est ce fragment même. A cette réfutation il a peut-être soudé une nouvelle mouture de la *Consultatio*, plus élaborée doctrinalement mais plus lâche quant au plan. D'où quelques disparates.

Le Ps.-Macaire : un autre antagoniste possible — Étant donné, par conséquent, que le souci de réfuter Jérôme ne suffit pas à rendre compte de tout l'apport nouveau de *Bapt.* comparé à *Consult.*, il conviendrait de découvrir pour le traité de Marc une plus ample toile de fond. De fait, cette tâche avait été entreprise avant même que K. Rahner eût opéré son rapprochement si frappant entre Marc et Jérôme.

Position de Peterson — Dès 1932, E. Peterson avait établi un parallèle non pas avec un tract messalien isolé, mais avec l'ensemble du corpus macarien, du moins sous la seule forme, ou peu s'en faut, qui en fût dès lors accessible à l'état imprimé[2] : les *Cinquante Homélies*, et aussi les *Anecdota*[3]. Et comme le choc causé par le repérage, en 1920, dans

---

1. Cf. JÉRÔME, III, 1 s. et IV, 1 s.

2. Cf. E. PETERSON, « Die Schrift des Eremiten Markus über die Taufe und die Messalianer », *ZNTW* 31 (1932), p. 273-288. — Casimir Oudin avait déjà perçu un lien entre les textes de Marc et ceux du corpus macarien, mais de nature toute différente, soit non pas d'antagonisme entre deux théologies, mais d'identité d'auteur : cf. Introd., *supra*, p. 24, n. 1.

3. Les premières éditées par H. DÖRRIES, E. KLOSTERMANN, M. KRÖGER, *PTS* 4, Berlin 1964, sous le titre : *Die 50 Geistlichen Homilien des Makarios* ; les secondes, éditées par G. L. Marriott, Cambridge (Mass.) 1918, sous le titre *Macarii Anecdota. Seven Unpublished Homilies of Macarius*.

les *Homélies* de propositions dûment condamnées comme messaliennes n'avait rien perdu alors de son intensité, Peterson tendait à voir partout dans le texte pseudo-macarien cette hérésie sous sa forme la plus virulente.

Dans son relevé minutieux des ressemblances de terminologie entre ce recueil et *Bapt.*, il a tendance, en revanche, à négliger certaines différences, pourtant non dépourvues de signification. C'est ainsi que les adversaires campés par Marc en face de lui parlent couramment de « combats », au pluriel, tandis que le Pseudo-Macaire se sert beaucoup plus volontiers du singulier, « le combat ». C'est que les gens auxquels Marc s'oppose entendent par leur pluriel les exercices ascétiques tels que le jeûne, l'exil loin de son pays, les longues vigiles au cours desquels la prière même risque de devenir pure affaire d'endurance et de record. Les textes macariens soulignent, au contraire, que « le combat » est intérieur, qu'il doit être livré tout entier contre « les pensées », sans manifestations bruyantes et ostentatoires, surtout quand elles seraient susceptibles de gêner le voisin[1]. Est-il besoin d'ajouter que ni les exercices d'ascèse prônés apparemment par les adversaires de Marc, ni le combat spirituel, plus brutal que la bataille d'hommes, pour lequel Macaire-Syméon tâche d'équiper ses

---

1. Voir, entre autres textes macariens sur le caractère intérieur de la lutte : *Hom.* 3, 3, 41-46 ; 6, 3, 43-46 (éd. Dörries-Klostermann-Kröger, *PTS* 4) ; sur le risque de pharisaïsme que font courir les observances extérieures : *Logos* 40, 1, 8 (éd. Berthold, *Makarios/Symeon. Reden und Briefe*, *GCS*, t. II, p. 62). Et voir pour la nature *des* combats dont discute Marc les énumérations de *Bapt.* III, 36-41 et V, 3-6 : « jeûner quotidiennement, pratiquer la continence, la pauvreté, l'exil à l'étranger, les veilles, le coucher sur la dure et la prière » pour finir. Pour ce qui est de ce dernier combat, la description en est en donnée avec une particulière vivacité dans la *Grande Lettre* de Macaire-Syméon (*Epistola magna* 9 et 11, éd. Staats) On peut en rapprocher le combat (*agûno*) que décrit le *Livre des Degrés* (XVIII, 3 ; XX, 3-8.14), en référence à la prière-agonie du Christ (*Lc 22, 44* ; *He 5, 7* et *12, 1*). Ce combat spirituel fondé sur une clameur forte (*hayltanitâ* = ἰσχυρᾶς, en *He 5, 7*) semble à l'origine de la prière-*catharsis* messalienne, intense, voire forcenée, évoquée par les hérésiologues : pour ses qualificatifs chez ces derniers, voir la n. 105 de la p. 109 de l'article de V. DESPREZ, « "Plèrophoria" chez le Pseudo-Macaire : plénitude et certitude... en pays grec », *Collectanea cistercensia* 46 (1984), p. 89-111.

disciples, ne s'insèrent à un degré quelconque dans le portrait traditionnel de « l'euchite » tracé par les hérésiologues ?

Ailleurs Peterson rejoint bien une thèse authentiquement pseudo-macarienne ou syméonienne ; mais l'attaque contre elle qu'il veut découvrir dans le texte de Marc n'y est probablement pas. La coexistence des deux *prosôpa* en lutte dans le cœur de l'homme pour en conquérir la domination exclusive est bien réellement une idée chère à Syméon[1]. Mais Marc ne fait nulle mention de cette occupation des lieux par Satan ou par des puissances démoniaques au pluriel, même pour affirmer en face des contradicteurs éventuels qu'elle ne se poursuit pas au-delà du baptême. Et ses adversaires tels qu'il les présente accusent des tendances mauvaises non déracinées selon eux par le sacrement, non point donc l'influence interne de Satan, mais les séquelles du péché d'Adam, séquelles qu'ils ne paraissent pas enclins à personnifier. Il semble aller de soi pour les deux parties que l'assaut de Satan, dans la mesure où il est tout de même cause possible du péché, vient de l'extérieur. Ce qui en fait préoccupe essentiellement Marc, c'est de souligner que la « pensée » montée à l'attaque sous cette influence satanique reste unique, n'a qu'un seul visage, celui de l'obsession, tant et pourvu qu'elle ne trouve pas de complicités dans la place. Ainsi doit, semble-t-il, être compris le terme de μονοπρόσωπος, dont il se sert une fois (XI, 49), au lieu de μονολόγιστος, plus courant chez lui et utilisé aussi dans certains cas pour caractériser une réalité tout à fait positive, comme l'espérance. Contrairement à ce que suggère E. Peterson[2], il n'y a donc là aucune volonté de prendre position contre la thèse d'une coexistence entre deux *prosôpa* dans un cœur d'homme même baptisé, en sorte que ce cœur soit à la fois l'enjeu et l'acteur d'une lutte prolongée.

Quant à l'emploi, également unique, de l'adverbe correspondant à μονοπρόσωπος en VII, 4, il serait tout aussi falla-

---

1. Voir. par exemple *Hom.* 11, 14, 221 (*PTS* 4) ; 17, 6, 84 ; 26, 18, 1 et 40, 7, 1, où est employée l'expression δύο πρόσωπα ; dans les deux derniers passages cités est discutée la possibilité de leur coexistence.

2. *Art. cit.*, p. 185. — A propos de μονολόγιστος, employé pour qualifier l'espérance, cf. *Bapt.* V, 97, et aussi *Leg.* 10, 3 ; *Justif.* 140, 1-2.

cieux d'y lire une intention, chez Marc, de prendre ses distances par rapport à un sabellianisme larvé qui aurait existé chez les messaliens, cela surtout si l'on traite l'auteur des *Homélies* en prototype de cette école. Quoi qu'il en soit de la validité de cette accusation contre d'autres euchites — des hérésiologues ont en effet pu la forger pour ajouter aux énormités de leurs adversaires —, on sait maintenant que Syméon commençait sa *Grande Lettre* par une confession de foi au moins aussi orthodoxe que tout ce qu'a pu énoncer Marc immédiatement après avoir écrit son adverbe[1]. Il ne serait peut-être même pas impossible que notre auteur ait eu conscience de donner prise lui-même au reproche d'imprécision dans sa distinction des Personnes, au moins pour ce qui est de leur rôle respectif dans la sanctification[2]. Le contraste paraît en tout cas frappant avec un tenant de la théologie alexandrine comme Cyrille, sans doute son contemporain. Le Père est pratiquement absent, tandis que le Christ et l'Esprit sont assez interchangeables dans les aperçus de Marc.

Il n'y a pas lieu non plus, semble-t-il, d'admettre une opposition radicale entre les conceptions marcienne et « macarienne » de la Jérusalem céleste[3]. Les deux parties sont

---

1. Sur l'accusation de sabellianisme, cf. PETERSON, *art. cit.*, p. 282 ; pour la confession de foi de MACAIRE-SYMÉON, voir *Epistola magna* 1, 3. S'il y a un certain flottement dans la tradition manuscrite à propos de ce passage, notamment à propos de la préexistence d'une formule écrite dont il serait tiré (cf. app. critique, p. 88 de l'éd. Staats, et aussi p. 43), la substance même n'a pas à en être révoquée en doute. Pour la confession de foi trinitaire de Marc, voir *Bapt.* VII, 5-9, et la note *ad loc.* On pourrait dire qu'un point commun entre les deux textes, soit l'affirmation de l'unité de volonté en Dieu, au lieu de l'unité d'essence, irait directement en sens contraire de tout sabellianisme.

2. Et cela plus même que Syméon, si l'on en croit H. DÖRRIES, qui, toujours enclin à présenter son héros sous un jour favorable, consacre 20 pages (p. 316-335) de son livre *Die Theologie des Makarios-Symeon*, Göttingen 1978, à montrer que l'on doit compter l'Esprit parmi les trois données de base de la doctrine de Syméon, sans que le Christ en soit éclipsé pour autant.

3. Pour le contraste que veut découvrir là PETERSON, voir son article, p. 277-278, et aussi p. 283. En tout cas, l'un des parallèles qui avaient à ses yeux valeur probante, la mention, dans le texte de Migne, de Caïn (après ἐσμεν, en *Bapt.* IV, 51), s'évanouit après vérification dans les mss.

d'accord pour intérioriser cette ville sainte, placée pourtant plutôt au-dessus de l'homme et au-delà de l'histoire par les descriptions de l'Écriture. C'est probablement contre des littéralistes qui refuseraient cette transposition que Marc la défend dans le troisième passage (VIII, 5-20) où il parle de cette Jérusalem qui est dans le cœur. Un peu plus haut il avait pris ses précautions, comme il lui arrive aussi dans d'autres œuvres[1], pour ne pas vider les susdites descriptions de toute portée eschatologique. Il se sent donc libre maintenant de préciser que, rendus capables de ces biens célestes par le baptême, nous les recevrons ici à titre d'arrhes et de prémices, à condition d'être fermes dans la foi et décidés à faire passer l'amour du Christ avant toutes les péripéties, agréables ou non, de la vie terrestre. Si l'expression de « relation mystique » est un peu gênante à employer à propos de Marc, dont le style simple et uni jusqu'aux confins de l'aridité ne nous met guère dans l'ambiance évoquée généralement par ce terme de « mystique », on ne peut pas non plus s'en servir pour opposer la déviation de « Macaire » à la rectitude de Marc. Et si dès lors on remonte jusqu'au premier passage de *Bapt.* où il est fait mention de la Jérusalem d'en haut (IV, 17 s., même si le nom apparaît seulement en IV, 48), on perçoit plus aisément que la thèse défendue et les étapes distinguées sont exactement les mêmes qu'en VIII, 5-20 : bien qu'ayant reçu les dons « en mystère » au moment du baptême, nous ne sommes pas encore arrivés à Jérusalem tant que nous n'avons pas observé les préceptes de la liberté ; mais, cette condition remplie, nous sommes parfaitement en mesure, dès ici-bas encore une fois, d'accomplir toutes les démarches d'un culte dûment transposé au plan spirituel : entrée au temple, offrande du sacrifice, etc. Les différences entre cet exposé et celui qui est fourni, en particulier, par le début du *Logos* 52 de la collection B des œuvres de Macaire-Syméon — Peterson, il est vrai, ne pouvait pas connaître ce texte — ne sont que peu importantes. Cela d'autant plus que « le saint baptême » y est inclus au moins trois

---

1. *Justif.* 137, 9-19 et *Paen.* II, 1-8 écartent les malentendus possibles sur les rapports entre le présent et le futur des chrétiens en termes très semblables à ceux qu'emploie *Bapt.* V, 266-282.

fois parmi les dons faits à l'Église comme point de départ pour l'opération de l'Esprit dans les âmes. Même si l'intériorisation, plus poussée dans la suite du *Logos*, tend à reporter ces réalités ecclésiales au plan de la figure par rapport à une liturgie individuelle et encore plus spirituelle qui se déroule dans l'âme sainte, on peut estimer que de Marc à Macaire-Syméon il y a là plus de nuances que de radicales divergences[1].

Position de Hesse   Le traité de Marc ne peut donc pas être considéré comme une attaque débridée contre la doctrine spirituelle exposée dans les œuvres du Pseudo-Macaire. Faut-il alors poser une relation plus complexe, de dépendance assortie de réserves et de corrections ? C'est dans cette perspective qu'Otmar Hesse, en 1973, a repris le travail de Peterson, partant d'une base élargie des deux parts : il a utilisé en effet à la fois l'ensemble des opuscules de Marc et la totalité des collections pseudo-macariennes, lesquelles étaient désormais sinon publiées, du moins minutieusement analysées, par H. Dörries en particulier. Il donne d'ailleurs, avant de passer dans un appendice à l'examen individuel des écrits de Marc, une liste de ceux de Syméon que notre auteur a sûrement connus et dont il a remanié des passages pour les intégrer dans ses propres œuvres. Peut-être, à dire vrai, cette liste apparaîtra-t-elle comme plutôt brève pour appuyer la conclusion que donne en résumé le titre même du chapitre V : « Marc l'Ermite, un élève et un adversaire de Syméon de Mésopotamie[2] ». Cela surtout si l'on met d'emblée

---

1. Cf. *Logos* 52, 1, 4.5 (éd. BERTHOLD, *Makarios/Symeon. Reden und Briefe*, *GCS*, t. II, p. 139, 6-7.11.18-19) pour les mentions du baptême. — V. DESPREZ, « Le baptême chez le Pseudo-Macaire », *Ecclesia orans* 5 (1988), p. 121-155, signale, p. 127, n. 40, le parallèle qui existe entre ce *Logos* 52 et le *Livre des Degrés* XII, 3.

2. O. HESSE, « Markos Eremites », p. 142 ; peu après, p. 149, commence un appendice allant jusqu'à la p. 186, où Hesse se prononce, quoique avec des hésitations clairement motivées, en faveur de l'authenticité de cet opuscule V (= *Nic.*), que nous croyons devoir écarter (p. 152) ; plus loin, p. 171-174, sans revenir sur ce problème, il examine seulement les données qu'on pourrait en tirer au sujet de la biographie de Marc. Les similitudes entre *Nic.* et la *Grande Lettre* sont énumérées p. 133-141.

hors jeu un groupe de parallèles, ceux que Hesse décèle entre la *Grande Lettre* du Pseudo-Macaire et l'*Épître à Nicolas*. Nous nous efforcerons en effet, le moment venu, de montrer que *l'Épître* n'est pas de la même plume que les autres opuscules — elle pourrait bien en outre être d'un siècle plus récente.

Cette réduction opérée, reste d'abord une série de rapprochements incontestablement frappants entre le *Logos* 38, donc une pièce de la collection macarienne B[1], et les sentences 135, 136 et 154 de *Justif*[2]. L'emploi du verbe peu courant εὐοδοῦσθαι, les deux fois dans un contexte où est invoqué *Jn 15, 5*, peut difficilement passer pour une coïncidence. Et le fait qu'une autre des sentences en cause (*Justif.* 137) comporte une défense contre une accusation éventuelle d'escamoter l'eschatologie chrétienne exclut à peu près qu'il s'agisse, comme en d'autres cas peut-être, d'un chapitre inséré après coup dans l'œuvre de Marc : on a déjà vu que cette préoccupation affleurait ailleurs aussi chez lui, et du reste elle est même une fois exprimée en une formule qu'on lit aussi chez Syméon, ἀποκλείοντες τὰ μέλλοντα (*Bapt.* V, 266). La distinction entre deux niveaux de connaissance est également un point de contact notable entre les deux textes, même si le niveau inférieur ne représente probablement pas la même chose dans les deux cas, étant plus déprécié chez Syméon que chez Marc, qui a aussi transposé cette distinction dans son vocabulaire personnel[3].

---

1. *Logos* 38, 2, éd. BERTHOLD, *Makarios/Symeon. Reden und Briefe*, *GCS*, t. II, p. 54-56, édition non encore publiée à l'époque.

2. Cf. « Markos Eremites », p. 31-38.

3. Le premier terme de l'antithèse chez Marc, γνῶσις τῶν πραγμάτων, reparaît en effet trois autres fois dans *Justif.*, en 162, 2 ; 163, 1 ; 211, 27-28, chaque fois opposé à un terme plus parfait : la prière pure en *Justif.* 162 et 163, l'opération persévérante dans le long chapitre final (211), où elle est qualifiée de ψιλή comme dans le *Logos* macarien (38, 2, 9). Il s'agit sans doute dans les deux premiers cas de la « connaissance des faits », de la situation concrète, des détails dans lesquels il vaut mieux ne pas descendre quand on bénéficie d'une grâce de prière ; dans le troisième cas, au contraire, plutôt d'une connaissance abstraite, associée à l'expérience passagère comme lot des novices et gens lents à apprendre. En *Justif.* 135, ce doit être aussi une « notion réaliste de l'état des choses » ; mais comme

Nettement moins convaincant est le parallélisme que Hesse veut établir entre le *Logos* B 55 et certains passages du traité de Marc *Sur la pénitence*. En effet tirer de *Mt 16, 24* un exemple de patience et une exhortation à porter sa croix à l'imitation du Christ s'impose si aisément à un lecteur de l'Évangile que Marc n'a pas dû avoir besoin de regarder par-dessus l'épaule de Syméon pour emprunter cette idée au texte de celui-ci : il pouvait la trouver chez bien des auteurs chrétiens antérieurs[1]. En outre il faut remarquer que les tribulations où l'on doit faire preuve de patience incluent chez

elle est dite croître à proportion de l'exécution des commandements, ce doit être une connaissance inférieure, mais non point nocive. Peut-être serait-on en droit de la mettre en rapport avec la vie active, c'est-à-dire avec l'exercice des vertus, située au dessous de la contemplation, mais indispensable tout de même. Car Marc, même à supposer qu'il ait emprunté là à Syméon, a remplacé le second γνῶσις par le composé ἐπίγνωσις, lequel dans le N.T., joint comme ici à τῆς ἀληθείας, « est devenu presque un terme technique pour la connaissance de Dieu qui est impliquée dans la conversion à la foi chrétienne » (cf. R. BULTMANN, *ap. TWNT*, t. I, p. 706, *s.v.* γινώσκω). Chez Syméon, la connaissance du premier degré a aussi à voir avec l'expérience de la vie — par des constatations sur les événements, elle donne de vagues indications sur la justice de Dieu —, mais non, semble-t-il, avec l'agir moral. Celle du degré le plus haut ne procède plus par inférences, mais par expérience. Chez Marc, une fois de plus, cet aspect expérimental et mystique est éclipsé ; non sans austérité, il insiste sur le devoir de s'appuyer alors sur la seule espérance en Dieu. Il n'est plus question de cette πληροφορία qui, chez Syméon, soulève l'espérance authentique (p. 56, l. 15) ; le terme est absent de *Justif.* ; il est en revanche inséré dans *Ep 3, 17* en *Bapt.* V, 192 et se trouve aussi une fois, également dans le couple ἐν πάσῃ πληροφορίᾳ καὶ αἰσθήσει, en *Consult.* IV, 37. L'expression est incontestablement très macarienne : cf. V. DESPREZ « Plèrophoria » *art. cit.* (*supra*, p. 000, n. 28) ; mais deux occurrences dans toute l'œuvre de Marc représentent, nous semble-t-il, une proportion assez faible pour un présumé disciple de Syméon.

1. *PGL* (*s.v.* σταυρός, F.) offre des exemples provenant d'Irénée, Clément d'Alexandrie, Grégoire de Nysse et Cyrille d'Alexandrie pour la croix « as standing for mortification, frequently under simile of carrying one's cross ». On dispose aussi maintenant de la petite monographie de M. KO HA FONG, *Crucem tollendo Christum sequi. Untersuchungen zum Verständnis eines Logions Jesu in der Alten Kirche*, Münster 1984, qui explore peu le domaine des écrivains spirituels, mais permet de voir le glissement qui s'opère de « porter sa propre croix » à « porter la croix du Christ ».

Syméon les tourments intérieurs suscités par les esprits mauvais, ce qui n'apparaît explicitement chez Marc ni dans *Paen.*, où le support des tribulations est un motif plutôt accessoire, ni dans *Causid.*, où, au contraire, le problème du sens des épreuves est central et assez largement traité dans la seconde section de l'opuscule. On peut se demander d'ailleurs si cet aspect du thème serait bien compatible avec sa doctrine, selon laquelle la tentation est l'œuvre exclusive et extérieure du démon aussi longtemps qu'une complicité intérieure, ni voulue ni permise par Dieu, ne vient pas l'introduire dans le cœur de l'homme. Hesse reconnaît du reste que l'exhortation à la patience est évincée, chez Marc, par le plaidoyer en faveur de la pénitence ; et les quelques rencontres de vocabulaire qu'il signale paraissent beaucoup moins significatives que dans les trois sentences de *Justif.*

Deux autres cas de contact entre Marc et Syméon qu'O. Hesse propose encore ont ceci de commun au départ qu'un élément essentiel dans les deux est la rencontre sur une même variante scripturaire, et une variante qui dépendrait du texte syriaque du Nouveau Testament. A ce texte, nous dit Hesse, Marc ne semble pas avoir eu accès par lui-même ; il n'aurait donc pu le rejoindre qu'à travers Syméon, dont les origines mésopotamiennes rendent toute naturelle une familiarité avec cette version orientale. Malheureusement ce pilier est fragile pour *Lc 16, 10,* cité respectivement dans l'*Homélie* 48 de Macaire/Syméon et, chez Marc, en *Causid.*[1].

En effet, la variante offerte par l'*Homélie* n'est attestée dans l'opuscule que par une famille de manuscrits assez tardifs, dont par hasard se trouve être le codex qui sert de base au texte imprimé depuis le XVIe siècle. Il ne reste donc en fait de similitude que l'emploi dans les mêmes parages de deux versets de *Mt* : 6, 33 et 6, 25[2] ; le thème des deux développements n'est du reste pas identique : teneur de la prière chez Marc,

---

1. Cf. « Markos Eremites » : p. 25, sur l'absence de contacts directs entre Marc et la Bible syriaque ; p. 30, pour le rapprochement entre *Hom.* 48, 1, 3-4 (*PTS* 4) ; 2, 24-25, et *Causid.* V, 22-24.

2. Ces versets sont en ordre inversé chez Syméon, mais non chez Marc ; de plus, il existe une variante entre les deux au verset 25.

abandon des soucis matériels, et notamment du recours au médecin, chez Syméon.

Un autre texte, également évangélique, au moins de type, est plus embarrassant, car il s'agit d'un *agraphon* qui est effectivement commun, pour le coup, au *Logos* B 36 de Syméon et à deux opuscules de Marc, *Bapt.* et *Consult.*[1]. Or là encore, selon Hesse, la prescription en cause, « Remettez et il vous sera remis », est bien représentée dans la tradition syriaque, où elle viendrait d'un mélange opéré par Tatien entre des versets qui pourraient être *Mt* 6, 14 et 7, 1, plus *Lc* 6, 37. Cependant l'auteur allemand lui-même reconnaît d'une part que l'*agraphon* figure tout de même dans la *Lettre aux Philippiens* de Polycarpe et (avec une variante, au sein de tout un groupe de phrases plus ou moins littéralement scripturaires) dans l'*Épître aux Corinthiens* de Clément (d'où elle est passée, dans le même groupe, chez l'autre Clément, en son *Stromate* II), d'autre part qu'il s'agit d'un des textes favoris (« Lieblingstelle », p. 201) de Marc, puisque, outre les deux opuscules mentionnés ci-dessus, on le retrouve encore au moins dans trois autres. Au contraire il n'est nulle part ailleurs dans les *Homélies* et les *Logoi*. De plus, il est, dans les deux citations de Marc directement concernées (comme dans la *Lettre* de Polycarpe), rattaché à l'authentique *Mt* 7, 1, alors qu'il est flottant dans les textes macariens, comme d'ailleurs dans les trois autres citations de Marc. Tout cela nous paraît amoindrir sérieusement les chances que Marc ait eu à puiser dans le texte de Macaire-Syméon pour atteindre ce bout de phrase.

En outre, le conglomérat de citations identiques que Hesse découvre dans les trois passages qu'il met en parallèle ne se retrouve au complet que dans l'homélie-logos : *Mt* 7, 12, *Rm* 7, 14 et *Mt* 5, 17 sont là tous les trois, tandis que *Bapt.* a seule-

---

1. Au *Logos* 36 correspond, mais seulement partiellement, l'*Homélie* 37 ; c'est la forme longue, soit celle de la collection B (la première, dans la terminologie compliquée qui s'est imposée en matière de textes macariens), qui est passée, comme on le verra un peu plus bas, dans certains recueils des œuvres de Marc. Mais l'*agraphon* est dans la partie commune aux deux collections. Discussion du texte par O. HESSE : *Markos Eremites*, p. 24-25, p. 200, n. 11-14, et p. 246, n. 9 ; la citation de Clément d'Alexandrie correspond à *Strom.* II, XVIII, 91, 2.

ment le premier et *Consult.* les deux autres[1]. Et pour ce qui est de l'exégèse spirituelle de *Gn 2, 17*, en vertu de laquelle l'arbre de la connaissance du bien et du mal est allégorisé en distinction indue, dans le jugement et le traitement, entre les bons et les mauvais, elle est beaucoup plus explicite chez Marc, où elle est la seule proposée, que chez Syméon, qui ailleurs en offre une autre, diamétralement différente et plus développée[2]. Et dire que cette audace dans la transposition est caractéristique de Syméon n'implique pas automatiquement qu'elle soit étrangère à Marc ou insolite chez lui, car il a usé du procédé en plusieurs endroits où ne se détecte pas d'influence macarienne ; du reste, comme on l'a vu, il s'excuse, au moins dans *Consult.*, de ce que sa démarche peut avoir d'un peu téméraire.

Si l'on voulait, malgré tout, maintenir l'interdépendance des trois textes, ne pourrait-on, pour une fois, inverser la relation, étant donné que l'argument fondé sur la provenance syriaque de l'*agraphon* ne tient guère ? Bien sûr, le fait qu'un certain nombre de manuscrits aient inclus le *Logos* dans leur recueil d'œuvres marciennes n'est à aucun degré une preuve, le plus ancien de ces manuscrits ne remontant qu'au XIIe siècle[3]. Mais ce pourrait être un indice que bien avant l'époque moderne, une parenté spéciale ait été ressentie dans ce cas-là[4].

---

1. Quant à l'affirmation que la Loi est spirituelle, elle est peut-être fondée sur *Rm 2, 1*, mais n'en est pas assez littéralement proche pour pouvoir être qualifiée de citation ; en outre, fournissant jusqu'au titre, indubitablement authentique, de l'un des opuscules, cette expression est trop centrale dans la pensée de Marc pour pouvoir être réputée emprunt occasionnel à un auteur qui y attache, quant à lui, nettement moins d'importance.

2. Cf. *Logos* 2, 2, 6-9 (éd. BERTHOLD, *Makarios/Symeon. Reden und Briefe*, *GCS*, t. I, p. 4-5) : il s'agit d'un choix entre le bien et le mal, ce dernier étant plus ou moins identifié avec le Malin, dont le commerce est interdit aux hommes, au contraire de celui des autres « saintes puissances », que représentent donc les autres arbres du Paradis, dont le fruit est comestible.

3. Du reste, Photius, qui, lui, disposait de plus d'un codex, et témoignait déjà de l'insertion de *Nic.* et de *Jej.*, ne signale pas cette inclusion-là.

4. Nous parlons de « parenté spéciale » parce que pour le reste des textes pseudo-macariens, le nombre des témoins qui les transmettent côte

Ces analyses de détail achevées, on se retrouve, en compagnie d'O. Hesse, devant l'épineuse question du baptême : Marc
a-t-il pris dans la controverse à son sujet des positions
consciemment antithétiques de celle de Syméon ? Pour Hesse,
nous l'avons vu d'après l'intitulé de l'un de ses chapitres, la
réponse ne fait pas de doute. Il admet par ailleurs que Marc a
présenté avec honnêteté les positions de son ancien maître,
tempérant ce compliment par l'affirmation que la solution de
rechange suggérée par le disciple est bien moins pénétrante et
accordée aux réalités de la vie spirituelle que celle de Syméon.
Cependant, en faisant défiler devant nous tous les textes, iré-
niques puis polémiques, où ce dernier aborde la question baptismale[1], il nous met loyalement en mesure de nous faire une

à côte avec les opuscules de Marc n'est pas particulièrement impression-
nant. En outre, un détail, en soi minime, peut, dans ces conditions, valoir
d'être relevé, soit l'emploi d'ἀποχρισιαρίους dans le *Logos* 36 (éd. BER-
THOLD, t. II, p. 46) correspondant à *Hom.* 37, 2, 27 (*PTS* 4). Or Marc est
l'un des tout premiers témoins de ce mot (cf. ici p. 67), apparemment assez
tardif, un autre étant ISIDORE DE PÉLUSE (*Ep.* IV, 144), qui passe pout
contemporain de « Macaire » et de Marc, mais dont la correspondance est
un repaire notoire de faux postérieurs. Toutefois le sens est chez Macaire-
Syméon bien plus nettement que chez Marc celui qui deviendra usuel dans
la seconde moitié du Vᵉ siècle : les apôtres sont les « ambassadeurs » de
l'économie du Maître. Comme de toute façon il n'est guère possible de
remonter jusqu'aux Vᵉ-VIᵉ siècles dans l'histoire des collections macariennes, ne peut-on envisager que des pièces hétérogènes, en tout ou en
partie postérieures à Macaire-Syméon, s'y soient introduites ? Nous avons
bien quelques exemples d'insertions de pièces antérieures, de Clément
d'Alexandrie ou de Basile.
    1. O. HESSE (*Markos Eremites*, p. 58) reconnaît au demeurant que la
doctrine du baptême n'appartient pas au domaine intérieur de la théologie de Syméon, les affirmations sur ce sacrement tenant une place infime
dans ses écrits, si étendus (*ibid.*, p. 206, n. 30). Il suggère aussi qu'un thème
du baptême d'Esprit et de feu s'accorderait mieux avec l'ensemble de sa
pensée qu'un baptême sacramentaire. Quant à ce dernier point cependant,
H. DÖRRIES (*Die Theologie des Makarios/Symeon*, p. 449) a, une fois de
plus, disculpé Syméon, affirmant qu'on ne trouvait chez celui-ci aucune
sourde dévaluation du sacrement chrétien : l'opposition s'établirait en fait,
dans la ligne de *Mt 3, 11*, entre le baptême du Christ et certains rites d'im-
mersion vétéro-testamentaires, repris et prolongés par des sectes baptistes
de cette Mésopotamie dont l'auteur des textes macariens était peut-être
originaire. Pour ce qui est de la justice, au moins relative, de Marc à l'égard

opinion personnelle. Et celle-ci serait à vrai dire plus défavorable à Marc que la sienne... s'il était sûr que notre ascète eût bien pris ces textes de Syméon pour cible de ses critiques. Il nous semble en effet que nulle part Syméon ne défend carrément les thèses auxquelles Marc s'en prend, sur un ton qui frise parfois l'acrimonie, et que la formulation, bien plus que la réalité profonde, sépare les deux hommes sur ce point — dans la mesure où l'on peut malgré tout cerner les idées de Syméon[1]. Dès lors il faudrait accuser Marc à la fois de caricaturer son adversaire et de régresser théologiquement par rapport à lui.

Ne vaudrait-il pas mieux supposer que les contacts ont été en fait très limités, étant donné surtout la contre-épreuve dont nous disposons, avec le petit factum de Jérôme le Grec ? Alors que les similitudes sont très nombreuses entre *Bapt.* et ce texte si court — il occupe moins de quatre colonnes de Migne —, elles sont au bord de l'insignifiance avec l'œuvre incomparablement plus massive de Macaire. Comment penser que Marc ait pu être longtemps sous l'emprise immédiate d'une personnalité comme Syméon, indéniablement riche et complexe, et s'y soit dérobé ensuite à peu près totalement, quand ce ne serait que dans le domaine des procédés stylistiques et même, en définitive, dans celui des citations scripturaires favorites ?

de Syméon, O. HESSE dit déjà qu'on n'a pas l'impression que Marc ait fourni une grossière caricature (*ibid.*, p. 66), et il voit ressortir d'un texte de Marc à quel point celui-ci était informé de la doctrine de Syméon (p. 110). — Notons tout de même que Marc ne fait nulle part une quelconque allusion à *Mt 3, 11* ou *Lc* 3, 17, les deux versets évangéliques qui parlent du baptême d'Esprit et de feu.

1. Telle était déjà en 1967 l'impression de K. T. WARE, « The Sacrement of Baptism and the Ascetic Life in the Teaching of Mark the Monk », *Studia Patristica* X, *TU* 107 (1970), p. 441-452, pourtant encore embarrassé par cette fameuse notion d'un baptême de feu et d'Esprit dont on vient de voir dans la note précédente comment Dörries la fait évanouir. Ware déclarait, quoique encore avec une prudente réserve, que Macaire s'éloignait des vues messaliennes extrêmes sur le baptême pour se rapprocher de manière surprenante de Marc et de Diadoque (p. 451), qu'il partageait en fait avec eux un nombre surprenant d'idées (p. 442).

Rapports avec Diadoque de Photicé   L'œuvre de Diadoque de Photicé nous fournit un dernier indice sur ces questions : le champ de la théologie spirituelle était bien plus vaste à l'époque de Marc que ne laisseraient supposer les textes subsistants, et l'on pouvait y traiter des points controversés de l'heure sans connaître forcément tous ceux qui nous apparaissent à présent avec évidence comme les protagonistes de la dispute. S'il est un texte qui soit juxtaposé à ceux de Marc dans un nombre vraiment significatif de manuscrits, c'est bien celui des *Cent chapitres gnostiques* de Diadoque et, penserions-nous, lui seul. Or Diadoque, après avoir été présenté, lui aussi, comme un adversaire à tout crin de la doctrine messalienne ou pseudo-macarienne, est vu plutôt maintenant, à l'instar de Marc, comme s'inspirant assez largement des produits de cette spiritualité, tout en gardant face à elle un esprit critique qui lui permet des retouches et des réserves[1]. Pourtant, par rapport à Marc, les différences de ton, d'approches et d'idées sont telles qu'elles nous paraissent exclure chez l'un de ces écrivains la connaissance de l'autre[2].

Et d'abord le vernis évagrien, même s'il reste peut-être encore assez superficiel sur une spiritualité essentiellement affective, est bien plus aisé à découvrir et plus largement

---

1. Cf. H. DÖRRIES, « Diadochos und Symeon, das Verhältnis der κεφάλαια γνωστικά zum Messalianismus », dans *Wort und Stunde*, I : *Gesammelte Schriften zur Kirchengeschichte des vierten Jahrunderts*, Göttingen 1966, p. 352-422. En acceptant la thèse générale de cet auteur, il n'est sans doute pas nécessaire de le suivre jusqu'à attribuer à Syméon les expériences personnelles au sujet desquelles les chapitres 13 et 91 de Diadoque portent témoignage (p. 377-381). Nous inclinerions vers l'explication suggérée par É. DES PLACES, Introd. aux *Œuvres spirituelles* de Diadoque, *SC* 5 bis (1997), p. 12, et repoussée ou plutôt ignorée par Dörries : Diadoque nous livre, sous le voile d'un discret anonymat, des confidences sur sa propre vie de prière. Il est très probable, en revanche, que nous ayons dans les œuvres de SYMÉON des échos de ses expériences : voir, par exemple, les *Logoi* 4, 10-11 et 13, 1, 2-3 (éd. BERTHOLD, *Makarios/Symeon. Reden und Briefe, GCS*, t. I, p. 52-53 et 155-156). De ce fait deux auteurs, au lieu d'un, font contraste avec l'objectivité passablement sèche de Marc.

2. PHOTIUS notait du reste déjà dans sa *Bibliothèque* (*codex* 201) que parfois Diadoque s'opposait à Marc par les pensées (γνώμαις).

répandu chez Diadoque que chez Marc[1], où il nous a paru presque imperceptible. Cela implique probablement que l'œuvre du Pontique a eu un temps supplémentaire assez notable pour se diffuser et exercer son influence entre le moment où écrivit Marc et celui où Diadoque composa ses *Chapitres*. D'autant plus que nul n'a jamais assigné Marc à une contrée aussi éloignée que la vieille Épire de celle où Évagre a fini ses jours : en Égypte et même en Syrie ou en Anatolie, il eût été plus à portée qu'à Photicé, siège épiscopal de Diadoque[2].

Ensuite les adversaires auxquels s'en prend Diadoque, en respectant leur anonymat aussi soigneusement que Marc le fait à l'endroit des siens, ne défendent pas les mêmes thèses que les interlocuteurs de *Bapt.* La section des *Chapitres* (75-89) qui est consacrée à cette polémique, menée d'ailleurs sur

---

1. Le cas de la colère, ou si l'on veut de l'irascible ou de l'agressivité, respectivement dans le langage de la psychologie antique ou moderne, est particulièrement instructif : É. DES PLACES, *ibid.*, p. 53-54, a dressé la liste des mentions qui en sont faites dans les *Cent Chapitres*, tandis que DÖRRIES, *ibid.*, p. 382-387, a montré comment l'idée de récupérer ces énergies au profit de la vie spirituelle dénote l'intervention d'une influence profondément différente de celle de Macaire-Syméon. Rien de cela n'apparaît dans la psychologie assez floue, bâtie par Marc sur une autre dichotomie que celle du désir et du *thymos*. Et même *Nic.*, où il est traité de la colère comme nulle part ailleurs dans le corpus marcien, ambitionne de la réprimer, non de l'utiliser. — Pour l'acédie, notion très évagrienne aussi, les choses sont seulement un peu moins nettes. Diadoque lui consacre tout un chapitre (ch. 58), peu original d'ailleurs. Marc en parle de façon toute incidente en *Justif.* ; le mot est utilisé, mais le concept n'est pas exploité ; il en va du reste de même en *Nic.*

2. Il est vrai que si l'obscurité de la ville ajoute au crédit du renseignement que fournissent les mss, on peut à la rigueur suggérer, comme le fait H. Dörries avec insistance, que Diadoque avait composé ses *Chapitres* avant son épiscopat à Photicé, dans quelque contrée moins écartée. En ce cas, les repères chronologiques, approximatifs d'ailleurs, dont on dispose relativement à cet épiscopat (après 451 et avant 486, d'après É. DES PLACES, *ibid.*, p. 9), perdraient leur portée, mais en partie seulement, puisque, bien sûr, on ne pourrait remonter trop haut vers le début du Ve siècle. — Pourtant, il se peut que les Longs Frères aient apporté certains écrits évagriens à Constantinople, en 399, alors qu'ils fuyaient la persécution antiorigéniste de Théophile d'Alexandrie, et que de là ils soient parvenus jusqu'à Diadoque, en Épire.

un ton de persistante courtoisie, mentionne, il est vrai, le baptême au moins à cinq reprises, mais sans jamais avancer que les « d'aucuns », les « certains » (τινές), en cause dans ces parages ont mis en doute son efficacité. C'est toujours Diadoque qui prend l'initiative d'introduire le sujet, en tentant de préciser quelle est l'action du sacrement. La solution ressemble à celle de Marc seulement dans la mesure où il affirme, lui aussi, que « dès l'instant du baptême, la grâce se cache au fond de l'intellect, en dissimulant sa présence même au sens intérieur » (chap. 77), donc sans devenir aussitôt empiriquement constatable.

Comme Marc encore, et plus légitimement que lui, vu le contexte, Diadoque passe entièrement sous silence le problème du baptême des enfants[1], pour ne considérer que le cas des baptisés adultes emplis d'une aspiration sincère à la perfection. Mais à la différence de Marc[2] et à l'instar de Syméon, il admet que le don reçu au baptême ne constitue pas, serait-ce « en mystère », la totalité de ce que le chrétien peut attendre de la générosité de son Dieu : il ne s'agit en fait que d'arrhes, de « gage » (chap. 78), le baptême enlevant la souillure du péché sans changer la dualité du vouloir humain,

---

1. Il est vrai que dans la seconde moitié du Vᵉ siècle encore, au témoignage des biographes de Sévère d'Antioche, ZACHARIE LE RHÉTEUR (*PO* 2, fasc. 1, n° 6, p. 11) et JEAN DE BEITH APHTONIA (*PO* 2, fasc. 3, n° 8, p. 217), certaines provinces, et nommément la Pisidie, pratiquaient le baptême des enfants seulement en cas d'urgence. Mais J. KÜNZE, *Marcus Eremita*, p. 178, signale que dans un autre opuscule (*Incarn.* XL, 11), Marc fait allusion à une profession de foi baptismale éventuellement émise « par (la bouche d') un autre » que le catéchumène. Il est vrai que, dans ses deux opuscules dogmatiques, il paraît plus disposé que dans *Bapt.* à s'appuyer sur la pratique et la croyance communes pour argumenter. Sans doute pressentait-il qu'en *Bapt.* ses antagonistes, plus ou moins extérieurs aux cadres de l'Église, risquaient d'être laissés insensibles par un tel type de raisons. Ou alors le baptême des enfants représente seulement un cas particulier de la situation générale qu'il affirmait avec une telle force, celui d'une période de latence pour une grâce déjà pleinement octroyée à l'âme du baptisé.

2. DÖRRIES dans son article (*ibid.*, p. 399, n. 107) fait, semble-t-il, une unique mention de Marc, pour souligner l'opposition entre celui-ci et Diadoque sur ce point, en recourant non pas à *Bapt.*, mais au chap. 85 de *Justif.*

restaurant l'image divine fort dégradée, sinon détruite par la chute d'Adam, sans conférer encore la ressemblance. Celle-ci, la grâce attend notre concours pour la produire (chap. 89). En posant au moins par trois fois cette distinction tranchée[1], beaucoup moins fréquente chez les Pères qu'on ne l'a parfois prétendu, Diadoque se sépare et de Syméon et surtout de Marc, lequel ignore la ressemblance et ne mentionne qu'une fois l'image, tout à fait incidemment[2]. Donc le point débattu avec ses adversaires est autre : il ne s'agit pas de savoir si, au lieu du baptême, c'est la prière, comme pour les messaliens dénoncés par les hérésiologues et les synodes, ou plus largement les « combats » de l'ascèse, comme chez les antagonistes de Marc[3], qui expulsent du cœur de l'homme les séquelles du péché d'Adam, souvent personnalisées sous le nom de

1. Au chap. 89, mais aussi aux chap. 4 et 78

2. Pour Marc, si l'on fait abstraction, comme il semble convenable, de *Nic.* VII, 47-48, où image et ressemblance sont mentionnées toutes deux, mais sur un plan de stricte équivalence, il reste seulement *Causid.* VIII, 31, qui ne parle que d'image. Pour Syméon, la consciencieuse monographie de E. A. Davids *Das Bild vom Neuen Menschen*, Salzbourg 1968, relève à la p. 41 que de tous les versets de l'A.T., *Gn* 1, 26 est le plus cité par Macaire, mais qu'au contraire de beaucoup d'écrivains anciens (*sic*) le même Macaire ne fait pas de distinction entre εἰϰών et ὁμοίωμα.

3. Diadoque utilise très fréquemment εἰϰών pour son propre compte les termes de « combat » et de « combattants » ; il paraît évident qu'ils sont beaucoup plus intégrés à son vocabulaire personnel qu'à celui de Marc. En revanche, il y a bien un point sur lequel la terminologie des trois auteurs se recouvre indéniablement, c'est l'emploi de l'expression ἐν πάσῃ αἰσθήσει ϰαὶ πληροφορίᾳ ; quoique Marc y mette quelque parcimonie (cf. *supra*, p. 281, n. 3). Elle est une trace de ce fond euchite avec lequel les trois, Marc, Diadoque et le Pseudo-Macaire, ont eu assurément contact, même s'ils ont réagi chacun un peu différemment. Il faudrait dire en l'occurrence « euchite » plutôt que « messalien », car V. Desprez, « "Plèrophoria" chez le Pseudo-Macaire », *Collectanea cistercensia* 46 (1984), p. 108 s., a démontré que l'expression était purement grecque et ne pouvait provenir des messaliens de langue syriaque Aussi, parmi les textes hérésiologiques cités par M. Kmosko dans l'introduction à son édition du *Livre des Degrés*, col. CCXXXIII-CCXXXIV, ne se trouve-t-elle, que dans la septième des propositions messaliennes dénoncées par Jean Damascène (*De haeresibus* 80) — un tour tout voisin se trouve dans la dix-septième. Jérôme le Grec n'a pas employé l'expression, mais une fois πληροφορία (V, 14) et plusieurs fois le verbe correspondant.

démons. Ainsi que le remarque H. Dörries dans son article, on discute de la rémanence, non de l'expulsion de ce démon[1].

Ici encore Diadoque élabore une solution qui nous paraît autre que celle de Marc aussi bien que de Syméon, et nettement plus subtile : la grâce, même à son stade baptismal, un peu embryonnaire, ne supporte pas la présence auprès d'elle d'un autre « personnage », d'une autre « hypostase »[2] au tréfonds de l'âme. Le choix de base fait par celle-ci est forcément exclusif ; mais à des niveaux moins profonds, le corps ou la sensibilité, il peut subsister des zones non encore assainies et partant des lieux de séjour tout trouvés pour les inclinations perverses ou les puissances mauvaises. L'assaut de Satan n'a donc pas le caractère strictement extérieur que lui prête Marc, même s'il ne suppose pas une division absolument symétrique du cœur humain, comme l'admet Syméon.

Il n'y a pas lieu de s'étonner, dans ces conditions, que l'arsenal scripturaire de Diadoque ne coïncide pas plus avec celui de Marc que ne se recouvrent les citations invoquées respectivement par les adversaires de l'un et de l'autre. Au témoignage de Diadoque (chap. 80 et 83), « ceux qui font coexister dans le cœur des croyants les deux personnages de la grâce et du péché » utilisaient comme prétexte *Jn* 1, 5 et aussi *Mt 15, 18-19*. Or le premier verset ne figure nulle part chez Marc ; *Mt 15, 18* apparaît sous forme allusive en *Bapt.* V, 89-90, mais pris à son compte par notre auteur, pour montrer que ce n'est pas du péché d'Adam, mais du fond de notre propre cœur que proviennent les pensées perverses opposées à la volonté salutaire de Dieu. Marc, d'autre part, n'a pas d'emploi pour les paraboles de *Mt 12, 44-45* et *12, 29*, au moyen desquelles Diadoque (chap. 82 et 84) s'efforce de prouver l'impossibilité d'une coexistence de deux occupants au fond du cœur. Et si quelques versets de *Rm 7* s'insèrent dans l'argumentation du chapitre 82 de Diadoque comme dans celle de *Bapt.* IV, 1-17, l'interprétation proposée diverge d'un cas à l'autre. Pour Marc, cette des-

---

1. *Ibid.*, p. 403 : Les interlocuteurs de Diadoque « reden nur vom Bleiben, nicht vom Vertreiben des Bösen ».

2. Ces termes, pour le moins un peu techniques, sont bel et bien employés dans les *Cent Chapitres*.

cription d'un conflit au cours duquel une loi intérieure de péché vient s'opposer à la loi de l'intellect ne s'applique qu'aux Juifs dépourvus de la foi et du baptême ; pour Diadoque — dans les perspectives duquel le baptême n'entre pas là non plus —, le combat se situe chez les « athlètes » du Christ, chacun des antagonistes campant en ceux-ci, simplement en des positions plus profondes pour l'un, plus proches de la surface pour l'autre[1].

Une fois évaluées les différences sur cette question centrale, il est relativement secondaire de découvrir encore que Diadoque aborde aux chapitres 20-21 le problème des rapports entre la foi et les œuvres, aux chapitres 63-64 celui de la légitimité d'un recours aux tribunaux civils, aux chapitres 75-76 celui d'une possibilité d'aumône dans une existence vouée à la pauvreté, et de se rappeler alors que Marc lui aussi a touché à ces trois thèmes, respectivement en *Justif* (*passim*), *Causid.* (I-III principalement) et *Paen* (IV-V). Dans ces trois cas, il est vrai, l'avantage ne nous semble pas du côté de Diadoque avec autant d'évidence que dans celui étudié plus haut ; les solutions proposées par Marc n'apparaissent pas forcément comme moins élaborées et par conséquent plus primitives. Mais jamais par ailleurs on ne constate sur ces trois sujets de rencontre entre les deux auteurs que ce soit dans l'argumentation logique ou dans l'appareil scripturaire. De sorte, il faut bien le dire, que le parallèle entre Marc et Diadoque ne nous apporte guère plus qu'une preuve toute négative : s'ils ont

---

1. Il ne faut pas se laisser tromper non plus par la similitude d'expression entre les deux auteurs, quand Marc dit, en *Bapt.* IV, 9, que Paul ne parle pas περὶ ἑαυτοῦ, et DIADOQUE, au chap. 82 (p. 142, 11, éd. DES PLACES) qu'il ne parle pas ἐξ ἑαυτοῦ. Marc rejette catégoriquement l'idée que Paul parle de « son propre cas » après le baptême ; Diadoque veut sans doute dire seulement qu'il ne parle pas « de son propre chef ». Il est vrai que l'Apôtre ne décrit pas, ici non plus, sa propre situation : il nous sera expliqué à la fin du chapitre qu'elle se caractérisait par une totale prépondérance du Saint Esprit. Mais son but est de remplir sa charge apostolique d'enseignement, en instruisant ceux pour qui la science du combat est nécessaire, parce qu'une lutte à forces à peu près égales perdure en eux : il est donc clair que ce sont des chrétiens ayant reçu le baptême, mais qui n'ont pas son privilège apostolique.

vécu dans le même univers spirituel, c'est à distance assez respectable pour y occuper des continents séparés, sans dialogue ni contact entre leurs pensées à l'un et à l'autre. Et l'on serait tenté d'en dire presque autant pour les rapports entre Marc et Macaire-Syméon. S'ils ont été sans doute plus proches géographiquement, il y aurait témérité à vouloir déceler de l'un à l'autre la relation du disciple, même infidèle, à son maître et contresens à les camper comme des antagonistes s'enlaçant dans un violent et permanent corps à corps ; si bien que les données chronologiques que l'on pourrait récolter au sujet de l'œuvre de Macaire n'aideraient guère à localiser Marc dans le temps. En fin de compte, seul le rapprochement avec Jérôme le Grec semble tout à fait indiscutable. Il nous apporte presque exclusivement le risque, à propos de *Bapt.* — et de *Consult.* —, d'expliquer *obscurum per obscurius*.

Rapports avec Jean d'Apamée

Il est un autre théologien, Jean d'Apamée, qu'il est possible de rapprocher de Marc, comme I. Hausherr invitait à le faire dans un article intitulé : « Un grand auteur spirituel retrouvé : Jean d'Apamée »[1]. Il a peut-être raison de dire que Jean « rejoint Marc l'Ermite » en professant que la vie qui suit la résurrection commence dès ici-bas (p. 212). Peut-être des similitudes seraient-elles à découvrir dans les positions des deux auteurs au sujet de l'Incarnation. Mais est-il en droit de dire aussi que la « doctrine » de Marc « sur les effets à la fois réels et mystérieux du baptême rejoint celle de Jean d'Apamée » (p. 214) ? Car à en juger par les extraits et résumés donnés par Bradley et Strothmann[2], Jean, en même temps qu'il déclare que tout ce qui a fait l'objet de l'espérance a été donné par le baptême, met encore l'accent sur le fait que ce baptême est un gage qui n'atteint son plein effet qu'à la résurrection. Et il introduit même une distinction entre les rites visibles du

---

1. I. Hausherr, « Un grand auteur spirituel retrouvé : Jean d'Apamée », *OCA* 14 (1948), p. 3-42, art. repris *ibid.* 183 (1969), p. 181-216.

2. Cf. B. Bradley, art. « Jean le Solitaire », *DSp* VIII (1974), col. 764-772, et W. Strothmann, *Johannes von Apamea*, Berlin 1972, principalement p. 77-78.

baptême, lesquels nous procurent la connaissance de notre réalité future — mais non encore l'expérience, vu que nous ne sommes pas encore mûrs pour celle-ci —, et le baptême, par lequel toute communion avec ce monde-ci nous devient réellement étrangère. Cette aliénation est liée à un effort de progrès que nous devons poursuivre après le baptême, à l'exemple du Christ, qui se mit à jeûner aussitôt après le sien.

Ainsi donc Jean utilise lui aussi la notion d'« arrhes[1] », mais non dans le même sens que Diadoque ; et plus que Marc, il met en relief le chemin restant à parcourir après le baptême, non pas simplement quand nous demeurons fidèles à l'acquis déjà reçu, comme l'admettrait ce dernier, mais en développant par l'ascèse ce que nous avons de ressources initiales. Manifestement les trois auteurs ont des traits communs : on discute à leur époque et dans leur milieu de l'efficacité du baptême. Mais les solutions sont différentes dans chaque cas, Jean et Diadoque étant plus subtils et nuancés que Marc, et témoignent sans doute d'une réflexion qui avait eu le temps d'avancer davantage. Quant au Solitaire, il est des trois le plus apte à préserver spontanément, non au moyen de clauses de style, l'aspect eschatologique du christianisme.

1. Cf. W. STROTHMANN.

Περὶ τοῦ ἁγίου βαπτίσματος

I. **Ἐρώτησις**

Migne
PG 65
col. 985

Ἐπειδὴ οἱ μὲν τέλειον λέγουσι τὸ ἅγιον βάπτισμα,
ἐπερειδόμενοι τῇ Γραφῇ λεγούσῃ· «Ἀναστὰς βάπτισαι καὶ
ἀπόλουσαι τὰς ἁμαρτίας σου[a]»· καὶ τό· «Λούσασθε καὶ
5 καθαροὶ γίνεσθε[b]»· καὶ πάλιν· «Ἀλλ᾽ ἀπελούσασθε, ἀλλ᾽
ἡγιάσθητε, ἀλλ᾽ ἐδικαιώθητε[c]», καὶ πολλὰ τοιαῦτα εἰς
μαρτυρίαν φέροντες· ἕτεροι δὲ ἐξ ἀγώνων λέγουσιν
ἀναιρεῖσθαι τὴν παλαιὰν ἁμαρτίαν, φέροντες καὶ αὐτοὶ
μαρτυρίαν τῆς Γραφῆς λεγούσης· «Καθαρίσωμεν ἑαυτοὺς
10 ἀπὸ παντὸς μολυσμοῦ σαρκὸς καὶ πνεύματος[d]», ἅμα δὲ καὶ
αὐτὴν τὴν ἐνέργειαν τῆς ἁμαρτίας μετὰ τὸ βάπτισμα ἐν
ἑαυτοῖς εὑρίσκοντες, πρὸς ταῦτα ἡμεῖς τί ἐροῦμεν, ἢ τίνι
πιστεύσομεν;

Ἀπόκρισις

15 Ἔχρην μὲν ἡμᾶς τῷ ἀποστολικῷ κηρύγματι πιστεύειν,
καὶ ἐμμένειν ταῖς ἑαυτῶν ὁμολογίαις, καὶ μὴ πειράζειν τὴν
τοῦ Θεοῦ δύναμιν ἐν ἀνθρωπίναις ὑπονοίαις, μηδὲ πάλιν

D E T M CX NV GQW BAF P L Y

Tit. : περὶ τοῦ ἁγίου βαπτίσματος D E P : ἐρωτήσεις π. τ. ἁ. β. T C
ἐρώτησις π. τ. ἁ. β. M NV GQW ἐρωτήσεις καὶ ἀποκρίσεις π. τ. ἁ. β. X
ἀπόκρισις πρὸς τοὺς ἀποροῦντας π. τ. θείου β. BAF edd. π. τ. θείου β. L
Y *de baptismo + in quaestione et in responsione ad fratres solitarios* Syr.

I,1 ἐρώτησις D E[mg] T Q[mg] B : om. cett. ‖ 2 λέγουσι : + εἶναι C G[sl] W
εἶναι λέγ. X ‖ 3 γραφῇ + τῇ X QW ‖ 4 τὸ : om. Y ‖ καὶ² [et Syr.] : om. D E
T NV Q BF L (cf. *Is 1,16*) ‖ 5 γένεσθε M P‖ 6 ἀλλ᾽ἐδικαιώθητε [et Syr.] :
om. D M BAF edd. ‖ 7 ἀγώνων : ἔργων E ‖ λέγουσι : om. AF edd. λέγοντες
suppl. P[mg m2] Y ‖ 8 παλαιὰν om. QW ‖ 9 μαρτυρίας D T M NV W L Y ‖

Sur le saint baptême

PREMIÈRE PARTIE
EFFICACITÉ DU BAPTÊME

I.   Question

Au dire des uns, le saint baptême représente la perfection. Ils s'appuient sur ce mot de l'Écriture : « Lève-toi pour te faire baptiser et laver de tes péchés[a] », sur cet autre : « Lavez-vous et devenez purs[b] », et encore : « Mais vous êtes lavés, mais vous avez été sanctifiés, mais vous avez été justifiés[c]. » Et d'apporter en témoignage maints autres textes similaires. Pour d'autres en revanche, ce sont des combats qui suppriment l'antique péché. Et eux aussi invoquent le témoignage de l'Écriture, laquelle dit : « Purifions-nous de toute souillure de la chair et de l'esprit[d]. » Mais en même temps, ils découvrent le péché à l'œuvre en eux-mêmes après le baptême. Nous, face à cette situation, que dirons-nous ou qui croirons-nous ?

Réponse

Il nous fallait avoir foi dans la prédication des apôtres, persévérer dans nos propres professions de foi, ne pas tenter la puissance de Dieu avec des suppositions humaines, ne pas non

10 σαρκός + τε X P ‖ 15 χρὴν F χρὴ edd. ‖ ὑμᾶς QW ‖ πιστεύειν : πειθομένοις CX W ‖ 16 καὶ¹ om. CX ‖ ἑαυτῶν : αὐταῖς GQW ‖ 17 ἐν om. NV ‖ 17-18 ἑκουσίῳ πάλιν ~ E X G πάλιν ἑκουσίως V πάλιν C ἑκουσίως πάλιν E W P Y

I. a. Ac 22, 16   b. Is 1, 16   c. 1 Co 6, 11   d. 2 Co 7, 1

έκουσίω ζυγῷ δουλείας ένέχεσθαι, άλλά κρατεῖν τήν
έλευθερίαν διά τῆς έργασίας τῶν έντολῶν, δι' ῶν άναλόγως
20   πᾶσα ή άλήθεια εύρίσκεται, καί εἰδέναι σαφῶς ὅτι διά τήν
τούτων ἔλλειψιν κατά άναλογίαν ὑπό τῆς άμαρτίας
ένεργούμεθα. Ἐπειδή δὲ μάταιον έλογισάμεθα τό κήρυγμα,
περιεργίᾳ μᾶλλον λόγῳ Θεοῦ πειθόμενοι, διά τοῦτο ματαία
καί ή πίστις ήμῶν, διά τοῦτο καί ἔτι ἐσμέν ἐν ταῖς άμαρτίαις
ήμῶν [c].

II.   **Ἐρώτησις**

Ἡμεῖς οὐ λέγομεν μάταιον τό κήρυγμα, άλλά ζητοῦμεν
μαθεῖν τήν άλήθειαν.

Ἀπόκρισις

5   Εἰ οὖν τό κήρυγμα άληθές ἔχομεν, τελέσωμεν πάσας τάς
έντολάς καί τότε εἴδομεν εἰ ὑπό τῆς άμαρτίας ένεργούμεθα.
Τό γάρ ἅγιον βάπτισμα τέλειον μέν έστιν, οὐ τελειοῖ δὲ τόν
μή ποιοῦντα τάς έντολάς. Μή οὖν άνθρωπίναις ὑπονοίαις,
άλλά τῇ θείᾳ Γραφῇ μᾶλλον πιστεύσωμεν ὅτι· «Χριστός
10   άπέθανεν ὑπέρ τῶν άμαρτιῶν ήμῶν κατά τάς Γραφάς [a]», καί
ὅτι· «Συνετάφημεν αὐτῷ διά τοῦ βαπτίσματος [b]», καί· «Ὁ
άποθανών δεδικαίωται άπό τῆς άμαρτίας [c]», καί ὅτι·
«Ἁμαρτία ήμῶν οὐ κυριεύσει [d]», έάν τάς έντολάς αὐτοῦ
ποιήσωμεν. Εἰ δὲ οὐ ποιοῦμεν, ἄπιστοί έσμεν, καί δικαίως
15   ὑπό τῆς άμαρτίας κρατούμεθα. Πίστις γάρ έστιν οὐ μόνον τό
βαπτισθῆναι εἰς Χριστόν, άλλά καί τό ποιεῖν τάς έντολάς

D E T M CX NV GQW BAF P L Y

I.,18 ένέχεσθαι : άνέ. F edd. ‖ 20 πᾶσα ή άλήθεια εύρίσκεται : πᾶσα άλ.
εύρίσκ. D BAF edd. M G Y πᾶσα φανεροῦται ή άλ. CX πᾶ. ή άλ.
φανεροῦται QW ‖ 22 ένεργούμεθα : κρατούμεθα E CX ‖ λογισάμεθα A
έλογίσασθε GQW ‖ 23 περιεργίᾳ : περιεργασίᾳ QW A corr. F edd. Y ‖
24 καί[1] om. E NV ‖ 24 et 25 ὑμῶν GQW ‖ διά τοῦτο καί : διά τ. E καί δ.
τ. CX καί GQW P ‖ έστε QW.

II.3 μαθεῖν om. NV ‖ 6 εἴδομεν E X Q Y εἴδωμεν T P ‖ ένεργούμεθα :
κρατούμεθα CX[txt] Q ‖ 7 έστιν + καί περιεκτικόν τῆς τελειότητος E[mg] CX

plus nous replacer volontairement sous le joug de servitude,
maîtriser au contraire notre liberté au moyen d'une activité
selon les commandements : dans la proportion où on exécute
ces derniers, on découvre toute la vérité et, sachons-le clairement, dans la proportion où on les néglige, on se fait manœuvrer par le péché. D'ailleurs dès lors que nous tenons pour
vaine la prédication et nous fions davantage à une curiosité
superflue, notre foi devient vaine par le fait même et de ce fait,
nous sommes encore dans nos péchés[e].

II.   Question

Nous ne disons pas quant à nous que la prédication est
vaine, mais nous cherchons à connaître la vérité.

Réponse

**Libération
baptismale
et exécution
des commandements**   Si nous tenons la prédication pour
vraie, accomplissons donc tous les commandements ; nous verrons alors si nous
sommes manœuvrés par le péché. Effec-
tivement, le saint baptême est parfait, mais il ne mène pas à la
perfection celui qui n'accomplit pas les commandements. Donnons donc notre foi non pas à des suppositions humaines, mais
à la divine Écriture. Ne dit-elle pas : « Le Christ est mort pour
nos péchés conformément aux Écritures[a] », et : « Nous avons
été ensevelis avec lui par le baptême[b] », et : « Celui qui est
mort est justifié du péché[c] », et : « Le péché ne nous régentera
pas[d] », si nous accomplissons ses commandements ; si nous ne
les accomplissons pas, nous sommes infidèles et régis à bon
droit par le péché. Car la foi ne consiste pas seulement à être
baptisé dans le Christ, mais à accomplir ses commandements.

QW ‖ 9 πιστεύομεν + λεγούσῃ Q W + λεγούσα X ‖ 10 ὑπὸ F edd. ‖ ὑμῶν
M ‖ 13 οὐκέτι κυριεύσει N A οὐκέτι κυριεύει GQW Y οὐ κυριεύει Pᵃᶜ ‖
14 ποιήσωμεν : ποιοῦμεν X G ποιῶμεν Q P ‖ δικαίως om. AF edd. ‖ 16-17
τὰς ἐντολὰς αὐτοῦ ποιεῖν ~ CX

I. e. cf. 1 Co 15, 17
II. a. 1 Co 15, 3   b. Rm 6, 4   c. Rm 6, 7   d. Rm 6, 14

αὐτοῦ. Ὅτι μὲν γὰρ μυστικῶς συνταφέντες αὐτῷ διὰ τοῦ βαπτίσματος καὶ συνήγειρεν ἡμᾶς καὶ συνεκάθισεν ἐν τοῖς ἐπουρανίοις ᵉ, κατὰ τὴν Γραφήν, δῆλον· ὅμως ἔδωκεν
988 20 ἐντολάς, ἵνα ταύτας ποιήσαντες εὕρωμεν τὴν δεδομένην ἡμῖν τελειότητα. Εἰ δὲ μὴ ποιήσομεν, ἑκουσίως φανῶμεν ἐνεργούμενοι ὑπὸ τῆς ἁμαρτίας. Εἰ οὖν λέγομεν ἐξ ἔργων ἀναιρεῖν τὴν ἁμαρτίαν, ἄρα Χριστὸς δωρεὰν ἀπέθανε ᶠ, καὶ τὰ εἰρημένα πάντα ψευδῆ τυγχάνει. Καὶ οὐκ ἔστι τέλειον τὸ
25 βάπτισμα.

Ἀλλ' ἐξ ἀγώνων λέγουσιν ἔχειν τὴν τελειότητα, μάταιος παρ' ἐκείνοις ὁ τῆς ἐλευθερίας νόμος, καὶ πᾶσα ἡ τῆς Καινῆς Διαθήκης νομοθεσία ἀνήρηται. Ἄδικον δὲ καὶ τὸν Χριστὸν εἰσάγουσι, τοῖς βαπτισθεῖσιν ἔργα ἐλευθερίας προστάξαντα,
30 ἔτι παρὰ προαίρεσιν δεδουλωμένοις τῇ ἁμαρτίᾳ, καθὼς λέγουσι· καὶ ἡ χάρις τοῦ Θεοῦ οὐκέτι χάρις, ἀλλ' ἡμετέρων ἀγώνων ἀνταπόδοσις. Εἰ γὰρ ἐξ ἔργων, οὐκέτι χάριτι, εἰ δὲ χάριτι, τὸ ἔργον οὐκ ἔστιν ἔργον ᵍ, ἀλλ' ἐντολὴ τοῦ ἐλευθερώσαντος, καὶ ἔργον ἐλευθερίας καὶ πίστεως. Τοιαῦτα
35 πρὸς Γαλάτας ὁ ἅγιος Παῦλος οἰκονομικῶς προέγραψεν,

D E T M CX NV GQW BAF P L Y

II.17 μυστικῶς suppl. Lᵐᵍ ‖ συνταφέντας C Pˢˡ ‖ 18 καὶ¹ om. CX Y ‖ συνέγειρεν + τε CX ‖ 19 δέδωκεν CX ‖ 21 τελειότητα : χάριν τελειότητος C χάριν τῆς τελ. X QW ‖ φανῶμεν : φανείμεν W φανείημεν sic GQ ‖ 22 ὑπὸ τῆς ἁμαρτίας ἐνεργούμενοι ~ CX ‖ οὖν : δὲ A om. F edd. ‖ 23 ἀναιρεῖσθαι edd. ‖ τὴν om. F edd. ‖ 24 προειρημένα CX ‖ πάντα : suppl. Tᵐᵍ ἅπαντα Y ‖ καὶ : + εἰ BAF edd. om. P Y ‖ τὸ + ἅγιον C W ‖ 26 ἀγώνων : ἔργων ὧν D ἔργων E Xᵗˣᵗ ‖ 28 καὶ om. NV Y ‖ 31 θεοῦ : κυρίου L ‖ οὐκέτι : + ἔστι CX οὐκἔστι W ‖ 32 οὐκέτι : οὐκέστι M ‖ χάριτι : χάρις QW ‖ 34 τοιαῦτα : + καὶ G W + γὰρ Y ‖ 35 ἅγιος παῦλος : ἀπόστολος M ‖ προσέγραφεν C προέγραφε X

II. e. cf. Col 2, 12 + Ep 2, 6   f. Ga 2, 21   g. cf. Rm 11, 6

1. Ces lignes contiennent une allusion, non signalée par Marc, à *Rm* 11, 6. Il est vrai qu'il n'a pas non plus renvoyé à *Ga* 2, 21 pour le membre de phrase de la ligne 23 : « le Christ est mort pour rien » ; mais il renverra à cette Épître, comme s'il n'y avait pas eu d'autre citation entre temps,

Qu'en mystère, après avoir été ensevelis avec lui par le baptême, il nous ait ressuscités et fait asseoir avec lui dans les hauteurs du ciel[e], cela est clair à lire l'Écriture. Néanmoins il nous a donné des commandements afin qu'en les accomplissant, nous obtenions la perfection qu'il nous a donnée. Si nous ne les accomplissons pas, il apparaîtra que nous avons volontairement laissé le péché nous manœuvrer. Si donc nous disons que nous enlevons le péché par les œuvres, eh bien ! « le Christ est mort pour rien[f] », et tout ce qui a été dit se trouve n'être que mensonge, le baptême n'est point parfait.

La grâce de Dieu   Au contraire, pour des gens qui prétendent acquérir la perfection par des luttes, la loi de liberté est vaine et toute la législation de l'Alliance nouvelle abrogée. Du Christ ils font un être injuste, qui a prescrit aux baptisés des œuvres de liberté, alors qu'ils sont encore, en dépit de leur choix, asservis au péché, au dire de ces gens-là. Et la grâce de Dieu n'est plus grâce, elle est rétribution de nos luttes. Si cela vient des œuvres, en effet, ce n'est plus par grâce ; si c'est par grâce, l'œuvre n'est plus œuvre[g][1], elle est commandement donné par le libérateur, elle est œuvre de liberté et de foi. Voilà à peu près ce que saint Paul, par un dessein providentiel, avait écrit d'avance aux Galates, en les mori-

juste après, l. 35-36. Dans le texte des éditions actuelles, cette allusion ne pourrait porter que sur les mots εἰ γὰρ ἐξ ἔργων, οὐκέτι χάριτι, qui rappellent le εἰ δὲ χάριτι οὐκέτι ἐξ ἔργων de *Rm*, mais qui, en fait, reproduisent plus exactement une addition du texte antiochéno-constantinopolitain à *Rm* 11,6, addition au statut assez spécial — elle est, avec une variante cependant, la seule interpolation provenant de cette forme de texte dans le *Vaticanus* (**B**) et elle serait présente dans les citations du verset par Jean Chrysostome et Théodoret, mais non commentée par eux ; on la trouve aussi dans la version syriaque — ; la suite encore, dans Marc, εἰ δὲ χάριτι, τὸ ἔργον οὐκ ἔστιν ἔργον, correspond aux derniers mots de l'addition. Peut-être pourrait-on conjecturer que cette phrase avait un statut encore indécis dans le texte de l'Apôtre que lisait Marc, et qu'il s'est permis cette réminiscence sans être bien sûr de faire là une citation scripturaire. Peut-être aussi doit-on voir là un indice de ses rapports avec des milieux de langue syriaque.

νουθετῶν καὶ αὐτοὺς τὰ ὅμοια ἀπιστήσαντας. Ἡμεῖς δὲ οὐχ
οὕτως ἀθετοῦμεν τὴν χάριν τοῦ Θεοῦ[h], μὴ γένοιτο.

Οὐδὲ τὴν ἐπὶ τῷ κηρύγματι πίστιν ἀρνούμεθα· ἀλλ' εἰ καὶ
μετὰ τὸ βάπτισμα ὑπὸ τῆς ἁμαρτίας κρατούμεθα, οὐχ ὡς
40   τοῦ βαπτίσματος ἀτελοῦς ὄντος, ἀλλ' ὡς ἡμῶν τῆς ἐντολῆς
ἀμελούντων, καὶ ἐγκειμένων ταῖς ἡδοναῖς προαιρέσει, καθάπερ ἐλέγχει ἡμᾶς ἡ θεία Γραφὴ λέγουσα· «Ὥσπερ κύων
ἐπιστρέψας ἐπὶ τὸν ἴδιον ἔμετον, οὕτως ἄνθρωπος ἐπι-
στρέφων ἐπὶ τὴν ἑαυτοῦ ἁμαρτίαν[i]» αὐτεξουσίῳ προαιρέ-
45   σει· τὸ γὰρ θέλημα μετὰ τὸ βάπτισμα οὔτε Θεὸς οὔτε
Σατανᾶς βιάζεται. Ἄρα οὐκ ἤκουσαν ὅτι ἐντολαὶ τοῦ
Χριστοῦ, αἱ μετὰ τὸ βάπτισμα δεδομέναι, νόμος ἐλευθερίας
ἐστί, καθά φησιν ἡ Γραφή· «Οὕτως ποιεῖτε, καὶ οὕτως
λαλεῖτε, ὡς διὰ νόμου ἐλευθερίας μέλλοντες κρίνεσθαι[j]»·
50   καὶ πάλιν ὁ ἅγιος Πέτρος· «Ἐπιχορηγήσασθε ἐν τῇ πίστει
ὑμῶν τὴν ἀρετὴν[k]»· καὶ τὰ ἑξῆς εἰπών, ἐπάγει λέγων· «Ὧ
γὰρ μὴ πάρεστι ταῦτα, τυφλός ἐστι μυοπάζων, λήθην λαβὼν
τοῦ καθαρισμοῦ τῶν πάλαι αὐτοῦ ἁμαρτημάτων[l].»
Ἐννόησας ἐκ τῶν εἰρημένων τὸν διὰ τοῦ βαπτίσματος
55   καθαρισμὸν μυστικῶς μὲν γινόμενον, ἐνεργῶς δὲ διὰ τῶν
ἐντολῶν εὑρισκόμενον· εἰ δὲ βαπτισθέντες οὐκ
ἠλευθερώθημεν ἀπὸ τῆς πατρικῆς ἁμαρτίας, δηλονότι οὐδὲ
τὰ τῆς ἐλευθερίας ἔργα ποιεῖν δυνάμεθα· εἰ δὲ δυνάμεθα

D E T M CX NV GQW BAF P L Y

II,36 καὶ om. E ‖ τὰ ὅμοια ἀπιστήσαντας om. L ‖ 37 ἀθετοῦμεν :
νουθετ. V ἀπιστ. BAF edd. ‖ τὴν : om. F edd. τῇ Y ‖ 38 ἀλλ'εἰ : ἀλλὰ L ‖
41-42 καθάπερ : καθὰ καὶ CX διὸ καὶ GQW ‖ 41-45 καθάπερ ... προαιρέσει
om. L ‖ 42 ἡμᾶς om. D A ‖ ἡ θεία διελέγχει ἡμᾶς γραφῇ CX ‖ ὥσπερ : ὡς
F edd. ‖ 43 ἔμετον : ἐξέραμα CX ‖ 44 ἑαυτοῦ : ἰδίαν NV GQW ‖ 44-
45 προαιρέσει : θελήματι E[mg] GQW P ‖ 45 θέλημα + ἡμῶν CX ‖ μετὰ : καὶ
μετὰ T M NV GQW B P καὶ AF edd. ‖ 46 σατανᾶς : ὁ διάβολος CX ‖ ὅτι
+ αἱ N X G Y ‖ 47-48 ἐστιν ἐλευθερίας ~ E εἰσιν ἐλ. Y ‖ 48 εἰσι X GQW
‖ καθὰ : καθ'ὃ M καθὼς GQW καθάπερ P ‖ ἡ γραφὴ : om. M Y ‖ 48-
49 λαλεῖτε — ποιεῖτε ~ T GQW P ‖ 50 πάλιν om. CX ‖ ἅγιος : ἀπόστολος
T NV μακάριος CX QW ‖ ἐπιχορηγήσασθε D M F X NV: ἐπιχορηγήσατε
cett. (ut 2 P 1,5) ‖ 51 ἡμῶν F W ‖ ἀρετὴν : ἀγάπην L ‖ εἰπὼν : καὶ εἰπὼν

génant eux aussi d'un manque de foi similaire. Pour nous, nous ne supprimons pas de la sorte la grâce de Dieu[h], jamais de la vie !

La loi de liberté   Et nous ne refusons pas non plus la foi issue de la prédication. Même si nous sommes sous l'emprise du péché après le baptême, ce n'est point parce que le baptême serait imparfait, c'est parce que nous négligeons le commandement et nous installons par libre choix dans les voluptés, juste comme la divine Écriture nous le reproche. Ne dit-elle pas : « Comme un chien est retourné à son vomissement, ainsi l'homme retourne à son péché à lui[i] », par son choix et son initiative. Car la volonté, après le baptême, ni Dieu ni Satan ne la violentent. N'ont-ils pas entendu dire que les commandements du Christ, ceux qui ont été donnés après le baptême, sont une loi de liberté ? C'est ce qu'en affirme l'Écriture : « Agissez et parlez comme des gens destinés à être jugés en vertu d'une loi de liberté[j] ». Et saint Pierre de dire encore : « A l'intérieur de votre foi, exercez la vertu[k] » ; et après poursuite de son énumération, il finit par ajouter : « Celui chez qui tout cela ne se trouve point est un aveugle à force de myopie, il a oublié la façon dont ont été purifiés ses péchés d'autrefois[l]. » Ce que l'on vient de dire t'aura mis bien en tête la purification procurée par le baptême : elle a lieu en mystère, mais se découvre en son efficace au moyen des commandements. Si malgré notre baptême nous n'avons pas été libérés du péché héréditaire, nous sommes incapables aussi, c'est évident, d'accomplir les œuvres de la liberté. Si en

---

καὶ G ‖ ἐπαγγέλει D ἔπηγεν V ‖ λέγων om. G ‖ 53 τοῦ καθαρισμοῦ om. Y ‖ παλαιῶν CX ‖ αὐτοῦ : om. V ‖ 54 ἐννοήσατε E B ἐννοήσον X ἐνοήσας NV Q Ppc ‖ ἐννοήσας ... τὸν om. G ‖ ἐκ : διὰ V AF edd. ‖ προειρημένων F edd. ‖ 55 γενόμενον BAF edd. ‖ 56 δὲ : γὰρ CX ‖ 57 ἀπὸ om. D E M GQW P ‖ 58 τὰ τῆς ἐλευθερίας ἔργα : ἔργα τῆς ἐλ. D

II. h. cf. Ga 2, 21   i. 2 P 2, 22 ; cf. Pr 26, 11   j. Jc 2, 12   k. 2 P 1, 5 l. 2 P 1, 9

ποιεῖν αὐτά, φανερὸν ὅτι μυστικῶς μὲν τῆς κατὰ τὴν
60 ἁμαρτίαν δουλείας ἠλευθερώθημεν, κατὰ τὸ γεγραμμένον
ὅτι · «Ὁ νόμος τοῦ πνεύματος τῆς ζωῆς ἠλευθέρωσέ με ἀπὸ
τοῦ νόμου τῆς ἁμαρτίας καὶ τοῦ θανάτου[m].» Διὰ δὲ τὴν
ἀμέλειαν τῶν ἐντολῶν τοῦ καθαρίσαντος ἡμᾶς ὑπὸ τῆς
ἁμαρτίας ἐνεργούμεθα.

65 Ἢ οὖν δείξωσι τοὺς βεβαπτισμένους ἀδυνάτως ἔχειν τὰς
ἐντολὰς τῆς ἐλευθερίας ἐργάζεσθαι, καὶ διὰ τοῦτο μὴ εἶναι
τέλειον τὸ ἅγιον βάπτισμα, ἢ ἡμῶν δεικνυόντων εἰληφέναι
αὐτοὺς τὴν τοιαύτην δύναμιν, ὁμολογείτωσαν ἐλευθερῶσθαι
μὲν χάριτι Χριστοῦ, ἑαυτοὺς δὲ παραδεδωκέναι τῇ τῶν κα-
70 κῶν δουλείᾳ διὰ τὸ μὴ τελεῖν πάσας τὰς ἐντολάς, καὶ διὰ
τοῦτο πάλιν ὑποχειρίους γεγονέναι. Λαβέτωσαν δὲ ἐκ τῶν
989 ἰδίων μαρτυρίων τὸν ἔλεγχον · «Καθαρίσωμεν γὰρ ἑαυτούς,
φησίν, ἀπὸ παντὸς μολυσμοῦ σαρκὸς καὶ πνεύματος[n].» Ὁ
οὖν δοῦλος τῆς ἁμαρτίας πῶς δύναται ἑαυτὸν καθαρίσαι ἀπὸ
75 παντὸς μολυσμοῦ, μὴ ἔχων τὴν τοιαύτην ἐλευθερίαν καὶ
δύναμιν, ἀλλ᾽ ὑπὸ τῆς ἁμαρτίας κρατούμενος ;

Εἰ δὲ ἔχεις τὸ κράτος κατὰ τῶν παθῶν, νόησον ὅτι οὐ
κατέχῃ ἐξουσίᾳ, ἀλλ᾽ αἰτίᾳ θελήματος. Ὅσα οὖν ἡμῖν ἡ θεία
Γραφὴ περὶ καθαρισμοῦ διαλέγεται, ὡς ἐλευθέροις παραινεῖ
80 τοῦ μὴ ἐμμένειν ἐν τοῖς τοιούτοις μολυσμοῖς, ἀλλὰ ἀγαπᾶν
τὴν ἐλευθερίαν, ἐξουσίαν ἔχοντες ῥέπειν ἐφ᾽ ὃ ἂν θέλωμεν,
ἤτοι ἀγαθὸν ἤτοι κακόν.

D E T M CX NV GQW BAF P L Y

II,59 φανερῶς F ‖ ὅτι μυστικῶς μὲν : ὅτι μυστικῶς D QW P[ac] ὅτι μὲν
μυ. G μὲν ὅτι μυ. δὲ A μὲν ὅτι μυ. ἐσμεν F ‖ τῆς + ἴσης M ‖ 62 καὶ om. Y

D E T MZCX NV GQW BAF P L Y

63 ἀμέλειαν + τῆς ἐργασίας E suppl. W abhinc exstat Z ‖ τῶν ἐντολῶν :
τῆς τῶν ἐντ. ἐργασίας CX ‖ 65 ἢ οὖν : νῦν D MZ ‖ δείξωσι : δείξουσι D
MZ C P L Y δεξάτωσαν X δεῖξόν μοι AF edd. δεῖξον συ Q[pc] ‖
66 ἐργάσασθε E NV ‖ 67 ἅγιον : om. E BAF L edd. ‖ ἢ l. 68 post δύναμιν
~ P ‖ 68 ἐλευθερῶσθαι vel ἠλευθερῶσθαι codd. : ἐλευθεροῦσθαι AF ‖
69 μὲν : om. D M + τῇ L ‖ χάριτι + τοῦ L ‖ δὲ om. M ‖ 69-70 κακῶν : πάθων
L ‖ 70 διὰ τὸ : τοῦ E διὰ Z διὰ τοῦ GQW ‖ καὶ om. N ZX F edd. ‖ 71 πάλιν :
πάλαι V ‖ 72 γὰρ om. AF edd. ‖ 73 φησιν : φησιν ἀδελφοί F ἀδελφοί edd. ‖

revanche nous en sommes capables, il est manifeste que, au plan du mystère du moins, nous avons été libérés de la servitude du péché. C'est d'ailleurs ce qui est écrit : « La loi de l'esprit de vie m'a libéré de la loi du péché et de la mort[m]. » Cependant à cause de notre négligence à l'endroit des commandements de celui qui nous a purifiés, nous nous laissons manœuvrer par le péché.

Qu'ils démontrent, par conséquent, l'incapacité des baptisés à exécuter les commandements de la liberté et, de ce fait, le manque de perfection du saint baptême. Ou bien alors, que démontrée par nous, cette capacité reçue par les baptisés arrache une confession à ces gens-là : ils ont bien été libérés par la grâce du Christ, mais ils se sont livrés eux-mêmes en esclaves au mal pour n'avoir pas accompli tous les commandements, et pour cette raison ils se sont trouvés à nouveau soumis à lui. Et qu'ils reçoivent leur démenti des témoignages mêmes dont ils se servent : « Purifions-nous en effet, est-il dit, de toute souillure de la chair et de l'esprit[n]. » Un esclave du péché, comment peut-il se purifier de toute souillure s'il ne possède pas la liberté et la puissance en question, s'il est au contraire sous la gouverne du péché ?

Si tu as de quoi gouverner tes passions, rends-toi compte que tu leur es assujetti non de par leur souveraineté, mais par la faute de ta volonté. Partout le langage de la divine Écriture à notre adresse au sujet de la purification est celui qui exhorte des gens libres à ne pas persévérer en de telles souillures et à chérir plutôt la liberté. Car nous avons pleins pouvoirs pour incliner dans le sens que nous voulons, soit bon soit mauvais.

σαρκός + τε X ‖ 75 μολυσμοῦ + σαρκὸς καὶ πνεύματος BAF edd. ‖ ἔχοντος X ‖ ἐλευθερίαν καὶ om. C ‖ 75-76 καὶ δύναμιν om. L ‖ 77 νόησον : γίνωσκε BAF edd. ‖ 78 αἰτίᾳ + ἰδίου CX ‖ 78-79 ἡμῖν post καθαρισμοῦ ~ NV ‖ 79 διαλέγεται : + ἡμῖν M Y ὡς ἐλευθέροις διαλέγεται edd. ‖ 80 ἐμμένην F μένειν A edd. ‖ μολυσμοῖς : λογισμοῖς X W BAF edd. ‖ 81 ἔχοντας T G W P L Y edd. ‖ ὃ : ἃ M CX A ‖ θελήσομεν X θέλοιεν NV ‖ 82 ἀγαθὰ — κακὰ CX ἀγαθῷ — ἐναντίῳ GQW ‖ ἤτοι (bis) : + τῷ (bis) QW εἴτε (bis) P.

II. m. Rm 8, 2   n. 2 Co 7, 1

III.

Ἐρώτησις

Εἰ ἠλευθερώθημεν ἐν τῷ βαπτίσματι, διὰ τί οὐκ εἴδομεν τὰ ἔργα τῆς ἐλευθερίας καθὰ βλέπουσιν οἱ ἀγωνιζόμενοι;

Ἀπόκρισις

5 Ἐπισκοτοῦσιν ἡμῖν αἱ κατὰ θέλησιν ἡδοναὶ καὶ ἀμέλειαι τῶν ἐντολῶν, ἃς ἐκεῖνοι διωρθώσαντο. Προειρήκαμεν γὰρ ὅτι ἐλευθεροῦται μὲν ὁ ἄνθρωπος κατὰ τὴν δωρεὰν τοῦ Χριστοῦ. Κατὰ δὲ τὸ ἴδιον θέλημα ὅπου ἀγαπᾷ, ἐκεῖ ἐμμένει, κἂν βεβάπτισται, διὰ τὸ ἀβίαστον εἶναι τὸ
10 αὐτεξούσιον. Ὅταν οὖν λέγῃ ὅτι· «Βιασταὶ ἁρπάζουσι τὴν βασιλείαν τῶν οὐρανῶν[a]», τοῦτο περὶ τοῦ ἰδίου θελήματος λέγει, ἵνα βιάσηται ἕκαστος ἡμῶν μετὰ τὸ βάπτισμα μὴ τρέπεσθαι ἐπὶ τὸ κακὸν ἀλλ᾽ ἐμμένειν εἰς τὸ ἀγαθόν. Εἰ γὰρ βίαν ἔπασχεν ὑπὸ τῶν ἐξουσιῶν, πάντως ἠδύνατο ὁ
15 ἐλευθερώσας ἡμᾶς Θεὸς καὶ ἀτρέπτους βίᾳ ποιῆσαι. Νῦν δὲ οὐχ οὕτως, ἀλλ᾽ αὐτὸς μὲν διὰ τοῦ βαπτίσματος τῆς κατὰ βίαν δουλείας ἐξήγαγε, καταργήσας τὴν ἁμαρτίαν διὰ τοῦ σταυροῦ, καὶ ἐντολὰς ἐλευθερίας ἔθετο. Ἐμμένειν δὲ ἢ μὴ ἐμμένειν ταῖς ἐντολαῖς τῷ αὐτεξουσίῳ ἡμῶν θελήματι
20 παρεχώρησεν. Αἱ οὖν ἐντολαὶ καθὸ ἂν ἐπιμελοῦνται, κατ᾽ αὐτὸ τὴν πρὸς τὸν ἐλευθερώσαντα ἀγάπην σημαίνουσι· καθὸ

D E T MZCX NV GQW BAF P L Y

III,2 ἐν τῷ βαπτίσματι : τῷ βαπτ. E διὰ τοῦ βαπτίσματος L ‖ τῷ + ἁγίῳ C QW ‖ εἴδομεν CX B L : εἴδαμεν D ἴδαμεν E[txt] Z N[ac] ἐθεασάμεθα E[mg] GQW ἴδομεν T οἴδαμεν M V A P ‖ 3 τὰ ἔργα P : τὸν ἀέρα cett. et Syr. ‖ καθὼς CX GQW ‖ 5 ἀμέλειαι : ἡ ἀμέλεια GQW ‖ 7 μὲν om. NV ‖ 8 ἀγαπᾷ + εὐθὺς E ‖ ἐκεῖ : + καὶ E CX GQW P om. L ‖ 9 ἀβίαστον εἶναι τὸ : βίαστον εἶναι D εἶναι καὶ ἀβίαστον L om. edd. ‖ 10 ὅτι om. BAF edd. ‖ 11 τοῦτο : τότε M F Y edd. ‖ περὶ : ἐπὶ E edd. ‖ 12 ἡμῶν : ἑαυτὸν C + ἑαυτὸν X ‖ μετὰ : κατὰ E F edd. ‖ 13 εἰς : ἐπὶ L ‖ 14 βίαν : βίᾳ D AF edd. ‖ ἔπασχεν ὑπὸ τῶν ἐξουσιῶν : ἐπάσχομεν ὑπὸ τῶν πνευμάτων τῆς πονηρίας E[mg] CX QW ἐπάσχομεν ὑπὸ τῶν ἐξουσιῶν G ‖ ἐξουσιῶν + ὁ ἄνθρωπος ~ BAF edd. ‖ 15 ἐλευθέρωσαι — ὁ θεὸς E BAF edd. ‖ τρεπτοὺς

III.   Question

Si nous avons été libérés au baptême, pourquoi ne perce-
vons-nous pas les œuvres de la liberté comme les voient les lut-
teurs ?

Réponse

Libération   C'est que nous enveloppent d'obscu-
baptismale   rité les voluptés acceptées par notre
et œuvres   volonté et notre négligence des comman-
de la liberté   dements, points sur lesquels eux se sont
corrigés. En effet nous l'avons dit déjà, l'homme est libéré du
point de vue du don gratuit du Christ. Mais du point de vue de
son vouloir propre, là où est son amour, là est sa demeure, tout
baptisé qu'il était, parce que le libre arbitre ne peut se laisser
contraindre. Quand donc il est dit : « Ce sont les violents qui
s'emparent du royaume des cieux[a] », cela s'entend du vouloir
propre et vise à ce que chacun après son baptême se fasse violence pour ne pas virer vers le mal au lieu de persévérer dans
le bien. Si l'on souffrait violence de la part des puissances,
assurément le Dieu qui nous a délivrés aurait eu pouvoir de
nous soustraire aussi aux revirements opérés par violence.
Mais telle n'est pas la situation présente. Lui, pour sa part,
nous a tirés par le baptême d'une servitude régie par la violence, en anéantissant le péché par la Croix, et il a édicté des
commandements de liberté. Quant à persévérer ou non dans
les commandements, il l'a laissé au vouloir de notre libre
arbitre. Les commandements par conséquent, dans la mesure
même où ils sont observés, deviennent le signe de l'amour
envers celui qui nous a délivrés, dans la mesure où ils sont

G ‖ βίᾳ om. D MCZ L ‖ δὲ : οὖν NV ‖ 17 ἀπήγαγε X ‖ 19-20 παρεχώρησεν
τῷ αὐτεξουσίῳ ἡμῶν θελήματι ~ E NV [om. ἡμῶν V] GQW P ‖
20 ἐπιμελοῦνται : ἐπιτελῶνται T L ἐπιτελοῦνται MZ V GQW AF P Y Syr.
ἐπιμελῶνται X ‖ 20-21 κατ'αὐτὸ : κατὰ τόσουτον CX ‖ 21 πρὸς τὸν
ἐλευθερώσαντα : τὴν ἐλευθερίαν καὶ G τὴν ἐλευθερίαν καὶ πρὸς τὸν
ἐλ. QW

III. a. Mt 11, 12

ἂν δὲ ἀμελοῦνται ἢ ἐκλείπουσι, τὴν πρὸς τὰς ἡδονὰς προσπάθειαν ὑποδεικνύουσιν.

Οἱ δὲ τοῖς ἰδίοις λογισμοῖς περιπίπτουσι λέγοντες ὅτι
25 θέλομεν ποιῆσαι τὰς ἐντολὰς καὶ οὐ δυνάμεθα, ὑπὸ τῆς
ἁμαρτίας κατ᾽ ἐξουσίαν κρατούμενοι. Διὸ χρὴ πρῶτον ἀγω-
νίσασθαι καὶ ἐξαλεῖψαι τὴν ἁμαρτίαν, ἵνα δυνηθῶμεν
ἐπιτελέσαι τὰς τῆς ἐλευθερίας ἐντολάς, μήτε νοοῦντες ἃ
λέγουσι, μήτε περί τινων διαβεβαιοῦνται [b]. Εἰ γὰρ ὅλως οὐκ
30 ἔχεις τὴν ἐλευθερίαν, καὶ οὐ δύνασαι ἐπιτελέσαι τὰς ἐντολάς,
διὰ ποίων ἀγώνων λοιπὸν λέγεις ἐξαλεῖψαι τὴν ἁμαρτίαν;
Οἱ ἀγῶνες τῶν πιστῶν αἱ ἐντολαί εἰσιν.

Σὺ οὖν λέγεις· Οὐ δύναμαι ποιῆσαι τὰς ἐντολὰς ἐὰν μὴ
πρῶτον δι᾽ ἀγώνων καθαρισθῶ. Δεῖξόν μοι ἐκτὸς ἐντολῶν
35 οὓς λέγεις ἀγῶνας, καὶ πείθομαί σου τῷ φρονήματι. Κἂν
γὰρ προσευχὴν εἴπῃς, ἐντολή ἐστι· κἂν νηστείαν, κἂν
ἀγρυπνίαν, ἐντολή ἐστι· κἂν μετάδοσιν, ἢ ψυχῆς ἄρνησιν,
ἐντολή ἐστι· κἂν λογισμῶν καθαίρεσιν, ἐντολή ἐστι· κἂν
θάνατον κἂν σταυρὸν κἂν ὁτιοῦν εἴπῃς ἔργον ἀρετῆς, ἐντολαί
40 εἰσι πάντα. Διὸ τοῖς λαβοῦσι τὴν δύναμιν τῶν ἐντολῶν ὡς
πιστοῖς παραγγέλλει τοῦ ἐπαγωνίσασθαι διὰ τὸ μὴ
992 στραφῆναι εἰς τὰ ὀπίσω [c], οὐχ ὡς διὰ τούτων ἐξαλεῖψαι τὴν

D E T MZCX NV GQW BAF P L Y

III,22 δὲ ἂν ~ X GQ L Y ‖ ἀμελῶνται L ‖ ἐλλείπουσι vel ἐλλείπωσι E
MZ GW A P L Y ‖ 22-23 προσπαθείαν [et Syr.] : ἡδυπαθείαν D T MZ BAF
Pᵖᶜ edd. ‖ 23 ὑποδεικνύουσι : δεικν. D AF edd. δείκνυνται C ἐπιδείκνυνται
X ‖ 24 λογισμοῖς : λόγοις T NV Q P Y ‖ λέγοντες ὅτι : om. E G λέγοντες
V καί φασι QW suppl. P ‖ 25 θέλομεν + φησί E NV G Y ‖ 26 κατ᾽ἐξουσίαν
κρατούμενοι : κατεχόμενοι κατ᾽εξ. D MZ κατ᾽εξ. κατεχόμενοι CX
κρατούμενοι V ‖ 26 διὸ : διότι D M ‖ πρότερον T AF edd. ‖ 28 μήτε om. Y
X F edd. ‖ 30 τὰς ἐντολὰς ἐπιτελέσαι ~ CX ‖ 31 λέγεις λοιπὸν ~ E C L
λέγεις D AF edd. ‖ 32 αἱ om. F edd. ‖ 34 πρότερον E GQW P ‖ καθαρθῶ
W καθαρισθῶσιν AF ‖ 35 οὓς λέγεις ἀγῶνας : ὡς λέγεις D ἀγ. ὡς λέγεις
MZ Pᵖᶜ ὡς λέγεις ἀγ. V L ἀγῶνας G Pᵃᶜ ‖ 36-37 κἂν¹ ... ἐστι om. A suppl.
Pˢˡ ‖ 36 κἂν² : καὶ V ‖ 37-38 ἐντολή ... ἐστι¹ om. C ‖ κἂν ... ἐστι¹ om. D M
‖ 37 ἢ : om. W κἂν edd. ‖ ψυχῆς ἄρνησιν [et Syr.] : ἄρνησιν E GQ P om. W
‖ 38 ἐντολή ἐστι¹ om. E GQW P ‖ ἐντολή ἐστι² : ἐντολαί εἰσιν C ‖ κἂν
λογισμῶν ... ἐστι : post l. 37 ἀγρυπνίαν ... ἐστι ~ T X P L om. Z ‖
39 σταυρὸν — θάνατον ~ C ‖ κἂν² : καὶ AF edd. ‖ εἴπῃς ἔργον ἀρετῆς :

négligés et délaissés, fournissent la preuve d'un attachement
envers les voluptés.

**La prétention
d'abolir le péché**
Pour ces gens-là, ils tombent dans le
piège de leurs propres pensées en disant :
Nous voulons accomplir les commande-
ments, mais nous n'en sommes pas capables, parce que le
péché a sur nous une emprise souveraine ; voilà pourquoi il
nous faut commencer par lutter et abolir le péché pour devenir capables d'accomplir les commandements de la liberté.
C'est ne pas réfléchir à ce qu'on dit, ni aux affirmations qu'on
a lancées[b]. Si au total tu n'as pas de liberté et n'es donc pas
capable d'accomplir les commandements, quelles sont-elles
donc, ces luttes par lesquelles tu prétends abolir le péché ? Les
terrains de lutte des fidèles, ce sont les commandements.

**Des présupposés
erronés**
Toi tu dis : Je ne puis exécuter les commandements si au préalable je ne suis
pas purifié par des luttes. Montre-moi,
hors de ces commandements, les objets de ces luttes dont tu
parles, et je me laisse persuader par ton opinion. Parles-tu de
prier ? c'est un commandement ; de jeûner ou de veiller ? c'est
un commandement ; de partager ou de renoncer à son moi ?
c'est un commandement ; d'éliminer les pensées ? c'est un
commandement ; de mourir, de se laisser crucifier, d'agir vertueusement en quelque domaine que ce soit ? tout cela est
l'objet d'un commandement. Aussi ceux qui ont reçu le pouvoir d'accomplir ces commandements sont-ils exhortés,
s'ils sont fidèles, à mener la lutte en ne se retournant pas en
arrière[c]. Non que par là ils abolissent le péché, mais de façon à

εἴπεις ἔργον ἀρετῆς D ἔργον ἀρετῆς Z ἀρετῆς ἔργον εἴποις edd. ‖ 39-
40 πάντα εἰσιν ἐντολαί ~ D C πάντα ἐν. εἰσι E T Z X Q P πάντα [Nmg]
ἐντολή ἐστι NV ἐν. εἰσι Gac πάντες ἐν. εἰσι W ‖ 40 τοῖς λαμβάνουσι QW
τῆς λαθούσῃ F ‖ τῶν ἐντολῶν : τῆς τῶν ἐντ. ἐργασίας CX ‖
41 ἐπαγωνίσασθαι : ἐπαγωνίζεσθαι E CX NV GQW P ‖ διὰ τὸ : δι᾽αὐτῶν
E CX GQW P ‖ 42 ἐπιστραφῆναι D MZ NV

III. b. cf. 1 Tm 1, 7   c. cf. Lc 9, 62 et 17, 31

ἁμαρτίαν, ἀλλ' ὥστε μήκετι ἐπ' αὐτὴν ἐπιστραφῆναι. Καὶ
αὐταὶ οὖν αἱ ἐντολαὶ οὐχὶ τὴν ἁμαρτίαν ἐκκόπτουσι — τοῦτο
45 γὰρ διὰ μόνου τοῦ σταυροῦ γεγένηται —, ἀλλὰ τοὺς ὅρους
τῆς δοθείσης ἡμῖν ἐλευθερίας φυλάττουσιν. Ἐπεὶ εἰπέ μοι σὺ
εἰ δι' ἔργων τὴν ἁμαρτίαν τοῦ Ἀδὰμ ἐκκόπτεις, πῶς
«Χριστὸς ἀπέθανεν ὑπὲρ τῶν ἁμαρτιῶν ἡμῶν, κατὰ τὰς
Γραφάς ᵈ»; Ἀλλὰ πρὸς ταῦτα μὲν ἀντιλέγειν οὐκ ἔχουσιν,
50 ἀνακολούθως δὲ μόνον ἐπερωτῶσι, πρὸς τὰς ἑαυτῶν
ὑπονοίας τὸ πᾶν νεύοντες, τῇ δὲ ἀληθείᾳ τῆς Γραφῆς μὴ
πειθαρχοῦντες.

Εἰ γάρ φησιν· ἐν τῷ βαπτίσματι ἀναιρεῖται ἡ ἁμαρτία,
διὰ τί πάλιν ἐνεργεῖ ἐν τῇ καρδίᾳ; Ἡμεῖς δὲ πολλάκις
55 εἰρήκαμεν τὴν αἰτίαν, ὅτι οὐκ ἐγκαταλειφθεῖσα ἐνεργεῖ μετὰ
τὸ βάπτισμα, ἀλλ' ὑφ' ἡμῶν ἀγαπωμένη διὰ τῆς τῶν
ἐντολῶν ἐλλείψεως. Τὸ μὲν γὰρ ἅγιον βάπτισμα δίδωσι
τελείαν τὴν λύσιν· δῆσαι δὲ πάλιν ἑαυτὸν διὰ τῆς προσπαθείας ἢ λελυμένον εἶναι διὰ τῆς ἐργασίας τῶν ἐντολῶν τῆς
60 αὐτεξουσίου ἐστὶ προαιρέσεως. Ὁ γὰρ περί τινα ἡδονὴν ἢ
θυμὸν ἐγχρονίζων λογισμὸς οὐχ ἁμαρτίας ἐγκαταλειφθεί-
σης, ἀλλ' αὐτεξουσίου προσπαθείας ἐστὶ τεκμήριον. Διότι
ἔχομεν ἐξουσίαν λογισμοὺς καθαιρεῖν, καὶ «πᾶν ὕψωμα
ἐπαιρόμενον κατὰ τῆς γνώσεως τοῦ Θεοῦ ᵉ», κατὰ τὴν
65 Γραφήν. Λογισμὸς οὖν πονηρὸς τοῖς καθαιροῦσιν αὐτὸν ἐν
ἑαυτοῖς φιλοθείας, οὐχ ἁμαρτία ἐστὶ σημεῖον. Οὐ γὰρ ἡ
προσβολὴ τοῦ λογισμοῦ ἐστι ἁμαρτία, ἀλλ' ἡ τοῦ νοὸς πρὸς
αὐτὸν φιλικὴ ὁμιλία. Εἰ δὲ οὐ φιλοῦμεν, τίνος χάριν αὐτῷ

D E T MZCX NV GQW BAF P L Y

III,43 ὥστε : ὡς Dᵖᶜ E N Pᵖᶜ ‖ ἐπ'αὐτὴν : πρὸς αὐτὴν Q Y ἑαυτοὺς F
edd. ‖ ἐπιστραφῆναι : στραφ. T ἀναστραφ. V + εἰς τὰ ὀπίσω M F edd.
ἀποστραφ. Y ‖ 45 μόνου : νόμου Syr. ‖ σταυροῦ γεγένηται : στ. τοῦ
χριστοῦ γεγ. Eᵐᵍ ᵖᶜ Q στ. γεγ. τοῦ χριστοῦ C στ. γίνεται τοῦ χρ. X ‖ 46-
47 σὺ εἰ : σὺ Pᵃᶜ εἰ σὺ ~ Y ‖ 47 ἐκκόπτεις τὴν τοῦ ἀδὰμ ἁμαρτίαν ~ CX ‖
48 ὁ χριστὸς BAF L edd. ‖ 49 ἀντιλέγειν μὲν N ἀντιλέγειν μόνον V ‖ 50
ἀνακολούθη F ἀνακόλουθα edd. ‖ 53 εἰ : mutationem personae conj. X qui
ἐρώτ(ησις) mg add. ‖ φασιν edd. ‖ ἡ om. D F Y edd. ‖ 54 ἐνεργεῖν F ‖
ἡμεῖς : ἀπόκρ(ισις) add. Xᵐᵍ ‖ 55 οὐκ ἐγκαταλειφθεῖσα : + πάλιν CX Q οὐ
καταλειφ. AF edd. + ἁμαρτία Y ‖ ἐνεργεῖται Q NV ‖ 56-57 ἀλλ' ...

ce qu'ils ne retournent plus vers lui. Et les commandements eux-mêmes ne détruisent pas le péché — car cela a été fait par la Croix uniquement —, mais ils sauvegardent les frontières de la liberté qui nous a été donnée. Et puis, toi-là, dis-moi, si c'est par des œuvres que tu détruis le péché d'Adam, comment « Christ est-il mort pour nos péchés conformément aux Écritures[d] » ? A cela ces gens n'ont rien à répondre ; ils se contentent de poser des questions sans aucune suite logique, en accommodant tout à leurs présupposés propres, sans se plier à l'autorité véridique de l'Écriture.

Un exemple à examiner : la maîtrise des pensées   Si le péché est enlevé lors du baptême, dit-on en effet, comment est-il derechef à l'œuvre dans le cœur ? Nous en avons, pour nous, souvent donné la cause. Ce n'est pas qu'il ait été laissé en nous pour y œuvrer après le baptême, c'est qu'il est chéri par nous dans la négligence des commandements. Le saint baptême, en effet, procure la délivrance parfaite. Se lier de nouveau soi-même par l'affection ou être délié par l'exécution des commandements relève d'un choix du libre arbitre. En effet une pensée prolongée relative à quelque volupté ou quelque emportement n'est pas l'indice d'un péché laissé en nous, mais d'une affection librement consentie. Car aussi bien nous possédons un pouvoir souverain de supprimer nos pensées et « toute idée altière qui s'élève contre la connaissance de Dieu[e] », comme dit l'Écriture. Une pensée mauvaise, donc, chez ceux qui la détruisent en eux, est un signe d'amour pour Dieu, non un péché. Car ce n'est pas l'assaut de la pensée qui est péché, c'est la familiarité amicale qu'entretient avec elle l'intellect. Si nous ne l'aimons pas,

---

βάπτισμα om. F edd. ‖ τὴν — ἔλλειψιν CX ‖ 57 δίδωσι + γὰρ edd. ‖ 58 ἑαυτοὺς AF edd. ‖ τῆς om. E NV GQW P ‖ 59 ἢ λελυμένον εἶναι : ἢ λελυμένους εἶναι A ἃ λελυμένα εἶναι F ἃ λελυμένα ἐστὶ edd. ‖ τῆς[2] + τοῦ edd. ‖ 60 αὐτεξουσίου : ἐξουσίου CX[txt] ‖ προαιρέσεως ἐστι ~ Y ‖ 65 λογισμὸν — πονηρὸν BAF edd. ‖ 66 ἁμαρτία : ἁμαρτίαν N ἡ ἁμαρτία P σημεῖον ἁμαρτίας edd. ‖ 68-69 φιλικὴ πρὸς αὐτὸν ~ B ‖ 68 φιλοῦμεν + αὐτὸν CX QW

III. d. 1 Co 15, 3 e. 2 Co 10, 5

συγχρονίζομεν· Ἀδύνατον γὰρ τὸ ἀπὸ καρδίας μισούμενον
70   τῇ καρδίᾳ παρατατικῶς προσομιλεῖν, ἐκτὸς ἡμετέρας κακο-
πραγίας.

Εἰ οὖν καὶ μισούμενος λογισμὸς κρατεῖ κατ' ἐξουσίαν τὸν
νοῦν — συμβαίνει γάρ, καὶ οὐκ ἀντιλέγω —, ὅμως τοῦτο
οὐκ ἔστιν ἐγκατάλειμμα τῆς τοῦ Ἀδὰμ ἁμαρτίας, ἀλλὰ τῆς
75   μετὰ τὸ βάπτισμα ἀθεσίας. Ὅταν γὰρ μετὰ τὸ ἅγιον
βάπτισμα δυνάμενοι ποιεῖν πάσας τὰς ἐντολὰς οὐ ποιῶμεν
αὐτάς, τότε καὶ μὴ θέλοντες ὑπὸ τῆς ἁμαρτίας κρατούμεθα,
ἕως ἂν διὰ μετανοίας τὸν Θεὸν παρακαλέσωμεν πρὸς πάσας
τὰς ἐντολὰς κατορθούμενοι, καὶ ἐξαλείψῃ ἡμῶν τὴν τῆς
80   ἀθεσίας ἁμαρτίαν. Δύο οὖν εἰσιν αἰτίαι τῆς τοῦ κακοῦ
ἐνεργείας, καὶ αἱ δύο ἐξ ἡμῶν εἰσι· μία μὲν ἐνεργοῦσα κατὰ
ἀναλογίαν τῆς τῶν ἐντολῶν ἐλλείψεως, ἑτέρα δὲ
ἀπαραιτήτως κρατοῦσα διὰ τὴν μετὰ τὸ βάπτισμα κακο-
πραγίαν· ἣν ὁ Θεὸς μόνος ἀναιρεῖ, διὰ ἐλεημοσύνης καὶ προ-
85   σευχῆς καὶ τῆς τῶν ἐπερχομένων ὑπομονῆς παρακαλού-
μενος· ἅπερ καὶ αὐτὰ παρέχει ἡμῖν λεληθότως ἡ διὰ τοῦ
βαπτίσματος ἡμῖν δεδομένη τελεία χάρις.

IV.   Ἐρώτησις

Οὐκοῦν ὁ Παῦλος μετὰ τὸ βάπτισμα ἥμαρτεν ὅτι ἀκουσίως ἐνηργεῖτο; Λέγει γὰρ ὅτι· «Βλέπω ἕτερον νόμον
ἀντιστρατευόμενον τῷ νόμῳ τοῦ νοός μου[a].»

D E T MZCX NV GQW BAF P L Y

III,69 ἐγχρονίζομεν L ‖ τὸ : τὸν D MCX GQW BAF Pᵃᶜ edd. ‖
70 ὁμιλεῖν L ‖ ἐκτὸς + τῆς L ‖ 72 οὖν : δὲ C ‖ κατ'ἐξουσίαν κρατεῖ ~ CX
κρατεῖ καὶ ἐξουσιάζει GQW ‖ 75 ἀθεσίας : ἀθετησίας X Aᵖᶜ L
παραβάσεως QW ἀθελησίας Y ἀθείας edd. *non firmi fundamenti* Syr. [et
sic iterum l. 80] ‖ ἅγιον om. Y ‖ 76 πάσας : ὅλας D MZ BAF edd. ‖
ποιοῦμεν Q B ‖ 79 ἐντολὰς + αὐτοῦ X W P Y ‖ ἡμῖν V ‖ τῆς om. edd. ‖
80 ἀθεσίας : ἀσθενείας D MZ ἀθετήσεως X L ἀθείας Q F edd. αὐθεντίας
W ἀσ... Pᵃᶜ ἀθελησίας Y ‖ 80 οὖν : om. B γὰρ AF edd. ‖ κακοῦ +
προσβολῆς καὶ CX ‖ 82 ἐντολῶν : ἀρετῶν L ‖ 84 μόνος ὁ θεὸς ~ CX NV
L ‖ 84-85 προσευχῆς — ἐλεημοσύνης M ‖ 85 τῆς : τις D τοῖς F ‖ 85-

pourquoi passer notre temps avec elle ? Impossible en effet qu'un objet haï du fond du cœur entre durablement dans la familiarité de notre cœur, sans qu'il y ait conduite mauvaise de notre part.

Si donc même une pensée haïe de nous gouverne souverainement notre intellect — car cela arrive, je n'en disconviens pas —, cela n'est pourtant pas un legs du péché d'Adam, mais bien de notre infidélité d'après le baptême. Quand en effet, après le saint baptême, rendus capables d'exécuter tous les commandements, nous n'en faisons rien, alors, même contre notre gré, nous nous trouvons sous la domination du péché jusqu'à ce qu'un appel à Dieu par la pénitence nous remette dans la voie droite de tous les commandements et nous lave du péché d'infidélité. L'efficace du mal a donc deux causes, toutes deux de notre fait : l'une agit à proportion de notre négligence à l'endroit des commandements, l'autre nous domine inexorablement à raison de notre conduite mauvaise postérieurement au baptême. Cette conduite, Dieu seul l'abolit quand on l'y invite au moyen de l'aumône, de la prière et de la patience au milieu des événements, toutes choses, elles aussi, que nous fournit secrètement la grâce parfaite jadis reçue moyennant le baptême.

IV.   Question

Libération   Donc Paul a péché après le baptême
baptismale   parce qu'il était manœuvré contre son
et servitude   gré. Ne dit-il pas en effet : « Je perçois en
de la Loi   moi une autre loi qui mène la guerre
contre la loi de mon intellect[a] » ?

---

86 παρακαλούμενος : δυσωπούμενος CX ‖ 86-87 ἡ διὰ τοῦ β. λεληθότως ~ L ‖ 87 ἡμῖν δεδομένη : ἡμῖν M δεδομένη ἡμῖν ~ X NV W P δεδωρημένη ἡμῖν GQ.
IV,2 παῦλος : ἀπόστολος E ‖ τὸ + ἅγιον N GQW P ‖ 2-3 ἑκουσίως AF edd. ‖ 4 μου + καὶ αἰχμαλωτίζοντά με τῷ νόμῳ τῆς ἁμαρτίας CX

IV. a. Rm 7, 23

5 Ἀπόκρισις

993 Οὕτω καὶ τὰς λοιπὰς Γραφὰς οἱ κακῶς νοοῦντες διαστρέφουσι καὶ πλανῶνται. Ἀνάλαβε γὰρ ἄνωθεν τὸ κεφάλαιον τοῦτο, καὶ εὑρήσεις ὅτι ὁ ἅγιος Παῦλος οὐ λέγει περὶ ἑαυτοῦ μετὰ τὸ βάπτισμα, ἀλλὰ τὸ τῶν ἀπίστων καὶ 10 ἀβαπτίστων Ἰουδαίων πρόσωπον λαμβάνει, πείθων αὐτοὺς ὅτι χωρὶς τῆς χάριτος Χριστοῦ διὰ τοῦ βαπτίσματος δεδομένης ἀδύνατον περιγενέσθαι τῆς ἁμαρτίας. Εἰπὼν γὰρ ὅτι· «Ταλαίπωρος ἐγὼ ἄνθρωπος, τίς με ῥύσεται ἐκ τοῦ σώματος τοῦ θανάτου τούτου [b];» ἐπάγει λέγων· 15 «Εὐχαριστῶ τῷ Θεῷ διὰ Ἰησοῦ Χριστοῦ τοῦ Κυρίου ἡμῶν [c].» Διὰ τοῦτό φησιν· «Ὁ νόμος πνευματικός ἐστιν, ἐγὼ δὲ σαρκικός εἰμι, πεπραμένος ὑπὸ τὴν ἁμαρτίαν [d].»

Ὅθεν καὶ ὅλα τὰ τοῦ νόμου πνευματικῶς ἑρμηνεύει μὴ βουλόμενος αὐτοὺς εἶναι ὑπὸ νόμον, ἀλλ᾽ ὑπὸ χάριν [e], ἥτις

D E T MZCX NV GQW BAF P L Y

IV,7 ἀναλάβου E C GQW P ‖ 8 τοῦτο om. Y ‖ ἅγιος παῦλος : ἀπόστολος CX ‖ 9 τὸ[1] om. E N Q suppl. P[sl] ‖ 9-10 καὶ ἀβαπτίστων om. F edd. ‖ 11 τῆς om. F edd. ‖ 12 δεδομένης : διδο. E T Z GQW A L γινομένης καὶ δεδο. X ‖ γὰρ om. F edd. ‖ 14 εὐχαριστῶ : χάρις δὲ GQW P ‖ 15 διὰ + τοῦ κυρίου GQW P[ac] ‖ τοῦ κυρίου ἡμῶν ἰησοῦ χριστοῦ ~ NV ἰ. χριστοῦ GQW suppl. P[mg] ‖ 16 διὰ τοῦτό φησιν : ὅτι AF edd. ‖ 16-17 πνευματικὸς ... ἁμαρτίαν : τοῦ πνεύματος τῆς ζωῆς ἠλευθέρωσέ με ἀπὸ τοῦ νόμου τῆς ἁμαρτίας καὶ τοῦ θανάτου AF edd. ‖ 18-23 πνευματικῶς ... καὶ[1] om. F edd. ‖ 19 εἶναι ὑπὸ νόμου ~ N ‖ ἥτις : εἴ τις Z NV L

IV. b. Rm 7, 24   c. Rm 7, 25   d. Rm 7, 14   e. cf. Rm 6, 14

---

1. La première personne du singulier employée plusieurs fois par Paul en *Rm* 7 à partir du verset 7 a causé beaucoup de perplexité aux exégètes tant anciens que modernes. AUGUSTIN a changé d'exégèse en cours de carrière (cf. *Retract.* 1, 23, 1). Pour la période patristique, voir SCHELKLE, *Paulus Lehrer der Väter*, p. 242-248 ; après avoir affirmé que tous les Pères sont d'accord pour ne pas restreindre ce « je » ou ce « moi » à la seule personne de l'Apôtre, il distingue deux solutions : ou bien il s'agit de façon générale de tous les hommes, ou bien seuls les hommes non rédimés, encore sous le coup du péché ou de la Loi, sont en cause. Parmi les tenants de la première opinion, il place Origène, selon qui Paul se fait le porte-parole des faibles,

Réponse

C'est de cette façon que le reste des Écritures aussi est déformé par des gens à l'intelligence pervertie ; et ils sont la proie de l'erreur. Reprends plus haut ce chapitre et tu t'apercevras en effet que saint Paul n'y parle pas de lui après le baptême, mais endosse le personnage des Juifs infidèles et non baptisés[1], voulant les persuader que sans la grâce du Christ conférée par le baptême, il est impossible de triompher du péché. Après avoir dit en effet : « Malheureux homme que je suis, qui m'arrachera à ce corps de mort[b] ? », il ajoute : « Je rends grâces à Dieu par Jésus Christ, notre Seigneur[c]. » C'est pourquoi il déclare : « La Loi est spirituelle, moi au contraire charnel, vendu et assujetti au péché[d]. »

De là vient l'interprétation spirituelle qu'il donne de l'ensemble de la Loi : il ne veut pas qu'ils soient sous la Loi, mais

---

Méthode, Eusèbe de Césarée, Cyrille d'Alexandrie et les deux frères cappadociens, Basile et Grégoire, dont les explications, cependant, portent plutôt directement sur d'autres versets de *Rm* 7, soit 14-15, 17 et 24. Au contraire, DIDYME déclare catégoriquement : « Ces paroles sont une prosopopée qui ne convient ni à l'admirable Paul ni à quiconque a été enseveli avec le Christ par le baptême, car ils ont été délivrés de la chair ici mentionnée », (éd. STAAB, *Pauluskommenrare*, p. 2, l. 20-23). Et toute l'école d'Antioche, à partir de Diodore, sauf peut-être Théodore de Mopsueste, parle dans le même sens, qui est également celui vers lequel s'orientent les commentaires grecs plus tardifs (Jean Damascène, Photius, Euthyme Zygabène). La présence de Marc dans ce deuxième camp est mentionnée aussi par SCHELKLE (*op. cit.*, p. 246) ; mais il n'est pas fait état de notre auteur dans la section précédente (p. 232-241), quand il s'agissait de déterminer à quelle « loi » l'Apôtre faisait allusion, la loi naturelle, la loi mosaïque ou le commandement intimé à Adam. Marc pourtant renvoie à ce qui est dit plus haut dans le « chapitre » pour déterminer le sens du verset que cite son adversaire. La capitulation actuelle n'existant pas encore, nous ne pouvons être assurés de la délimitation exacte de ce « chapitre » ; mais le fait que Marc nomme ici « les Juifs non baptisés », et eux seuls, tend à indiquer par « loi » la lettre de l'Ancien Testament, tant qu'elle n'était pas intériorisée par l'action de l'Esprit. La notion qu'un facteur permanent inspire à l'homme une ligne de conduite dépravée, opposée à la « loi de l'intellect », sera étudiée, quoique brièvement dans *Causid.* à propos de ce que Marc appelle « le vouloir de la chair ».

20 ἐστὶ πνευματικὸς νόμος ἐν ἡμῖν γεγραμμένος. Εἰ ἄρα οὖν
καταλαμβάνομεν τὰ ῥήματα τοῦ ἁγίου Παύλου, πνευματικοῖς πνευματικὰ συγκρίνοντες[f] δυνάμεθα διὰ τῶν τύπων
μαθεῖν τὴν ἀλήθειαν, πῶς τὰ τοῦ νόμου καὶ τὰ τοῦ ναοῦ καὶ
τῶν θυσιῶν ἐν ἡμῖν πληροῦται, τοῖς τὴν χάριν τοῦ Πνεύ-
25 ματος ἀπὸ τοῦ βαπτίσματος μυστικῶς εἰληφόσι. Ναὸν μὲν
γὰρ τοῦ Πνεύματος ἡμᾶς εἴρηκεν εἶναι[g], καὶ ἀνενέγκαι
πνευματικὰς θυσίας[h] παρακελεύεται, Ἰουδαῖον λέγων ἐν τῷ
κρυπτῷ καὶ οὐκ ἐν τῷ φανερῷ· καὶ περιτομὴν καρδίας ἐν
πνεύματι, οὐ γράμματι[i] καὶ αὐτὸν δὲ τὸν νόμον πνευματικὸν
30 ὁ ἐπουράνιος νομοθέτης Χριστὸς διὰ τοῦ Πνεύματος τοῖς
πιστοῖς ἐνέγραψεν οὐκ ἐν πλαξὶ λιθίναις, ἀλλ' ἐν πλαξὶ
καρδίας σαρκίναις[j]. Ὥσπερ οὖν ταῦτα ἐν τῷ κρυπτῷ εἴρηκεν
εἶναι, οὕτω μοι νόει καὶ ἕκαστα τῶν τυπικῶς εἰρημένων
ἤγουν γεγενημένων.
35   Ἐπειδὴ δὲ οὔπω βεβαίως ἐπιστεύσαμεν τῷ Χριστῷ, οὐδὲ
πασῶν τῶν ἐντολῶν αὐτοῦ ὀφειλέτας ἑαυτοὺς ἐλογισάμεθα,
οὐδὲ ἠρνησάμεθα ἑαυτοὺς[k] κατὰ τὸν λόγον αὐτοῦ· τούτου
χάριν τὰ προειρημένα μυστήρια, ἀπὸ τοῦ βαπτίσματος
εἰληφότες, ἀγνοοῦμεν. Ὅταν δὲ ἐπὶ τῇ ὀλιγοπιστίᾳ ἑαυτῶν
40 καταγνῶμεν, καὶ εἰλικρινῶς αὐτῷ διὰ πασῶν τῶν ἐντολῶν
πιστεύσωμεν, τότε τῶν προειρημένων πραγμάτων πεῖραν
λαβόντες ἐν ἑαυτοῖς, ὁμολογήσομεν ἀληθῶς τέλειον εἶναι τὸ

D E T MZCX NV GQW BAF P L Y

IV,20 ἐν om. MZ ‖ οὖν ἄρα ~ M X L ‖ 22 συγκρίνοντος M B ‖ τῶν +
ῥημάτων καὶ A ‖ 22-23 συγκρίνοντες δυνάμεθα διὰ τῶν τύπων μαθεῖν :
συγκρίνεσθαι δυνάμενα ὥστε διὰ τούτων δυνάμεθα μαθεῖν GQW ‖
23 ναοῦ — νόμου ~ E GQW P ‖ 23-24 τὰ[1] ... θυσιῶν om. M ‖ καὶ[2] + τὰ E
CX A ‖ 24 πληροῦται V ‖ τοῦ + ἁγίου GQW Y ‖ 25 ἀπὸ : διὰ GQW ‖
εἰληφότες T ‖ 26 γὰρ om. X AF edd. ‖ τοῦ + ἁγίου N W om. G ‖ τοῦ ἁ. πν.
post εἶναι ~ QW ‖ ἀνενέγκειν X ‖ 27 θυσίας πνευματικὰς ~ QW ‖
ἰουδαίων D F -αίοις T -αίους edd. ‖ 28 οὐκ om. F Y ‖ 29 δὲ om. N ‖
31 ἐνέγραψεν : + καὶ D ἐπέγ. MZ B F edd. ἐπέγραφεν A ‖ 32 καρδίαις E
MZ Y -ίαν A ‖ ἐν τῷ κρυπτῷ om. G ‖ 33 ἕκαστον D E ‖ 34 ἤγουν
γεγενημένων : εἴτουν γεγ. E N ἤτουν γεγ. M B ἢ γεγ. om. edd. ‖ 35 ἐπεὶ
BAF P L edd. ‖ οὔπω : οὐ MZ οὕτω G edd. ‖ βεβαίως : τελείως CX βιαίως

sous la grâce[e], laquelle est une loi spirituelle inscrite en nous. Comprenons par conséquent les paroles de saint Paul et, adaptant les choses spirituelles aux spirituels[f], nous pourrons à travers les figures apprendre la vérité : comment ce qui a trait à la Loi comme au temple, comme aux sacrifices, trouve son accomplissement en nous, nous qui avons reçu en mystère par le baptême la grâce de l'Esprit. Temple de l'Esprit, Paul a dit que nous l'étions[g], et il nous exhorte à offrir des sacrifices spirituels[h], parlant de Juif dans le secret, et non pas manifeste. La circoncision du cœur selon l'esprit sinon la lettre[i] et jusqu'à la loi spirituelle, le législateur céleste, le Christ, l'a, par la vertu de l'Esprit, gravée en ses fidèles non point sur des tables de pierre, mais sur celles de leur cœur de chair[j]. Donc il a bien dit que cela se faisait dans le secret ; il en va de même, je pense, de chacun des énoncés ou des événements survenus à titre de figures.

Foi au baptême à travers les commandements   Mais n'ayant pas encore cru au Christ d'une foi ferme, nous ne nous sommes pas non plus senti obligés à tous ses commandements, nous n'avons pas non plus renoncé à nous-mêmes[k] conformément à sa parole. C'est la raison pour laquelle nous ignorons les biens mystérieux énumérés plus haut, alors que nous les avons reçus depuis le baptême. Reconnaissons-nous coupables de notre peu de foi, donnons authentiquement cette foi au baptême à travers tous les commandements, et nous ferons dès lors en nous-mêmes l'expérience des biens susdits et nous confesserons que le saint

G ‖ τῷ om. BAF L Y edd. ‖ 36 ἑαυτοὺς ὀφειλέτας ~ E GQ P ‖ ἑαυτοὺς om. W ‖ 38 μυστήρια + ἃ T ‖ ἀπὸ om. N ‖ 39 ὀλιγοπιστία + ἣν T[sl] ‖ 40-41 διὰ πασῶν τῶν ἐντολῶν πιστεύσωμεν : πιστεύειν δ. π. σπουδάσωμεν τ. ἑ. CX δ. π. τ. ἑ. αὐτοῦ πιστ. F edd. ‖ 42 λαμβάνοντες MCX ‖ ἐν ἑαυτοῖς : ἑαυτοῖς M om. CX ‖ ὁμολογήσωμεν E -γοῦμεν X ‖ 42-43 βάπτισμα τὸ ἅγιον ~ L

IV. f. cf. 1 Co 2, 13   g. cf. 1 Co 3, 16 et 6, 19   h. cf. 1 P 2, 5   i. cf. Rm 2, 28-29   j. cf. 2 Co 3, 3   k. cf. Lc 9, 23

ἅγιον βάπτισμα, καὶ τὴν χάριν τοῦ Χριστοῦ ἀφθόνως ἐκ-
κεχυμένην, ἐκδεχομένην δὲ λοιπὸν τὴν ἡμετέραν ὑπακοὴν
45 καὶ ἐργασίαν τῶν ἐντολῶν ὧν τὴν δύναμιν δι' αὐτῆς
προειλήφαμεν.

Διὰ τοῦτο ὅσοι οὔπω τὰς ἐντολὰς εἰργασάμεθα τῆς
ἐλευθερίας, οὔπω τὴν ἐλευθέραν Ἰερουσαλὴμ κατειλήφαμεν
— «ἡ γὰρ ἄνω Ἰερουσαλὴμ ἐλευθέρα ἐστίν, ἥτις ἐστὶ μήτηρ
50 πάντων ἡμῶν[1]», ἀναγεννῶσα ἡμᾶς διὰ λουτροῦ παλιγγενεσίας[m] —, ἀλλ' ἔτι ἐν τῇ ὁδῷ ἐσμεν ἢ τάχα καὶ πλανώμεθα
ἀνοδίας ὁδεύοντες. Τὸ γὰρ φιλονεικεῖν ἀγνοοῦντα καὶ
ἀντιλέγειν τῇ ἀληθείᾳ, τῆς ὁδοῦ εἰσι παραλλαγαὶ καὶ οὐκ
ὀρθοτομίαι. Διὰ τοῦτο καὶ πρὸς τὴν τελείαν ἄνοδον ὁρῶν
55 ἡμᾶς βραδύνοντας ὁ μακάριος Παῦλος· «Οὕτως, φησί,
τρέχετε, ἵνα καταλάβητε[n].» Εἰ δὲ τὴν πόλιν οὔπω
κατειλήφαμεν, πότε τὸν ναὸν θεασώμεθα, καὶ εἰσελθόντες
ἐνδότερον τύχωμεν τῆς τοῦ θυσιαστηρίου προσαγωγῆς;

Καὶ τί λέγω περὶ τῆς πόλεως καὶ τοῦ ναοῦ, καὶ τοῦ
60 θυσιαστηρίου, ὅπου γε οὐδὲ τὰ θηρία τοῦ καλάμου
παρεληλύθαμεν, οἷς ἐπιτιμῆσαι τὸν Θεὸν ἐπηύχετο ὁ
προφήτης[o], ἵνα μὴ θηριάλωτα γένηται τὰ πρωτότοκα τῶν
996 θυμάτων ἃ ὁ ἐν τῷ κρυπτῷ Ἰουδαῖος ἀναφέρειν προστέτα-
κται; ἢ κατὰ σὲ ὁ μὲν Ἰουδαῖός ἐστιν ἐν τῷ κρυπτῷ[p], διὰ
65 τὸν λόγον Παύλου, ὁ δὲ ναὸς παρὰ τοῦ υἱοῦ Δαβὶδ οὔπω
ᾠκοδόμηται, οὔτε τὸ ἱλαστήριον παρ' αὐτοῦ κατεσκεύασται,
ἀλλὰ παρὰ σοῦ μέλλει κατασκευάζεσθαι; Τοῦτο γὰρ

D E T MZCX NV GQW BAF P L Y

IV,43-44 ἀφανῶς ἐγκεκρυμμένην D MZ BAF P[pc] L edd. ἀφανῶς ἐγκ.
εἰς ἡμᾶς CX ἀφθ. ἐγκεκρυμμένην sic Y ‖ 44 ἐκδεχομένην om. Y ‖
47 εἰργασάμεθα τὰς ἐντολὰς ~ L ‖ 47-48 τῆς ἐλευθερίας εἰργασάμεθα ~
CX ‖ 48 ἐλευθερίαν F ‖ 49 ἤ : εἰ L ‖ 50 πάντων om. BF Y edd. suppl. P[sl] ‖
ἡμᾶς om. P ‖ διὰ + τοῦ BAF P L edd. ‖ λουτροῦ + τῆς Ζ BAF L Y edd. ‖
50-51 παλιγγενεσίας : + καὶ ἀνακαινώσεως πνεύματος ἁγίου CX QW ‖
51 ἢ τάχα καὶ : ἢ τάχα D E T MZ Y τοῦ κάϊν καὶ edd. ‖ 52 ἀνοδίαν V ‖
53 καὶ om. F edd. ‖ 54 καὶ om. Y ‖ τὴν τελείαν ἄνοδον : τὴν τ. ὁδὸν GQW
τὴν ὁδὸν τὴν τ. P ‖ 58 ἔνδον F ἔσω A edd. ‖ 59 τῆς πόλεως : πίστεως AF
edd. ‖ 61 ηὔχετο D M εὔχεται Ε ἐπεύχεται G P εὔχετο W ‖ 62 πρωτότοκα
+ τοῦ νοῦ CX QW ‖ 62-63 τῶν θυμάτων : θύματα CX QW ‖ 63 ἃ : ἅπερ

baptême est véritablement parfait et diffuse sans parcimonie la grâce du Christ, mais que celle-ci attend désormais notre obéissance et l'accomplissement des commandements, choses dont nous avons reçu d'elle au préalable le pouvoir.

Atteindre la Jérusalem libre C'est pourquoi tous ceux d'entre nous qui n'accomplissent pas encore les commandements de la liberté n'ont pas encore atteint la Jérusalem libre. Car « la Jérusalem d'en-haut est libre, elle qui est notre mère à tous[l] », elle qui nous régénère par le bain de la nouvelle naissance[m]. Nous sommes encore sur le chemin ; ou peut-être errons-nous en cheminant hors de tout chemin. Contester par l'ignorance, en effet, et contredire la vérité, c'est divaguer autour du chemin au lieu de couper droit. C'est pourquoi aussi le bienheureux Paul, nous voyant traîner devant la montée de la perfection, déclare : « Courez de façon à atteindre le terme[n]. » Or si nous n'avons pas encore atteint la ville, quand apercevrons-nous le temple, quand pénétrerons-nous plus avant pour avoir accès à l'autel du sacrifice ?

La ville, le temple, l'autel du sacrifice Mais vais-je parler de la ville, du temple, de l'autel du sacrifice, alors que nous n'avons même pas dépassé les fauves de marais, ces fauves que le prophète implorait Dieu de réprimander[o] pour qu'ils ne fassent pas leur proie de ces premiers-nés que le Juif dans le secret se voit intimer l'ordre d'offrir en sacrifice ? ou bien, d'après toi, le Juif est-il bien dans le secret[p], à cause du mot de Paul, mais le temple n'a-t-il pas encore été bâti par le fils de David, non plus qu'il n'a déjà construit le propitiatoire, lequel est destiné à être bâti par toi ?

CX ‖ ὁ om. F edd. ‖ προσφέρειν P ‖ 64 ἦ : ἢ τάχα CX εἰ edd. ‖ ἐν τῷ κρυπτῷ post παύλου (l. 65) transp. CX ‖ διὰ : κατὰ N edd. ‖ 66 αὐτοῦ + οὔπω CX NV GQW P Y ‖ 67 ἀλλὰ ... κατασκευάζεσθαι om. F edd. ‖ 67 μέλλει + νῦν X QW

IV. l. Ga 4, 26   m. cf. Tt 3, 5   n. 1 Co 9, 24   o. cf. Ps 67, 31   p. cf. Rm 2, 29

ἄντικρυς βοᾷς ὁ λέγων ἐξ ἀγώνων ἀναιρεῖν τὴν τοῦ Ἀδὰμ
ἁμαρτίαν, καὶ οὐ διὰ τῆς τοῦ Χριστοῦ χάριτος , ἥτις ἐν ἡμῖν
70   μὲν κρυπτῶς ἐστι διὰ τοῦ βαπτίσματος · τότε δὲ ὀφθήσεται,
ὅταν τὴν ὁδὸν τῶν ἐντολῶν καλῶς διανύσαντες τοὺς τῆς
φύσεως ἡμῶν λογισμοὺς τῷ ἀρχιερεῖ Χριστῷ ὡς θύματα
προσενέγκωμεν, τὰ ὑγιῆ οὐ τὰ θηριόδηκτα · θηριάλωτοι γὰρ
ὄντως γίνονται οἱ πλεῖστοι τῶν λογισμῶν ὅσοι ἐκτρέπονται
75   — λέγω δὴ τῆς τῶν θλιβερῶν ὑπομονῆς —, καὶ ἀπο-
σκιρτῶντες τῆς εὐθείας, ἀνοδίας βαδίζουσιν, ἑτέρους μᾶλλον
ἢ ἑαυτοὺς ἐπὶ ταῖς αἰτίαις μεμφόμενοι.

Μόλις δὲ ὀλίγοι ἐξ αὐτῶν τινες δι' εὐθείας ὁδεύουσι, καὶ
τοῦτο διὰ προσευχῆς φυλαττόμενοι, διὰ πειρασμῶν τυπτό-
80   μενοι, δι' ἐλπίδος δεσμούμενοι, καὶ οὕτω τὴν πόλιν καὶ τὸν
ναὸν καταλαμβάνουσι, καὶ εἰς θυσίαν ἀναφέρονται. Πόλις δέ
ἐστιν ἡ φαιδρὰ καὶ ἔννομος ἐν Χριστῷ διάκρισις, ἥτις ὅταν
μὲν εὐσεβῶς διοικῇ τὰ πράγματα, εἰρηνεύει τε καὶ εὐθύνει,
ὅταν δὲ διαμαρτάνῃ, τοῖς ἐχθροῖς παραδίδοται εἰς κατάλυσιν
85   αὐτῆς. Ναὸς δὲ τὸ τῆς ψυχῆς καὶ σώματος θεόκτιστον
τέμενος, θυσιαστήριον δὲ τὸ ἐν τῷ ναῷ τούτῳ τῆς ἐλπίδος
ἵδρυσμα, ἐν ᾧ πάσης συμβάσεως πρωτογενὴς λογισμὸς ὡσεὶ
πρωτότοκον ζῶον ὑπὸ τοῦ νοῦ ἀναφερόμενος θύεται εἰς
ἱλασμὸν τοῦ ἀναφέροντος, εἴγε καὶ ἄμωμον αὐτῷ ἀνενέγκῃ.
90   Ἔχει δὲ καὶ ὁ ναὸς οὗτος τὸ ἐσώτερον τοῦ καταπετάσ-
ματος, ὅπου πρόδρομος ὑπὲρ ἡμῶν εἰσῆλθεν Ἰησοῦς [q], καὶ

D E T MZCX NV GQW BAF P L Y

IV,68 βοᾷ edd. ‖ ἀναιρεῖσθαι GQW ‖ 68-69 ἁμαρτίαν τοῦ ἀδὰμ ~ NV
P ‖ 69 χριστοῦ : θεοῦ BAF edd. ‖ 70 μὲν om. D MZ T L suppl. P[mg] ‖ ἔστι
κρυπτῶς ~ D MZ BAF P[ac] L Y edd. ‖ ἐστι + δεδομένη CX ‖
71 διαλύσαντες M ‖ 72 λογισμοὺς τῷ ἀρχιερεῖ om. M ‖ ἀρχιερεῖ : + ἡμῶν
D + ἡμῖν P[sl] ‖ θῦμά + τι F edd. ‖ 73 θηριόδακτα M θηριάλωτα X Q P[ac] ‖
θηριάλωτα C W ‖ 73-74 γὰρ ὄντως : γὰρ D BAF edd. ὄντως E C ‖ 74 οἱ
πλεῖστοι γίνονται ~ CX ‖ λογισμῶν : ἐντολῶν F edd. ‖ ἐκτρέπονται : + τῆς
ἀληθείας ὁδοῦ E[mg] C τῆς εὐθείας ὁδοῦ X QW + τῆς εὐθείας Y ‖ 75 λέγω
δὴ om. G ‖ 76 εὐθείας : om. T MZ ἐλευθερίας X ἀληθείας Q ‖ ἀνοδίαν T
MZ -δία V + ὁδοῦ G Q ἀνοδίαις W ‖ βαδίζουσιν : ὁδεύουσιν CX ‖ 76-
77 ἑτέροις — ἑαυτοῖς L ‖ 77 αἰτίας : ἀτιμίας X W ‖ 78 τινὲς ἐξ αὐτῶν ~
D E CX NV GQW P ‖ 79-80 διὰ πειρασμῶν τυπτόμενοι δι'ἐλπίδος
δεσμούμενοι : om. QW P δι'ἐλ. δ. διὰ π. τυπτ. F edd. ‖ 80 ἐλπίδος : -δων

Car c'est là ce que tu clames ouvertement, toi pour qui ce sont les luttes qui abolissent le péché d'Adam, et non point la grâce du Christ, secrètement existante en nous par le baptême, mais visible quand nous aurons parcouru bellement le chemin des commandements. Alors nous aurons présenté au Christ grand prêtre les pensées qui nous sont naturelles, en guise de sacrifices. Des sacrifices sains, et non pas entamés par les fauves ! Car en fait les fauves font leur proie du plus grand nombre des pensées : de toutes celles qui s'égarent. Prenons la patience dans les tribulations : bondissant loin de la voie droite, les pensées marchent hors des chemins, et l'on reproche ses responsabilités aux autres plutôt qu'à soi-même.

A peine un petit nombre d'entre elles cheminent-elles dans la voie droite, protégées par la prière, rabattues par les tentations, liées par l'espérance ; et ainsi elles atteignent la ville et le temple et deviennent offrande pour le sacrifice. C'est une ville que le discernement éclatant et discipliné dans le Christ ; une ville qui, lorsqu'elle gouverne pieusement ses affaires, trouve paix et rectitude, lorsqu'elle faute au contraire, est livrée aux ennemis pour sa destruction. C'est un temple que l'enclos établi par Dieu de l'âme et du corps. C'est un autel à sacrifices que le monument de l'espérance en ce temple ; et la pensée première née de toute circonstance est offerte là en sacrifice par l'intellect en guise d'animal premier né, en vue de la purification de l'offrant, pourvu qu'elle soit chez lui irréprochable lors de son offrande.

Le feu purificateur   D'ailleurs ce temple possède un lieu secret par-delà le voile, où Jésus est entré pour nous en précurseur[q]. Et ce Jésus habite en nous, selon le

---

AF edd. ‖ οὕτω om. W ‖ 81 ἀναφέρονται : προσφ. T ἀναφέροντες AF edd. ‖ 82 χριστῷ : κυρίῳ E ‖ 83 εὐθηνεῖ Q L ‖ 85 τῆς : ἐκ CX om. D Z N L ‖ 86 δὲ om. AF edd. ‖ τὸ ἐν : om. G τῷ Q suppl. P^sl ‖ τούτῳ : τοῦτο τὸ W ‖ 87 ἵδρυμα T MZ V B ‖ 88 ζῷον + ἐπὶ τὸν ναὸν CX ‖ νοῦ : ναοῦ MZ W Y ‖ ἀναφερόμενον E ‖ 89 αὐτῷ : αὐτὸν D C GQW P αὐτὸ E T MX B L Y ‖ ἀναφέρει D ἀνενέγκοι edd. ‖ 90 καὶ om. E Y ‖ 91 ἰησοῦς : χριστὸς ἰησοὺς L χριστὸς P

IV. q. cf. He 6, 19-20

οἰκεῖ ἐν ἡμῖν κατὰ τὸν Ἀπόστολον λέγοντα· «Ἢ οὐκ
ἐπιγινώσκετε ὅτι Χριστὸς οἰκεῖ ἐν ὑμῖν, εἰ μήτι ἄρα ἀδόκιμοί ἐστε Γ;»· ὅπερ ἐστὶ τὸ ἐνδότατον καὶ ἀπόκρυφον καὶ
95   εἰλικρινὲς χώρημα τῆς καρδίας, ὃ εἰ μὴ διὰ Θεοῦ καθολικῆς
καὶ νοερᾶς ἐλπίδος ἀνοιγῇ, οὐκ ἔστι βεβαίως ἐπιγνῶναι τὸν
ἐνοικοῦντα, οὔτε εἰδέναι εἰ προσεδέχθησαν ἡμῶν αἱ λογικαὶ
θυσίαι ἢ οὔ. Καθάπερ γὰρ ἐν πρώτοις ἐπὶ τοῦ Ἰσραὴλ πῦρ
ἀνήλισκε τὰ λείψανα, οὕτω καὶ ὧδε συμβαίνει· ἀνοιγείσης
100   γὰρ τῆς πιστῆς καρδίας διὰ τῆς προειρημένης ἐλπίδος, ὁ
ἐπουράνιος ἀρχιερεὺς δέχεται τοὺς πρωτοτόκους τοῦ νοῦ
λογισμοὺς καὶ ἀναλίσκει τῷ θείῳ πυρί, περὶ οὗ εἶπε· «Πῦρ
ἦλθον βάλλειν εἰς τὸν κόσμον, καὶ ἤθελον εἰ ἤδη ἀνήφθη ˢ.»
Πρωτοτόκους δὲ λογισμοὺς εἰρήκαμεν τοὺς ἐν δευτερονοίᾳ
105   καρδίας μὴ γενομένους, ἀλλὰ ἐκ πρώτης προσβολῆς καὶ
ἀναδόσεως εὐθὺς Χριστῷ προσφερομένους· τοὺς γὰρ ἐκ
πολυνοίας αὐτῷ προσφερομένους χωλὰ καὶ τυφλὰ καὶ

D E T MZCX NV GQW BAF P L Y

IV,92-93 κατὰ ... ὑμῖν om. edd. ‖ 92 ἢ : εἰ AF ‖ 92-93 οὐκέτι γινώσκετε
D E ‖ 93 χριστὸς : χρ. ἰησοῦς T CX N G ἰησοῦς χρ. BAF Q L Syr. ‖ ἡμῖν
W F ‖ μήτι : μήτοι GQW ‖ 95 τῆς καρδίας χώρημα ~ E NᵃᶜV CX G ‖
καθολικῆς : + καὶ λογικῆς TZ NᵖᶜVᵖᶜ QW Pᵖᶜ L + ἀγαπῆς θεοῦ CX καὶ
λογικῆς BAF edd. per universalitatem scientia spei Syr. ‖ 96 ἐλπίδος + καὶ
πίστεως ὀρθῆς καὶ ἀδιστάκτου CX QW ‖ διανοίγει QW ‖ 97-98 αἱ λ.
θυσίαι ἡμῶν ~ CX ‖ 102 καὶ ἀναλίσκει : ἀναλίσκειν αὐτοὺς X ‖ 103 βαλεῖν
E V G ‖ εἰς τὸν κόσμον : ἐπὶ τὴν γῆν CX Q et Syr. [cf. Lc 12,49] ‖ καὶ +
τί edd. ‖ ἤθελον + ἰδεῖν L ‖ 104 εἴρηκε AF edd. ‖ ἐν om. MZ ‖
δευτερονοίας MZ ‖ 105 γινομένους MZC BA γεννο. N γενη. F γεγηνο.
edd. ‖ 106-107 τοὺς ... προσφερομένους om. C suppl. Pᵐᵍ Y

IV. r. 2 Co 13, 5   s. Lc 12, 49

---

1. Les deux épithètes attribuées ici à l'espérance sont d'une interprétation fort malaisée. La seconde, νοερά, est cependant relativement fréquente chez Marc. Elle figure d'abord en Justif 137, 6, dans ce qu'on
pourrait appeler, en style non marcien, une antithèse entre vie active et
contemplation. Après les œuvres de charité et de dépouillement, l'âme a
droit au loisir de la pensée ; celle-ci a pour objet le contenu de l'espérance,
lequel constitue pour Marc une présence inchoative dans le croyant des
réalités béatifiantes du ciel. Presque aussitôt après (en 137, 10), il se trouve

mot de l'Apôtre : « Ne savez-vous pas que le Christ habite en
vous, si vous n'en êtes plus indignes, bien sûr[r] ? » Ce lieu
secret, c'est l'endroit le plus intime, caché et sincère du cœur ;
ces lieux, si l'ampleur d'une espérance raisonnée[1] ne les font
pas s'ouvrir, on ne peut reconnaître avec certitude qui les
habite ; on ne peut non plus savoir si oui ou non nos sacrifices
raisonnables ont été acceptés. De même en effet qu'à l'époque
antérieure, celle d'Israël, un feu anéantissait les restes, de
même en va-t-il également ici : une fois le cœur ouvert par l'espérance susdite, le grand prêtre céleste reçoit les pensées premières nées de l'intellect et les fait anéantir par le feu divin, ce
feu dont il a dit : « Je suis venu apporter un feu dans le monde,
et je voudrais qu'il soit déjà allumé[s]. » Quant aux pensées premières nées, nous l'avons dit, ce sont celles que le cœur n'a pas
engendrées au deuxième coup, qui au contraire sont aussitôt
offertes au Christ dans le jaillissement du premier élan. Car
celles qu'on lui offre parce qu'elles prolifèrent dans l'intellect,

que Marc emploie l'autre épithète, καθολική, mais à propos de la récompense ultime, qui est pour tous (peut-être même pour ceux qui ne contem-
plent pas sur cette terre), à moins qu'il ne s'agisse d'opposer sa « totalité »
aux simples arrhes offertes par l'espérance. On retrouve la même opposition entre les actions et la vie intellectuelle de l'espérance en *Justif.* 160
(avec emploi, cette fois, de l'adverbe νοερῶς). Dans *Bapt.*, l'expression
ἐλπὶς νοερά se retrouve encore en quatre autres passages (V, 98.104.114.
122), tous groupés dans un développement au centre duquel se situe la
thèse marcienne sur la foi, présence substantielle anticipée des réalités
espérées, et où apparaît le binôme : accomplissement des commandements - espérance. Pour καθολική, il est appliqué seulement une
autre fois à l'espérance : en *Causid.* XVIII, 22 ; il s'agit peut-être d'opposer le tout homogène qu'est l'espérance à la multitude et au remue-
ménage des « pensées ». Deux autres passages où il ne s'agit pas de
l'espérance peuvent peut-être nous éclairer tout de même. En *Consult.*
III, 9, Marc oppose l'abandon « global » du vice de la cupidité aux mes-
quines convoitises de détail auxquelles l'âme et l'intellect (et à l'arrière-
plan sans doute les ascètes) continuent de céder. Enfin en *Melch.* VII, 22,
nous n'avons plus l'adjectif, mais l'adverbe : il paraît y avoir une fois de
plus une opposition entre la façon dont on croit en Dieu « sans faire de
détail » et les minuties d'interprétation où s'implique l'exégèse des types.
En somme, dans le cas de l'espérance, καθολική pourrait exprimer
quelque chose d'assez semblable à μονολόγιστος qu'on va trouver en
Bapt. V,96 (et déjà employé en *Justif.* 140, 1).

τερατώδη ὠνόμασεν ἡ θεία Γραφή, καὶ διὰ τοῦτο μὴ εἶναι
δεκτὰ τῷ Δεσπότῃ Θεῷ[t].

110　　Ὅτι μὲν οὖν καὶ μετὰ τὸ βάπτισμα πάσης πονηρᾶς
ἐννοίας ἡμεῖς ἐσμεν αἴτιοι, ἤδη διὰ τῶν γραφικῶν μαρτυρίων
ἀποδέδεικται. Εἰ δὲ χρὴ καὶ διὰ φυσικῆς ἀκολουθίας τοῦτο
φανερὸν καταστῆσαι, πάλιν εἰρήσεται· Ὦ ἄνθρωπε, ὁ λέγων
ἐκτὸς σῆς αἰτίας ἐνεργεῖσθαι ὑπὸ τῆς τοῦ Ἀδὰμ ἁμαρτίας
115　μετὰ τὸ βάπτισμα καὶ διὰ σῶν ἀγώνων ταύτην ἐκκόπτειν
997　ἐπαγγελλόμενος, γνῶθι ἀκριβῶς ὅτι ἐναντιοῦσαι καὶ περι-
πίπτεις τοῖς σεαυτοῦ ῥήμασιν. Εἰ γὰρ λέγεις τοὺς πονηροὺς
λογισμοὺς εἶναι τὴν τοῦ Ἀδὰμ ἁμαρτίαν, μάθε παρὰ τοῦ
ἁγίου Παύλου ὅτι διὰ τοῦ βαπτίσματος τὸν Χριστὸν ἐνδυσά-
120　μενος[u] ἔχεις δύναμιν καὶ ὅπλα τοῦ καθαιρεῖν αὐτούς. «Τὰ
γὰρ ὅπλα, φησί, τῆς στρατιᾶς ἡμῶν οὐ σαρκικά, ἀλλὰ
δυνατὰ τῷ Θεῷ πρὸς καθαίρεσιν ὀχυρωμάτων, λογισμοὺς
καθαιροῦντες καὶ πᾶν ὕψωμα ἐπαιρόμενον κατὰ τῆς
γνώσεως τοῦ Θεοῦ[v].» Εἰ δὲ ἔχων τὴν κατ᾽ αὐτῶν δύναμιν οὐ
125　καθαιρεῖς αὐτοὺς ἐκ προσβολῆς, δηλονότι φιληδονεῖς ἐξ ἀπιστίας καὶ συνδυάζεις αὐτοῖς· καὶ σὺ αἴτιος εἶ τῆς τοιαύτης
ἐνεργείας, οὐχ ὁ Ἀδάμ.

V.　　　　　　　　Ἐρώτησις

　　Πῶς δύναται ἐξ ἀπιστίας φιληδονεῖν ἢ συνδυάζειν τοῖς
λογισμοῖς ὁ ἑαυτὸν καθείρξας ἐν κελλίῳ καὶ καθ᾽ ἡμέραν

D E T MZCX NV GQW BAF P L Y

IV,108 θεῖα om. AF edd. ‖ 109 δεκτὰ ... θεῷ : προσδεκτὰ τῷ δεσπότῃ
τῷ ἐπουρανίῳ βασιλεῖ θεῷ D E εὐπροσδεκτα τῷ ἐπουρανίῳ βασιλεῖ
χριστῷ CX δεκτὰ τῷ δεσπότῃ καὶ ἐπουρανίῳ βασιλεῖ θεῷ N δεκτὰ [δὲ
κατὰ F] τῷ ἐπουρανίῳ ἀρχιερεῖ δεσπότῃ χριστῷ AF προσδεκτὰ [προσ-
exp. P] τῷ δεσπότῃ καὶ ἐπουρανίῳ βασιλεῖ καὶ θεῷ GQW P δεκάτας τῷ
ἐπουρανίῳ ἀρχιερεῖ δεσπότῃ χριστῷ edd. ‖ 110 τὸ + ἅγιον CX ‖ 111 ἡμεῖς :
om. X + μὲν N ‖ ἤδη : ἰδοὺ L ‖ 112-113 φανερὸν τοῦτο ~ NV ‖
112 ἀκολούθη τούτου F ‖ 114 σῆς : τῆς σῆς GQW P Y om. BAF edd. ‖
αἰτίας om. Y ‖ 115 σῶν : τῶν σῶν GQW τῶν AF edd.T ‖ ἐκκόπτειν ταύτην
~ NV ἐκκ. ταῦτα Y F ‖ 116 ἠναντίωσας BAF edd. ‖ 116-117 περιπέπτωκας
BAF edd. ‖ 117 σεαυτοῦ : ἑαυτοῦ D E T MZC NV GQW F σαὐτοῦ L ‖
119 παύλου : ἀποστόλου CX V ‖ τοῦ + ἁγίου E ‖ τοῦ om. BAF edd. ‖ 120-

la divine Écriture les a qualifiées de monstres boiteux et aveugles et pour cette raison non recevables pour notre Maître et Dieu[t].

Ainsi donc, que même après le baptême nous soyons personnellement responsables de toute idée perverse, voilà qui a été démontré déjà par les témoignages tirés des Écritures. S'il faut encore l'établir manifestement par la logique naturelle, on ajoutera ceci : Pauvre homme qui prétends après le baptême être manœuvré sans en être responsable par le péché d'Adam et qui promets de le déraciner grâce à tes luttes, rends-toi compte nettement que tu te contredis et tombes dans le piège de tes propres paroles. Vas-tu dire en effet que les pensées mauvaises sont de la faute d'Adam ? Apprends alors de saint Paul que, revêtu du Christ par le baptême[u], tu disposes du pouvoir et des armes pour détruire ces pensées : « Car les armes de notre combat ne sont pas de la chair, mais puissantes de par Dieu pour détruire les forteresses ; nous détruisons les pensées et toute idée altière dressée contre la connaissance de Dieu[v]. » Or si tu as la puissance qu'il faut contre les pensées et ne les détruis pas au premier assaut, c'est évidemment parce que tu t'y complais voluptueusement par manque de foi et formes couple avec elles ; et c'est toi qui es le coupable d'une pareille action, non pas Adam.

V.   Question

Libération   Comment le manque de foi peut-
baptismale   il susciter cette complaisance dans
et permanence   les pensées ou cet accouplement
des pensées   avec elles chez celui qui s'est enfermé
dans une cellule, qui jeûne quotidiennement, pratique

---

121 φησι γὰρ τὰ ὅπλα ~ CX ‖ 122-125 λογισμοὺς ... καθαιρεῖς : καὶ τὰ ἑξῆς CX ‖ 123 καθαιροῦντα L ‖ 125 ἐκ : + πρώτης T[mg] QW ‖ 126 καὶ[1] ... αὐτοῖς om. NV ‖ συνδυάζεις : συνάδεις MZ ‖ αὐτοῖς + συγκατατιθῇ T[txt pc] + καὶ συγκατατίθεσαι CX + συγκατατίθης καὶ Y ‖ σὺ αἴτιος [et T[mg]] : om. T[txt] σὺ ἔνοχος εἶ καὶ αἴτιος GQW P σὺ edd.
V.2 ἢ : καὶ GQW ‖ 3 ἐν τῷ κελλίῳ X AF edd. εἰς κέλλιον N ‖ καὶ om. edd.

IV. t. cf. Deut. 15, 21   u. cf. Ga 3, 27   v. 2 Co 10, 4-5

νηστεύων καὶ ἐγκρατευόμενος καὶ πτωχεύων καὶ ξενιτεύων
5 καὶ ἀγρυπνῶν καὶ χαμευνῶν καὶ προσευχόμενος, καὶ πολλὰς
τοιαύτας θλίψεις ὑποφέρων ;

Ἀπόκρισις

Καλῶς εἶπας ὅτι πολλὰς θλίψεις τοιαύτας ποιῶν
ὑποφέρει. Εἰ γὰρ ἀθλίπτως καὶ μετὰ χαρᾶς καὶ φιλοπονίας
10 τὰς προειρημένας φανερὰς ἀρετὰς ἐπιτελοῦμεν, οὐκ ἂν κατὰ
νοῦν ἦμεν φιλήδονοι. Ἀδύνατον γὰρ τὸν ἐπὶ τοῖς σωματικοῖς
πόνοις ἀλγυνόμενον μὴ κατὰ ἀναλογίαν προσομιλεῖν ταῖς
προσβολαῖς καὶ παραμυθεῖσθαι τὴν ἐπὶ τοῖς πόνοις ἀηδίαν.
Εἰ γὰρ μὴ τοῦτο ἐβούλετο ὁ τοιοῦτος, οὐδ᾽ ἂν ἐπὶ τοῖς πόνοις
15 ἐθλίβετο. Τοῦτο δὲ πάσχομεν, ἐπειδὴ οὐ πόθῳ τῶν
μελλόντων ἀγαθῶν κακοπαθοῦμεν, ἀλλὰ φόβῳ τῶν ἐν ἡμῖν
νῦν ἐπερχομένων πειρασμῶν μόνον. Ὅθεν τὴν μὲν κακὴν
πρᾶξιν ἑαυτῶν ἁμαρτίαν εἶναι νομίζομεν, τὸν δὲ πρὸ ταύτης
λογισμὸν ἀλλοτρίαν λέγομεν εἶναι ἐνέργειαν. Ἀδύνατον δὲ
20 τὴν ἐνέργειαν ταύτην ἀποστραφῆναι τοὺς μὴ ἰδίαν αὐτήν,
ἀλλὰ ἀλλοτρίαν ἡγουμένους. Ἔστι μὲν οὖν ὅτε καὶ δίχα
συνδυασμοῦ λογισμός τις ἀηδής· καὶ μισούμενος καθάπερ
λῃστής, ἀπροόπτως ἐπιβαλών, βίᾳ κατέχει τὸν νοῦν πρὸς
ἑαυτόν.
25 Ὅμως μάθε ἀκριβῶς ὅτι καὶ οὗτος ἐξ ἡμῶν ἔχει τὰς
ἀφορμάς· ἢ γὰρ μετὰ τὸ βάπτισμά τινι πονηρῷ λογισμῷ
ἑαυτοὺς ἕως πράξεως ἐπεδώκαμεν, καὶ διὰ τοῦτο ὑπεύθυνοι

D E T MZCX NV GQW BAF P L Y

V,4 καὶ ἐγκρατευόμενος post ξενιτεύων ~ T ‖ ἐγκρατευόμενος καὶ
νηστεύων ~ Z ‖ καὶ ἐγκρατευόμενος καὶ πτωχεύων om. M W ‖ καὶ
ξενιτεύων om. M ‖ 5 καὶ ἀγρυπνῶν om. edd. ‖ καὶ χαμευνῶν [et Syr.] : om.
D MZ BAF edd. ‖ 6 θλίψεις τοιαύτας ~ L ‖ 8 εἶπας : εἴρηκας BAF edd. ‖
τοιαύτας θλί. ~ D Z B θλί. τοιαῦτα E F Y edd. ὁ ταῦτα T θλί. M τοιαύτας
θλί. ὁ ταῦτα CX Q θλί. ὁ ταῦτα V L θλί. τοιαύτας ὁ ταῦτας W ‖
10 φανερὰς om. NV + ἐντολὰς καὶ D ‖ ἀρετὰς : ἐντολὰς E ‖ ἐπετελοῦμεν
T N L Y ‖ 10-11 ἦμεν κατὰ νοῦν ~ E CX QW P ‖ 14 ὁ τοιοῦτος ἐβούλετο
~ CX ‖ ἐπὶ τοῖς πόνοις : ἐπ᾿αὐτοῖς E GQW Pᵃᶜ Y ‖ 16-17 ἐν ἡμῖν νῦν
ἐπερχομένων : ἡμ. νῦν ἐπ. T N V A νῦν ἡμ. ἐπ. CX νῦν ἐπ. ἡμ. L ‖ 17 μόνον
[et Syr.] : om. GQ AF edd. ‖ 19 ἐνέργειαν εἶναι ~ D T MZ Gᵖᶜ Y ἐνέργειαν

la continence, la pauvreté, l'exil à l'étranger, les veilles, le coucher sur la dure, la prière et supporte maintes autres tribulations du même genre ?

Réponse

Tu as fort bien dit. Par ces pratiques il supporte maintes « tribulations » du même genre. Si en effet nous accomplissons les apparences de vertus mentionnées plus haut sans tribulations, avec joie et amour de l'effort, c'est qu'il n'y a dans notre intellect aucune complaisance pour la volupté. Car il est impossible que dans la proportion même où l'on est endolori par les efforts physiques on n'entretienne pas de bons rapports avec les suggestions qui nous assaillent et qu'on n'y cherche pas des consolations à son dégoût pour l'effort. Si l'on ne nourrissait pas ce dessein, en effet, on ne ressentirait pas l'effort comme tribulations. Or nos sentiments sont tels parce que nous ne subissons pas nos maux par désir des biens à venir, mais seulement par peur des tentations qui surviennent présentement en nous. De là vient que nous tenons bien notre action mauvaise pour notre propre péché, et déclarons opération d'autrui la pensée qui la précède. Or il est impossible d'écarter cette opération-là quand on l'attribue non pas à soi-même, mais à autrui. Il arrive, bien sûr, même sans qu'on s'y accouple, que des pensées répugnantes, telles d'odieux brigands, vous donnent l'assaut à l'improviste et par la violence fassent de l'âme leur captive.

Origine des pensées Sache-le bien néanmoins, même ces pensées-là ont leur point de départ en nous. Ou bien en effet après le baptême nous nous sommes abandonnés à quelque pensée perverse jusqu'à la mettre en pratique, et voilà que, sans même que nous nous en avisions, nous nous en sommes rendus comptables. Ou bien nous nous

E G^{ac}Q P ‖ 20 αὐτὴν : ταύτην B ‖ 21 ἡγουμένους : λογιζομένους NV ‖ μὲν οὖν ὅτε [et Syr.] : μὲν οὖν ὅτι D E V MZ CX B δὲ ὅτε GQW μὲν οὖν AF edd. ‖ 22 συνδυασμοῦ + τινὸς CX ‖ 23 κατέχειν Y ‖ 26 ἢ : εἰ D Z V F edd. ‖ τὸ + ἅγιον CX ‖ τινι om. MZ ‖ λογισμῷ πονηρῷ ~ E NV G P ‖ 27 ἕως πράξεις αὐτοὺς E NV QW P

καὶ παρὰ γνώμην γεγόναμεν ἤ τινα σπέρματα ἑκουσίως
κρατοῦμεν κακίας, καὶ διὰ τοῦτο ὠχύρωται ὁ πονηρός · καὶ ὁ
30 μὲν διὰ σπερμάτων κρατήσας ἡμᾶς οὐκ ἀναχωρεῖ, ἕως ἂν
ταῦτα ῥίψωμεν, ὁ δὲ διὰ τῆς κακῆς πράξεως παραμένων
τότε φυγαδεύεται, ὅταν πόνους ἀξίους τῆς μετανοίας τῷ
Θεῷ προσενέγκωμεν. Διὸ οὐδὲ ταύτην ἐγὼ λέγω τοῦ Ἀδὰμ
ἁμαρτίαν, ἀλλ᾽ ἢ μᾶλλον τοῦ πράξαντος τὸ κακὸν καὶ τοῦ
35 ἔχοντος τὰ σπέρματα.

Εἰ δὲ λέγεις μοι ὅτι καὶ τῶν δύο τούτων λογισμὸς
προηγήσατο καὶ ζητεῖς τίς ἐστι τούτων αἴτιος, κἀγώ σοι
λέγω ὅτι σὺ ὁ ἔχων ἐξουσίαν καθαρίσαι αὐτὸν ἐκ προσβολῆς
καὶ μὴ καθαρίσας, ἀλλ᾽ ἕως πράξεως προσομιλήσας αὐτῷ.
40 Εἰ δὲ ὅλως πρὸ τῆς πράξεως οὐκ ἐδύνου αὐτὸν καταβαλεῖν
1000 διὰ τὴν τοῦ νοὸς ἀσθένειαν, πῶς μετὰ τὴν πρᾶξιν ἐπαγγέλλει
ἐκκόπτειν αὐτόν, καίτοι διὰ τῶν πραγμάτων ὠχυρωμένον
καὶ δικαίως σὲ κατέχοντα; Εἰ δὲ ὁμολογεῖς διὰ Θεοῦ
βοηθείας ἐκκόπτειν αὐτόν, νόησον ὅτι καὶ πρὸ τῆς πράξεως,
45 εἰ ἤθελες, ὁ Θεὸς ἐβοήθει σοι. Καὶ ὅταν ἴδῃς διὰ τῆς σῆς
καρδίας γινομένην σοι τὴν βοήθειαν, σύνες ἀκριβῶς ὅτι οὐκ
ἔξωθεν μεταβατικῶς ἐλήλυθεν ἡ χάρις · ἀλλ᾽ ἡ δεδομένη σοι
διὰ τοῦ βαπτίσματος κρυπτῶς νῦν ἐνήργησε τοσοῦτον ὅσον
καὶ σὺ μισήσας τὸν λογισμὸν ἀπεστράφης.
50 Διὰ τοῦτο λύσας ἡμᾶς πάσης βίας ὁ Χριστὸς τὴν προσβολὴν τῶν λογισμῶν οὐκ ἀπεκώλυσε τῆς καρδίας, ἵνα οἱ μὲν

D E T MZCX NV GQW BAF P L Y

V,28-29 κακίας ἑκουσίως κρατοῦμεν ~ E NV P κακίας ἐν ἑαυτοῖς
ἑκουσίως κρατοῦμεν CX QW ‖ 29 πονηρός : ἐχθρός L ‖ 30 διὰ + τῶν
πονηρῶν E^mg CX ‖ κατακρατήσας W ‖ ἡμᾶς : ἡμῶν V suppl. T^mg om. L ‖
31 ταῦτα : αὐτὰ Z BAF Y edd. ‖ ὑπορίψωμεν W ‖ παραμένων + ἀηδὴς
λογισμὸς E^sl CX ‖ 32 τῆς μετανοίας om. BAF edd. ‖ 33 διὸ : διὰ τοῦτο
BAF edd. ‖ ἐγὼ om. Y ‖ λέγω + εἶναι τὴν CX ‖ 36 μοι λέγεις ~ E GQW P
λέγοι sic D F λέγοις C λέγεις X λογισμοὶ edd. ‖ λογισμὸς : -μοὶ D Z F
Y edd. ὁ -μὸς L ‖ 37 προηγήσαντο AF edd. ‖ ζήτης F λῃστής edd. ‖ ἐστι ὁ
τ. αἴ. E CX QW L ἐστι τ. ὁ αἴ. V ‖ κἀγὼ : ἐγὼ GQW P L ‖ 38 σὺ : σοὶ D
om. AF edd. ‖ καθαρίσαι : καθαιρήσαις T καθαιρεῖν Z ‖ ἐκ + πρώτης CX
QW ‖ 39 καθαιρῶν Z ‖ αὐτῷ προσομιλήσας ~ D T M L Y ‖ 40 ἠδύνου E
X W P ἠδύνω T Z NV A ἐδύνω B F ἐδύνατο edd. ‖ καταβαλεῖν :

emparons volontairement de certains germes de vice et voilà
que la pensée perverse est fortifiée. Et la pensée qui s'est
emparée de nous grâce à ces germes ne s'en retire plus jusqu'à
ce que nous les ayons arrachés. Quant à la pensée qui s'est ins-
tallée grâce à notre mauvaise action, elle ne prend la fuite que
lorsque nous offrons à Dieu des labeurs de pénitence adé-
quats. Voilà pourquoi même dans ces cas-là je n'attribue pas,
pour ma part, le péché à Adam, mais à celui qui a commis l'action mauvaise et à celui qui en a les germes.

Si tu viens me dire que dans ces deux cas aussi la pensée a
pris les commandes et si tu cherches qui en est coupable, je te
dis moi que c'est toi : tu avais pleins pouvoirs pour te purifier
dès l'assaut et tu ne l'as point fait, te familiarisant avec la pensée jusqu'à passer à l'action. A coup sûr, si avant l'action tu
étais incapable de rabattre cette pensée à cause de la faiblesse
de ton intellect, comment promets-tu de la déraciner après
l'action, maintenant qu'elle a été fortifiée par tes actes et te
possède en toute justice ? Si en revanche tu confesses que tu la
déracines grâce à un secours de Dieu, réfléchis que même
avant l'action il te suffisait de le vouloir pour que Dieu vienne
à ton secours. Et si tu constates que ce secours pénètre en toi
à travers ton cœur, comprends nettement que la grâce n'est
pas venue en toi par transfert de l'extérieur : donnée à toi
secrètement par le baptême, elle a agi maintenant dans la
mesure exacte où toi aussi tu t'es détourné avec haine de la
pensée mauvaise.

**Enchaînement
des pensées**　　　　　Voilà pourquoi, bien que nous délivrant de toute violence, le Christ n'a pas
empêché l'assaut des pensées contre
notre cœur : il voulait que les unes, détestées, disparussent aus-

---

καταβάλαι MZ NV Y καταλαβεῖν A ‖ 41 ἐπαγγέλλει : -λλῃ T ZX W L -
λλειν F ἀπαγγέλλει edd. ‖ 42-44 καίτοι ... αὐτὸν om. edd. ‖ 42 ὠχυρωμένον :
κατοχυρόμενον AF ‖ 44 ἐννόησον NV ‖ 45-46 σῆς καρδίας : καρδ. σου
BAF edd. ‖ 46 γινομένης : προσγινο. CX γενο. AF edd. ‖ 47 ἐλήλυθεν [et
Xᵐᵍ] : ἐφήλλατο CX ‖ 49 καὶ om. edd. ‖ ἀπεστράφης + καὶ AF edd. ‖
50 πάσης βίας λύσας ἡμᾶς ~ CX ‖ ὁ + δεσπότης CX ‖ 51 οὐκ om. edd. ‖
τῆς καρδίας om. MZ + αὐτῆς CX

μισούμενοι ἐκ καρδίας εὐθὺς ἀφανίζωνται, οἱ δὲ ὅσον
ἀγαπῶνται τοσοῦτον καὶ παραμένωσιν, ὅπως δειχθῇ καὶ ἡ
χάρις τοῦ Χριστοῦ, καὶ τὸ θέλημα τοῦ ἀνθρώπου τί ἀγαπᾷ·
55 τοὺς πόνους διὰ τὴν χάριν ἢ τοὺς λογισμοὺς διὰ τὴν ἡδονήν.
Καὶ μὴ ξενισθῶμεν ὅτι οὐ μόνον ὑπὸ τῶν ἀγαπωμένων ἀλλὰ
καὶ ὑπὸ τῶν μισουμένων βιαίως ἐνεργούμεθα· καθότι ὡσεὶ
πονηρά τις συγγένεια, οὕτω ταῖς ἡμῶν ἐπιθυμίαις αἱ προσβολαὶ συνεργοῦσιν ἀλλήλαις καὶ ἑκάστη τὸν ἑαυτῆς ἐργάτην
60 συγχρονίσαντα λοιπὸν τῇ πλησίον παραδίδωσιν, ὡς ὑπὸ τῆς
δευτέρας καὶ παρὰ γνώμην ἴσως ἀπάγεσθαι, τῇ πρὸς τὴν
πρώτην συνηθείᾳ βιαίως ἑλκόμενον. Τίς γὰρ κενοδοξίας
ἐμπλησθεὶς ὑπερηφανίαν διαφυγεῖν δυνήσεται; ἢ τίς ὕπνου
πλησθεὶς καὶ τρυφῆς ἀπολαύσας λογισμῷ πορνείας οὐ
65 κρατηθήσεται; ἢ τίς πλεονεξίᾳ ἑαυτὸν ἐπιδοὺς ὑπὸ
ἀσπλαγχνίας οὐ σφίγγεται; Πῶς δὲ οἱ τούτων πάντων παρὰ
γνώμην ἀποστερούμενοι οὐ θυμωθήσονται καὶ ἐλασθήσονται; Διὸ χρὴ νοῆσαι ὅτι καθ᾽ ἡμετέραν αἰτίαν ὑπὸ τῆς
ἁμαρτίας ἐνεργούμεθα. Τῆς γὰρ κατὰ βίαν δουλείας
70 ἠλευθερώθημεν. «Ὁ γὰρ νόμος τοῦ Πνεύματος τῆς ζωῆς
ἠλευθέρωσέ με ἀπὸ τοῦ νόμου τῆς ἁμαρτίας καὶ τοῦ
θανάτου [a].»
Καὶ ἐφ᾽ ἡμῖν λοιπόν ἐστι, τοῖς ἀκούσασι καὶ μαθοῦσι τὰ
ἐντάλματα τοῦ Πνεύματος, ἢ κατὰ σάρκα περιπατεῖν ἢ κατὰ
75 πνεῦμα. Ἀδύνατον δὲ κατὰ πνεῦμα περιπατῆσαι τοὺς

D ET MZCX NV GQW BAF P L Y

V.52 ἐξαφανίζονται BAF edd. ‖ δὲ + ἀγαπώμενοι BAF edd. ‖
54 χριστοῦ : θεοῦ D BAF edd. ‖ 56-57 ἀλλὰ ... μισουμένων om. BAF edd.
‖ 57-58 ὡς εἶπον πονηρά τις Ζ Υ ὡς ἡ πονηρά τις C BAF ὥς τι πονηρὸν
αὐτῶν edd. ‖ 58 τὰς — ἐπιθυμίας GQW ‖ 60 συγχρονίσασα GQW A P ‖
ὡς + καὶ Ε ‖ 61 ἴσως om. N ‖ ἀπάγεσθαι : ἄγεσθαι N ἐπάγεσθαι B ‖ πρὸς :
περὶ BAF edd. ‖ 63 ὑπερηφανίας Μ ‖ ἐκφυγεῖν Ε Χ φύγειν Υ ‖ δύναται D
MZ L ‖ 63.65 ἢ τίς bis : τίς δὲ bis CX ‖ 63 ἢ : καὶ NV ‖ 63-64 τίς ὕπνου
πλησθεὶς καὶ om. BAF edd. ‖ πλησθεὶς : χωρεσθεὶς CX ‖ 64 λογισμοῖς Τ
NV ‖ 66 πάντων : ἁπάντων Ε Χ W ἀπ. ἐμφορούμενοι Ε^mg G^ixt QW +
ἐμφορούμενοι Υ^pc ‖ 66-67 παρὰ γνώμην om. Υ ‖ 67 ἀποστερούμενοι om.
GQW Y ‖ οὐ θυμωθήσονται : οὐ κολασθείσονται D ὑπὸ θυμοῦ καὶ ὀργῆς
οὐκ Ε Χ Ρ ὑπὸ θ. καὶ ὀ. W οὐ θυμῷ κολασθήσονται Y ‖ καὶ + δεινῶς BAF

sitôt de notre cœur, les autres, dans la mesure exacte où nous les chéririons, perdurent. De la sorte sont mis en évidence et la grâce du Christ et le vouloir de l'homme : que chérit celui-ci, les labeurs à cause de la grâce, ou les pensées à cause de la volupté ? Et ne trouvons pas étrange d'être manœuvrés de façon violente non seulement par les pensées chéries de nous, mais aussi par celles que nous haïssons, dans la mesure où il y a comme une parenté perverse telle que les assauts des pensées coopèrent avec nos propres convoitises et réciproquement. Et chaque pensée livre son auteur, celui qui s'est attardé à elle, à la pensée voisine, si bien que le sujet est fourvoyé par la seconde pensée peut-être contre son dessein, attiré qu'il est violemment par son accoutumance à la première. Qui en effet, rempli de vanité, pourra échapper à l'orgueil ? Ou bien qui se sera rassasié de sommeil et complu dans la mollesse sans être dominé ensuite par la pensée de luxure ? Ou qui se sera livré à la cupidité sans être étouffé par la dureté de cœur ? Comment en revanche ceux qu'on dépouille sans leur demander leur avis de toutes ces affections ne s'emporteront-ils pas et ne seront-ils pas bouleversés ? Voilà pourquoi on doit penser que c'est par notre faute que nous sommes manœuvrés par le péché. Car de l'esclavage imposé par violence, nous avons été libérés. « En effet la loi de l'Esprit de vie m'a délivré de la loi du péché et de la mort[a]. »

Vouloir de l'homme Et désormais il relève de nous, qui avons entendu et appris les ordres de l'Esprit, de marcher ou selon la chair ou selon l'esprit. Or il est impossible de marcher selon l'esprit quand on s'est mis à ché-

---

edd. ‖ 67-68 ἐλασθήσονται om. T MZC NV L Y Syr. ‖ 69 ἐνεργούμεθα + κατὰ δὲ τὸ πνεῦμα edd. ‖ γὰρ om. AF edd. ‖ 70 ἠλευθερώθημεν : -ρούμεθα F edd. ‖ 70 τοῦ πνεύματος τῆς ζωῆς : + φησι E QW P L Y τοῦ πν. φησι τῆς ζ. CX N + φασὶ Gᵖᶜ φησι τοῦ πν. τῆς ζ. BAF edd. ‖ 73-74 τὰ ἐντάλματα : τὰς ἐντολὰς T ‖ 74 περιπατῆσαι F edd. ‖ 75 δὲ : om. M γὰρ NV Bⁱˣᵗ ‖ κατὰ πνεῦμα περιπατῆσαι : κ. πν. περιπατεῖν V om. CX

V. a. Rm 8, 2

ἔπαινον ἀνθρώπων καὶ ἄνεσιν σαρκὸς ἠγαπηκότας· καὶ
ἀμήχανον κατὰ σάρκα βιῶσαι τοὺς τὰ μέλλοντα τῶν
παρόντων ἐνδιαθέτως προκρίνοντας. Διὸ χρὴ πολλὰ
πλανηθέντας ἡμᾶς λοιπὸν μισῆσαι ἔπαινον ἀνθρώπων καὶ
80 ἄνεσιν σώματος, δι' ὧν οἱ πονηροὶ λογισμοὶ καὶ μὴ θελόντων
ἡμῶν ἀναφύονται, καὶ ἐκ διαθέσεως εἰπεῖν τῷ Κυρίῳ τὸ τοῦ
προφήτου ῥητόν· «Οὐχὶ τοὺς μισοῦντάς σε, Κύριε, ἐμίσησα,
καὶ ἐπὶ τοὺς ἐχθρούς σου ἐξετηκόμην; Τέλειον μῖσος ἐμί-
σουν αὐτούς, εἰς ἐχθροὺς ἐγένοντό μοι [b].»
85 Καὶ γὰρ ὄντως ἐχθροὶ τοῦ Θεοῦ εἰσιν οἱ πονηροὶ λογισμοί,
οἱ τὸ θέλημα αὐτοῦ γενέσθαι κωλύοντες, εἴπερ ὁ μὲν «θέλει
πάντας ἀνθρώπους σωθῆναι καὶ εἰς ἐπίγνωσιν ἀληθείας
ἐλθεῖν [c]», ἐκεῖνοι δὲ διὰ προσπαθείας ἡμᾶς πλανῶσι καὶ τῆς
σωτηρίας ἀπείργουσι. Περὶ ὧν καὶ ὁ Κύριος οὐκ ἐκ τοῦ
90 'Αδάμ, ἀλλ' ἐκ τῆς καρδίας εἶπεν ἐκπορεύεσθαι, καὶ διὰ
τοῦτο κοινοῦσι τὸν ἄνθρωπον [d], δῆλον δὲ ὅτι οὐκ ἐκ πιστῆς
καρδίας, ἀλλὰ κενοδόξου. Πῶς γὰρ δύνασθε, φησί, πισ-
1001 τεύειν, δόξαν παρὰ ἀνθρώπων λαμβάνοντες, καὶ τὴν δόξαν
τὴν παρὰ τοῦ μόνου Θεοῦ οὐ ζητοῦντες [e];»
95 Ὅταν οὖν τὴν κενοδοξίαν μισήσωμεν, καὶ περὶ πάντων
αὐτῷ πιστεύσωμεν, πάντα λογισμὸν διὰ καρδιακῆς καὶ
μονολογίστου ἐλπίδος αὐτῷ προσεδαφίζοντες, τότε καθὼς ἐν
ἀρχῇ τῆς διὰ τοῦ βαπτίσματος πίστεως ἐγένετο τὸ σῶμα
τοῦ Χριστοῦ βρῶμα τοῦ πιστοῦ, οὕτως ἐν τῇ νοερᾷ ἐλπίδι
100 καὶ ἀρνήσει τῶν λογισμῶν γίνεται ὁ βεβαιόπιστος καὶ

D E T MZCX NV GQW BAF P L Y

V,76 καὶ : ἢ AF edd. ‖ σαρκὸς : σώματος Ζ AF edd. ‖ ἠγαπηκότας : +
ζῆσαι κατὰ πνεῦμα καὶ τῶν ἐκεῖθεν ἀνταποδήσεων τυχεῖν [ἐπιτυχεῖν Χ]
CX ἀγαπήσαντας GQW ‖ 77 μέλλοντα + ἀγαθὰ CX ‖ 78 προκρίναντας Ε
Χ G ‖ 81-82 τοῦ προφήτου τὸ ~ Ν ‖ 83 τοὺς ἐχθροὺς : τοῖς -οῖς D E CX ‖
83-84 τέλειον ... μοι : καὶ τὰ ἑξῆς CX ‖ 84 ἐγίνοντο M ‖ 85 γὰρ om. F edd.
‖ εἰσιν om. MZ L ‖ 86 οἱ om. Y ‖ αὐτοῦ + ἐν ἡμῖν CX ‖ διακωλύοντες BAF
edd. ‖ ὁ : ὡς D ὃς Ε αὐτὸς Y ‖ 87 ἀνθρώπους om. E V ‖ 88-89 διὰ ...
σωτηρίας om. W ‖ 88 ἡμᾶς om. D Q ‖ 89 σωτηρίας + ἡμᾶς D MZ BF L
edd. ‖ καὶ om. CX ‖ κύριος + εἴρηκεν ὅτι BAF edd. ‖ 91 κοινοῦσθαι Y ‖
δῆλον δὲ ὅτι : δηλόνοτι Ε Μ GQW P ‖ 91-92 ἐκ πιστῆς καρδίας ἀλλὰ
κενοδόξου : ἐκ π. κ. ἀλλ'ἐκ κε. CX QW εἶπεν ἐκ τῆς π. κ. ἀλλὰ κε. G ἐκ
πιστῆς ἀλλ'ἐκ κε. Α ἐκ πίστεως ἀλλ'ἐκ κε. F ἐκ πίστεως ἀλλ'ἐκ

rir la louange des hommes et le relâchement charnel ; et il n'y a pas moyen de vivre selon la chair quand on préfère constamment les réalités à venir aux présentes. Aussi nous faut-il, après de longs égarements, nous mettre à détester dorénavant la louange des hommes et le relâchement corporel, causes du jaillissement, même contre notre gré, des pensées dépravées. Mettons-nous en disposition de dire au Seigneur le mot du prophète : « N'ai-je pas haï ceux qui te haïssent, Seigneur, et sur tes ennemis ne me suis-je pas consumé ? Je les ai haïs d'une haine parfaite, ils sont devenus mes ennemis[b]. »

Et effectivement elles sont les ennemies de Dieu, les pensées dépravées qui empêchent sa volonté de se faire, puisque lui veut que « tous les hommes soient sauvés et parviennent à la connaissance de la vérité[c] », et puisqu'elles nous égarent par la passion et écartent du salut. A leur sujet, le Seigneur aussi a dit qu'elles procédaient non pas d'Adam, mais du cœur, et pour cette raison elles souillent l'homme[d], issues qu'elles sont évidemment d'un cœur non pas fidèle, mais plein de vanité. « Comment pourriez-vous croire, dit-il, alors que vous tirez votre gloire des hommes, au lieu de chercher la gloire venant de Dieu seul[e] ? »

Foi en Dieu en tout domaine

Donc détestons la vanité, mettons notre foi en lui dans tout domaine, donnons-le pour base solide à toute pensée par une espérance venue du cœur et pleine de raison. Alors il en sera comme à nos débuts dans la foi par le baptême, quand le corps du Christ devint la nourriture du fidèle. De la même façon, avec son espérance raisonnée et son renoncement aux pensées, l'intellect affermi dans la foi et purifié devient la

κενοδοξίας edd. ‖ 92-93 δύνασθε πιστεύειν φησί E CX φησι δύν. π.V δυν. π. P δυν. φησι πιστεῦσαι Y ‖ 94 ζητοῦντες : ζητεῖτε D E T MZ GQW P ‖ 95-96 καὶ ... πιστεύσωμεν om. M ‖ 96 διὰ om. BAF edd. ‖ καὶ om. M ‖ 97 ἐλπίδος : εὐχῆς X ‖ αὐτῷ : -ῶν D om. E ‖ 99 βρώματα D E CX F edd. βρῶσις Y ‖ τοῦ πιστοῦ : τοῖς πιστοῖς V[txt] GQW ‖ οὕτως + καὶ CX V ‖ 100 γίνεται post ἰησοῦ l. 101 ~ D E ‖ 100-101 ὁ βεβαιόπιστος καὶ καθαρὸς νοῦς γίνεται ~ CX

V. b. Ps 138, 21-22   c. 1 Tm 2, 4   d. cf. Mt 15, 18   e. Jn 5, 44

καθαρὸς νοῦς βρῶμα τοῦ Ἰησοῦ τοῦ εἰπόντος· «Ἐμὸν
βρῶμά ἐστιν ἵνα ποιῶ τὸ θέλημα τοῦ Πατρός μου[f]». Τί δέ
ἐστι τὸ θέλημα τοῦ Πατρός; «Θέλει πάντας ἀνθρώπους
σωθῆναι καὶ εἰς ἐπίγνωσιν ἀληθείας ἐλθεῖν[g]», κατὰ τὸν
105 λόγον Παύλου. Ἀληθείας δὲ λέγει τῆς κατ' ἐλπίδα νοερὰν
εὑρισκομένης καθὰ προειρήκαμεν, ἥτις οὐκέτι ἐξ ἀκοῆς[h],
ἀλλ' ἐξ ἐνεργείας Πνεύματος ἁγίου πιστεύεται, ἥτις ἐστὶν
«ἐλπιζομένων ὑπόστασις[i]», κατὰ τὴν Γραφήν. Ἔστι γὰρ
«πίστις ἐξ ἀκοῆς» καὶ ἔστι «πίστις ἐλπιζομένων ὑπόστα-
110 σις». Ἀβάπτιστος δὲ ἢ κενόδοξος εἰς ἐπίγνωσιν τῆς
ἀληθείας ταύτης ἐλθεῖν οὐ δύναται. Πρῶτον γὰρ τοῖς ἐν τῇ
καθολικῇ Ἐκκλησίᾳ βαπτισθεῖσι διὰ τοῦ βαπτίσματος
δίδοται μυστικῶς καὶ ἐνοικεῖ κρυπτῶς.

Εἶθ' οὕτως κατὰ ἀναλογίαν τῆς ἐργασίας τῶν ἐντολῶν καὶ
115 τῆς νοερᾶς ἐλπίδος ἀποκαλύπτεται τοῖς οὕτω πιστεύουσι τῷ
Κυρίῳ εἰρηκότι· «Ὁ πιστεύων εἰς ἐμέ, καθὼς εἶπεν ἡ
Γραφή, ποταμοὶ ἐκ τῆς κοιλίας αὐτοῦ ῥεύσουσιν ὕδατος
ζῶντος. Τοῦτο δέ, φησίν, ἔλεγε περὶ τοῦ Πνεύματος, οὗ
ἔμελλον λαμβάνειν οἱ πιστεύοντες εἰς αὐτόν[j].» Διόπερ ἡμεῖς
120 πιστεύομεν διὰ τοῦ βαπτίσματος τὴν ἐλευθερίαν καὶ τὸν
καθαρισμὸν μυστικῶς εἰληφέναι, κατὰ τὸν λέγοντα· «Νῦν δὲ
ἀπελούσασθε, νῦν δὲ ἐκαθαρίσθητε, νῦν δὲ ἡγιάσθητε[k].» Καὶ
τοιαῦτα γράφει Κορινθίοις, μήπω κατ' ἐλπίδα νοερὰν διὰ τῆς
τῶν λογισμῶν ἀρνήσεως κεκαθαρμένοις καὶ διὰ τῆς καρδια-

D E T MZCX NV GQW BAF P L Y

V,101 ἰησοῦ : χριστοῦ D CX ‖ εἰπόντος : εἰρηκότος E GQW ‖ 102-
103 μου ... πατρός om. P ‖ 102 μου + τοῦ ἐν τοῖς οὐρανοῖς CX QW ‖ 102-
103 τί ... θέλει om. F edd. ‖ 103 θέλει om. ΒΑ ‖ 104-105 τὸν λόγον παύλου :
τὴν τοῦ ἀποστόλου φωνὴν CX ‖ 105 ἀλήθειαν F edd. ‖ νοερὰν : νοερᾶς ΒΑ
νοερᾶς πίστεως edd. ‖ 106 καθὼς F edd. ‖ οὐκέτι : οὐκ CX ‖ ἀκοῆς +
φανεροῦται CX QW ‖ 107 ἐνεργείας + τοῦ D M X W BAF edd. ‖ ἁγίου :
παναγίου BAF edd. om. W ‖ 109-110 ἐστι ... ὑπόστασις om. MZ N GQW
‖ ὑπόστασις + κατὰ τὴν γραφήν E C B ‖ 110 κακόδοξος E ‖ τῆς om. Y ‖
110-111 ταύτης τῆς ἀληθείας ~ E V GQW P ‖ 111 πρῶτον + μὲν CX Y ‖
τοῖς om. AF edd. ‖ 112 βαπτισθεῖσι : -θήσει F -θήσεται καὶ edd. ‖
βαπτίσματος + χάρις edd. ‖ 114 τῆς ... καὶ suppl. G[mg] ‖ 115-116 τοῦ κυρίου
εἰρηκότος E GQW P ‖ 117 ῥεύσουσι ἐκ τῆς κοιλίας αὐτοῦ ~ T X ‖

nourriture de Jésus. Celui-ci n'a-t-il pas dit : « Ma nourriture, c'est de faire la volonté de mon Père[f] » ? Or quelle est la volonté du Père ? Il veut « que tous les hommes soient sauvés et parviennent à la connaissance de la vérité[g] », selon le mot de Paul. Par « vérité », il entend celle qu'une espérance raisonnée fait découvrir, comme nous l'avons déjà dit ; celle à laquelle on ne croit plus à partir d'un ouï-dire[h], mais d'une action de l'Esprit Saint ; celle qui est « la substance de ce que l'on espère[i] », comme dit l'Écriture. Car il y a « la foi provenant du ouï-dire » et « la foi substance de ce que l'on espère ». Un non-baptisé ou un vaniteux ne peut parvenir à la connaissance de cette vérité-là. Dans une première étape, en effet, elle est donnée en mystère par le baptême à ceux qui ont été baptisés dans l'Église catholique et elle habite en eux secrètement.

Liberté et purification reçues au baptême Cela étant, à proportion de l'accomplissement des commandements et selon l'espérance raisonnée, elle se découvre ensuite à ceux qui croient le Seigneur lorsqu'il a dit : « Qui croit en moi, comme l'a dit l'Écriture, des fleuves d'eau vive couleront de son sein. Il disait cela au sujet de l'Esprit que devaient recevoir ceux qui croient en lui[j]. » C'est pourquoi nous croyons quant à nous que par le baptême nous avons reçu en mystère la liberté et la purification, en accord avec celui qui dit : « Mais à présent vous avez été lavés, à présent vous avez été purifiés, à présent vous avez été sanctifiés[k]. » Et tout cela l'Apôtre l'écrit aux Corinthiens, lesquels n'ont pas encore été purifiés par le renoncement aux pensées et selon l'espérance raisonnée, que n'a pas encore sanctifiés l'activité

---

118 φησίν : om. X BAF Y edd. εἶπε GQW ‖ 119 διόπερ + καὶ CX ‖ 121 τὸν + ἀπόστολον CX ‖ δὲ : μὲν Y ‖ 122 ἐκαθαρίσθητε — ἡγιάσθητε : + νῦν δὲ ἐδικαιώθητε G^{mg} W — ἐκαθαρισθήτε B ἐδικαιώθητε — ἐκαθαρίσθητε AF edd. ἡγιάσθητε καὶ ἐκαθαρισθήτε Y ‖ καὶ + τὰ GQW ‖ 123 γράφει + τοῖς CX ‖ 124-125 καὶ ... ἡγιασμένοις om. V ‖ καρδιακῆς om. N

V. f. Jn 4, 34   g. 1 Tm 2, 4   h. cf. Rm 10, 17   i. cf. He 11, 1   j. Jn 7, 38-39   k. cf. 1 Co 6, 11

125 κῆς τοῦ Πνεύματος ἐνεργείας ἡγιασμένοις, ἀλλ' ἔτι κακοῖς
οὖσι καὶ ἀδικοῦσι καὶ ἀποστεροῦσι, καὶ ταῦτα ἀδελφούς, ἵνα
δείξῃ ὅτι οἱ βαπτισθέντες κατὰ μὲν τὴν δωρεὰν τοῦ Χριστοῦ
τὸν καθαρισμὸν καὶ τὸν ἁγιασμὸν μυστικῶς εἰλήφασι, κατὰ
δὲ τὴν ἰδίαν ὀλιγοπιστίαν ἕκαστος ἐνεργεῖται ὑπὸ τῆς ἰδίας
130 ἐπιθυμίας ἐξελκόμενος καὶ δελεαζόμενος[1], καθὼς
γέγραπται· «Εἶτα ἡ ἐπιθυμία συλλαβοῦσα τίκτει ἁμαρτίαν,
ἡ δὲ ἁμαρτία ἀποτελεσθεῖσα ἀποκύει θάνατον[m].»

Οὐκοῦν ἐκ τῆς ἰδίας ἐπιθυμίας ἡ λογιστικὴ ἁμαρτία, ἐκ δὲ
ταύτης τὸ ἀποτέλεσμα τῆς κατ' αὐτὴν πράξεως, ὃ ἡ Γραφὴ
135 ὠνόμασε θάνατον. Ὅτι δὲ ἀπὸ τοῦ βαπτίσματος ἐν ἡμῖν
ἐστιν ἡ χάρις τοῦ Πνεύματος, ἡ διδάσκουσα ἡμᾶς πᾶσαν τὴν
ἀλήθειαν[n], κατὰ τὸν λόγον τοῦ Κυρίου, γνῶθι πάλιν ἀπὸ τῆς
Γραφῆς καὶ ἀπὸ τῶν πραγμάτων. Πρῶτον ἰδοὺ ἐν ταῖς
Πράξεσι τί λέγει τῷ πλήθει ὁ μακάριος Πέτρος· «Μετανοή-
140 σατε, φησί, καὶ βαπτισθήτω ἕκαστος ὑμῖν ἐν τῷ ὀνόματι τοῦ
Κυρίου ἡμῶν Ἰησοῦ Χριστοῦ εἰς ἄφεσιν ἁμαρτιῶν, καὶ
λήψεσθε τὴν δωρεὰν τοῦ ἁγίου Πνεύματος[o].»

Ἄρα κἂν ἄρτι ἐννόησας πῶς διὰ τοῦ βαπτίσματος ἡ
ἄφεσις τῶν ἁμαρτιῶν καὶ ἡ δωρεὰ τοῦ ἁγίου Πνεύματος
145 δίδοται κατὰ ἀναλογίαν τῆς πίστεως ; Καθὸ ἂν δέ τις ἀπισ-
1004 τῇ, εὐθέως ὑπὸ τῆς ἁμαρτίας κρατεῖται. Ἰδοὺ καὶ τοῖς ἐν
Ἐφέσῳ δώδεκα ἀνδράσιν ἀπίστως βαπτισθεῖσι πῶς ἐγκαλεῖ
ὁ ἅγιος Παῦλος[p], καί «φησιν· εἰ Πνεῦμα ἅγιον ἐλάβετε
πιστεύσαντες ; Οἱ δὲ πρὸς αὐτὸν εἶπον · Ἀλλ' οὐδὲ εἰ Πνεῦ-

D E T MZCX NV GQW BAF P L Y

V,125 ἔτι + καὶ E ‖ 125-126 κακοῖς οὖσι : κακοῦσι T Gᵖᶜ L ‖
126 ἀδελφοὺς : -φοῖς edd. + καὶ NV ‖ 127 δωρεὰν : δύναμιν QW ‖ 128 καὶ
τὸν [τὸν om. E] ἁγιασμὸν : om. edd. ‖ εἰλήφαμεν E ‖ 129 ἕκαστος
ὀλιγοπιστίαν ~ CX ‖ ὑπὸ τῆς ἰδίας ἐνεργεῖται ~ CX ‖ 130-131 καθὼς
γέγραπται om. NV Y ‖ 131 ἡ om. edd. ‖ 133 ἰδίας om. X ‖ λογιστικὴ : +
ἡμῶν CX Q λογικὴ AF edd. λογικὴ ἡμῶν W ‖ 134 κατ' αὐτὴν : κατὰ ταύτην
E κατ' αὐτῶν B ‖ ἡ om. F edd. ‖ 137 πάλιν + ἀγάπητε X ‖ τῆς + θείας CX
QW ‖ 138 ἀπὸ : αὐτῶν Tᵖᶜ om. D MZ BAF edd. + πάντων P ‖ πρῶτον om.
D MZ BAF edd. ‖ ἰδοὺ : σκόπει GQW Y om. V ‖ 139 πράξεσι + τῶν
ἀποστόλων T V QW ‖ 141 κυρίου ἡμῶν ἰησοῦ χριστοῦ : ἰ. χ. V χ. N ‖ 143-
145 ἄρα ... πίστεως om. F edd. ‖ 143 τοῦ + ἁγίου B MZ CX Gˢˡ Y ‖

de l'Esprit au fond de leur cœur, qui sont encore méchants, fauteurs d'injustices et de fraudes, et cela envers leurs frères. Mais il veut montrer que des gens baptisés ont déjà, en mystère, reçu la purification et la sanctification du point de vue du don du Christ. Du point de vue des carences de leur propre foi, cependant, chacun se laisse manœuvrer, tirailler, piéger par sa convoitise personnelle[l], selon qu'il est écrit : « Ensuite la convoitise conçoit et enfante le péché ; le péché une fois consommé porte son fruit, qui est la mort[m]. »

Ainsi donc, de la convoitise personnelle naît le péché de pensée, et de ce péché la réalisation de l'acte conforme à cette pensée, ce que l'Écriture a appelé « mort ». Quant à la présence en nous depuis le baptême de la grâce de l'Esprit, celle qui nous enseigne toute la vérité[n], selon le mot du Seigneur, apprends-la derechef de l'Écriture aussi bien que des faits. Voici d'abord ce que dans les Actes le bienheureux Pierre dit à la foule : « Repentez-vous et que chacun de vous se fasse baptiser au nom de notre Seigneur Jésus Christ pour la rémission des péchés ; alors vous recevrez le don du Saint Esprit[o]. »

A proportion de la foi : rémission des péchés et don du Saint Esprit T'es-tu rendu compte, même à présent, de la façon dont, par le baptême, la rémission des péchés et le don du Saint Esprit sont conférés à proportion de la foi ? Il suffit en revanche que quelqu'un manque de foi, et il est aussitôt dominé par le péché. Considère aussi les reproches faits par saint Paul aux douze baptisés en dehors de la foi à Éphèse[p]. « "Avez-vous reçu l'Esprit Saint avec la foi ?" leur dit-il. Mais eux de répondre : "Nous n'avons même pas

144 ἁμαρτίων + γίνεται D ‖ 144-145 δίδοται κατὰ — πίστεως ἡ — πνεύματος ~ B ‖ 146 εὐθὺς CX ‖ κρατεῖται : κατέχεται CX ‖ 147 δώδεκα : δεκαδύο MZ δέκα καὶ δύο C F edd. δέδωκα W ‖ ἀπίστως : ἀπίστοις E V L om. X ‖ 148 ἅγιος παῦλος [et Syr.] : ἀπόστολος MZ CX BAF edd. L Yac ‖ καί φησιν : φησιν B λέγων CX ‖ 149 εἶπον om. CX

V. l. Jc 1, 14   m. Jc 1, 15   n. cf. Jn 14, 26 + 16, 13   o. Ac 2, 38   p. cf. Ac 19, 7

μα ἅγιόν ἐστιν ἠκούσαμεν. Εἶπεν δὲ πρὸς αὐτούς· Εἰς τί οὖν ἐβαπτίσθητε; Οἱ δὲ εἶπον· Εἰς τὸ Ἰωάννου βάπτισμα. Εἶπε δὲ Παῦλος· Ἰωάννης μὲν ἐβάπτισε βάπτισμα μετανοίας λέγων τῷ λαῷ εἰς τὸν ἐρχόμενον μετ' αὐτὸν ἵνα πιστεύσωσι, τοῦτ' ἔστιν εἰς τὸν Ἰησοῦν. Ἀκούσαντες δὲ ἐβαπτίσθησαν εἰς τὸ ὄνομα τοῦ Κυρίου Ἰησοῦ. Καὶ ἐπιθέντος αὐτοῖς τοῦ Παύλου τὰς χεῖρας ἦλθε τὸ ἅγιον Πνεῦμα ἐπ' αὐτούς[q]. »

Ἐπείσθης ἄρα κἂν νῦν ὅτι εὐθέως ἀπὸ τοῦ βαπτίσματος δίδοται ἅγιον Πνεῦμα τοῖς βεβαιοπίστοις, τοῖς δὲ ἀπίστοις ἢ κακοπίστοις καὶ βαπτισθεῖσιν οὐ δίδοται; Ὅτι δὲ ἡμεῖς ἐσμεν οἱ λυποῦντες αὐτὸ καὶ ἐν ἑαυτοῖς ἀποσβεννύντες, μάθε παρὰ τοῦ αὐτοῦ Ἀποστόλου λέγοντος· « Τὸ Πνεῦμα μὴ σβέννυτε[r] »· καὶ πάλιν · « Μὴ λυπεῖτε τὸ Πνεῦμα τὸ ἅγιον, ἐν ᾧ ἐσφραγίσθητε εἰς ἡμέραν ἀπολυτρώσεως[s]. » Ταύτας δὲ τὰς μαρτυρίας ἠγάγομεν οὐχ ὡς πάντα ἄνθρωπον βεβαπτισμένον καὶ λαβόντα τὴν χάριν λοιπὸν ἄτρεπτον λέγοντες καὶ μηκέτι χρῄζοντα μετανοίας, ἀλλ' ὅτι ἀπὸ τοῦ βαπτίσματος, κατὰ μὲν τὴν δωρεὰν τοῦ Χριστοῦ, τελεία ἡμῖν ἡ χάρις δεδώρηται πρὸς ἐκπλήρωσιν πασῶν τῶν ἐντολῶν. Λοιπὸν δὲ ἕκαστος αὐτὴν λαβὼν μυστικῶς καὶ μὴ τελεσιουργῶν τὰς ἐντολὰς κατὰ ἀναλογίαν τῆς ἐλλείψεως ἐνεργεῖται ὑπὸ τῆς ἁμαρτίας, ἥτις οὐκ ἔστι τοῦ Ἀδάμ, ἀλλὰ τοῦ ἀμελήσαντος, καθότι λαβὼν τὴν δύναμιν τῆς ἐργασίας τὸ ἔργον οὐκ ἐπιτελεῖ. Ἡ δὲ ἔλλειψις ἐξ ἀπιστίας ἐστίν· ἡ δὲ ἀπιστία οὐκ

D E T MZCX NV GQW BAF P L Y

V,150 δὲ : τε E T C οὖν A edd. || 151 δὲ + πρὸς αὐτὸν C || 151-152 εἶπε δὲ παῦλος om. W || 153 τῷ λαῷ λέγων ~ D E T X V GQW P Y τὸν λαὸν λέγω L || 154 τὸν + κύριον C + κύριον ἡμῶν GQ P || ἰησοῦν : χριστὸν NV ἰησοῦν χριστὸν GQ P || 155 ἰησοῦ + χριστοῦ D[sl] E T MZ NV GQW A P L || αὐτοῖς : αὐτοῦ M || 157 κἂν : καὶ D M B || τοῦ + ἁγίου M || 158 τὸ πνεῦμα τὸ ἅγιον D Z W BAF edd. || 158-159 βεβαιοπίστοις τοῖς δὲ ἀπίστοις ἢ [καὶ D T MZ GQW P[ac] L Y] κακοπίστοις καὶ [+ μὴ E[pc] edd.] βαπτισθεῖσι : βεβ. τοῖς δὲ ἀπ. καὶ κακ. καὶ μὴ βαπτ. C βεβ. καὶ μὴ βαπτ. τοῖς δὲ ἀπ X βεβ. τοῖς δὲ ἀπ. ἢ κακ. A βεβ. τοῖς δὲ απ. ἢ κακ. καὶ ἀβαπτισθήσιν F || 160 καὶ ... ἀποσβεννύντες [σβεννύντες E ZCX V W] om. M || μάθετε BF edd. || 161

entendu dire qu'il y ait un Esprit Saint." Il leur dit alors : "Quel baptême avez-vous donc reçu ?" Eux de répondre : "Celui de Jean." Paul leur dit : "Jean a baptisé d'un baptême de pénitence, en disant au peuple de croire en celui qui viendrait après lui, c'est-à-dire en Jésus." Ils l'écoutèrent et reçurent le baptême au nom du Seigneur Jésus. Paul leur imposa les mains et l'Esprit Saint vint sur eux[q]. »

Es-tu enfin persuadé qu'aussitôt le baptême administré, l'Esprit Saint est donné aux gens dont la foi est ferme, mais qu'il ne l'est pas aux gens à qui manque la foi, ou qui l'ont dépravée, même s'ils ont été baptisés ? Que ce soit nous qui contristions l'Esprit et l'éteignions en nous-mêmes, apprends-le de ce que dit le même Apôtre : « N'éteignez pas l'Esprit[r] », et encore : « Ne contristez pas l'Esprit dont le sceau vous a marqués pour le jour de la délivrance[s]. » Si nous avons inséré ici ces témoignages, ce n'est pas pour affirmer que tout baptisé ayant reçu la grâce est désormais inébranlable et n'a plus besoin de repentance. C'est que, dès le baptême, conformément au don du Christ, la grâce nous a été donnée en sa perfection en vue de l'accomplissement de tous les commandements. Désormais chacun l'a reçue en mystère, mais s'il n'exécute pas parfaitement les commandements, il est manœuvré à proportion de ses manquements par un péché qui n'est pas celui d'Adam, mais bien celui de l'individu négligent, étant donné que celui-ci avait reçu le pouvoir d'agir et n'accomplit pas l'acte. Or le manquement vient du défaut de foi, et le

αὐτοῦ om. NV BAF edd. ‖ ἀποστόλου + οὕτωσὶ X ‖ 162 σβέννυτε + προφητείας μὴ ἐξουθενεῖτε BAF edd. ‖ πάλιν + καὶ BA ‖ 164 ἠγάγομεν : εἰς μέσον ἄγομεν D παρηγάγ. CX εἰσάγ. AF edd. ‖ ἄνθρωπον + καὶ M ‖ 166 ἀλλ' om. M ‖ 167 ἡ χάρις ἡμῖν [+ τοῦ θεοῦ AF edd.] ~ D MZ BAF L edd. ‖ 168 πασῶν om. Y ‖ 171 ἔστι + ἐκ L ‖ ἀδὰμ + ἁμαρτία E X ‖ ἀμελήσαντος : ἐλλείψαντος E ἁμαρτήσαντος GQW Pᵖᶜ ‖ 172 τῆς ἐργασίας τὴν δύναμιν E T C NV P L Y τῆς ἐνεργείας τ. δ. X GQW ‖ 173 ἐπετέλεσεν D E ‖ ἐξ ἀπιστίας : ἀπιστία MZ

V. q. Ac 19, 2-6   r. 1 Th 5, 19   s. Ep 4, 30

ἔστιν ἀλλοτρία ἁμαρτία, ἀλλ' αὐτοῦ τοῦ ἀπιστήσαντος, ἥτις
175 λοιπὸν πάσης ἁμαρτίας μήτηρ καὶ εἰσαγωγὴ γίνεται.

Εἴτε οὖν ταχέως τελειωθῆναι βουλόμεθα εἴτε βραδέως,
ὀφείλεται ἐσμὲν τελείως τῷ Χριστῷ πιστεῦσαι καὶ πάσας
τὰς ἐντολὰς αὐτοῦ ἐργάσασθαι, εἰληφότες τῆς τοιαύτης
ἐργασίας παρ' αὐτοῦ τὴν δύναμιν, καὶ τοῦτο δὲ οὐχ ὡς μίαν
180 κατὰ μίαν ἐντολὴν ὀφείλοντες καὶ μονομερῶς ἑκάστην
ἐργάσασθαι, ἀλλὰ διὰ τῶν περιεκτικῶν συλλαβεῖν τὰς ἑνικὰς
καὶ οὕτω πάσας τελεσιουργῆσαι συντόμως. Εἰσὶ γὰρ ἐντολαὶ
κεφαλαιωδέστεραι, ἐν αὐταῖς πολὺ πλῆθος τῶν λοιπῶν
περιέχουσαι. Τοῦτον μόνον τὸν ἀγῶνα χρεωστοῦμεν ἡμεῖς
185 τῆς ἑαυτῶν ἀπιστίας καταγωνίσασθαι καὶ μὴ ἀμελῆσαι τῶν
περιεκτικῶν ἐντολῶν, δι' ὧν ἡ δοθεῖσα ἡμῖν χάρις ἐνεργῶς
ἀποκαλύπτεται. Ὅπερ καὶ ὁ ἅγιος Παῦλος γενέσθαι ἐν ἡμῖν
προσεύχεται λέγων · «Τούτου χάριν κάμπτω τὰ γόνατά μου
πρὸς τὸν Πατέρα τοῦ Κυρίου ἡμῶν Ἰησοῦ Χριστοῦ, ἵνα δώῃ
190 ὑμῖν ὁ Κύριος δύναμιν κραταιωθῆναι διὰ τοῦ Πνεύματος
αὐτοῦ εἰς τὸν ἔσω ἄνθρωπον, κατοικῆσαι τὸν Χριστὸν ἐν
πάσῃ πληροφορίᾳ καὶ αἰσθήσει, ἐν ταῖς καρδίαις ὑμῶν διὰ
τῆς πίστεως [t].»

Καιρὸς δ' ἂν εἴη, καθὼς προειρήκαμεν, καὶ διὰ τῶν πρα-
195 γμάτων τὴν μαρτυρίαν ταύτην βεβαιῶσαι · ἰδοὺ γὰρ καθόσον

D E T MZCX NV GQW BAF P L Y

V,174 ἁμαρτία ἀλλοτρία F P edd. ἀλλοτρία D MZ ἁμαρτία NV ‖ ἀλλ'ἢ
X ‖ ἀπιστήσαντος + ἔλεγχος NV ‖ 177 τελείως suppl. G[sl] ‖ 178 αὐτοῦ τὰς
ἐντολάς NV W L τὰς ἐντολὰς B ‖ ἐργάζεσθαι F edd. ‖ 179 παρ'αὐτοῦ om.
CX NV G suppl. P[sl] ‖ τοῦτο : τότε BAF edd. ‖ 179-180 μίαν κατὰ μίαν :
μίαν G παρὰ μίαν AF edd. ‖ 180 ἑκάστην : om. BAF edd. ‖ 181 ἐργάζεσθαι
D E T MZ N AF Y edd. ‖ ἀλλὰ + καὶ G ‖ διὰ τῶν : διὰ V A om. F edd. ‖
περιεκτικῶν : περιδιεχ. F -τικῶς edd. ‖ 183-184 πολὺ πλῆθος ἐν ἑαυταῖς
περιεχούσαι τῶν λοιπῶν ~ CX + καθὰ καὶ ἐν τῷ ἐπιγεγραμμένῳ περὶ
μετανοίας ἡμῶν λόγῳ λεπτομετέρως ἐθέμεθα [ἐξεθέμεθα X] CX ‖
184 μόνον : οὖν μόνον N AF + οὖν edd. ‖ 185 καταγωνίσασθαι ἀπιστίας ~
CX ‖ 186 ἐνεργῶς [et Syr.] : ἐνεναργῶς D ἐναργῶς GQ AF Y edd. ‖
187 ἅγιος : μακάριος ἀπόστολος CX ‖ γίνεσθαι QW ‖ ἐν om. AF L edd. ‖

défaut de foi n'est pas péché d'autrui, mais bien de celui qui manque de foi, péché qui par la suite donne naissance et introduit toute sorte de péché.

Foi et accomplissement des commandements   Voulons-nous arriver vite à la perfection ou y parvenir lentement, notre devoir est toujours la foi parfaite au Christ et l'accomplissement de tous ses commandements, accomplissement dont nous avons reçu de lui le pouvoir, et cela non pas comme si notre devoir ne regardait que les commandements pris un à un, que nous n'ayons à accomplir que chacun en particulier : nous devons par le moyen des commandements d'ensemble embrasser ceux de détail et de la sorte les accomplir tous de façon résumée, mais à la perfection. Il y a en effet des commandements plus essentiels qui comprennent en eux toute la multitude des autres. Voilà la seule lutte que nous ayons l'obligation de mener : la lutte contre notre propre manque de foi, contre la négligence envers les commandements d'ensemble ; par leur exécution la grâce qui nous a été donnée est révélée en son activité. Que cela advienne en nous est également l'objet de la prière de saint Paul quand il dit : « C'est pourquoi je fléchis les genoux devant le Père de notre Seigneur Jésus Christ, afin que le Seigneur vous donne d'être armés de puissance par son Esprit pour que se fortifie en vous l'homme intérieur, qu'il fasse habiter le Christ dans vos cœurs par la foi en toute assurance et sécurité de sentiment[1]. »

Ce serait ici l'occasion, comme nous l'avons dit plus haut, de renforcer ce témoignage par celui des faits. C'est visible en

---

190 ἡμῖν Q ‖ ὁ κύριος : κατὰ τὸν πλοῦτον τῆς δόξης αὐτοῦ CX om. Y ‖ δυνάμει E T MZCX NV A P ‖ 191 αὐτοῦ om. G suppl. Pˢˡ ‖ κατοικῆσαί + τε CX ‖ 192 εἰς τὰς καρδίας D BAF edd. ‖ ἡμῶν D T CX NV GQW AF L [sic N. T.] ‖ 193 τῆς om. Y ‖ 194 εἴη : ᾖ B + λοιπὸν W

V. t. Ep 3, 14-17

1005 πιστεύοντες τὰς ἐντολὰς τοῦ Χριστοῦ ἐργαζόμεθα, κατὰ
τοσοῦτον καὶ τοὺς ἰδίους καρποὺς ἐν ἡμῖν ἐνεργεῖ τὸ Πνεῦμα
τὸ ἅγιον. Οἱ δὲ καρποὶ τοῦ Πνεύματος, κατὰ τὸν ἅγιον
Παῦλον, εἰσὶν ἀγάπη, χαρά, εἰρήνη, μακροθυμία,
200 χρηστότης, ἀγαθωσύνη, πίστις, πραότης, ἐγκράτεια[u].» Τίς
οὖν καθόλου τούτων τῶν ἐνεργημάτων ἀμύητος μετὰ τὸ
βάπτισμα τυγχάνει, ἵνα ἀρνήσηται λέγων τὴν τοῦ Πνεύματος χάριν μὴ εἰληφέναι ἀπὸ τοῦ βαπτίσματος; Τίς δὲ
πάλιν καθ' ἡμέραν ἀδιαλείπτως ὑπὸ τῶν καρπῶν τούτων
205 ἐνεργεῖται, μήπω τελεσιουργήσας τὰς ἐντολάς, ἵνα εἴπῃ·
Τέλειός εἰμι ἢ ἄτρεπτος; Ὅθεν δῆλον ὅτι τελεία μὲν ἐν ἡμῖν
ἔστιν ἡ χάρις, ἡμεῖς δὲ ἀτελεῖς διὰ τὴν τῶν ἐντολῶν
ἔλλειψιν· οὕτω δὲ καὶ τὸ ἅγιον βάπτισμα τέλειόν ἐστιν εἰς
ἡμᾶς, ἡμεῖς δὲ ἀτελεῖς πρὸς αὐτὸ τυγχάνομεν.

210 Σὺ οὖν, ὦ ἄνθρωπε, ὁ ἐν Χριστῷ βεβαπτισμένος, μόνον
δὸς τὴν ἐργασίαν ἧς τὴν δύναμιν εἴληφας, καὶ σεαυτὸν πρὸς
τὴν ἐμφάνειαν τοῦ ἐνοικοῦντος εὐτρέπισον· καὶ οὕτω σοι
ἐμφανίσει ἑαυτὸν κατὰ τὴν αὐτοῦ ἐπαγγελίαν ὁ Κύριος
πνευματικῶς, ὡς οἶδεν αὐτός. «Ὁ δὲ Κύριος τὸ Πνεῦμά
215 ἐστιν· Οὗ δὲ τὸ Πνεῦμα Κυρίου, ἐκεῖ ἐλευθερία[v].» Καὶ τότε
νοήσεις τὸ εἰρημένον ὅτι «Ἡ βασιλεία τῶν οὐρανῶν ἐντὸς
ὑμῶν ἐστιν[w].» Καὶ τοῦτο δὲ ἀναγκαίως εἰδέναι χρὴ ὅτι καὶ
οἱ μερικῶς τὰς ἐντολὰς ἐργασάμενοι κατὰ ἀναλογίαν εἰς
βασιλείαν εἰσέρχονται. Ὁ δὲ βουλόμενοι εἰς τὸ τέλειον

D E T MZCX NV GQW BAF P L Y

V,196 τοῦ χριστοῦ : τοῦ θεοῦ W Y om. BAF edd. ‖ 197 ἐνεργεῖ ἐν ἡμῖν
~ M CX ‖ 198-199 ἅγιον παῦλον : ἀπόστολον CX N παῦλον A ‖ 201-
202 ἐνεργημάτων ἀμύητος μετὰ τὸ βάπτισμα : ἐνεργεῖν ἄμοιρος μ. τ. β. C
ἐνεργεῖν μ. τ. β. ἄμοιρος X ἐν. ἀμύητος NV εὐεργεσιῶν ἀμύητος μ. τ. β.
Q ‖ 204 ἀδιαλείπτως καθ'ἡμέραν ~ X ‖ 205 τελεσιουργῶν Z ‖ 206 ἢ : om.
Z G εἰ F καὶ edd. ‖ δῆλον : δηλοῖ AF edd. ‖ ὅτι + ὥσπερ AF edd. ‖ 206-
207 ἡ χάρις ἐν ἡμῖν ἔστι D E MZ NV W B P L ἐν ἡμῖν ἡ χάρις T Y ἐστιν
ἡμῖν ἡ χ. F L ἐστιν ἡ χ. edd. ‖ 207 δὲ + ἐσμεν CX ‖ ἀτελεῖς : οἱ ἀτελεῖς CX
οὗ τέλειοι edd. ‖ 207-209 διὰ ... ἀτελεῖς om. Z ‖ 207-208 ἡμεῖς — ἔλλειψιν
suppl. G[sl] P[mg] ‖ τῆς — ἐλλείψεως M ‖ 207 ἐντολῶν : λογισμῶν W ‖
208 τέλειον + μὲν T CX NV G[sl] QW ‖ εἰς : πρὸς NV ‖ 210 βαπτιζόμενος
Y ‖ 211 ἧς : εἰς τὴν F εἰς ἣν edd. ‖ εἴληφας + ἀπὸ τοῦ ἁγίου βαπτίσματος

effet, dans toute la mesure où la foi se traduit en exécution des commandements du Christ, l'Esprit Saint amène aussi à l'acte en nous ses fruits propres. « Or les fruits de l'Esprit sont, selon saint Paul, la charité, la joie, la paix, la longanimité, la bonté, la bienveillance, la fidélité, la douceur, la continence[u]. » Qui donc après le baptême est si totalement dépourvu d'initiation à ces effets opérés par l'Esprit qu'il peut nier avoir reçu la grâce de celui-ci à partir du baptême ? Qui en revanche met à l'œuvre chaque jour sans trêve en lui ces fruits, sans avoir encore accompli à fond les commandements au point de pouvoir dire : Je suis parfait ou inébranlable ? Il ressort de là que la grâce est parfaite en nous, mais que nous ne le sommes pas, à cause de nos manquements aux commandements. Si bien que le saint baptême est parfait par rapport à nous, mais nous en situation d'imperfection à son égard.

Conclusion   Toi donc qui es un homme baptisé dans le Christ, adonne-toi seulement à l'activité dont tu as été rendu capable, applique-toi à rendre manifeste celui qui habite en toi, et dès lors le Seigneur se rendra manifeste à toi selon sa promesse et de la manière spirituelle que lui sait. « Or le Seigneur, c'est l'Esprit ; là où est l'Esprit du Seigneur, là est la liberté[v]. » A ce moment-là tu comprendras ce qui a été dit : « Le royaume des cieux est au dedans de vous[w]. » Mais il y a autre chose qu'il est aussi indispensable de savoir, c'est que ceux qui ont exécuté partiellement les commandements entrent à proportion dans le royaume. Ceux toutefois qui désirent y avancer à fond doivent

---

CX ‖ ἑαυτὸν E NV GQW P L Y ‖ 213 ἑαυτὸν om. E G suppl. P[sl] ‖ 213 κατὰ τὴν αὐτοῦ [αὐτοῦ om. D MZ BAF Y edd.] ἐπαγγελίαν ὁ κύριος : ὁ κ. κατὰ τὴν ἀψευδῆ αὐ. ἐπ. CX ‖ 215 τὸ om. E B ‖ 217 ἡμῶν X BAF ‖ ὅτι + τὰς ἐντολὰς μερικὰς μερικῶν ἐντολῶν οὔσας καὶ ὑπ'ἐκείνων πληροῦνται αἳ καὶ ἑνικαὶ λέγονται AF edd. ‖ 218 ἐντολὰς + τοῦ χριστοῦ M ‖ ἐργαζόμενος V ἐργαζόμενοι Y ‖ 219 βασιλείαν + τῶν οὐρανῶν M ‖ 219-220 φθάσαι εἰς τὸ τέλειον NV εἰς τὸ τ. φθ. μέτρον CX τὸ τ. φθ. Z εἰς τ. φθ. B

V. u. Ga 5, 22-23   **v.** 2 Co 3, 17   **w.** Lc 17, 21

220 φθάσαι, ὀφείλουσι περιεκτικῶς πάσας ἐργάσασθαι. Περι-
εκτικὴ δὲ πασῶν τῶν ἐντολῶν ἡ τῆς ψυχῆς ἄρνησις, ὅ ἐστι
θάνατος. Καὶ ὥσπερ ὁ ζῶν ἐν σαρκὶ ἐλλιπής ἐστι τῆς
τελεσιουργίας ταύτης, οὕτως ἕως ἐξόδου ἄδεκτος εἶναι
προσβολῆς οὐ δύναται διὰ τὴν προειρημένην ἔλλειψιν. Εἴ τις
225 οὖν τῶν πιστῶν καλῶς διὰ τῶν ἐντολῶν πολιτευσάμενος
τινὰ πνευματικὴν ἀναλόγως εὗρεν ἐνέργειαν, πιστευέτω ὅτι
ἤδη προείληφει τὴν ταύτης δύναμιν, καθότι ἔλαβε διὰ τοῦ
βαπτίσματος τὴν χάριν τοῦ Πνεύματος, τὴν πάντων τῶν
ἀγαθῶν αἰτίαν, λέγω δὴ οὐ μόνον τῶν κρυπτῶν καὶ πνευ-
230 ματικῶν, ἀλλὰ καὶ τῶν φανερῶν ἀρετῶν πρόξενον.

Καὶ μηδεὶς τῶν ἐναρέτων ὑπολαμβανέτω διὰ μόνης τῆς
ἑαυτοῦ δυνάμεως πεποιηκέναι τι ἀγαθόν. Ὁ γὰρ ἀγαθὸς
ἄνθρωπος οὐκ ἐξ ἑαυτοῦ, φησὶν ὁ Λόγος, ἀλλ' «ἐκ τοῦ
ἀγαθοῦ θησαυροῦ τῆς καρδίας προφέρει τὸ ἀγαθόν ˣ»,
235 θησαυρὸν λέγων τὸ Πνεῦμα τὸ ἅγιον ἐν τῇ καρδίᾳ τῶν πιστῶν κεκρυμμένον. «Ὅμοια γάρ ἐστιν ἡ βασιλεία τῶν
οὐρανῶν θησαυρῷ κεκρυμμένῳ ἐν ἀγρῷ, ὃν εὑρὼν ἄνθρωπος
ἔκρυψε, καὶ ἀπελθὼν ἐπώλησε πάντα καὶ ἠγόρασε τὸν ἀγρὸν
ἐκεῖνον ˠ.» Τοῦτο δὲ πάνυ τοῖς εἰρημένοις προσφυῶς ἔχει. Ὁ
240 γὰρ νοήσας ἀκριβῶς ὅτι τὸν Χριστὸν ἀπὸ τοῦ βαπτίσματος
ἐν ἑαυτῷ κεκρυμμένον ἔχει ᶻ, κατὰ τὸν Ἀπόστολον, πάντα
ῥίψας τὰ τοῦ κόσμου τούτου πράγματα, παραμένει τῇ
ἑαυτοῦ καρδίᾳ, πάσῃ φυλακῇ τηρῶν αὐτὴν καὶ ζητῶν τὴν
ἔξοδον τῆς ζωῆς κατὰ τὴν παροιμίαν ᵃᵃ.

D E T MZCX NV GQW BAF P L Y

V,220 πάσας ἐργάσασθαι [ἐγάζεσθαι Z] : + τὰς ἐντολὰς NV πάσας
τὰς ἐντολὰς ἐργάσασθαι BAF P edd. ‖ 221 τῶν om. BF edd. ‖ ἡ τῆς ψυχῆς
ἄρνησις : ἐστιν ἡ τῆς ψ. ἄρν. X + ἐστίν BAF P edd. ‖ 222 ὁ ἐν σαρκὶ ζῶν
~ CX ‖ 223-224 ἀνεπίδεκτος προσβολῆς εἶναι CX ‖ 225 καλῶς om. E ‖
226 πνευματικήν τινα ~ CX ‖ ἀναλόγως πνευματικὴν ~ D E ‖ εὗροι edd.
‖ 227 προσείληφει MZC BAF edd. ‖ 228 τῶν om. BAF edd. suppl. Pˢˡ ‖ 229
μόνον MC W ‖ 229-230 φανερῶν — κρυπτῶν καὶ πνευματικῶν ~ CX ‖ καὶ
[καὶ om. P + τῶν QW] πνευματικῶν : om. D MZ L ‖ 231 ὑπελαβέτω ὅτι A
‖ 233 φησὶν ὁ λόγος : φησὶν C om. Y ‖ 234 καρδίας + αὐτοῦ CX ‖
235 λέγων : δὲ λέγω καλῶν CX ‖ ἅγιον + πνεῦμα E T NV L Y ‖ ταῖς

exécuter les commandements d'une manière qui en embrasse
la totalité. Or ce qui embrasse tous les commandements, c'est
le renoncement à son être, c'est-à-dire la mort. Et de même
que vivre dans la chair, c'est manquer encore à ce comportement parfait, de même jusqu'au sortir de la vie on ne peut
devenir imperméable à tout assaut, à cause justement de ce
manque qu'on vient de dire. Un fidèle, par conséquent, qui a
vécu vertueusement grâce aux commandements découvre-t-il
en lui à proportion quelque opération spirituelle, qu'il croie
avoir reçu le principe potentiel de cette opération bien auparavant, en recevant par le baptême la grâce de l'Esprit, cause
de tous les biens. Je veux dire que cette grâce procure non seulement les richesses spirituelles cachées, mais aussi les vertus
manifestes.

Et que personne, parce qu'il est parmi les gens vertueux,
n'aille supposer qu'il a réalisé quelque bien par son seul pouvoir propre. En effet l'homme bon, au dire du Verbe, tire le
bien non pas de lui-même, mais du bon trésor de son cœur[x],
entendant par ce trésor l'Esprit Saint caché dans le cœur des
croyants. « Car le royaume des cieux est semblable à un trésor
caché dans un champ : l'homme qui l'a trouvé le recache et
s'en va vendre tout son avoir pour acheter ce champ[y]. » Ces
mots s'accordent de manière absolument naturelle avec ce
qu'on a dit. Il suffit d'avoir exactement conçu la présence
cachée en soi du Christ à partir du baptême[z], telle que l'affirme l'Apôtre ; on rejette dès lors toutes les affaires de ce
monde pour rester en son cœur, montant sur lui une garde
attentive et cherchant à sortir de cette vie conformément à la
parabole[aa].

καρδίαις E GQW ‖ 237 ἐν ἀγρῷ κεκρυμμένῳ ~ G P L ‖ 238 ἐπώλησε :
πέπραχεν D MZ ‖ 239 δὲ : γὰρ D MZ BAF edd. ‖ τοῖς προειρημένοις πάνυ
~ L ‖ 240 ἀπὸ τοῦ βαπτίσματος τὸν χριστὸν ~ F edd. ‖ βαπτίσματος +
ἐνεδύσατο καὶ NV ‖ 241 ἔχει ἐν ἑαυτῷ κεκρυμμένον ~ CX ‖ κατὰ ...
ἀπόστολον om. D M ‖ πάντα om. L ‖ 242 τούτου om. E GQW NV suppl.
P[sl] ‖ παραμένει + ἐν ZC N B edd.

V. x. Lc. 6, 45   y. Mt 13, 44   z. cf. Col 2, 12 et 3, 3   aa. cf. Pr 4, 23

245　　Διὰ τοῦτο οὐ χρὴ οἴεσθαι δι᾽ ἀγώνων ἐκκόπτειν τὴν τοῦ
1008　᾽Αδὰμ ἁμαρτίαν, ἀλλ᾽ οὐδὲ τὰς ἰδίας, τὰς μετὰ τὸ βάπτισμα
γενομένας, εἰ μὴ διὰ Χριστοῦ. «Αὐτοῦ γάρ ἐστιν, φησίν, καὶ
τὸ θέλειν καὶ τὸ ἐνεργεῖν ὑπὲρ τῆς εὐδοκίας ᵃᵇ.» Προσθεὶς δὲ
τὸ «ὑπὲρ τῆς εὐδοκίας» δείκνυσιν ὅτι τὸ μὲν εὐδοκεῖν ἐν ταῖς
250　ἀρεταῖς ἐφ᾽ ἡμῖν ἐστι, τὸ δὲ ποιῆσαι αὐτὰς ἢ ἐκκόψαι τῆς
ἁμαρτίας ἄτερ Θεοῦ οὐκ ἔστι. Καὶ τὸ εἰπεῖν δὲ ὅτι «Χωρὶς
ἐμοῦ οὐ δύνασθε ποιεῖν οὐδέν ᵃᶜ», καὶ τό «Οὐχ ὑμεῖς με
ἐξελέξασθε, ἀλλ᾽ ἐγὼ ἐξελεξάμην ὑμᾶς ᵃᵈ» εἰς τὸ αὐτὸ
συντείνει νόημα. Τάχα δὲ οὕτω νοητέον καὶ τό «Πάντα δι᾽
255　αὐτοῦ ἐγένετο, καὶ χωρὶς αὐτοῦ ἐγένετο οὐδὲ ἓν ὃ
γέγονεν ᵃᵉ», εἴπερ ἐν τοῖς πᾶσίν ἐστι καὶ τὰ ἡμέτερα. Διὰ
τοῦτο καὶ ὁ προφήτης οὐκ εἶπεν· ᾽Απὸ ᾽Ιερουσαλὴμ ἐπὶ τὸν
ναόν σου σοὶ οἴσουσι βασιλεῖς δῶρα — τὸ εἰκὸς καὶ
γινόμενον —, ἀλλὰ τὸ ἐναντίον· «᾽Απὸ τοῦ ναοῦ σου ἐπὶ
260　᾽Ιερουσαλὴμ σοι οἴσουσι βασιλεῖς δῶρα ᵃᶠ», διότι ἑκάστου
βασιλικώτατος νοῦς ἀπὸ τοῦ κρυπτοῦ τῆς καρδίας ναοῦ
πρῶτον λαμβάνει τὰς καλὰς ὑποθέσεις ὑπὸ τοῦ ἐνοικοῦντος
Χριστοῦ καὶ ἄγει αὐτὰς ἐπὶ τὴν ἐνάρετον πολιτείαν ἣν
᾽Ιερουσαλὴμ ὠνόμασε· καὶ πάλιν αὐτὰς αὐτῷ προσφέρει τῷ
265　διὰ τῆς ἀγαθῆς ἐννοίας προσδεδωρημένῳ Χριστῷ.
　　　Ταῦτα δὲ εἰρήκαμεν οὐκ ἀποκλείοντες τὰ μέλλοντα, ἀλλ᾽
ὁμολογοῦντες ὅτι τὴν δύναμιν τῶν ἐντολῶν εἰλήφαμεν καὶ
τῶν δεσμῶν τοῦ θανάτου ἐλύθημεν. ᾽Οφειλέται δέ ἐσμεν τῆς
ἐργασίας λοιπόν· καὶ εἰ μὴ ἐργασώμεθα τὰς ἐντολάς, ἡ

D E T MZCX NV GQW BAF P L Y

V,245 διὰ τοῦτο : τούτῳ GQW ‖ 246 τὰς om. V suppl. Pˢˡ ‖ ἰδίας +
ἁμαρτίας P L edd. ‖ 247 γινομένας D GQW ‖ χριστοῦ : + ἰησοῦ Μ CX
ἰησοῦ χρ. GQW P ‖ αὐτοῦ : αὐτὸς CX NV GQW L edd. ‖ ἐστιν φησίν :
φησίν ἐστιν D T M Y φη. ἐ. ὁ διδοὺς ἡμῖν C φη. ἐ. ὁ δοὺς ἡμῖν X ἐστιν BAF
ἐστιν ἐνεργῶν ἐν ὑμῖν edd. ‖ 248 δὲ + καὶ Y ‖ 249 ὅτι + μόνον E T CX NV
L ‖ τὸ² + μὲν GQW P ‖ 250 ἐφ᾽ : ἐν NV ‖ 250-251 τὸ δὲ ... οὐκ ἔστι om. F
edd. suppl. Bᵐᵍ ‖ 251-252 οὐ δύνασθε χωρὶς ἐμοῦ ~ D E T MZ NV B L ‖
253 τὸ αὐτὸ : τοιοῦτο D ‖ 254 νοητέον : νοήσομεν X ‖ 254-255 πάντα ... καὶ
suppl. Gᵐᵍ ‖ 256 ἡμέτερα + καὶ τὸ οὐδεὶς ἔρχεται πρὸς τὸν πατέρα εἰ μὴ
δι᾽ἐμοῦ BAF edd. ‖ 258 σοὶ : om. T Z L ‖ βασιλεῖς om. D T M W P L ‖ 258-
259 καὶ γενόμενον D E Z GQW A P Y γινό. X ‖ 260 διότι + ὁ T X Pˢˡ L ‖

Présence intérieure
de l'Esprit
du Christ

Voilà pourquoi il ne faut pas s'imaginer qu'on déracine par des luttes le péché d'Adam, et non pas même ses propres péchés postérieurs au baptême, sauf grâce au Christ. « Car de lui, est-il dit, sont le vouloir et le faire, en surplus de la bonne volonté[ab]. » Cette clause ajoutée, « en surplus de la bonne volonté », démontre qu'avoir une bonne volonté exprimée dans les vertus relève de nous, mais pour ce qui est de l'action de ces vertus et de la suppression du péché, elles ne sont pas possibles sans Dieu. Et la phrase : « Sans moi vous ne pouvez rien faire[ac] », ainsi que cette autre : « Ce n'est pas vous qui m'avez choisi, mais moi qui vous ai choisis[ad] » convergent vers la même signification. Peut-être faut-il comprendre également ainsi la phrase : « Tout fut par lui et en dehors de lui rien de ce qui fut ne fut[ac] », s'il est sûr que dans « tout » est inclus aussi ce qui nous concerne. Voilà pourquoi le prophète lui non plus n'a pas dit : De Jérusalem les rois t'apporteront des présents dans ton temple — événement vraisemblable et habituel —, mais tout au contraire : « De ton temple les rois t'apporteront des présents à Jérusalem[af]. » C'est qu'en chacun un intellect tout royal prend en un premier temps dans le temple caché du cœur les belles suggestions faites par le Christ qui y habite ; il les amène à cette condition vertueuse que le psalmiste a dénommée Jérusalem ; et il les offre de nouveau à ce Christ même qui auparavant lui en avait fait don.

En disant cela, nous n'avons pas exclu les biens à venir, nous avons confessé que (dès à présent) nous avons reçu le pouvoir en ce qui a trait aux commandements et avons été délivrés des liens de la mort. Nous restons toutefois redevables de la mise en œuvre, et si nous ne mettons pas en œuvre les commande-

---

ἑκάστου + ὁ D GQW ‖ 262 καλὰς + καὶ ἀγαθὰς BAF edd. ‖ ὑπὸ : ἀπὸ CX L παρὰ Y ‖ 263 καὶ + οὕτως CX ‖ 264 τῷ : τὸ M om. BAF edd. ‖ 265 χριστῷ + δυνάμει βοῶντο τὰ σὰ ἐκ τῶν σῶν σοὶ προσφέρω sic X ‖ 267 δύναμιν + τῆς ἐργασίας CX ‖ 268 ἐλύθημεν : ἐλευθερώθημεν D MZ NV ‖ 268-269 λοιπὸν τῆς ἐργασίας + τῶν ἐντολῶν CX ‖ 269 ἐργαζόμεθα CX ‖ τὰς ἐντολὰς : om. C + τοῦ θεοῦ BAF edd.

V. ab. cf. Ph 2, 13   ac. Jn 15, 5   ad. Jn 15, 16   ae. Jn 1, 3   af. Ps 67, 30

270 δεδομένη ἡμῖν χάρις οὐκ ἀποκαλύπτεται. Πῶς γὰρ οἱ
ἀποθανόντες ἐν τῇ ἁμαρτίᾳ, τὸ καλὸν ἀφ᾽ ἑαυτῶν ποιεῖν
ἠδυνάμεθα, εἰ μὴ αὐτὸς ἡμᾶς διὰ λουτροῦ παλιγγενεσίας
ἐζωοποίησε καὶ τὴν χάριν τοῦ Πνεύματος ἐδωρήσατο [ag];
Ὅθεν νοήσομεν ὅτι τελεία ἡμῖν ἡ χάρις δεδώρηται τοῦ
275 Πνεύματος εἰς ἐκπλήρωσιν πασῶν τῶν ἐντολῶν, προσθήκην
παρ᾽ ἡμῶν οὐ λαμβάνουσα, ἀλλὰ αὐτὴ ἡμῖν προσθήκην τῆς
κατὰ Χριστὸν αὐξήσεως παρέχουσα, ἐνδυναμοῦσα ἕως
θανάτου τοὺς ἰδίους ἐργάτας, «μέχρι καταντήσωμεν οἱ
πάντες εἰς τὴν ἑνότητα τῆς πίστεως καὶ τῆς ἐπιγνώσεως τοῦ
280 Υἱοῦ τοῦ Θεοῦ, εἰς ἄνδρα τέλειον, εἰς μέτρον ἡλικίας τοῦ
πληρώματος τοῦ Χριστοῦ [ah]», κατὰ τὴν πνευματικὴν
ἀκολουθίαν ἣν προειρήκαμεν.

VI.   Ἐρώτησις

Ὁ οὖν βαπτισθεὶς τίνα δέχεται μυστικῶς; τὸν Χριστόν, ἢ
τὸ ἅγιον Πνεῦμα; Ποτὲ μὲν γὰρ εἴρηκας τὸν Χριστὸν
ἐνοικεῖν, ποτὲ δὲ τὸ ἅγιον Πνεῦμα.

D E T MZCX NV GQW BAF P L Y

V,270 οἱ om. X ‖ 271 ποιεῖν ἀφ᾽ἑαυτῶν ~ NV ἐφ᾽έ. π. M A ‖ 272 ἠδυνάμεθα : δεδυνάμεθα C δεδυνήμεθα X οὐ δυνάμεθα GQW ἐδυνάμεθα P ‖
ἡμᾶς + ὁ κύριος BAF edd. ‖ λουτροῦ + τῆς L ‖ 273 πνεύματος + ἡμῖν CX
GQW P ‖ 274 νοήσομεν : εἰδέναι χρῆ CX ‖ ἡ χάρις ἡμῖν ~ BAF edd. ‖ τοῦ
+ ἁγίου CX ‖ 274-275 τοῦ πνεύματος δεδώρηται ~ NV Y ‖ 275 πνεύματος
+ διὰ τοῦ βαπτίσματος CX ‖ 276 παρ᾽ἡμῶν ... προσθήκην om. BF edd.
suppl. G^mg ‖ 276 ἀλλ᾽ἑαυτὴν CX ‖ ἡμῖν + εἰς CX ‖ 277 χριστὸν : θεὸν Z Y

ments, la grâce à nous conférée ne se révèle point. Comment en effet nous qui gisions morts dans le péché aurions-nous pu de nous-mêmes faire le bien si en personne il ne nous avait vivifiés par un bain de régénération et ne nous avait donné la grâce de l'Esprit[ag] ? Par là nous comprendrons que la grâce de l'Esprit nous a été donnée à perfection pour l'accomplissement de tous les commandements, qu'elle ne reçoit pas d'accroissement de notre chef, mais nous offre une croissance progressive selon le Christ, emplissant de puissance jusqu'à la mort ceux qui la font passer à l'acte, « en attendant que tous nous nous rencontrions dans l'unité de la foi et la connaissance du Fils de Dieu en vue de l'homme parfait et de la maturité d'âge qu'est la plénitude du Christ[ah] », en conformité avec cette logique de l'Esprit que nous avons décrite plus haut.

SECONDE PARTIE
MOTEURS DE LA VIE SPIRITUELLE DE L'HOMME BAPTISÉ

VI.   **Question**

Présence de l'Esprit et dogme trinitaire   Le baptisé, que reçoit-il en mystère ? le Christ ou le Saint Esprit ? Tantôt en effet tu as parlé d'inhabitation par le Christ et tantôt par le Saint Esprit.

‖ παρέχουσα + καὶ GQW ‖ δυναμοῦσα D MZ ‖ 278 ἰδίους : οἰκείους Y ‖ μέχρις ἂν E[mg] GQW ‖ 279-280 εἰς ... θεοῦ suppl. Y[mg] ‖ τοῦ υἱοῦ om. E ‖ 281 πνευματικὴν : πατρικὴν F edd. ‖ 282 προειρήκαμεν : εἰρήκαμεν T.
    VI,3 τὸ πνεῦμα τὸ ἅγιον CX ‖ μὲν om. F edd. ‖ τὸν χριστὸν εἴρηκας ~ CX ‖ 4 ἐνοικεῖν om. MZ ‖ τὸ πν. τὸ ἅγιον CX V A ibid. 6 L

V. ag. cf. Tt 3, 5   ah. Ep 4, 13

5   **'Απόκρισις**

Τὸ ἅγιον Πνεῦμα δεχόμεθα διὰ τοῦ βαπτίσματος. Ἐπεὶ δὲ καὶ Πνεῦμα Θεοῦ λέγεται καὶ Πνεῦμα Χριστοῦ, τούτου χάριν διὰ τοῦ Πνεύματος καὶ τὸν Πατέρα καὶ τὸν Υἱὸν δεχόμεθα.

VII.   **'Ερώτησις**

Οὐκοῦν τὸ Πνεῦμά ἐστιν ἡ Τριάς;

'Απόκρισις

1009   Αὐτὸ μονοπροσώπως οὐ λέγομεν εἶναι τὴν Τριάδα, ἀλλ'
5   ἐπειδὴ οὐ κεχώρισται τοῦ Πατρὸς καὶ τοῦ Υἱοῦ, διὰ τοῦτο ἐν αὐτῷ τὴν Τριάδα ὁμολογοῦμεν κατὰ τὴν αὐτὴν θεότητα. Ὥσπερ γὰρ ἐν τῷ Πατρί ἐστιν ὁ Υἱὸς καὶ τὸ Πνεῦμα, καὶ πάλιν ἐν τῷ Υἱῷ ὁ Πατὴρ καὶ τὸ Πνεῦμα, οὕτως ἐν τῷ Πνεύματι ὁ Πατὴρ καὶ ὁ Υἱός ἐστιν οὐ συγχύσει τῶν τριῶν
10   ὑποστάσεων, ἀλλὰ τῇ ἑνώσει τῆς αὐτῆς μιᾶς βουλῆς καὶ

D E T MZCX NV GQW BAF P L Y

VI,6 διὰ : ἀπὸ N ‖ ἐπειδὴ E ‖ 8 πνεύματος : βαπτίσματος GQW Pᵃᶜ ‖ καὶ om. MZ BAF edd. ‖ 9 δεχόμεθα + κατὰ τὸν εἰρηκότα ἐγὼ καὶ ὁ πατὴρ ἐλευσόμεθα καὶ μόνην παρ'αὐτῷ ποιήσωμεν CX QW.

VII,4 αὐτὸ : οὐ τὸ sic F οὕτω edd. ‖ 6 αὐτὴν : αὐτοῦ M G W F edd. ἑαυτῷ Q om. L ‖ θεότητα + καὶ [τε καὶ X] δύναμιν CX QW ‖ 7-8 καὶ² ... πνεῦμα suppl. mg D N Y ‖ 8 υἱῷ : + καὶ X B L + ἐστι M ‖ οὕτως + καὶ X V Y ‖ 9 πνεύματι + καὶ CX W P L ‖ ἐστι καὶ ὁ υἱος ~ CX‖ ὁ² om. AF edd. ‖ σύγχυσιν B ‖ τριῶν + τῆς μιᾶς θεότητος X ‖ 10 αὐτῆς om. D E MZ ‖ 11 θεότητος + καὶ οὐσίας CX QW

---

1. On aurait attendu, comme pendant de l'affirmation des trois hypostases, celle de l'unité de l'οὐσία (« essence » ou « substance ») divine. Mais Marc est extrêmement parcimonieux dans l'usage de ce terme : une fois dans *Justif*. 20, 1, avec une portée théologique relativement faible (le Christ est Maître du point de vue de l'οὐσία comme de l'économie), une fois dans *Incarn*. XVIII, 13, où le Verbe (ou peut-être le Christ) est dit engendré de l'οὐσία du Père, donc dans une formule qui a cours depuis

Réponse

C'est le Saint Esprit que nous recevons par le baptême. Mais comme on l'appelle et Esprit de Dieu et Esprit du Christ, de ce fait nous recevons par l'intermédiaire de l'Esprit et le Père et le Fils.

VII.   Question

Ainsi donc l'Esprit est la Trinité ?

Réponse

Lui en sa seule personne non, nous ne le disons pas être la Trinité. Mais étant donné qu'il ne s'est séparé ni du Père ni du Fils, nous confessons la présence en lui de la Trinité selon l'identité de divinité. De même en effet que dans le Père sont le Fils et l'Esprit, dans le Fils à son tour, le Père et l'Esprit, ainsi dans l'Esprit sont le Père et le Fils, non point par un mélange des trois hypostases, mais par l'union d'une seule volonté et d'une identique divinité[1]. De sorte que nous de notre côté, en nommant en particulier soit le Père soit le Fils

---

Nicée, mais qui n'est pas ici prolongée par un quelconque emploi de l'*homoousios*. Ce qui est posé ici en revanche, c'est l'unité de βουλή entre les trois Personnes, clause assez rare dans les résumés de la foi trinitaire, sans doute parce que l'on craignait de réduire l'unité divine à celle qui pouvait exister entre des individus humains, voire entre l'homme sanctifié et Dieu (d'où la répudiation de toute analogie avec cette unité de cœur et d'âme entre les premiers fidèles, décrite par *Act.* 4, 32). Une région de la chrétienté, cependant, ne paraît point partager cette répugnance, celle de Syro-Mésopotamie. On a toute une série de textes de cette provenance qui affirment l'unité de vouloir dans la Trinité, en y juxtaposant toutefois souvent l'unité d'οὐσία (comme quelques mss ont tenté de le faire ici). Ainsi le troisième *Logos* du Corpus macarien parle de « la bienheureuse Trinité, volonté (βουλή) insécable et οὐσία sans bornes » (MAKARIOS-SYMEON, *Reden und Briefe*, éd. Berthold, I, p. 39, l. 20-21) ; de même la profession de foi par laquelle débute la *Grande Lettre* (1, 3, éd. Staats, p. 88), quoique le texte en soit assez trouble, exhorte à confesser l'unique volonté (θέλημα, cette fois), l'unique gloire, l'unique adoration (mais l'*homoousios* est aussi mentionné dans le contexte). C'est aussi θέλημα qu'on a dans la confession de foi d'Hypatios : cf. sa *Vie* écrite par CALLINICOS, ch. 39, 6, éd. Bartelink, *SC* 177, p. 232 (les contacts avec le Corpus macarien sont d'ailleurs

θεότητος· ὥστε καὶ ἡμεῖς εἴτε τὸν Πατέρα μονομερῶς
ὀνομάζομεν, εἴτε τὸν Ὑἱόν, εἴτε τὸ Πνεῦμα, ἐν τῷ ἑνὶ
ὀνόματι τὴν Τριάδα ὀνομάζομεν, κατὰ τὸν νοῦν ὃν εἰρήκαμεν.

VIII.   Ἐρώτησις

Πῶς ἡ Γραφὴ λέγει ἐπουράνιον εἶναι τὴν Ἰερουσαλήμ[a],
σὺ δὲ εἴρηκας ἐν τῇ καρδίᾳ αὐτὴν εἶναι;

                            Ἀπόκρισις

5   Οὐ μόνον τὴν Ἰερουσαλήμ, ἀλλὰ καὶ τὰ λοιπὰ ἀγαθὰ ὅσα
μέλλουσιν ἐν τῇ ἀναστάσει λαμβάνειν οἱ δίκαιοι οἴδαμεν ὅτι
ἄνω εἰσί. Τούτων δὲ αὐτῶν οἱ ἀρραβῶνες καὶ αἱ ἀπαρχαὶ ἐν
ταῖς καρδίαις τῶν βεβαιοπίστων ἀπὸ τοῦ νῦν πνευματικῶς
ἐνεργοῦσιν, ὅπως πληροφορηθέντες περὶ τῶν μελλόντων,
10   τῶν παρόντων ἁπάντων καταφρονήσωμεν καὶ ἕως θανάτου
τὸν Θεὸν ἀγαπήσωμεν. Διὰ τοῦτο οὐκ εἶπεν· Προσελθεῖν
ἔχετε, ἀλλά· «Προσεληλύθατε Σιὼν ὄρει, καὶ πόλει Θεοῦ
ζῶντος Ἰερουσαλὴμ ἐπουρανίῳ[a].» Δεκτικοὶ οὖν τούτων ἀπὸ
τοῦ βαπτίσματος πάντες γεγόναμεν, τυχεῖν δὲ αὐτῶν μόνοι
15   καταξιοῦνται οἱ βεβαιόπιστοι, οἱ διὰ τὴν τοῦ Χριστοῦ
ἀγάπην καθ᾽ ἡμέραν ἀποθνήσκοντες[b], τοῦτ᾽ ἔστι πᾶσαν
ἔννοιαν τῆς ἐνταῦθα ζωῆς ὑπερβαίνοντες καὶ μηδὲν ἕτερον

D E T MZCX NV GQW BAF P L Y

VII,12 ὀνομάσωμεν Τ -σομεν GQW L Y ‖ τὸ + ἅγιον GQW P ‖ πνεῦμα
+ τὸ ἅγιον X ‖ 13 νοῦν : τρόπον CX Q νῦν F edd. ‖ 13-14 εἰρήκαμεν :
προειρή. Q P Y + λόγον edd.

VIII,2 ἐπουράνιον [+ εἶναι X] λέγει ~ CX ‖ εἶναι τὴν om. MZ ‖ 7 αὐτῶν
om. T N QW BAF Y edd. ‖ οἱ : αἱ AF ‖ αἱ om. MZ G^{ac}QW P F edd. ‖
9 μελλόντων + αἰωνίων CX ‖ 10 καταφρωνήσωσι CX ‖ 11 χριστὸν CX ‖
ἀγαπήσωσι X ‖ 11-12 προσελθεῖν ἔχετε οὐκ εἶπεν ~ edd. ‖ 12 πόλις A ‖
13 οὖν : γὰρ AF edd. ‖ τούτων : post βαπτίσματος transp. NV + ἁπάντων
CX + πάντων V ‖ 14 πάντες : om. C edd. πάντως Y ‖ αὐτῶν : αὐτῆς W ‖
15 ἀξιοῦνται Τ X V ‖ κυρίου Y

VIII. a. He 12, 22   b. cf. 1 Co 15, 31

soit l'Esprit, nous nommons avec ce seul nom la Trinité, au sens où nous venons de le dire.

VIII.   Question

L'Écriture affirme que Jérusalem est céleste[a] ; comment vas-tu dire, toi, qu'elle est dans le cœur ?

Réponse

Situation actuelle   Il n'y a pas que Jérusalem ; les autres
et situation   biens aussi que les justes sont destinés à
eschatologique   recevoir lors de la résurrection sont d'en-
haut, nous le savons. Mais les arrhes, les prémices, de ces biens sont actives dès à présent de manière spirituelle dans le cœur de ceux qui sont fermes dans la foi ; elles font que, pleins d'assurance au sujet de l'avenir, nous dédaignions tous les biens d'ici-bas et aimions Dieu jusqu'à la mort. C'est pour cela qu'il a été dit non pas : Vous avez à vous avancer, mais : « Vous vous êtes avancés vers la montagne de Sion et la ville du Dieu vivant, la Jérusalem céleste[a]. » Nous sommes donc tous devenus capables de recevoir ces biens depuis le baptême ; mais quant à y atteindre, seuls les gens solides dans la foi en sont jugés dignes, ceux qui meurent quotidiennement pour l'amour du Christ[b], c'est-à-dire qui transcendent toute pensée de la vie

fréquents dans cet ouvrage, dont l'auteur, sinon le héros, est Syrien : cf. *ed. cit.*, p. 38 s.). On trouverait aussi une insistance sur l'unité de volonté entre les personnes divines dans le *IVe Discours sur la foi* d'ÉPHREM, qui cependant, selon E. BECK, *Ephraems Reden über den Glauben*, Studia Anselmiana 33, Rome 1953, p. 22-23, serait propre à cette pièce. « Vous êtes un en gloire, en puissance et en volonté », dit l'apôtre Judas-Thomas dans les *Actes* apocryphes mis sous son nom (Leiden 1962, trad. Klijn, c. 70, p. 102), en s'adressant aux trois Personnes. Enfin, plus important encore, puisqu'il s'agit d'un symbole conciliaire, dans le *Synodicon* officiel de l'Église syrienne occidentale (jacobite), le troisième article dit : « Et nous confessons l'Esprit vivant et saint, le Paraclet vivant qui (vient) du Père et du Fils, en une Essence, en une Trinité, en une Volonté » (trad. J. Gribomont, dans « Le symbole de foi de Séleucie-Ctésiphon (410) », *A tribute to Arthur Vööbus*, Chicago 1977, p. 283-294). Ce trait n'est donc pas insignifiant pour déterminer les attaches théologiques de Marc.

ἐννοοῦντες ἢ μόνον πότε καταντήσωσιν εἰς τελείαν ἀγάπην
τοῦ Χριστοῦ, ἥτις ἐστὶν ἐνδότερον ἄνοιγμα τῆς καρδίας ὅπου
20 πρόδρομος ὑπὲρ ἡμῶν εἰσῆλθεν Ἰησοῦς[c].

Τοῦτο ζητῶν παρὰ τὰς ἀρχὰς ὁ ἅγιος Παῦλος ἔλεγε·
«Διώκω εἰ καὶ καταλάβω, ἐφ' ᾧ καὶ κατελήφθην (τοῦτ'
ἔστιν, ἵνα ἀγαπήσω, ἐφ' ᾧ καὶ ἠγαπήθην) ὑπὸ Χριστοῦ[d]».
Μετὰ δὲ τὸ καταλαβεῖν ταύτην τὴν ἀγάπην, οὐκέτι ἕτερον
25 οὐδὲν ἐννοεῖν κατεδέχετο, οὐ τὰ θλιβερὰ τούτου τοῦ σώματος, οὔτε τὰ θαύματα τῆς κτίσεως, ἀλλὰ πᾶσαν σχεδὸν
ἔννοιαν παρῃτεῖτο, μηδὲ πρὸς ὥραν τῆς τοῦ Πνεύματος
ἐνεργείας ἀποστερηθῆναι καταδεχόμενος. Ἐφανεροποίησε δὲ
ὅσα διὰ τὴν πνευματικὴν ἀγάπην παρῃτεῖτο καί φησι· «Τίς
30 ἡμᾶς χωρίσει ἀπὸ τῆς ἀγάπης τοῦ Χριστοῦ θλῖψις, ἢ
στενοχωρία, ἢ διωγμός, ἢ λιμός, ἢ γυμνότης, ἢ κίνδυνος, ἢ
μάχαιρα[e];» Καὶ πάλιν· «Πέπεισμαι, φησίν, ὅτι οὔτε
θάνατος οὔτε ζωὴ οὔτε ἄγγελοι οὔτε ἀρχαὶ οὔτε ἐξουσίαι
οὔτε δυνάμεις οὔτε ἐνεστῶτα οὔτε μέλλοντα οὔτε ὕψωμα
35 οὔτε βάθος οὔτε τις κτίσις ἑτέρα δυνήσεται ἡμᾶς χωρίσαι
ἀπὸ τῆς ἀγάπης τοῦ Θεοῦ, τῆς ἐν Χριστῷ Ἰησοῦ τῷ Κυρίῳ
ἡμῶν[f]», καθότι οὐδὲν τούτων ἐννοεῖν ἠνείχετο ἢ μόνον ἐκεῖ
παραμένειν.

IX.   Ἐρώτησις

Πῶς πρὸ βραχέος εἴρηκας ὅτι τελείως ἐνοικεῖ ἐν ἡμῖν τὸ
Πνεῦμα καὶ προσθήκην παρ' ἡμῖν οὐ λαμβάνει, ὁ δὲ Ἀπό-

D E T MZCX NV GQW BAF P L Y

VIII,18 ἢ : εἰ μὴ Y ‖ καταντήσωμεν M V καταντήσουσι QW P L ‖ εἰς
+ τὴν D E M N G P Y ‖ 20 ὑπὲρ ἡμῶν om. BAF edd. ‖ 21 ἅγιος : +
ἀπόστολος CX ἀπόστολος NV ‖ 22 διώκω + δὲ CX edd. ‖ καὶ om. Y ‖
κατελήφθην + ὑπὸ χριστοῦ ἰησοῦ [om. ἰησοῦ NV Q] CX NV Q ‖ 22-
23 τοῦτ'ἔστι ... ἠγαπήθην om. W ‖ 25 οὐδὲν : om. NV G Y τι οὐδὲν B τι AF
edd. ‖ τούτου om. D E G[ac]Q P ‖ 25-26 τοῦ σώματος τούτου ~ CX L ‖
26 οὔτε : οὐ T CX GQW ‖ θαυμαστὰ X NV P ‖ 27 ἔννοιαν om. QW ‖ 27-
29 μηδὲ ... παρῃτεῖτο om. Y ‖ 28 στερηθῆναι X ‖ καταδεχόμενος : ἀνεχό-
μενος L ‖ 30 χωρίσει E M ‖ 31-32 διωγμὸς ... μάχαιρα om. MZ B Y ‖
31 διωγμὸς om. X ‖ ἢ λιμός : om. D E Q ‖ 32 μάχαιρα + καὶ τὰ ἑξῆς Z AF

d'ici-bas et n'ont rien d'autre en tête que le moment seul où ils rencontreront le parfait amour du Christ, amour qui est une intime ouverture du cœur, dans le lieu où Jésus est pour nous entré en précurseur[c].

Exemple de saint Paul Cela constitua pour saint Paul un des principaux objets de sa quête, ce qui lui fit dire : « Je suis à sa poursuite, pour tâcher de saisir celui qui m'a saisi (autrement dit, pour tâcher d'aimer celui qui m'a aimé), à savoir le Christ[d]. » Après qu'on aurait saisi cette charité, il n'admettait plus qu'on pût penser à rien d'autre, ni aux épreuves écrasant ce corps ni aux merveilles de la création ; il renonçait presque à toute espèce d'idée, il n'admettait même pas qu'on pût se soustraire pour une heure à l'opération de l'Esprit. Il a dit du reste en clair tout ce à quoi la charité selon l'Esprit l'amenait à renoncer : « Qui nous séparera de la charité du Christ ? l'épreuve, l'angoisse, la persécution, la famine, la nudité, le danger, le glaive[e] ? » Puis encore : « J'en suis persuadé, ni la mort ni la vie ni les anges ni les puissances ni les dominations ni les forces ni le présent ni l'avenir ni la hauteur ni la profondeur ni aucune autre créature ne pourra nous séparer de la charité de Dieu, qui est dans le Christ Jésus notre Seigneur[f]. » Cela dans la mesure où il ne supportait pas qu'on pût avoir rien de ces choses en tête, hors de persévérer dans cette charité.

IX.   Question

Comment as-tu pu dire, il y a un instant, que l'Esprit habite parfaitement en nous, sans y prendre aucun accroissement,

---

edd. ‖ καὶ πάλιν : καὶ τὰ λοιπὰ πάντα MZ B Y om. N X ‖ 33 ζωή + καὶ τὰ ἑξῆς AF edd. ‖ 33-37 οὔτε[2]... ἡμῶν [et Syr.] : om. MZ N B Y ‖ 37 τούτων : τοῦτο F edd. ‖ 38 παραμένειν + ἔνθα καὶ τὴν ἀγάπην εἶχεν CX *ad amorem* Syr.

IX,2 τελείως om. GQW ‖ 3-5 καὶ ... πνεῦμα : om. D MZ NV BAF L Syr. suppl. E[mg] Y[mg]

VIII. c. cf. He 6, 20   d. Ph 3, 12   e. Rm 8, 35   f. Rm 8, 38-39

στόλος τὸ ἐναντίον λέγει ὅτι τὴν ἀπαρχὴν τοῦ Πνεύματος
5 ἔχομεν, οὐχὶ δὲ τέλειον τὸ Πνεῦμα[a] ;

Ἀπόκρισις

Ἀπαρχὴν εἶπεν οὐ μέρος τι τοῦ παντός, οὐδὲ ὡς τομήν
1012 τινα τοῦ Πνεύματος εἰσάγων — οὔτε γὰρ τέμνεται, οὔτε
ἀλλοιοῦται —, ἀλλὰ τὸ ἡμῶν χωρητικὸν ἐμφαίνων, μὴ
10 δυνάμενον χωρῆσαι πᾶσαν τὴν τοῦ Πνεύματος ἐνέργειαν, εἰ
μὴ διὰ τῆς τελείας ἐντολῆς, τοῦτ᾽ ἔστι διὰ θανάτου· εἴπερ
καὶ ὁ ὑπὲρ ἀληθείας Χριστοῦ θάνατος ἐντολὴ Θεοῦ ἐστιν.
Ὥσπερ οὖν ὁ ἥλιος ὢν τέλειος τελείαν καὶ ἁπλῆν καὶ ἴσην
πᾶσι τὴν παρ᾽ ἑαυτοῦ χάριν ἐπιβάλλει, λοιπὸν δὲ ἕκαστος
15 καθ᾽ ὅσον ἔχει τὸ ὄμμα κεκαθαρμένον, κατ᾽ αὐτὸ καὶ τὸ
ἡλιακὸν εἰσδέχεται φῶς, οὕτω καὶ τὸ ἅγιον Πνεῦμα πασῶν
μὲν τῶν ἐνεργειῶν καὶ δωρεῶν τοὺς πιστεύοντας αὐτῷ
δεκτικοὺς ἀπὸ τοῦ βαπτίσματος ἐποίησε. Λοιπὸν δὲ οὐ πᾶσιν ὁμοτίμως τὰς δωρεὰς ἐνεργεῖ, ἀλλ᾽ ἑκάστῳ πρὸς ἀξίαν,
20 κατὰ ἀναλογίαν τῆς ἐργασίας τῶν ἐντολῶν, ὅσον μαρτυρῆ-
σαι τοῖς ἀγαθοῖς ἔργοις, καὶ φανεροποιῆσαι τὸ μέτρον τῆς
εἰς Χριστὸν πίστεως. Διὸ φησίν· «Ἐξαπέστειλεν ὁ Θεὸς τὸ
Πνεῦμα τοῦ Υἱοῦ αὐτοῦ εἰς τὰς καρδίας ἡμῶν, κρᾶζον·
Ἀββᾶ ὁ Πατήρ[b]»· καί· «Αὐτὸ τὸ Πνεῦμα συμμαρτυρεῖ τῷ
25 πνεύματι ἡμῶν ὅτι ἐσμὲν τέκνα Θεοῦ[c].»

D E T MZCX NV GQW BAF P L Y

IX,5 τὸ τέλειον πνεῦμα ~ CX ‖ 7 ἀπαρχῆς ‖ εἶπεν : om. E Y et Syr.
εἶπον alii ‖ 10 δυναμένων E P ‖ 11 ἐντολῆς : ἀγάπης Syr. ‖ διὰ : om. E
δι᾽ἑκουσίου CX ‖ 12 χριστοῦ om. GQW ‖ 13 οὖν : om. A
+ καὶ L ‖ τέλειος ὢν ~ CX A Y ‖ 14 πᾶσι : ἅπασι BAF edd. ‖ παρ᾽ : περὶ
N om. AF edd. ‖ 15 ἔχει : ἂν ἔχῃ GQW P Y ‖ κατ᾽αὐτὸ : κατὰ τοσοῦτον
CX κατ᾽αὐτὸν F edd. ‖ 15-16 τὸ ἡλιακὸν : εἰς λαϊκὸν F edd. ‖ 16 τὸ πνεῦμα
τὸ ἅγιον GQW ‖ 17 τῶν om. AF edd. ‖ ἐνεργειῶν + αὐτοῦ CX ‖ 17-
18 αὐτῷ ... βαπτίσματος om Q ‖ 18 δὲ om. GQW ‖ 19 ἐνεργεῖν D C F edd.
‖ 20 κατὰ + τὴν CX Y ‖ τῆς ἐργασίας om. D T MZ NV B L suppl. E^mg ‖
20-21 ἐπιμαρτυρῆσαι X ‖ 23 κράζων B Q Y ‖ 24 καὶ om CX

alors que l'Apôtre dit le contraire : nous avons, selon lui, les prémices de l'Esprit, non l'Esprit en sa perfection[a] [1] ?

Réponse

Il a parlé de prémices non point pour suggérer une parcelle du tout, non plus qu'une fragmentation de l'Esprit — lequel effectivement n'est ni fragmenté ni transformé —, mais pour faire ressortir que nous étions capables de l'Esprit, sans toutefois en pouvoir contenir l'opération tout entière, si ce n'est en passant par le commandement parfait, celui de la mort, puisque aussi bien la mort pour la vérité du Christ est un commandement de Dieu. Il en va donc comme du soleil : étant parfait, il émet sa grâce de façon parfaite, simple et égale pour tous, mais chacun ensuite, selon la pureté acquise par son regard, reçoit à ce degré même la lumière solaire. De même le Saint Esprit aussi a rendu ceux qui croyaient en lui capables de toutes ses opérations et de ses dons, depuis le baptême. Il demeure néanmoins qu'il ne rend pas en tous ses dons aussi remarquablement opérants ; cela dépend du mérite de chacun, de la proportion dans laquelle il exécute les commandements, de la mesure où il rend témoignage par ses œuvres bonnes et met en lumière sa foi au Christ. Voilà pourquoi il est dit : « Dieu a envoyé l'Esprit de son Fils dans nos cœurs, où il crie : Abba, Père[b]. » Et aussi : « L'Esprit en personne porte témoignage avec notre esprit que nous sommes enfants de Dieu[c]. »

IX. a. cf. Rm 8, 23   b. Ga 4, 6   c. Rm 8, 16

1. A première vue, la tradition manuscrite ne paraît guère en faveur de la leçon longue, que nous adoptons ici : ses plus anciens témoins, les *Coislinianus 123* (**C**) et *Patmiacus 193* (**P**), ne remontent qu'au XIᵉ siècle, et la version syriaque a elle aussi la leçon courte. Cependant **C** et **P** sont assez rarement d'accord tout au long de *Bapt.* — comme du reste dans les autres opuscules sauf *Melch.* — pour que cette convergence-ci soit plus impressionnante. Par ailleurs, la phrase manquant dans tant de mss, y compris les plus anciens, pourrait aisément avoir disparu par passage du même au même entre les deux mentions du πνεῦμα.

Ὅτι δὲ οὐδεὶς ἑαυτῷ ἐκκόπτει τὴν τοῦ Ἀδὰμ ἁμαρτίαν,
ἀλλ' ὁ Χριστὸς μόνος κατὰ ἀναλογίαν τῆς εἰς αὐτὸν πίστεως,
ἄκουε τοῦ Ἀποστόλου λέγοντος ὅτι «Χριστὸς ἀπέθανεν ὑπὲρ
τῶν ἁμαρτιῶν ἡμῶν κατὰ τὰς Γραφάς ᵈ»· καὶ πάλιν· «Συνί-
30 στησι δὲ τὴν ἑαυτοῦ ἀγάπην εἰς ἡμᾶς ὁ Θεὸς ὅτι ἔτι
ἁμαρτωλῶν ἡμῶν ὄντων Χριστὸς ὑπὲρ ἡμῶν ἀπέθανε ᵉ»·
καὶ πάλιν· «Συνετάφημεν αὐτῷ διὰ τοῦ βαπτίσματος, ἵνα
ὥσπερ ἠγέρθη Χριστὸς ἐκ νεκρῶν, οὕτω καὶ ἡμεῖς ἐν
καινότητι ζωῆς περιπατήσωμεν ᶠ», καὶ ὅτι «Ὁ ἀποθανὼν
35 δεδικαίωται ἀπὸ τῆς ἁμαρτίας ᵍ»· καὶ ὅτι «Χάριτί ἐστε σεσωσμένοι καὶ οὐκ ἐξ ἔργων, ἵνα μή τις καυχήσηται ʰ»· καὶ
πάλιν· «Ἦτε γάρ ποτε σκότος, νῦν δὲ φῶς ἐν Κυρίῳ· ὡς
τέκνα φωτὸς περιπατεῖτε ⁱ»· καὶ πάλιν· «Ὑμεῖς δὲ οὐκ ἐστὲ
παιδίσκης τέκνα, ἀλλὰ τῆς ἐλευθέρας· Τῇ ἐλευθερίᾳ
40 Χριστὸς ἡμᾶς ἠλευθέρωσε ʲ»· καὶ πάλιν· «Ὡς ἐλεύθεροι, καὶ
μὴ ὡς ἐπικάλυμμα ἔχοντες τῆς κακίας τὴν ἐλευθερίαν ᵏ.»

Βλέπεις πῶς δι' ὧν σὺ λέγεις ἀγωνῶν ἐκκόπτειν τὴν
ἁμαρτίαν, ταῦτα καινότητος καὶ ἐλευθερίας καὶ φωτὸς ἔργα
λέγει ἡ Γραφή. Φανεροῖ δὲ καὶ τὰς τοῦ αὐτεξουσίου
45 παρατροπάς, ἃς σὺ λέγεις εἶναι τὴν τοῦ Ἀδὰμ ἁμαρτίαν. Τὸ
γὰρ «ὡς ἐπικάλυμμα τῆς κακίας ἔχειν τὴν ἐλευθερίαν ˡ», καὶ
«λυπεῖν τὸ Πνεῦμα τὸ ἅγιον ᵐ», καὶ «ποιεῖν τὰ θελήματα
τῆς σαρκὸς καὶ τῶν διανοιῶν ⁿ», καὶ τὸ «ἀρξαμένους πνεύ-

D E T MZCX NV GQW BAF P L Y

IX,26 δὲ om. C ‖ ἑαυτῷ : ἑαυτῶν M om. CX ‖ ἐκκόπτει ἑαυτῷ ~ D E ‖
τὴν ἁμαρτίαν τοῦ ἀδὰμ ~ N ‖ 27 ὁ om. D CX L ‖ μόνον T M W ‖ κατὰ +
τὴν CX ‖ αὐτὸν : χριστὸν P ‖ 28 ἄκουε τοῦ : + αὐτοῦ D G Y ἀκ. αὐτοῦ τοῦ
E P ἀκούσον τοῦ NV ‖ ἀποστόλου : παύλου V ‖ 30 δὲ om. T MZ L ‖ ὁ θεὸς
εἰς ἡμᾶς ~ D ‖ ἔτι om. Q ‖ 30-31 ἁμαρτωλῶν ἡμῶν ἔτι ~ L ‖ 31 ἡμῶν om. Y
‖ ὄντων ἡμῶν ~ D T CX ‖ 32 καὶ ... βαπτίσματος suppl. Yᵐᵍ ‖ πάλιν om.
BAF edd. ‖ συνετάφημεν + οὖν CX ‖ βαπτίσματος + εἰς τὸν θάνατον Tᵐᵍ
CX NV GQW P Yᵐᵍ Syr. (sic Rm 6,4) ‖ 33 ἠγέρθη χριστὸς : χρ. ἀνέστη L
‖ νεκρῶν : + καὶ τὰ ἑξῆς T MZ B + διὰ τῆς δόξης τοῦ πατρὸς CX NV ‖ 33-
34 οὕτω ... περιπατήσωμεν om. T MZ B ‖ 34 περιπατήσωμεν + καὶ τὰ ἑξῆς
AF edd. ‖ καὶ ὅτι : om. CX ‖ 35 ὑπὸ M N F edd. ‖ 35-36 σεσωσμένοι + διὰ
τῆς πίστεως Z BAF edd. ‖ 37 κυρίῳ + καὶ πάλιν X ‖ 38 ὑμεῖς — ἐστὲ : +
τῆς GQ Y [ἔσται G Y] ἡμεῖς — ἐστε F ἡμεῖς — ἐσμεν edd. ‖ φωτὸς : θεοῦ

Nul d'autre part n'ampute de lui-même le péché d'Adam ; seul le Christ fait cela à proportion de notre foi en lui. Entends ce qu'en dit l'Apôtre : « Christ est mort pour nos péchés selon les Écritures[d]. » Et encore : « Dieu affirme son amour pour nous en ce que Christ est mort pour nous quand nous étions encore pécheurs[e]. » Et encore : « Nous avons été ensevelis avec lui par le baptême, afin que, comme Christ est ressuscité des morts, nous aussi marchions dans une vie nouvelle[f]. » Et : « Celui qui meurt est justifié par rapport au péché[g]. » Et : « C'est par une grâce que vous avez été sauvés, et non par des œuvres, afin que nul ne s'enorgueillisse[h]. » Et encore : « Vous étiez jadis ténèbres, vous êtes maintenant lumière dans le Seigneur. Marchez en enfants de lumière[i]. » Et encore : « Vous n'êtes pas, vous, les enfants de la servante, mais ceux de la femme libre. De vraie liberté le Christ nous a libérés[j]. » Et encore : « Comme des êtres libres et non comme des gens qui se servent de la liberté pour voiler leur méchanceté[k]. »

Péché personnel et péché d'Adam   Le vois-tu ? Ces luttes que tu prétends être les moyens d'arracher le péché, l'Écriture les qualifie d'œuvres de nouveauté, de liberté et de lumière. Elle démasque aussi ces écarts du libre arbitre que tu affirmes être le péché d'Adam. En effet, « se servir de la liberté pour voiler sa méchanceté[l] », « contrister l'Esprit Saint[m] », « faire les volontés de la chair et suivre ses impulsions[n] », « commencer par l'esprit pour finir

---

W ‖ 39 ἐλευθερίᾳ : + ᾗ MZC L + γὰρ GW + γὰρ ᾗ Q οὖν ἐλ. ᾗ Χ ἐλ. οὖν [ἐλευθερίᾳ om. Y] N AF Y[pc] edd. ‖ 40 ἡμᾶς : om. M ὑμᾶς NV A ‖ ἠλευθέρωσε : + στήκετε Χ AF edd. [cf. *Ga 5,1*] ἐξηγόρασε GQW P Y ‖ 42 ἀγῶνα F edd. ‖ 43 ἔργα καὶ φωτὸς ~ L ‖ 44 ἡ + θεῖα D E NV Syr. ‖ τὰς τοῦ [τοῦ om. F edd.] αὐτεξουσίου : τοῦ αὐτεξ. τὰς ~ W ‖ 46 τῆς κακίας ἔχειν [ἔχειν om. T[ac] MZ] ~ T[ac] MZ BAF edd. τῆς καρδίας μᾶλλον δὲ τῆς κακίας GQW Y[pc] ‖ 47 τὸ θέλημα D AF L edd. Syr. ‖ 48 καὶ ... διανοιῶν suppl. G[sl] ‖ ἀρξαμένους : ἐναρξα. CX διαρξα. F edd. ἀρξάμενοι Y[ac]

IX. d. 1 Co 15, 3   e. Rm 5, 8   f. Rm 6, 4   g. Rm 6, 7   h. Ep 2, 8-9 i. Ep 5, 8   j. Ga 4, 31 + 5, 1   k. 1 P 2, 16   l. 1 P 2, 16   m. cf. Ep 4, 30   n. cf. Ep 2, 3

ματι, νῦν σαρκὶ ἐπιτελεῖσθαι [o]», καὶ ὅτι «ὀφειλέται ἐσμὲν οὐ τῇ σαρκί, τοῦ κατὰ σάρκα ζῆν [p]», ταῦτα καὶ τὰ τοιαῦτα εἰδυῖα ἡ θεῖα Γραφὴ ὅτι ποιεῖν αὐτὰ ἢ μὴ ποιεῖν ἐφ᾽ ἡμῖν ἐστι, διὰ τοῦτο οὐχὶ τὸν Σατανᾶν, οὐδὲ τὴν τοῦ Ἀδὰμ ἁμαρτίαν, ἀλλ᾽ ἡμᾶς μέμφεται.

Εἰ δὲ βούλει, νουνεχῶς ἄκουε καὶ εἴπω σοι τὸ πάντων κεφαλαιωδέστερον. Σὺ τῶν λογισμῶν σχηματισμοὺς λέγεις εἶναι τὴν τοῦ Ἀδὰμ ἁμαρτίαν· καὶ ἰδοὺ ὁ Παῦλος φανερῶς καὶ ἀριδήλως περὶ τῆς κακονοίας ταύτης ὡς αἰτίοις ἡμῖν
1013 ἐγκαλεῖ, λέγων· «Μὴ συσχηματίζεσθε τῷ αἰῶνι τούτῳ, ἀλλὰ μεταμορφοῦσθε τῇ ἀνακαινώσει τοῦ νοὸς ὑμῶν [q].» Εἰ δὲ ταῦτα οὐκ ἔστι τοῦ ἡμετέρου θελήματος, ἀλλὰ τῆς τοῦ Σατανᾶ τυραννίδος, καὶ ἐγκατάλειμμα τῆς τοῦ Ἀδὰμ ἁμαρτίας, διὰ τί ἡμεῖς ὑπὸ τῆς Γραφῆς ἐγκαλούμεθα, οἱ ἀκουσίως ὑπὸ τῆς ἁμαρτίας ἐνεργούμενοι καὶ ὑπὸ τοῦ Σατανᾶ τυραννούμενοι; Ἆρα καὶ ἀναιτίως μέλλομεν κολάζεσθαι; ἢ τάχα κατά σε καὶ ἄδικος ὁ Θεός, τὰ ὑπὲρ φύσιν προστάξας καὶ παραζητῶν ἡμῖν τὰ ὑπὲρ δύναμιν; Ἀλλ᾽ οὐκ ἔστι τοῦτο· μὴ γένοιτο.

Ἐπεὶ ἐγώ σε ἐρωτήσω, καὶ δός μοι ἀπόκρισιν. Ὅσην ἔχει ἡ φύσις ἡμῶν εὐσεβείας δύναμιν, ταύτην καθ᾽ ἡμέραν κεχρεωστήκαμεν προσφέρειν τῷ Θεῷ ἢ οὔ; Πάντως ἐρεῖς μοι ὅτι ναί, ἐπειδὴ ὁ Θεὸς τοῦτο τῇ φύσει κεχάρισται καὶ κατὰ δύναμιν τὰς ἐντολὰς ἔθετο. Οὐκοῦν τὸ σήμερον αὐτῷ

D E T MZCX NV GQW BAF P L Y

IX,49 ἐπιτελεῖσθε T -τελεῖν GQ || ὅτι : τὸ T C || 50 τοῦ : τὸ CX || τὰ om. Z AF edd. || 51 θεῖα om. Z F L^{ac} edd. || αὐτὰ : + ἡμῖν W ταῦτα L || 52 τὸν et τὴν om. edd. || οὐδὲ : ἢ W P^{txt} || 53 ἡμᾶς + αὐτοὺς X || 54 νουνεχῶς ἄκουε [ἀκοῦσαι AF edd.] : ἄκουε νουνεχῶς ~ NV || καὶ [om. AF edd.] + γνῶθι ἀκοῦσαι καὶ G W || εἴπω : ἐρῶ CX || τὸ πάντων : τῶν π. B τὸ πᾶν P || 55 τοὺς λογισμοὺς F edd. || σχηματισμοὺς : μετασχημ. MZ Y BAF μετασχηματικοὺς edd. || 56 παῦλος : ἀπόστολος CX μακάριος π. BAF P Y edd. || 57 ἡμῖν ὡς αἰτίοις ~ E^{pc} NV GQW Y || 58 σχηματίζεσθε E BF edd. || 60 ἔστι + ἐκ E T^{sl} CX GQW P Y || 62 γραφῆς : ἁμαρτίας Q || 63-64 καὶ ... τυραννούμενοι om. MZ || 64 ἆρα : om. D E NV G P Syr. ἢ W || αἰτίως Z ἀναιτίους X ἀναιτίος A || 65 κατά σε τάχα ~ W || κατά σε om. BF edd. || θεὸς + ὁ X || τὰ : τὸ MZ ταῦτα P || φύσιν : δύναμιν CX || 66 καὶ

par la chair[o] » et « vivre selon la chair, alors que nous n'en
sommes pas les débiteurs[p] », tout cela et autres choses similaires, la divine Écriture sait qu'il relève de nous que nous le
fassions oui ou non ; et dès lors elle adresse ses reproches non
point à Satan, ni même au péché d'Adam, mais bien à nous.

Or, s'il te plaît, écoute sagement et je vais te signaler le
point le plus essentiel de tous. Toi, tu affirmes que les allures
que prennent les pensées sont la faute d'Adam. Mais voici que
Paul est très clair et net sur ce sujet : de cette dépravation mentale, c'est nous qu'il tient coupables, puisqu'il dit : « Ne vous
conformez pas aux allures de ce monde, mais changez-vous par
le renouvellement de votre intellect[q]. » Supposons que cela ne
relève pas de notre volonté, mais bien de la tyrannie de Satan,
que ce soit un legs du péché d'Adam. Pourquoi est-ce nous que
l'Écriture accuse, nous qui sommes contre notre gré manœuvrés par le péché, tyrannisés par Satan ? Sommes-nous destinés à un châtiment sans même être coupables ? Ou peut-être
Dieu, selon toi, est-il injuste, lui qui a commandé à la nature ce
qui la dépasse et requiert en vain de nous ce qui passe notre
pouvoir ? Mais non, cela n'est pas, cela ne saurait être !

C'est moi qui t'interrogerai maintenant, et toi, réponds-moi.
Toute la puissance de piété dont dispose notre nature, nous
avons dette d'en faire chaque jour offrande à Dieu, oui ou
non ? Bien sûr, tu vas me dire que oui, étant donné que Dieu
a fait cette grâce à la nature et lui a fixé des commandements
à la mesure de son pouvoir. Donc le bien que nous lui offrons

+ παρὰ φύσιν AF edd. ‖ παραζητῶν : παρ᾽ἡμῶν ζητῶν X ζητῶν F edd. ‖
ἡμῖν om. X ‖ τὰ : τὸ MZ ‖ δύναμιν : φύσιν CX ‖ 68 ἐπεὶ ἐγώ : ἐπειδὴ κἀγώ
CX ‖ ἐπερωτήσω NV GQW P ‖ 69-70 κεχρεωστήκαμεν καθ᾽ἡμέραν
προσφέρειν τῷ θεῷ ~ D E καθ᾽ἡμ. προσφ. κεχρ. τ. θ. CX καθ᾽ἡμ. προσφ.
τ. θ. κεχρ. GQW P L Y καθ᾽ἡμ. κεχρ. τ. θ. προσφ. edd. ‖ 70 θεῷ + ναὶ X L
‖ 71 μοι om. D X ‖ ἐπειδὴ τοῦτο ὁ θεὸς : δεῖ ὁ θεὸς τοῦτο D ἐπ. καὶ τ. ὁ θ.
Q ἐπ. ὁ θ. τοῦτο BAF edd. ‖ τῇ : + ἡμετέρᾳ CX om. AF edd. ‖ 72 κατὰ
δύναμιν : πρὸς τὴν δύναμιν ἡμῶν CX ‖ τὸ : εἰ edd. ‖ 72-73 προσφερόμενον
αὐτῷ ~ E αὐ. -φέρομεν F edd.

IX. o. cf. Ga 3, 3   p. Rm 8, 12   q. Rm 12, 2

προσφερόμενον ἀγαθὸν σημερινόν ἐστι χρέος· δεῖξόν μοι
λοιπὸν τῆς παλαιᾶς ἁμαρτίας ἀνταπόδομα, ἤτοι τῆς σῆς,
75 ἤτοι τοῦ Ἀδάμ. Ἐγὼ δέ σοι λέγω ὅτι οὐ μόνον τοῦτο οὐκ
ἔχεις δεῖξαι, ἀλλ' οὐδὲ τὸ καθ' ἡμέραν ἀνελλιπῶς ἀποδοῦναι.
Καὶ πόθεν δῆλον τοῦτο; ἐκ τοῦ μὴ πάντοτε ἐν ταῖς αὐταῖς
ἀρεταῖς εὑρίσκεσθαι. Ὅσον γὰρ ἂν σήμερον προσθῇς τῇ
ἀρετῇ, τοσοῦτον ἠλέγχθης χρεώστης εἶναι τῆς παρελθούσης,
80 φανεροποιήσας τὴν τῆς φύσεως δύναμιν. Ἐδείχθη γὰρ διὰ
τῆς σημερινῆς προσθήκης ὅτι οὐ φύσεως, ἀλλὰ θελήματος ἡ
χθεσινή ἐστιν ἔλλειψις, καὶ διὰ τοῦτο ὑπὸ τῆς ἁμαρτίας
ἐνεργούμεθα.

X.   Ἐρώτησις

Δεδόσθω ταῦτα οὕτως ἔχειν· ὅμως ἓν οἶδα ὅτι εἰ μὴ ὁ
Ἀδὰμ παρέβη, ἐγὼ τῆς τοῦ κακοῦ προσβολῆς πεῖραν οὐκ
ἐλάμβανον.

5   Ἀπόκρισις

Οὐδὲ τοῦτο ὀρθῶς εἴρηκας· τὸ γὰρ τῆς τοῦ κακοῦ προσβολῆς ἄπειρον εἶναι ἀτρέπτου φύσεώς ἐστιν, οὐχὶ δὲ τῆς
ἀνθρωπίνης. Εἰ γὰρ ἡμεῖς καὶ ὁ Ἀδὰμ μιᾶς φύσεώς ἐσμεν,
ἔδει κἀκεῖνον καθ' ἡμᾶς εἶναι, καὶ ἡμᾶς κατ' ἐκεῖνον. Οὐκοῦν
10 πειθέτω σε αὐτὸς ἐκεῖνος ὁ πρῶτος ἄνθρωπος ὅτι οὔτε
ἄτρεπτος ἦν, οὔτε μονομερῶς κακότρεπτος, ἀλλ'
ἐθελότρεπτος καὶ οὐκ ἀνάγκη φύσεως παρέβη τὴν ἐντολήν,
ἀλλ' εὐδοκίᾳ θελήματος. Ὥσπερ οὖν ἐκεῖνος δεκτικὸς μὲν ἦν

D E T MZCX NV GQW BAF P L Y

IX,73 ἀγαθὸν suppl. G^mg ‖ χρέος ἐστί ~ CX GQW P L ‖ 74 ἁμαρτίας
+ τὸ NV ‖ 74-75 ἤτοι bis : ἢ bis NV ‖ 75 τοῦ : τῆς edd. ‖ 77 τοῦτο δῆλον ~
CX L ‖ ἐκ τοῦ : ἐν τῷ NV ‖ 78 εὑρίσκεσθαι + ἡμᾶς CX ‖ σήμερον om. L ‖
προσθῇς : προσθεὶς D M προσθείης AF edd. ‖ 79 τοσούτω GQW ‖ 81
σήμερον T MZ NV BAF edd. ‖ θελήματος : + καὶ ἀμελείας CX θελήσεως
V ‖ 81-82 ἡ χθεσινή ἐστιν : ἢ χθέσιν ἤ ἐστιν M AF πρόσθεσίς ἐστιν ἢ edd.
D in ras. non legitur ‖ 82 καὶ : ἦν καὶ CX ‖ 83 ἐνεργούμεθα : ἀναιρούμεθα
F edd.

aujourd'hui représente une dette d'aujourd'hui ; montre-moi dès lors la compensation dont tu disposes pour le péché d'autrefois, soit le tien soit celui d'Adam. Je te soutiens, moi, que non seulement tu n'es pas capable d'en désigner une, mais que tu ne saurais t'acquitter sans défaillance pour le quotidien. Et d'où cela ressort-il ? du fait qu'on ne se découvre pas perpétuellement stable dans les mêmes vertus. Tout progrès que l'on fait aujourd'hui dans la vertu révèle une dette équivalente quant au passé, puisque les possibilités de la nature ont été par là mises en évidence. Car c'est là ce qu'a démontré le progrès d'aujourd'hui : le manquement d'hier relève non pas de la nature, mais du vouloir, et c'est à cause de ce dernier que nous sommes manœuvrés par le péché.

X.   Question

Admettons qu'il en soit ainsi. Il y a une chose que je sais bien pourtant : sans la transgression d'Adam, je ne serais pas, moi, éprouvé par les assauts du mal.

Réponse

Tu as tort même sur ce point. N'être pas éprouvé par les assauts du mal, c'est le fait d'une nature immuable, et non pas de la nature humaine. Si en effet Adam et nous, sommes d'une unique nature, il fallait qu'il en soit de lui comme de nous et de nous comme de lui. Par conséquent ce premier homme lui-même est là pour te persuader qu'il n'était ni immuable ni uniformément tourné vers le mal, mais tournant à volonté, et que nulle nécessité de nature ne lui a fait transgresser le commandement, mais bien le bon plaisir de sa volonté. De même donc

---

X,2 ἔχειν οὕτως ταῦτα G ‖ 6 τοῦ : τοῦτο V om. W ‖ 7 τῆς : om. M + τοῦ ἀδὰμ CX ‖ 8 εἰ γὰρ ὁ ἀδὰμ καὶ ἡμεῖς ~ CX ἡ. γὰρ καὶ ὁ ἀ. F edd. ‖ ἐσμεν φύσεως ~ CX ‖ 11-12 ἀλλ᾽ ἐθελότρεπτος suppl. mg N G om. BF Y edd. ‖ 12-13 καὶ ... θελήματος om Syr. ‖ 12-13 ἀλλ᾽εὐδοκίᾳ θελήματος παρέϐη τὴν ἐντολὴν ~ CX ‖ 13 οὖν om. AF edd.

τῆς τοῦ Σατανᾶ προσβολῆς, ὑπακοῦσαι δὲ ἢ μὴ ὑπακοῦσαι
15 εἶχε τὴν ἐξουσίαν, οὕτω καὶ ἡμεῖς.

XI. Ἐρώτησις

Τάχα νῦν ἀνέχομαί σου, ὅτι τὴν προσβολὴν τοῦ Σατανᾶ
οὐκ ἀναιρεῖς.

Ἀπόκρισις

5 Ἐγὼ μὲν οὐδὲ ἐν τοῖς προειρημένοις ἀνεῖλον πώποτε.
Οἶδα γὰρ καὶ τὸν Ἰὼβ πειρασθέντα ὑπὸ τοῦ διαβόλου[a] καὶ
τὴν Γραφὴν λέγουσαν ὅτι· «Οὐκ ἔστιν ἡμῖν ἡ πάλη πρὸς
αἷμα καὶ σάρκα, ἀλλὰ πρὸς τὰς ἀρχάς, πρὸς τὰς ἐξουσίας,
πρὸς τοὺς κοσμοκράτορας τοῦ σκότους τοῦ αἰῶνος τούτου,
10 πρὸς τὰ πνευματικὰ τῆς πονηρίας[b]»· καὶ πάλιν·
«Ἀντίστητε τῷ διαβόλῳ, καὶ φεύξεται ἀφ' ὑμῶν», καὶ ἐν
ἑτέρῳ[c]· «Ὁ ἀντίδικος ὑμῶν διάβολος ὡς λέων ὠρυόμενος
1016 περιπατεῖ, ζητῶν τίνα καταπίῃ[d].»
Ἀλλ' ἐπειδὴ ὑμεῖς τοὺς πονηροὺς λογισμοὺς οὐχ ὑμῶν,
15 ἀλλ' ἑτέρων τινῶν εἶναι νομίζετε, ποτὲ μὲν λέγοντες αὐτοὺς
εἶναι τὴν τοῦ Ἀδὰμ ἁμαρτίαν, ποτὲ δὲ αὐτὸν τὸν Σατανᾶν,
ποτὲ δὲ τὴν τοῦ Σατανᾶ προσβολήν, τούτου χάριν ἡμεῖς
λέγομεν ὅτι ἄλλο τί ἐστιν ἡ τοῦ Ἀδὰμ ἁμαρτία, καὶ ἄλλο ὁ
Σατανᾶς, καὶ ἄλλο ἡ τοῦ Σατανᾶ προσβολή, καὶ ἕτερον οἱ
20 πονηροὶ ἡμῶν λογισμοί, κἂν ἐκ τῆς προσβολῆς τὰς ἀφορμὰς
ἔχωσι. Σατανᾶς μὲν γάρ ἐστιν αὐτὴ ἡ τοῦ διαβόλου ὑπόστα-

D E T MZCX NV GQW BAF P L Y

X,14 δὲ ... ὑπακοῦσαι om. F edd. ‖ 15 εἶχε + δὲ D E B P edd.
XI,1 ἐρώτησις : ὁ δικανικὸς W ‖ 4 ἀπόκρισις : ὁ ἀσκητής W ‖ 5 ἐγὼ μὲν
om. M ‖ προειρημένοις : ἔμπρωσθεν C πρόσθεν εἰρημένοις X + αὐτὴν NV
‖ 7 ὅτι om. Z ‖ 8 πρὸς[2] : καὶ E T MZ N L ‖ 9 τοῦ αἰῶνος om. D E NV GW
Y ‖ 10 πονηρίας + ἐν τοῖς ἐπουρανίοις AF edd. Syr. ‖ 11-12 ἐν ἑτέρῳ :
πάλιν GQW ἕτερος A ‖ 12 ἡμῶν E NV GQW BAF ‖ 13 καταπίειν E ‖
14 ἡμεῖς NV BAF edd. ‖ ὑμῶν : + αὐτῶν CX ἡμῶν NV BAF edd. ‖ 15 τινῶν
om. Q ‖ νομίζεται D M νομίζομεν NV BAF edd. ‖ 15-16 εἶναι αὐτοὺς ~ L

qu'il avait, lui, capacité de céder à l'assaut de Satan ou de n'y pas céder, avec pleins pouvoirs en la matière, de même en va-t-il de nous.

XI.   Question

Le rôle de Satan   A présent tu me deviens à la rigueur supportable, parce que tu ne supprimes pas l'assaut de Satan.

Réponse

L'assaut de Satan   Moi ? Mais dans tout ce qu'on a dit auparavant, jamais non plus je ne l'ai supprimé. Je sais bien, en effet, que Job a été tenté par le diable[a] et aussi que l'Écriture déclare : « Nous n'avons pas à lutter contre le sang et la chair, mais contre les principautés et les puissances, contre les chefs du monde des ténèbres de ce siècle, contre les esprits pervers[b]. » Et encore : « Résistez au diable, et il fuira loin de vous[c]. » Et ailleurs : « Votre adversaire, le diable, erre comme un lion rugissant cherchant qui dévorer[d]. »

Distinctions à établir   Mais voilà, vous attribuez vos pensées dépravées non pas à vous-mêmes, mais à d'autres, tantôt au péché d'Adam, tantôt à Satan lui-même, tantôt à l'assaut de Satan. A cause de cela, nous affirmons, nous, qu'autre chose est le péché d'Adam, autre chose Satan, autre chose l'assaut de Satan et chose différente encore nos pensées perverses, même si elles ont un tel assaut pour point de départ. Satan, en effet, c'est le diable en

XI. a. cf. Jb 1, 12 et 2, 6   b. Ep 6, 12   c. Jc 4, 7   d. 1 P 5, 8

σις, ἡ καὶ τὸν Κύριον πειράζειν ἐπιχειρήσασα · ἁμαρτία δὲ
τοῦ Ἀδάμ ἐστιν ἡ τῆς ἐντολῆς παράβασις τοῦ πρώτου
ἀνθρώπου · προσβολὴ δὲ τοῦ Σατανᾶ ἐστὶ μονολόγιστος
25 ἐμφάνεια πράγματος πονηροῦ, ἥτις καὶ αὐτὸ τὸ προσεγγίσαι
τῷ νῷ ἡμῶν δι' ὀλιγοπιστίας εὑρίσκεται.

Ἐντολὴν γὰρ ἡμῶν λαβόντων μηδὲν μεριμνᾶν, ἀλλὰ πάσῃ
φυλακῇ τηρεῖν τὴν ἑαυτῶν καρδίαν καὶ ζητεῖν ἐντὸς ἡμῶν
οὖσαν τὴν βασιλείαν τῶν οὐρανῶν, ὅταν ἀποστῇ νοῦς τῆς
30 καρδίας καὶ τῆς προειρημένης ζητήσεως, εὐθέως δίδωσι
τόπον τῇ τοῦ διαβόλου προσβολῇ καὶ γίνεται δεκτικὸς τῆς
πονηρᾶς ὑποθέσεως. Ἀλλ' οὐδὲ τότε ὁ διάβολος κινεῖν ἡμῶν
τοὺς λογισμοὺς κατ' ἐξουσίαν ἔχει, ἐπεὶ οὐκ ἂν ἡμῶν
ἐφείσατο, πᾶσαν κακὴν ἔννοιαν ἀναγκαστικῶς ἐπιφέρων καὶ
35 μηδὲν ἀγαθὸν ἐννοεῖν συγχωρῶν.

Ἐξουσίαν δὲ μόνον ἔχει μονολογίστως ἐν πρωτονοίᾳ
ὑποδεικνύειν τὰ πονηρὰ πράγματα τοῦ πειράζειν ἡμῶν τὸ
ἐνδιάθετον ποῦ ῥέπει πρὸς τὴν ἐκείνου ὑπόθεσιν, ἢ πρὸς τὴν
ἐντολὴν τοῦ Κυρίου, ἐπειδὴ ταῦτα ἀλλήλοις ἀντίκεινται.
40 Ὅθεν ἡμεῖς, ἐφ' οἷς μὲν ἀγαπῶμεν, εὐθέως πρὸς τὸ ὑπόδειγ-

D E T MZCX NV GQW BAF P L Y

XI,22 πειράζειν : πειράσαι X ἐπερεάζειν Y ‖ 23 ἐστι τοῦ ἀδὰμ ~ D E
τοῦ πρώτου ἀ. ἐ. BAF edd. ‖ 23-24 παράβασις τοῦ πρώτου ἀνθρώπου : τοῦ
πρ. ἀδὰμ παρά. CX ‖ 25 καὶ αὐτὸ τὸ : καὶ αὐτὸ τῷ W καὶ αὐτῷ A ἑαυτῷ F
edd. ‖ 26 εὑρίσκει D E^{ac}V AF edd. εὑρίσκοι B ‖ 27 γὰρ : παρ' M ‖
λαβόντων : λαβὼν τῶν F + τοῦ edd. ‖ μὴ MZ ‖ 28 ἑαυτῶν : om. T ἑαυτοῦ
F edd. ‖ 29 οὖσαν om. W ‖ 31 δεκτικὸς γίνεται ~ NV GQW P Y ‖
32 ὑποθέσεως : ὑποστάσεως T ‖ 32-33 κινεῖν ὁ διάβολος τοὺς λογισμοὺς
~ F edd. ‖ 35 ἐννοεῖν + ἡμᾶς X ‖ 36 ἐν πρωτονοίᾳ om. MZ ‖ 37 πράγματα :
δόγματα F edd. ‖ 38 ποῦ ῥέπει : + ἢ NV GQW P Y τοῦ ῥέπειν edd. ‖
39 κυρίου : θεοῦ N P F edd. ‖ 40 εὐθὺς C

1. Cet emploi du mot μονολόγιστος est le premier que relève
G. J. M. BARTELINK dans son article « Quelques observations sur le terme
μονολόγιστος », *VC* 34, 1980, p. 172-179 ; il enregistre aussi trois autres
occurrences dans *Bapt*. (XI, 24, 47 et 53), plus une de l'adverbe (XI, 36), et
deux dans d'autres opuscules, respectivement *Leg*. 10, 3 et *Justif*. 140, 1. En
fait, il y a encore trois autres emplois dans *Bapt*., deux de l'adjectif (V, 96
et XIV, 49) et un de l'adverbe (XIII, 18). Jamais Marc ne qualifie ainsi la

personne, celui qui avait entrepris de tenter le Seigneur. Le péché d'Adam, c'est la transgression commise par le premier homme. L'assaut de Satan, c'est la représentation obsessive[1] d'un objet mauvais, laquelle est découverte en train d'introduire cet objet dans notre intellect du fait de notre manque de foi.

Nous avons reçu commandement, en effet, de ne nous faire souci de rien, de garder plutôt notre cœur avec une extrême vigilance et de chercher le royaume des cieux, qui est au dedans de nous. Mais quand notre intellect se détourne de notre cœur et de cette recherche dont on vient de parler, il offre aussitôt une occasion à l'assaut du diable et devient réceptif à la suggestion mauvaise. Même alors cependant, le diable n'a pas pleins pouvoirs pour donner le branle à nos pensées, car il ne nous ferait pas de quartier : il introduirait de force en nous toute sorte d'idées perverses, il ne nous permettrait pas la moindre réflexion bonne.

Limites des pouvoirs de Satan — Les seuls pleins pouvoirs qu'il ait sont d'insérer en nous les objets mauvais de manière obsessive et à un premier stade de pensée, pour éprouver nos dispositions internes : vers où inclinent-elles ? vers ses suggestions, ou vers le commandement du Seigneur, puisque les unes s'opposent à l'autre ? A partir de là, s'il s'agit de ce que nous aimons, nous mettons,

---

prière ; l'expression μονολόγιστος (προσ)ευχή apparaît chez Jean Climaque (on ne la trouve pas encore chez Diadoque). Dans les opuscules à chapitres — et aussi en *Bapt.* V, 96 — il s'agit d'une épithète de l'espérance, et l'un des sens proposés par *PGL*, « inébranlable », paraît satisfaisant à Bartelink. Dans *Bapt.*, c'est l'autre qui lui semble préférable : « dans les pensées seulement ». Peut-être pourrait-on rapprocher davantage les deux acceptions en préférant au moins en certains cas (XI, 24 et XIV, 49) la traduction aussi proposée p. 173 et 174 « concentré sur une seule pensée » : l'assaut dont le Malin est responsable ne dépasse pas les dimensions d'une seule pensée, mais obsessionnelle, que nous n'arrivons pas à chasser, même si nous l'abhorrons ; c'est la prolifération ultérieure, même purement psychologique, sans en venir aux actes externes, qui relève de notre choix. Cela expliquerait l'emploi, noté par Bartelink, dans le même contexte (XI, 49) de μονοπρόσωπος : la tentation, l'assaut a « un seul et même visage obsédant ».

μα ἀνακινοῦμεν τοὺς λογισμούς, καὶ ἐμπαθῶς προσομιλοῦ-
μεν κατὰ διάνοιαν τῷ ὑποδειχθέντι πράγματι· ἐφ' οἷς δὲ
μισοῦμεν, συγχρονίζειν οὐ δυνάμεθα, ἀλλὰ καὶ αὐτὴν μισοῦμεν τὴν προσβολήν. Εἰ δὲ καὶ μισουμένη παραμένει —
45 γίνεται γάρ —, πλὴν οὐκ ἐκ διαθέσεως προσφάτου, ἀλλ' ἐκ
παλαιᾶς προλήψεως ὠχύρωται· διὸ καὶ ἀπρόκοπος ἵσταται
ἐν τῷ τόπῳ καὶ μονολόγιστος, ὑπὸ τῆς καρδιακῆς ἀηδείας
εἰς πολύνοιαν καὶ πάθος προσβῆναι κωλυομένη. Οὐ γὰρ ἔχει
φύσεως ἡ μονοπρόσωπος ἐμφάνεια μισουμένη παρὰ τοῦ
50 προσέχοντος ἑαυτῷ βίᾳ κατασύρειν τὸν νοῦν εἰς τὸ τῆς
πολυνοίας πάθος, εἰ μὴ διὰ ἡδυπαθείας καρδιακῆς μόνης.
Ὥστε εἰ ἡμεῖς τῆς ἡδυπαθείας παντελῶς ἀποστῶμεν, οὐδὲ ἡ
τῶν προλήψεων μονολόγιστος ἐμφάνεια βλάψαι ἡμᾶς ἔτι
δύναται, εἰ καὶ τὴν συνείδησιν πρὸς ἀσφάλειαν τῶν
55 μελλόντων κατακρίνει. Ἐπιγνόντος γὰρ τοῦ νοὸς τὴν ἀρχὴν
τῆς προλήψεως ἔνστασιν καὶ ἐξομολογουμένου τῷ Θεῷ τὴν
παλαιὰν αἰτίαν, εὐθέως ἀναιρεῖται καὶ οὗτος ὁ πειρασμός.

Καὶ πάλιν ὁ νοῦς ἐξουσίαν ἔχει προσέχειν τῇ καρδίᾳ καὶ
πάσῃ φυλακῇ διὰ προσευχῆς τηρεῖν αὐτήν, εἰς τὰ ἐνδότερα
60 αὐτῆς καὶ ἀνενόχλητα ταμεῖα εἰσελθεῖν πειρώμενος, ἔνθα
οὐκ εἰσὶ πονηρῶν λογισμῶν ἄνεμοι, βιαίως ὠθοῦντες καὶ
ψυχὴν καὶ σῶμα ἐπὶ τοὺς κρημνοὺς τῆς ἡδυπαθείας καὶ εἰς
φρέατα ἀσφάλτου[e] καταβάλλοντες, οὔτε πλατεῖά τις καὶ

D E T MZCX NV GQW BAF P L Y

XI,41 τοῖς λογισμοῖς D ‖ καὶ om. QW ‖ 41-42 ὁμιλοῦμεν V ‖ 42 ὑποδειχθέντι : ὑποβληθέντι MZ BAF edd. ‖ 44 εἰ [ἡ F edd.] ... παραμένει om. M
‖ 45 οὐκ om. M ‖ 46 ὠχύρωτο E ὀχυροῦται MZC GQW P Y ‖ ἀπρόκοπτος
F ‖ 47 τῷ om. G Y ‖ 48 προβῆναι Z Q B διαβῆναι V ‖ 49 φύσεως : ἐκ
φύσεως Z φύσιν F edd. ‖ 50 ἑαυτῷ : ἑαυτὸν AF edd. ‖ κατασυραῖ BAF
edd. ‖ 51 μόνης om. NV ‖ 52 εἰ : om. B edd. ἡ F ‖ ἀποστείημεν X ‖ ἡ om.
edd. ‖ 53-54 δύναται ἔτι ~ NV δύναται Y ‖ 54 εἰ : εἰς V om. F edd. ‖
συνείδησιν + ἡμῶν CX ‖ 55 κατακρίνει : -νειν + ἢ [om. edd.] GQW edd. ‖
γὰρ suppl. D[sl] om. G ‖ ἀρχὴν X A L ‖ 56 προσλήψεως F ‖ ἐξομολογουμένω
NV ‖ 57 αἰτίαν : ἁμαρτίαν CX ‖ εὐθὺς CX ‖ καὶ οὗτος ἀναιρεῖται NV L
κ. αὐτὸς ἀ. GQW P Y ‖ 59 διὰ προσευχῆς post αὐτὴν ~ D A om. F edd. ‖
αὐτὰ Z ‖ 60 καὶ om. F edd. ‖ ἐξελθεῖν W ‖ 61 εἰσὶ + τῶν L ‖ πονηρῶν

nous, instantanément en branle nos pensées dans la direction
signalée et notre intelligence entreprend un commerce passionné avec l'objet qui nous a été indiqué ; si en revanche il
s'agit de ce que nous haïssons, nous ne pouvons nous y attar-
der, nous détestons en même temps l'assaut livré. Si, bien que
détesté, ce dernier se prolonge — car cela arrive —, cela ne
vient pas d'une disposition récente, c'est une préconception
ancienne qui lui a procuré de la force. Aussi se maintient-il
dans un coin, sans progresser, concentré sur une seule pensée,
empêché qu'il est par le déplaisir du cœur de proliférer en
idées et de se développer en passion. Car une représentation
de la nature, d'apparence simple, quand elle est détestée, n'a
pas chez celui qui prend ses précautions le pouvoir de ravager
l'intellect par la violence ; elle ne conduit à une prolifération
d'images passionnées que par le seul effet d'une complaisance
du cœur. Par suite, si nous nous abstenons complètement de
cette dernière, même une représentation obsessive qui a anté-
rieurement pris possession de nous ne peut plus nous nuire,
même si elle condamne notre conscience pour sa sécurité au
sujet de l'avenir. Car il suffit que l'intellect reconnaisse l'obs-
truction passive de cette préconception, qu'il en confesse à
Dieu l'antique cause, et aussitôt même cette tentation-là est
abolie.

Emprise   Et de nouveau l'intellect possède sur
de l'intellect   le cœur tout pouvoir d'attention et de
sur le cœur   vigilante sauvegarde par la prière ; son
effort le fait pénétrer jusqu'aux chambres les plus intimes et
imperturbables de ce cœur, à l'endroit où ne soufflent pas de
pensées mauvaises pour pousser violemment l'âme et le corps
vers les précipices de la complaisance voluptueuse et les jeter
au fond des puits d'asphalte[e], et où il n'existe nulle route large

---

om. NV ‖ 61-62 καὶ ... καὶ[1] : τὴν ... τὸ P ‖ 62 ἐπὶ : εἰς C ‖ 63 φρέαρ Q ‖ τις
om. G W

XI. e. cf. Gn 14, 10

εὐρύχωρος ὁδός, ῥήμασί τε καὶ σχήμασι κοσμικῆς σοφίας
65 κατεστρωμένη καὶ δελεάζουσα τοὺς ἑπομένους αὐτῇ, κἂν
λίαν φρόνιμοι τυγχάνωσι. Τὰ γὰρ καθαρὰ τῆς ψυχῆς
1017 ἐνδότερα ταμεῖα καὶ ὁ οἶκος τοῦ Χριστοῦ γυμνὸν νοῦν
εἰσδέχονται μηδὲν ἐπιφερόμενον τοῦ αἰῶνος τούτου, μὴ
εὔλογον, μὴ ἄλογον, εἰ μὴ τὰ τρία μόνα ἃ εἶπεν ὁ Ἀπό-
70 στολος, πίστιν, ἐλπίδα, ἀγάπην[f]. Δύναται οὖν τις φιλαλήθης
ὢν καὶ καρδιοπονεῖν βουλόμενος μηδὲ ὑπὸ τῶν προλήψεων
ἐξωθεῖσθαι κατὰ τὴν ἀκολουθίαν ἣν προειρήκαμεν, ἀλλὰ
προσέχειν τῇ καρδίᾳ καὶ προκόπτειν εἰς τὸ ἐνδότερον καὶ
ἐγγίζειν τῷ Θεῷ μόνον ἵνα ἐπὶ τοῖς τῆς προσοχῆς καὶ παρα-
75 μονῆς πόνοις μὴ ἀηδίζηται. Οὐ δύναται γὰρ μὴ καρδιοπονεῖν
ὁ προσεκτικὸς τῶν λογιστικῶν μετεωρισμῶν καὶ σαρκικῶν
ἡδονῶν, ἑαυτὸν καθ᾽ ἡμέραν οὐκ ἔξωθεν μόνον, ἀλλὰ καὶ
ἔνδοθεν περιγράφων ἐν οἷς πολλάκις καὶ ἐννοίᾳ καὶ πράξει
ἀνεστράφη.
80 Ὅθεν τὴν μὲν μονολόγιστον προσβολὴν ἀναγκαστικὴν
οἴδαμεν εἶναι διὰ τὸ καὶ μισουμένην παραμένειν· τὴν δὲ τῶν
ἐπιγινομένων λογισμῶν ὁμιλίαν προαιρετικήν. Ἔδειξαν δὲ
τοῦτο καὶ οἱ μὴ ἁμαρτήσαντες ἐν τῷ ὁμοιώματι τῆς
παραβάσεως Ἀδάμ[g], τὴν μὲν προσβολὴν κωλῦσαι μὴ
85 δυνηθέντες, τὴν δὲ πρὸς αὐτὴν ὁμιλίαν καὶ προσπάθειαν
καθόλου παραιτησάμενοι.

XII. Ἐρώτησις

Οὐκοῦν τὴν τοῦ Ἀδὰμ παράβασιν κατὰ ἀνάγκην οὐ
παρεδεξάμεθα, ὅ ἐστιν ἡ λογιστικὴ ἡμῶν ἁμαρτία;

D E T MZCX NV GQW BAF P L Y

XI,64 κοσμικοῖς G L ‖ 65 κατετρωμένη Ζ F κατατετ. edd. ‖ 66 τυγχάνουσι D M NV F edd ‖ γὰρ : δὲ edd. ‖ ψυχῆς + καὶ C QW ‖ 67 νοῦν : οὖν
D E M CX N GQ AF οὐκ edd. ‖ 68 εἰσδέχεται NV ‖ 69 μὴ¹ : ἢ T MZ NV
L ‖ μόνα [et Syr.] : ταῦτα CX N BAF edd. μόνον P om. L ‖ 70 πίστιν + καὶ
CX ‖ ἐλπίδα + καὶ CX G A Y ‖ οὖν : γάρ GQW P Y ‖ 71 βουλόμενος :
δυνάμενος καὶ β. B ‖ 72 ἐξωθεῖσθαι : + καὶ C ἐξωσθῆναι F edd. ‖
74 προσεγγίζειν A ‖ μόνῳ B ‖ τοῖς : om. F L edd. ‖ προσευχῆς Ε Μ NV ‖
74-75 παραμόνοις P ‖ 76 μετεωρισμῶν καὶ σαρκικῶν om. N ‖ 77 ἔξωθεν :
ἐξουθένων N ‖ 78 ἐννοίᾳ καὶ πράξει : ἐ. καὶ λόγῳ καὶ πρ. CX ἔννοια καὶ

et spacieuse, toute jonchée par les mots et les desseins d'une sagesse mondaine, susceptible d'être un piège pour ceux qui la suivent, tout avisés qu'ils puissent être. Car les chambres fortes tout au dedans de l'âme, en leur pureté, et la demeure du Christ n'accueillent aucune disposition d'esprit tout uniment importée de ce monde-ci, qu'elle soit conforme ou contraire à la raison, rien que les trois choses dont a parlé l'Apôtre : la foi, l'espérance et la charité[f]. Il est donc possible à un homme amoureux de la vérité et résolu à laisser peiner son cœur, de ne pas se laisser pousser au dehors par les conceptions jadis acquises et en vertu de l'enchaînement décrit plus haut. Il peut au contraire faire attention à son cœur, progresser vers l'intérieur et se rapprocher de Dieu, pourvu seulement qu'il peine sans déplaisir, dans l'attention et la patience. Car il est impossible que ne peine pas le cœur de celui qui est attentif face aux divagations des pensées et aux voluptés de la chair, celui qui se restreint quotidiennement, et non quant au dehors seulement, mais au dedans, en des domaines où fréquemment s'étaient exercées son intelligence et son action.

Nous le savons dès lors, l'assaut à forme obsessive est contraignant parce qu'il persiste, si détesté soit-il ; au contraire la familiarité avec les pensées qui viennent en sus est affaire de choix. La démonstration en a du reste été faite aussi par ceux qui n'ont pas péché d'une transgression semblable à celle d'Adam[g] : s'ils n'ont pu empêcher le premier assaut, ils se sont refusés totalement à la familiarité avec lui et aux affections surajoutées.

XII.   Question

Donc nous n'avons pas hérité par nécessité de la transgression d'Adam, en laquelle consisterait notre péché de pensée ?

πρᾶξις F edd. ‖ 79 ἀνεστράφημεν GQW P Y ‖ 80 μὲν om. X ‖ 81 εἶναι om. F edd. ‖ καὶ om. GW P ‖ 82 ἐπαγομένων AF edd. ‖ 83 ἐν : ἐπὶ Y ‖ 84 παρα-βάσεως + τοῦ MZ ‖ 85 δυνηθέντος V.

XII,2 οὐκοῦν : εἰ MZ BAF L edd. ‖ οὐ del. W ‖ 3 ἐδεξάμεθα M ‖ ἡ P[sl] ‖ λογικὴ L ‖ ἡμῶν om. NV.

XI. f. cf. 1 Co 13, 13   g. cf. Rm 5, 14

Ἀπόκρισις

5   Οὐκ ἔστι τοῦ Ἀδὰμ παράβασις, ἀλλ' ἔλεγχος τῆς ἑκάστου
ἡδυπαθείας. Ἀλλ' οὐδὲ τὴν παράβασιν διεδεξάμεθα. Ἐπεὶ
κατὰ τὴν ἐκ διαδοχῆς ἀνάγκην ἔδει πάντας παραβάτας εἶναι,
καὶ μὴ ἐγκαλεῖσθαι παρὰ Θεοῦ κατὰ ἀνάγκην φυσικῆς
διαδοχῆς παραβαίνοντας. Νῦν δὲ οὐχ οὕτως· οὐδὲ γὰρ
10   πάντες παραβαίνομεν τὴν ἐντολήν, οὐδὲ πάντες φυλάττομεν.
Ὅθεν δῆλον ὅτι οὐκ ἀνάγκης ἐστίν, ἀλλ' ἡδυπαθείας ἡ
παράβασις. Εἰ δὲ λέγεις διὰ ταύτην ἐληλυθέναι τὸν Κύριον,
διὰ τί αὐτὴν οὐκ ἀνῆρεσεν ἐν τῷ βαπτίσματι, ἀλλ' ἔτι καὶ
νῦν ἕκαστος κατ' ἐξουσίαν ἔχει παραβῆναι ἢ μὴ παραβῆναι ;
15   Οὐκοῦν τὴν παράβασιν προαιρετικὴν οὖσαν, καθὼς
ἀποδέδεικται, οὐδεὶς ἐξ ἀνάγκης διεδέξατο, τὸν δὲ ἐκ ταύτης
θάνατον ἀναγκαστικὸν ὄντα διεδεξάμεθα, ὅς ἐστι Θεοῦ
ἀλλοτρίωσις. Ἀποθανόντος γὰρ τοῦ πρώτου ἀνθρώπου,
τοῦτ' ἔστιν ἀλλοτριωθέντος ἀπὸ τοῦ Θεοῦ, οὔτε ἡμεῖς ζῆν ἐν
20   Θεῷ ἠδυνάμεθα· διὸ ἦλθεν ὁ Κύριος, ἵνα ἡμᾶς διὰ λουτροῦ
παλιγγενεσίας ζωοποιήσῃ καὶ καταλλάξῃ τῷ Θεῷ, ὃ καὶ
πεποίηκεν. Οὐκοῦν οὐ τὴν παράβασιν διεδεξάμεθα, ἐπειδὴ
καὶ αὐτὸς ὁ Ἀδὰμ οὐ κατὰ ἀνάγκην ἔσχεν αὐτήν, ἀλλὰ κατὰ
θήλημα. Τὸν δὲ θάνατον ἐξ ἀνάγκης διεδεξάμεθα, ἐπειδὴ
25   κἀκεῖνον ἐξ ἀνάγκης ἐκράτησεν, ὃς ἐβασίλευε καὶ ἐπὶ τοὺς
μὴ ἁμαρτήσαντας ἐπὶ τῷ ὁμοιώματι τῆς παραβάσεως
Ἀδάμ [a].

D E T MZCX NV GQW BAF P L Y

XII,5 παράβασις + ἡ λογιστικὴ ἁμαρτία CX ‖ 6 παράβασιν + αὐτοῦ X
‖ 7 ἐκ διαδοχῆς ἀνάγκην : τῆς ἐκδοχῆς ἀνάγκην N suppl. τῆς ἑβδόμης
ἀνάγκην V διαδοχὴν ἀνάγκῃ F edd. ‖ πάντας + ἡμᾶς D E V GQW P Y ‖
8 παρὰ : ὑπὸ E MZ NV GQW BAF P Y edd. ‖ 10 τὴν ἐντολὴν
παραβαίνομεν ~ CX ‖ 11 ἀνάγκη D V κατὰ ἀνάγκης F κατὰ ἀνάγκην edd.
‖ ἡδυπάθειαν edd. ‖ 12 εἰ δὲ λέγεις : alteram personam hic introducunt D
E X W A ἐρώ[τησις] scribentes ‖ ταύτην : τὴν παράβασιν D E ‖ 13 τί + οὖν
CX ‖ αὐτὴν : ταύτην BAF edd. ‖ ἀνῆρεσεν : ἄνειλεν T C QW ἄνηρεν M B
ἀνῆρει X V AF edd. ἀνεῖρε N ἀνήρτησεν P ‖ 13-14 καὶ νῦν om. L ‖
14 κατ'ἐξουσίαν ἔχει ἕκαστος ~ GQW P Y [ἕκαστος om. G Pac Y] ἐκ.
ἐξουσίαν ἔχει BF edd. ‖ ἢ μὴ παραβῆναι om. T MZ GacQ Pac ‖ 15 οὐκοῦν
om. D E W qui alteram personam introducunt sicut et alii qui l. 12 notan-

Réponse

Qui est responsable de nos péchés de pensée ?   Il n'est pas transgression d'Adam, mais bien preuve de notre complaisance à chacun envers la volupté. Aussi bien sa transgression ne nous a-t-elle pas atteints par succession, car dans ce cas nous serions obligatoirement tous des transgresseurs par nécessité héréditaire et Dieu ne saurait nous mettre en accusation, nous qui transgresserions conformément aux nécessités d'un héritage lié à la nature. Or en fait il n'en va pas ainsi : nous ne transgressons pas tous le commandement, pas plus que tous nous ne l'observons. D'où il ressort que la transgression ne relève pas d'une nécessité, mais d'une complaisance envers la volupté. Si d'ailleurs tu dis que le Seigneur est venu à cause d'elle, pourquoi ne l'a-t-il pas supprimée dans le baptême, et laisse-t-il au contraire à chacun, maintenant encore, pleins pouvoirs de se livrer ou non à la transgression ?

Ainsi donc cette dernière étant affaire de choix, comme on l'a démontré, personne ne l'a eue nécessairement par voie de succession. C'est la mort, sa séquelle, que nous avons eue en héritage à titre de nécessité. La mort qui consiste à devenir étranger à Dieu. Le premier homme étant mort, en effet, c'est-à-dire étant devenu étranger à Dieu, nous n'étions plus non plus capables de vivre en Dieu. Aussi le Seigneur est-il venu pour nous donner la vie par un bain de régénération et pour nous réconcilier à Dieu, buts qu'aussi bien il a remplis. Ainsi donc nous n'avons pas eu la transgression par succession, et Adam lui-même ne l'a pas eue en vertu d'une nécessité, mais de par un vouloir. De la mort par contre nous avons hérité par nécessité, puisqu'elle a dominé Adam aussi en vertu d'une nécessité, cette mort qui a régné même sur ceux qui n'avaient pas péché d'une transgression semblable à celle d'Adam[a].

---

tur ‖ 16 τὸν δὲ : ἀλλὰ τὸν D E GQW P L ‖ 17 ὅς : ὁ καὶ E T N Q P L ‖ 18 ἀλλότριος Q ‖ 19-20 ἐν θεῷ ζῆν ~ Z ‖ 20 ἡμᾶς om. D E ‖ 23-24 καὶ αὐτὸς ... ἐπειδὴ om. F edd. ‖ ἀλλὰ ... διεδεξάμεθα G^mg ‖ 24 θέλημα : θέλησιν CX ‖ 25 ὅς : ὥστ' N ὡς καὶ L ‖ ἐβασίλευσε Q ‖ 26 ἐπὶ : ἐν D E GQW.

XII. a. cf. Rm 5, 14

XIII. **Ἐρώτησις**

Δεδόσθω ὅτι τὴν παράβασιν θελήματι ἔσχεν ὁ Ἀδάμ, καὶ
διὰ τοῦτο ὁμοφυεῖς ὄντες καὶ ἡμεῖς θελήματι ἐμπίπτομεν·
μὴ καὶ τὴν προσβολὴν οὐκ ἔσχε κατὰ ἀνάγκην;

1020 5 **Ἀπόκρισις**

Ναὶ τὴν προσβολὴν κατὰ ἀνάγκην ἔσχεν. Ἀλλ' ἡ προσβολὴ οὔτε ἁμαρτία ἐστὶν οὔτε δικαιοσύνη, ἀλλ' ἔλεγχος τοῦ
αὐτεξουσίου ἡμῶν θελήματος. Διὸ καὶ προσβάλλειν ἡμῖν
παρεχωρήθη, ἵνα τοὺς μὲν ἐπὶ τὴν ἐντολὴν ῥέποντας
10 στεφανίτας ἀποδείξῃ ὡς πιστούς, τοὺς δὲ ἐπὶ τὴν ἡδονὴν
κατεγνωσμένους ὡς ἀπίστους. Καὶ τοῦτο δὲ εἰδέναι ἡμᾶς
χρή, ὅτι οὐ καθ' ἑκάστην ἡμῶν τροπὴν εὐθέως δόκιμοι ἢ
ἀδόκιμοι κρινόμεθα, ἀλλ' ὅταν ὅλην ἡμῶν τὴν ἐν σαρκὶ ζωὴν
διὰ τῶν προσβολῶν δοκιμασθῶμεν, νικῶντες νικώμενοι,
15 πίπτοντες ἐγειρόμενοι, εὐοδούμενοι πλανώμενοι· τότε ἐν
ἡμέρᾳ ἐξόδου πάντων συμψηφισθέντων, πρὸς τὴν ἀναλογίαν
κρινόμεθα. Οὔτε οὖν ἡ προσβολή ἐστιν ἁμαρτία. Μὴ γένοιτο.

Εἰ γὰρ καὶ ἐξ ἀνάγκης μονολογίστως ὑποδεικνύει τὰ
πράγματα, ἀλλ' ἡμεῖς ἐν Κυρίῳ ἐλάβομεν ἐξουσίαν πνευ-
20 ματικῆς ἐργασίας, καὶ ἐφ' ἡμῖν ἐστιν εὐθὺς ἀπὸ πρώτης
ἐννοίας δοκιμάζειν τὸ βλαβερὸν καὶ τὸ ὠφέλιμον, καὶ
ἀποβάλλειν ἢ προσδέχεσθαι τοὺς λογισμούς, οὐκ ἐξ
ἀνάγκης, ἀλλ' ἐκ διαθέσεως πληθυνομένους. Θῶμεν δὲ κατὰ
σὲ ὅτι καὶ οὗτοι κατὰ ἀνάγκην καὶ διαδοχὴν ἀναφέρονται·

D E T MZCX NV GQW BAF P L Y

XIII,3 ἐμπίπτομεν : πίπτ. CX ὑποπίπτ. NV ἐκπίπτ. GQW AF edd. ‖
4 προσβολὴν : πρώτην αἵρησιν L ‖ οὐ κατ'ἀνάγκην ἔσχεν ~ MZ κατὰ
ἀνάγκην οὐκ ἔσχε Q θελήματι ἔσχεν BF edd. ‖ 6 ναὶ : καὶ GW Pᵃᶜ ‖
8 θελήματος ἡμῶν ~ CX ‖ προσβάλλειν : ἡ προσβολὴ Z ‖ 9 συνεχωρήθη L
‖ 10 ἀναδείξῃ X ἀναδείξει NV ‖ 11 ὡς om M ‖ ἀπίστους + κατακρίνει NV
‖ 12 ῥοπὴν G L ‖ 13 τὴν ὅλην ἡμῶν ~ L ‖ τὴν ζωὴν τὴν ἐν σαρκὶ D E NV
[ἐν + τῇ Y P] τὴν ζωὴν ἐν τῇ ζωῇ Q ζωὴν W ‖ 14 διὰ : ὑπὸ X ‖
15 εὐδοκούμενοι πλανώμενοι M πλανώμενοι εὐδοούμενοι ~ BAF edd. ‖
τότε : + δὴ CX QW + οὖν V ‖ 16 πρὸς τὴν : κατὰ τὴν MZ CX BAF edd.

XIII.   Question

Admettons qu'Adam ait commis la transgression de par sa volonté et que par suite, étant de même nature que lui, nous tombions nous aussi de par notre volonté. Le premier assaut, ne l'a-t-il pas eu aussi en vertu d'une nécessité ?

Réponse

Qui est responsable du premier assaut ? Eh bien ! oui, le premier assaut, il l'a eu en vertu d'une nécessité. Mais un tel assaut n'est ni péché ni justice, il est mis à l'épreuve de la souveraineté de notre vouloir. Et c'est bien la raison pour laquelle les assauts contre nous ont été autorisés : il fallait montrer les uns, ceux qui inclinent vers le commandement, couronnés parce que fidèles, les autres, orientés vers la volupté, condamnés parce qu'infidèles. Et l'on doit bien savoir ceci : ce n'est pas à chacune de nos inclinations dans tel sens que nous sommes jugés dignes ou indignes ; c'est quand nous avons été éprouvés dans la totalité de notre vie dans la chair au moyen de ces assauts ; vainqueurs, vaincus, tombés, redressés, marchant dans le bon chemin, égarés, alors au jour où nous sortons de cette vie, tout est apprécié ensemble et le verdict sur nous y est proportionné. Le premier assaut n'est donc pas péché, jamais de la vie !

Il peut bien nous montrer les objets sous forme d'obsession contraignante, nous avons reçu, nous, pleins pouvoirs du Seigneur pour une activité spirituelle ; il dépend de nous de soupeser tout de suite, à partir de la première réflexion, le nuisible et l'utile, de rejeter ou d'accueillir les pensées, lesquelles prolifèrent non par suite d'une nécessité, mais de par nos dispositions. Supposons au contraire, comme tu le veux, que ce bourgeonnement aussi ait lieu en vertu d'une nécessité héré-

---

[τὴν om. AF edd.] ‖ 17 κρινόμεθα + ἢ ἐπαινούμεθα Eᵐᵍ CX QW ‖ ἡ ἁμαρτία ἐστὶν ~ CX ‖ 18 μονολογίστου M ‖ ὑποδείκνυσι MZ G B δεικνύει edd. ‖ 19 ἐν κυρίῳ : παρὰ κυρίου QW ‖ 19-20 πνευματικῆς ἐνεργείας ἐξουσίαν ~ L ‖ 20 εὐθὺς om. AF edd. ‖ 21 καὶ¹ om. CX ‖ καὶ² : + ἢ E T NV GQW P L + τὸ M BAF ‖ 24 καὶ¹ om. CX ‖ αὐτοὶ NV ‖ ἀναφέρονται : ἀναφύονται CX AF edd. ἐπιφέρονται N W *advenerunt* Syr.

25 διὰ τί ἡμᾶς ἡ θεία Γραφὴ κατακρίνει ἐπὶ τοῖς πονηροῖς
λογισμοῖς; ἢ πῶς δυνάμεθα ἀποκλεῖσαι τοὺς ἐξ ἀνάγκης καὶ
διαδοχῆς ἡμῖν ἐνοχλοῦντας; Εἰ δέ μοι λέγεις · δυνάμεθα διὰ
τῆς χάριτος ἧς εἰλήφαμεν ἀπὸ τοῦ βαπτίσματος, κατὰ τὰς
Γραφάς, γνῶθι ὅτι καὶ οὕτως ἡμεῖς ἐσμεν αἴτιοι, οἱ ἔχοντες
30 παρὰ τοῦ Θεοῦ δύναμιν ἀποκλείειν αὐτοὺς ἀπὸ πρώτης
ἐννοίας καὶ ἀναδόσεως. Εἴ τις δὲ ἄλλον τινὰ ἵστησιν αἴτιον
τῶν ἑαυτοῦ κακῶν, οὐ μόνον ἀδεῶς ἐξαμαρτάνει, ἀλλὰ καὶ
βλασφημεῖ κατὰ τοῦ Θεοῦ, ὡς ἀναιτίως τοὺς ἀνθρώπους
πολεμεῖσθαι παραχωρήσαντος.

XIV.   Ἐρώτησις

Διὰ τί οὖν ἐγὼ βεβαπτισμένος καὶ τὸν Θεὸν παρακαλῶ,
καὶ τὴν χάριν αὐτοῦ ἐπικαλοῦμαι, καὶ ὅλῳ θελήματι
βούλομαι ῥυσθῆναι καὶ ἀπαλλαγῆναι τῶν πονηρῶν λογισ-
5 μῶν, καὶ οὐ δύναμαι; Ἡ δηλονότι ἡ τοῦ Ἀδὰμ παράβασις
ταύτην ἡμῖν τὴν ἀπαράίτητον κληρονομίαν κατέλιπεν;

Ἀπόκρισις

Ἔδει μὲν ἡμᾶς λογικοὺς ὄντας εἰδέναι τί ἀκούομεν.
Ἐπειδὴ δὲ ὑπὸ φιληδονίας καὶ κενοδοξίας σκοτισθεῖσα ἡ
10 ψυχὴ εἰς τὸν βυθὸν τῆς ἀγνοίας καταπέπτωκεν, οὐκέτι οὔτε
γραφικῆς ἐντολῆς ἀκούει, οὔτε φυσικῆς ἀκολουθίας, οὔτε
ἐμπείρων ἐπιστασίας ἢ μόνον ταῖς ἰδίαις ὑπονοίαις
ἀκολουθεῖ. Τίς γὰρ πιστεύων τῇ θείᾳ Γραφῇ καὶ ποιῶν τὰς

D E T MZCX NV GQW BAF P L Y

XIII,25-26 τοὺς πονηροὺς λογισμοὺς NV ‖ 27 μοι λέγεις : + ἔτι Eˢˡ +
ὅτι CX QW λέγεις μοι [μοι om. L] ~ NV L ‖ 27-28 διὰ τῆς χάριτος
δυνάμεθα ~ P ‖ 28 χάριτος + τοῦ χριστοῦ CX QW ‖ ἧς : ὡς D ‖ ἧς ...
βαπτίσματος om. M ‖ 28-29 κατὰ τὰς γραφὰς : περιγράφειν T QW ‖
29 γνῶθι + οὖν E M ‖ οὕτως + ὡς L ‖ οἱ om. T AF P edd. ‖ ἔχοντες : οἱ ἔχ.
καὶ CX [οἱ om. X] ‖ 30 δύναμιν παρὰ θεοῦ ~ P ‖ τοῦ om. BAF edd. ‖
31 ἐννοίας : προσβολῆς GQW ‖ ἀναδώσεως : + καὶ μὴ ἀποκλείοντες CX
μὴ ἀποκλείοντες W ‖ αἴτιον ἵστησιν ~ D E NV GQW P Y ‖ 32 ἐξαμαρ-

ditaire, pourquoi la divine Écriture nous condamne-t-elle pour nos pensées dépravées ? ou comment pouvons-nous exclure les troubles qui nous viennent d'une nécessité héréditaire ? Vas-tu me répondre que nous le pouvons en vertu de la grâce reçue par nous à partir du baptême, conformément aux Écritures ? Reconnais qu'ainsi également c'est nous les coupables, puisque nous tenons de Dieu le pouvoir d'exclure ces pensées dès que nous en prenons conscience et dès qu'elles jaillissent. Qui pose un autre coupable pour le mal qu'il commet, non seulement pèche sans scrupule, mais encore blasphème contre un Dieu qui aurait permis cette guerre contre les hommes sans culpabilité de leur part.

XIV.   Question

Pourquoi donc moi aussi qui ai été baptisé, imploré-je Dieu, réclamé-je sa grâce, désiré-je de tous mes vœux être arraché aux pensées perverses, délivré d'elles, sans pouvoir l'être ? N'est-il pas clair que la transgression d'Adam nous a laissé cet héritage impossible à répudier ?

Réponse

Nous aurions dû, puisque doués de raison, savoir à quoi prêter l'oreille. Mais voilà que notre âme, enténébrée par l'amour de la volupté et de la vaine gloire, est tombée dans l'abîme de l'ignorance : elle n'entend plus ni commandement de l'Écriture ni logique naturelle ni directives des gens d'expérience ; elle suit seulement ses propres conjectures. Qui en effet,

τάνει MZCX BAF edd. ‖ 33 ἀναιτίους V GQW ‖ 34 πολεμεῖσθαι παραχωρήσαντος : παραχωροῦντος πολ. E AF edd. πολ. παραχωροῦντος MZ B παραχωρήσαντος W.

XIV,2 ἐγώ + ὁ X ‖ 3 αὐτοῦ om. D E ‖ 4-5 τῶν πον. λογ. καὶ ἀπαλλαγῆναι ~ NV ‖ 6 ἀπαραίτητον om. X ‖ καταλέλοιπεν CX ‖ 8 ὑμᾶς GQ ‖ λογιστικοὺς Pac Yac ‖ ὄντας : ὑπάρχοντας CX ‖ 9 ἐπειδὴ : ἐπεὶ MC BAF edd. ‖ σκοτωθεῖσα GQW ‖ 10 βυθὸν : βόθυνον G Pac ‖ 11 γραφικαῖς ἐντολαῖς A ‖ οὔτε φυσικῆς ἀκολουθίας om. M ‖ 12 ἤ : εἰ μὴ P ‖ ἰδίαις : post ἐννοίαις F om. edd. ‖ ὑπονοίαις : ἐπιν. N C QW ἐνν. BAF edd. ‖ 13 ἀκολουθεῖν D MZac F edd.

ἐντολὰς τοῦ Κυρίου οὐχ εὑρίσκει κατὰ ἀναλογίαν τὴν
15 ὑπόληξιν τῶν λογισμῶν καὶ πληροφορεῖται ὅτι οὐ κατ᾽
ἐξουσίαν κρατοῦσιν, ἀλλὰ κατὰ τὴν ὀλιγοπιστίαν ἡμῶν καὶ
ἔλλειψιν τῶν ἐντολῶν ; Διὸ οὔτε πάντες τῇ καταστάσει ἴσοι
ἐσμέν, οὔτε ταῖς αὐταῖς ἐννοίαις ἐλαυνόμεθα, ἐπειδὴ
προαιρετικαί εἰσιν αἱ τῶν λογισμῶν αἰτίαι. Εἰ γὰρ ἦσαν
20 ἀναγκαστικαὶ ἐκ τοῦ Ἀδάμ, πάντες ἂν ὁμοίως ἐνηργούμεθα
καὶ ἀπαραιτήτως ἐκρατούμεθα· καὶ οὔτε γραφικῆς ἐπιστα-
1021 σίας οὔτε ἀποστολικῆς νουθεσίας ἐδεόμεθα, φύσεως κατὰ
διαδοχὴν κρατούσης, καὶ οὐ φιληδόνου θελήματος. Νῦν δὲ
οὐχ οὕτως ἐστίν. Μὴ γένοιτο.

25 Ἰδοὺ γὰρ ὁρῶμεν ὅτι οὐ πάντες ὁμοίως ὑπὸ τῶν λογισμῶν
ἐνεργούμεθα, οὔτε ἐν τοῖς αὐτοῖς καιροῖς, οὔτε ἐπὶ τοῖς
αὐτοῖς πράγμασιν· ἀλλ᾽ ἕκαστος καθὸ ἂν ἐπίστευσε τῷ
Κυρίῳ περὶ τῶν μελλόντων ἀγαθῶν, ἀνθρωπίνης δόξης καὶ
ἡδυπαθείας καταφρονήσας, τοσοῦτον καὶ τοὺς λογισμοὺς
30 ἀπέκλεισε καὶ τοῦ ἡδυπαθοῦντος ἡσυχέστερος τυγχάνει. Διὰ
τοῦτο ἕτερος ἑτέρου καὶ τῇ ἐννοίᾳ καὶ τῷ βίῳ διενηνόχαμεν.
Ἐπειδὴ οὖν οἱ πολλοὶ καὶ ἐν τούτῳ σοφιζόμεθα τὴν
ἀλήθειαν, καὶ ζητοῦμεν οὐκ ἐκ πίστεως Ἰησοῦ, τοῦτ᾽ ἔστιν
οὐ δι᾽ ἐργασίας τῶν ἐντολῶν αὐτοῦ, οὔτε δι᾽ εὐτελείας καὶ
35 ταπεινοφροσύνης καρδιοπονοῦντες, σβέσαι τοὺς λογισμούς,
ἀλλὰ μετὰ τῆς κρυπτῆς ἡδυπαθείας, κενοδοξίας λέγω καὶ
ἀνθρωπαρεσκείας, οἰήσεώς τε καὶ φανητιασμοῦ, νίκης καὶ
ἐπάρσεως, καὶ ἑτέρων τοιούτων ὧν αἱ μὲν ἐπιτυχίαι τοὺς

D E T MZCX NV GQW BAF P L Y

XIV,15 ὑπόληξιν τῶν λογισμῶν : τῶν λογ. ὑπόληψιν CX ὑπόληψιν τῶν
λογ. L^ac ὑπόλειψιν τῶν λογ. edd. ‖ 16 ὀλιγοπιστίαν : ἀπιστίαν M ‖
17 ἐντολῶν : λογισμῶν P^ac ‖ 18 οὔτε : οὐ BAF edd. ‖ 20 ὁμοίως + ὑπὸ τῆς
ἁμαρτίας CX W ‖ 21 καὶ ... ἐκρατούμεθα om. M ‖ 21-22 ἐπιστασίας οὔτε
ἀποστολικῆς om. BAF edd. ‖ 23 κρατούσης κατὰ διαδοχὴν ~ GQ W Y ‖
24 οὐχὶ L ‖ 25 οὐ πάντες : ἅπαντες W ‖ ὑπὸ τῶν λογισμῶν : om. MZ BF
edd. ‖ 26-27 καίροις ... αὐτοῖς om. M ‖ 27 καθὰ NV ‖ 28 ἀγαθῶν + τῆς D
E NV GQW P Y ‖ 28-29 ἡδυπαθείας καὶ ἀνθρωπίνης δόξης ~ D ‖
29 τοσοῦτο V τοσούτω N ‖ 30 καὶ + ὁ μὴ ἡδυπαθῶν B ‖ ἡσυχώτερος NV
W P^pc ‖ 31 ἕτερος + τοῦ NV ‖ τῇ ἐννοίᾳ : τῇ διανοίᾳ E τὴν ἔννοιαν M ‖ τῷ
βίῳ καὶ τῇ ἐννοίᾳ ~ NV ‖ βίῳ : λόγῳ D λογισμῷ E ‖ 32 οἱ πολλοὶ om. AF

pourvu qu'il ait foi en la divine Écriture et exécute les commandements du Seigneur, n'atteint pas, en proportion de cela, une cessation des pensées et l'assurance absolue qu'elles n'ont pas pleins pouvoirs pour le dominer, mais sont à la mesure de notre manque de foi et de notre négligence des commandements ? C'est pourquoi nous ne sommes pas tous dans un état égal et ce ne sont pas les mêmes idées qui nous courent sus, puisque les causes des pensées sont affaire de choix. En effet si elles étaient une nécessité venue d'Adam, nous en serions tous manœuvrés de la même façon et nous en serions dominés sans refus possible ; aussi, nous n'aurions pas besoin d'être traités par l'Écriture, admonestés par les apôtres, dominés que nous en serions par une hérédité de nature, au lieu de l'être par le désir et l'amour de la volupté. Mais en réalité il n'en va pas de la sorte, à Dieu ne plaise !

Car voici qui nous est constatable, nous ne nous laissons pas tous manœuvrer par les pensées de la même façon, ni dans les mêmes circonstances, ni à propos des mêmes objets. Cela dépend au contraire du degré où chacun de nous a eu foi au Seigneur pour ce qui est des biens à venir, méprisant du même coup gloire humaine et complaisance envers la volupté ; à ce degré même, on est fermé aux pensées et en des dispositions plus recueillies qu'un homme complaisant envers la volupté. C'est pourquoi nous nous trouvons être différents l'un de l'autre par les idées comme par le genre de vie. Mais beaucoup d'entre nous rusent avec la vérité même sur ce sujet ; nous n'usons pas de la foi en Jésus, c'est-à-dire de l'exécution de ses commandements, de la simplicité et de l'humilité, pour chercher avec un effort venu du cœur à éteindre les pensées ; nous y allons d'une secrète complaisance pour les passions, je veux dire pour la vaine gloire, la flatterie, la bonne opinion de nous, l'ostentation triomphante et exaltée, et autres vices semblables

edd. ‖ ἐν τούτῳ : τοῦτο F edd. ‖ 32-33 τῇ ἀληθείᾳ F edd. ‖ 37 τε suppl. G^sl om. BAF edd. ‖ φανητιασμοῦ : φαντασμοῦ F edd. ‖ νίκης : + φιλονεικίας W φιλονεικίας Q ‖ 38 ἐπάρσεως + φιλονεικείας Y^mg ‖ ἐπιτυχίαι : ἀποτυχίαι C F edd. ἐπιθυμίαι B ‖ 38-39 τοὺς ἐπιθυμητικοὺς αἱ δὲ ἀποτυχίαι om. MC

ἐπιθυμητικούς, αἱ δὲ ἀποτυχίαι τοὺς θυμικοὺς πληθύνουσι
40 λογισμούς, τούτου χάριν οὐ δυνάμεθα. Τί οὖν τὰς αἰτίας
κρατοῦντες πειρώμεθα ἀποβάλλειν ἀδίκως τὰς προσφυεῖς
αὐτῶν ἐνεργείας; Εἰ δὲ ψευδὴς ὁ λόγος καὶ χωρὶς ἡμετέρας
αἰτίας ὑπὸ τῶν λογισμῶν ἐνεργούμεθα, ἀκριβῶς ἐπισκεψώ-
μεθα ὡς Θεῷ ἐξομολογούμενοι. Τίς οὐκ οἶδεν ὅτι καὶ λόγῳ
45 καὶ ἔργῳ καὶ ἐννοίᾳ τὰ προειρημένα πάθη ἐπισπώμεθα καθ᾽
ἡμέραν; καὶ τοὺς μὲν συνεργοῦντας ὡς εὐεργέτας ἀγαπῶμεν, τοὺς δὲ ἐμποδίζοντας ὡς ἐχθροὺς ἀποστρεφόμεθα. Εἰ
δὲ οὕτω τὰ προειρημένα πάθη ἀγαπῶμεν ὡς καὶ προφανῶς
αὐτὰ διεκδικεῖν, πῶς τὴν μονολόγιστον αὐτῶν προσβολὴν
50 μισήσομεν; Τῆς πρωτονοίας δὲ παραδεχθείσης, πῶς οἱ
ταύτης ἀπηρτισμένοι λογισμοὶ μὴ ἐπακολουθήσωσιν;

XV.   Ἐρώτησις

Εἰ καὶ ταῦτα θῶμεν οὕτως ἔχειν, ὅμως ἐν τοῖς
εὐαγγελίοις ὁ Κύριος κατεπηγγείλατο ποιῆσαι τὴν ἐκδίκησιν
τῶν βοώντων πρὸς αὐτὸν νυκτὸς καὶ ἡμέρας[a].

5   Ἀπόκρισις

Ὁ μὲν Κύριος οὐ πρὸς τοὺς ἐγκειμένους ταῖς ἡδυπαθείαις
θελήματι τὴν παραβολὴν λέγει, ἀλλὰ τοῖς ὑπὸ μόνων τῶν
προσλήψεων πολεμουμένοις, συγκατάθεσιν δὲ μὴ ποιου-

D E T MZCX NV GQW BAF P L Y

XIV,39 αἱ δὲ — θυμικοὺς : αἱ δὲ — θυμώδεις E GQW A P om. BF edd.
‖ 40 τί οὖν om. GQW P Y ‖ 41 πειρώμεθα om. Eᵃᶜ GQW P Y ‖ ἀποβαλεῖν
Eᵐᵍ P ἀποβάλαι D Eᵗˣᵗ Z BAF ‖ ἀδίκως : ῥᾳδίως W exp. P ‖ 43 ἀκριβῶς +
οὖν GQW ‖ 44 τίς + γὰρ GQW ‖ καὶ om. D X ‖ 44-45 ἔργῳ καὶ λόγῳ ~
CX NV GQW BAF edd. ‖ 45 διανοίᾳ BAF edd. ‖ πάθη : + ἀγαπῶμεν καὶ
CX ‖ 46-47 ἀγαπῶμεν ὡς εὐεργέτας [ὡς εὐεργέτας om. X] ~ T MZ X
BAF edd. ‖ 47 ἀποστρεφόμεθα + καὶ μισοῦμεν GQW Yᵐᵍ ‖ 48 καὶ om. D
E GQW ‖ 49 αὐτὰ : ταῦτα D + καὶ Y ‖ διεκδικᾶν D E ἐκδικεῖν NV ‖
προσβολὴν om. NV ‖ 50 μισοῦμεν GQW ‖ πῶς + καὶ CX ‖ 51 ταύτῃ Z Q
‖ ἀπηρτήμενοι T M L ἐπηρτίσμενοι Q ἐπηρτημένοι W ‖ ἀκολουθήσομεν
MZ BAF edd.

dont les succès multiplient nos pensées de convoitise, les échecs, nos pensées d'emportement. Moyennant quoi nous sommes impuissants. Comment donc, en embrassant les causes, tenter de rejeter injustement les actes qui en découlent naturellement ? Si ce que j'ai dit est faux, si nous sommes manœuvrés par les pensées sans en être responsables, livrons-nous à un examen serré, comme pour un aveu devant Dieu. Qui l'ignore ? Dans nos discours, nos actes, nos idées, nous tirons à nous quotidiennement les passions énumérées plus haut. Et nous chérissons comme des bienfaiteurs leurs complices, nous marquons de l'aversion, comme à des ennemis, à ceux qui leur font obstacle. Si nous chérissons de la sorte les passions susdites, jusqu'à les légitimer hautement, comment détesterons-nous l'obsession dont elles nous assaillent ? Nous avons fait accueil à la première notion ; comment les pensées qui en sont le complément ne suivraient-elles pas ?

XV.   Question

Quand bien même nous admettrions qu'il en est ainsi, dans les évangiles le Seigneur n'en a pas moins promis de faire justice à ceux qui crieraient vers lui nuit et jour[a].

Réponse

Pourquoi la prière   Le Seigneur ne dit pas sa parabole à
n'est-elle pas   l'intention de ceux qui se sont volontai-
plus efficace ?   rement installés dans la complaisance
pour les passions, mais pour ceux qui sont aux prises seulement avec des tendances préexistantes, sans y donner leur

---

XV. 2 ὅμως : οὕτως edd. ‖ 2-3 ὁ κύριος ἐν τοῖς εὐαγγελίοις ~ A L Y ‖ 3 ἐπηγγείλατο GQW AF P edd. ‖ 6 ὁ om. N ‖ μὲν : + οὖν X om. NV GQW ‖ 7 θελήματι + ἰδίῳ X QW ‖ παραβολὴν + ταύτην CX ‖ ἀλλὰ : + πρὸς ἐκείνους μόνους τοὺς [μόνους om. X] CX ‖ 8 προλήψεων D T M NV G AF L Y ‖ πολεμουμένους CX ‖ 8-9 συγκατάθεσιν δὲ μὴ ποιουμένοις [ποιουμένους CX] [et Syr.] : om. D BF edd. Y^mg

---

XV. a. cf. Lc 18, 7

μένοις. Διὸ τούς μὲν ὡς ὑπὸ ἐχθρῶν ἀδικουμένους ἐκδικῆσαι
10 ἐπηγγείλατο, ἐκείνοις δὲ ὡς τὴν βοηθοῦσαν ἐντολὴν
ἀπωθουμένοις ἐγκαλεῖ λέγων · «Τί με λέγετε · Κύριε, Κύριε,
καὶ οὐ ποιεῖτε ἃ λέγω[b];» Οὓς καὶ παρεικάζει ἀνδρὶ μωρῷ
ἐπὶ ψάμμου τῶν ἰδίων θελημάτων καὶ οὐκ ἐπὶ πέτραν τῶν
τοῦ Κυρίου παραγγελμάτων οἰκοδομοῦντι τὴν οἰκίαν
15 αὐτοῦ[c].

Μὴ οὖν ἀστηρίκτῳ νῷ καὶ ἀλόγῳ βουλῇ πάσαις ταῖς
ἑαυτοῦ ὑπονοίαις ὡς ἀληθιναῖς ἐπερείδου, ποτὲ μὲν λέγων
ὅτι· Ἐγὼ βεβάπτισμαι, καὶ τὸν Θεὸν παρακαλῶ, καὶ τὴν
χάριν αὐτοῦ ἐπισπῶμαι, ὅλῳ θελήματι βουλόμενος ῥυσθῆναι
20 τῶν πονηρῶν λογισμῶν, καὶ οὐ δύναμαι, ὡς ἀναιτίως ὑπὸ
τῶν λογισμῶν κρατούμενος, ποτὲ δὲ πάλιν τὴν ἐκδίκησιν
περιμένων τοῦ Κυρίου ἣν ποιῆσαι ἐν τοῖς εὐαγγελίοις κατεπηγγείλατο, πανταχοῦ σεαυτὸν ἀναίτιον ἱστῶν, ὅπερ
μεγάλης ἐστὶ βλασφημίας. Ὅμως ἐρωτήσω σε κἀγὼ τῆς
25 οἰήσεως νόημα, καὶ δός μοι ἀπόκρισιν. Οἶδα δὲ ὅτι ὑπὸ τῆς
1024 ἀληθείας σφιγγόμενος ἢ μειζοτέρας ἐπάρσεως ῥήματα
λαλήσεις, ἢ τὴν ἑαυτοῦ αἰτίαν ὁμολογήσεις. Διὰ τί ὁ Κύριος
εἰπὼν ἐν τάχει ποιῆσαι τὴν ἐκδίκησιν, οὐ ποιεῖ ἐν τάχει[d],
ἀλλὰ βραδύνει καὶ ἄφηκέ σε ἐν τοῖς πονηροῖς λογισμοῖς,
30 καίτοι ὁλοκαρδίως καὶ ἀσυνδυάστως εὐχόμενον, καθὼς
εἴρηκας;

D E T MZCX NV GQW BAF P L Y

XV,9 τοὺς : τούτους E CX ‖ ὡς om. M BAF edd. ‖ ἐκδικήσειν B P ‖
10 κατεπηγγείλατο X ‖ 11 ἀπωθουμένοις : ἀπειθεμένους M παρωσα-
μένοις GQW ἀποθεμένους A ἀποθεμένοις F N edd. ‖ λέγετε : καλεῖτε AF
edd. ‖ 12 ἃ + ἐγὼ M ‖ 13 ψάμμῳ P ‖ ἰδίων : οἰκείων CX ‖ 13-14 καὶ ...
παραγγελμάτων om. MZ BF P L edd. ‖ 14 κυρίου : χριστοῦ D ‖
17 σεαυτοῦ N P ‖ ἀληθινὰς A ἀληθευούσαις CX ‖ 18 καὶ om. D X ‖ 20-
21 ὡς ... κρατούμενος G[mg] om. QW ‖ 20 ἀναιτίως : ἐναντίως E ‖ 20-21 ὑπὸ
... λογισμῶν : ὑπ'αὐτῶν CX ‖ 22 κυρίου + ἡμῶν CX ‖ ποιῆσαι om. CX ‖ 22-
23 κατεπηγγείλατο : + ἐν τάχει ποιεῖν οὐκ ἐποίησεν CX ἔπηγ. Q P Y
κατηπεγγείλαμεν F edd. ‖ 23 ἀναίτιον ἑαυτὸν ~ C L ἀν. σεαυτὸν X
σεαυτὸν ἀν. BAF ‖ ἱστῶν : συνιστ. CX ἀνιστ. W P[pc] ‖ 24 ἐστὶ μεγάλης
βλασφημίας ~ D E μεγάλη βλασφημία ἐστι CX ‖ βλασφημίας + αἰτία N +

aveu. Voilà pourquoi à ces derniers il a promis de faire justice comme à des gens injustement traités par des ennemis ; aux autres, en revanche, qui ont repoussé le secours venu du commandement, il formule ses griefs en ces termes : « Pourquoi m'appelez-vous : Seigneur, Seigneur, alors que vous ne faites pas ce que je dis[b] ? » Il les compare également à un homme insensé qui bâtit sa maison sur le sable de ses propres désirs et non sur la pierre des préceptes du Seigneur[c].

Ne va donc pas t'appuyer, avec un intellect inconstant et un dessein déraisonnable, sur toutes tes fantaisies comme si elles étaient la vérité. Ne dis pas à certains moments : Moi j'ai été baptisé, et j'invoque Dieu, et j'attire à moi sa grâce par ma volonté tendue de tout mon désir vers la libération à l'égard des pensées perverses ; mais je suis impuissant, me trouvant sans qu'il y ait de ma faute maîtrisé par ces pensées. Cela pour attendre à d'autres moments que le Seigneur te fasse la justice promise dans les évangiles, cependant que tu te carres en toute circonstance dans ta non-culpabilité. Or c'est là un énorme blasphème. Pourtant je te demanderai à mon tour le sens de cette bonne opinion de toi, et j'attends ta réponse. Je sais du reste que, sous la contrainte de la vérité, tu en seras réduit ou bien à tenir des propos d'allure encore plus altière ou bien à reconnaître ta culpabilité. Pourquoi le Seigneur, après avoir dit qu'il ferait prompte justice, ne la fait-il pas promptement[d], mais tarde-t-il au contraire et t'a-t-il abandonné aux pensées dépravées, bien que tu pries de tout ton cœur et sans compromission, d'après ce que tu viens de dire ?

αἴτιον GQW Y ‖ κἀγὼ : + μικρόν τι CX + μικρὸν W ‖ 25 οἰήσεως + σου L ‖ ἀπὸ F edd. ‖ 26 μείζονος MZ BAF L edd. ‖ 26-27 λαλήσεις ῥήματα ~ CX ‖ 27 σεαυτοῦ T X BAF edd. ‖ ὁμολογήσεις + ἐρώτησις AF edd. ‖ 27-28 ὁ κύριος εἰπὼν ἐν τάχει ποιῆσαι [ποιήσει BAF edd.] : εἰπ. ὁ κ. ἐν τ. π. CX ὁ κ. π. εἰπ. ἐν τ. N ὁ κ. εἰπ. π. ἐν τ. V ‖ 29 ἀφήκεισαι F ἀφίησι edd. ‖ 30 καίτοι : καί τι AF ‖ ἀνενδυάστως BAF ἀνενδοιάστως edd. ‖ εὐχόμενος F ‖ 31 εἴρηκας : -κε L.

XV. b. Lc 6, 46   c. cf. Lc 6, 49 + Mt 7, 26   d. cf. Lc 18, 8

XVI. **Ἐρώτησις**

Ὁ δὲ εἶπεν, ἐγὼ λογίζομαι, ὅτι δι' οὐδὲν ἕτερον βραδύνει ἢ διὰ τὴν ἐμὴν ὑπομονήν· ὅσον γὰρ ἄν τις ὑπομείνῃ πολεμούμενος, τοσοῦτον καὶ δοξασθήσεται.

5 **Ἀπόκρισις**

Ἐγὼ μὲν ἐδόκουν μόνης τῆς περιεχούσης σε οἰήσεως προσενέγκαι ἀπόκρισιν, σὺ δὲ καὶ βλασφημίαν προσέθηκας. Ἵνα γὰρ σεαυτῷ ψευδώνυμον ὑπομονὴν ἐπιγράψῃς, ἔστησας τὸν Κύριον ἐπὶ τοῦ ἰδίου λόγου ψευσάμενον, καὶ τοὺς
10 πονηροὺς λογισμοὺς οὐκέτι κατὰ τὴν θείαν Γραφὴν πονηρίας καὶ ἡδυπαθείας καὶ πάσης ἁμαρτίας παρεκτικούς, ἐκ τῆς καρδίας ἐκπορευομένους, κατὰ τὸν λόγον τοῦ Κυρίου, καὶ κοινοῦντας τὸν ἄνθρωπον[a], ἀλλ' ὑπομονῆς αἰτίους καὶ τῆς παρὰ τοῦ Θεοῦ δόξης ἡμῖν προξένους.

15 Ἐγὼ δὲ οὐδέποτε τοὺς τοῖς πονηροῖς λογισμοῖς συνεχομένους ὑπὸ τῆς θείας Γραφῆς ἐπαινουμένους εὕρηκα, οὔτε ἐν τῇ Παλαιᾷ, οὔτε ἐν τῇ Καινῇ Διαθήκῃ, ἀλλ' ἢ μᾶλλον ὡς αὐταιτίους ταλανιζομένους καὶ κατακρινομένους. Ὁ Θεὸς γὰρ ὥσπερ τοὺς πονηροὺς λογισμοὺς μισεῖ, οὕτω καὶ τὴν
20 γεννῶσαν αὐτοὺς καρδίαν. Διὸ οἱ ἔχοντες αὐτοὺς πενθεῖν ὀφείλομεν ὡς φιλάμαρτοι, καὶ μὴ φυσιοῦσθαι ὡς πολεμοῦντες ἀλλοτρίοις κακοῖς. Γνῶθι οὖν ἀκριβῶς, ὦ ἄνθρωπε,

D E T MZCX NV GQW BAF P L Y

XVI,1 ἀπόκρισις E F edd. spatium rel. X ‖ 2 ἐγὼ om. D ‖ ὅτι om. Z GˢˡQW ‖ οὐδὲν δι' ~ NV οὐδὲν CX ‖ βραδύνει + ὁ κύριος CX GQW P Y ‖ 3 ἢ : εἰ μὴ P ‖ 3-4 πολεμούμενος : πολέμους E ‖ 5 ἀπόκρισις AF : ὁ δὲ ὀρθόδοξος [+ γέρων Τ ὀρθόδοξος del. M om. Z] εἶπεν D E T MZ ὁ δὲ ὀρ. [+ γέρων NV QW] ἔφη CX NV GQW L Pᵃᶜ ὁ δὲ γέρων ἔφη Pᵖᶜ εἶπεν ὁ γέρων Y senex autem dixit ei Syr. ‖ 6 μόνον NV ‖ 8 σεαυτῷ : ἑαυτῷ E C NV W P L σεαυτοῦ Z edd. ‖ ψευδόμενον Α P ‖ ὑπογράψῃς W ἐπιγράψας AF ‖ 9 κύριον : θεὸν MZ BAF edd. ‖ τοὺς ἰδίους λόγους M ‖ ψευδόμενον BAF edd. om. P ‖ 10 γραφὴν om. D ‖ 11 ἁμαρτίας + εἶναι CX Q ‖ 12 τοῦ κυρίου λόγον ~ NV A ‖ 13 ἄνθρωπον + λέγεις X GQW P Y ‖ ὑπομονῶν edd. ‖ 13-14 καὶ ... προξένους om. BF edd. ‖ 15 οὐδέποτε : οὐδὲ πώποτε

XVI.   Question

Mais à y réfléchir, il l'a dit, pourquoi il tarde : il ne vise à rien d'autre qu'à me rendre patient. Dans la mesure même en effet où quelqu'un aura guerroyé avec patience, il sera glorifié.

Réponse

J'entendais pour ma part fournir simplement une réponse sur cette bonne opinion de toi dont tu t'enveloppes ; mais toi tu y as ajouté un blasphème : pour pouvoir t'attribuer à toi-même une prétendue patience, tu as présenté le Seigneur comme un menteur manquant à sa propre parole. Et selon toi les pensées dépravées n'induisent plus, comme d'après la divine Écriture, la perversité, la complaisance envers la passion et le péché sous toutes ses formes ; elles ne sortent plus du cœur pour souiller l'homme[a], comme l'avait dit le Seigneur, elles sont motif de patience, elles nous procurent la gloire qui vient de Dieu.

Pour moi, jamais je n'ai trouvé de louanges pour les gens en proie aux pensées perverses, ni dans l'Ancien ni dans le Nouveau Testament ; bien plutôt, en tant que personnellement responsables, ils sont tenus pour infortunés et objets de condamnation, Dieu haïssant à l'instar des pensées perverses le cœur qui les engendre. Aussi quand nous en hébergeons, nous avons le devoir de le déplorer comme un signe de notre sympathie pour le péché, au lieu de nous enfler de cette prétendue guerre contre des maux étrangers. Sache-le donc bien,

---

MZ GW οὐδὲ C οὐ πώποτε Q P ‖ τοὺς τοῖς πονηροῖς λογισμοῖς : τοὺς πονηροὺς λογισμοὺς D τοῖς πον. λογ. E Z τοὺς πον. λογ. C NV QW P Y ‖ 17 διαθήκῃ om. NV ‖ ἀλλ᾿ἤ : ἀλλ᾿ἡμῖν T ἀλλὰ MZ BAF ‖ 18 αἰτίους E MZ G BAF P Y edd. ‖ ταλανιζομένους om. MZ BAF edd. ‖ καὶ κατακρινομένους om. L ‖ 18-19 ὁ γὰρ θεὸς ~ G W ‖ 19 μισεῖ λογισμοὺς ~ CX ‖ 21 ὀφείλουσι ‖ φιλαμαρτήμονες CX edd. φιλαμάρτητοι Pᵃᶜ ‖ φυσᾶσθαι E N φείσασθαι V ‖ 21-22 ἀλλοτρίοις πολεμοῦντες ~ CX GQW ‖ 22 ἀκριβῶς om. NV BAF edd. Syr.

XVI. a. cf. Mc 7, 15-23

ὅτι ὁ Κύριος ἐφορᾷ τὰς πάντων καρδίας, καὶ τοὺς μὲν μισοῦντας τῶν πονηρῶν ἐνθυμημάτων τὴν πρωτόνοιαν
25 παραχρῆμα ἐκδικεῖ, καθὼς ἐπηγγείλατο, καὶ οὐκ ἀφίησι τὸν
ἐσμὸν τῆς πολυνοίας ἐπαναστάντα μολύνειν αὐτῶν τὸν νοῦν
καὶ τὴν συνείδησιν, τοὺς δὲ τὰς πρώτας ἀναδόσεις μὴ διὰ
πίστεως καὶ ἐλπίδος Θεοῦ καταλιπόντας, ἀλλ' ἐκ τοῦ κατα-
μανθάνειν δῆθεν καὶ δοκιμάζειν προσηδυπαθοῦντας, ἀφίησιν,
30 ὡς ἀπίστους καὶ αὐτοβοηθήτους, περικρουσθῆναι καὶ ὑπὸ
τῶν ἑπομένων λογισμῶν, οὓς διὰ τοῦτο οὐκ ἀναιρεῖ, ἐπειδὴ
βλέπει τὴν πρὸ αὐτῶν προσβολὴν ὑφ' ἡμῶν ἀγαπωμένην, καὶ
μὴ ἐκ πρώτης ἐμφανείας μισουμένην.
Εἰ δέ τις μετὰ τοσαύτην φανερολογίαν ἀπιστεῖ τοῖς
35 εἰρημένοις, ἔργῳ ἐπιτήδευσας μάθῃ τὴν ἀλήθειαν. Εἰ δὲ οὔτε
τῇ Γραφῇ πιστεύει, οὔτε ἔργῳ βούλεται ἑαυτὸν πληροφορῆσαι, δῆλός ἐστιν ἀγαπῶν τὴν ἡδονὴν τῆς οἰήσεως. Τί γὰρ
ταύτης ἡδυπαθέστερον, ἀλλοτρίαν τὴν λογιστικὴν ἁμαρτίαν
ὑποτιθεμένης, καὶ γαυριᾶν καὶ ἐπαίρεσθαι ὡς ἀναιτίους
40 μᾶλλον, ἢ ἐξομολογεῖσθαι καὶ πενθεῖν ἐπὶ τοῖς πονηροῖς
βουλεύμασι παρασκευαζούσης;

XVII.   Ἐρώτησις

Σὺ προείρηκας ὅτι τὴν μὲν παράβασιν τοῦ Ἀδὰμ οὐ
διεδεξάμεθα, ἀλλὰ τὸν θάνατον. Οὐκοῦν τοῦ θανάτου
κρατοῦντος, κρατοῦσι καὶ οἱ πονηροὶ λογισμοί.

D E T MZCX NV GQW BAF P L Y

XVI,23 πάντων καρδίας ~ M BAF edd. καρδ. τῶν ἀνθρώπων π. W ‖
μὲν om. L ‖ 24 ἐνθυμήσεων CX ‖ 25 καθὼς + καὶ CX ‖ ἀποφήσι sic F
ἐπαφήσι edd. ‖ 26 ἀναστάντα E ‖ μολῦναι edd. ‖ αὐτῶν + καὶ NV GQW
P ‖ 27 ἀναδόσεις + τῶν λογισμῶν E^{mg} CX GQW ‖ 28 θεοῦ om. F edd. ‖
καταλιπόντας : κατάβαλλοντας F edd. ‖ 30 αὐτοβοηθοῦντες F edd. ‖ καὶ
om. NV W A ‖ 31 ἐφεπομένων AF edd. ‖ 32 πρὸ αὐτῶν [et Syr.] : + πρὸς
D πρὸς αὐ. M αὐ. X πρώτην αὐ. GQW Y^{mg} πρὸ αὐτὸν B πρὸς αὐτοὺς A
πρὸς αὐτὸν F edd. παρ' αὐ. L ‖ ὑμῶν F ‖ 33 ἐμφανείας : ἐννοίας X
ἀφανείας F edd. ‖ 34 μετὰ + τὴν L ‖ 35 ἐπιτηδευσάτω edd. ‖ μάθῃ D E Z
NV F P^{ac} μαθήσεται CX μάθοι B μαθεῖν edd. ‖ 36 οὔτε : οὐδὲ NV ‖ ἑαυτὸν
[ἑαυτὸν om. GQW] βούλεται ~ GQW L ‖ 36-37 πληροφορῆσαι : -ρηθῆναι
ὁ τοιοῦτος GQW πλ. ὁ τοιοῦτος P Y ‖ 37 οἰήσεως : φύσεως X L ‖

pauvre homme : le Seigneur surveille le cœur de tous. Et d'une
part il justifie sur l'heure, ainsi qu'il l'a promis, ceux qui détes-
tent dès le premier jet les conceptions dépravées. Il ne permet
pas au foisonnement de rejets multipliés de surgir pour
souiller leur intellect et leur conscience. Ceux en revanche qui
ne délaissent point, grâce à la foi et l'espérance en Dieu, les
premiers jaillissements, qui continuent à se complaire dans la
passion, sous prétexte de se renseigner et de faire un tri, Dieu
les abandonne même aux chocs répétés des passions subsé-
quentes comme gens sans foi qui cherchent leur secours en
eux-mêmes. Il ne supprime pas ces pensées, et cela pour une
bonne raison : il voit que nous chérissons l'assaut qui les précède, au lieu de le haïr dès sa première apparition.

Conclusion   Si maintenant quelqu'un ne croit pas
                      ce qu'on vient de dire après une explica-
tion aussi claire, qu'il apprenne le vrai en s'appliquant à l'action. S'il n'en croit pas l'Écriture et ne consent pas non plus à
tirer pleine assurance de l'action, c'est évidemment qu'il s'attache avec volupté à sa bonne opinion de soi. Quelle passion
plus voluptueuse que celle-ci, en effet : supposer étranger à soi
le péché de pensée, se rengorger et se tenir hautainement pour
non coupable, au lieu de se disposer dans l'affliction à l'aveu
de ses desseins mauvais ?

XVII.   Question

Comparaison   Tu as soutenu plus haut quant à toi
entre notre situation que nous n'avions pas reçu par succes-
et celle d'Adam   sion la transgression d'Adam, mais la
mort. Mais s'il y a domination de la mort, il y a aussi domination des pensées dépravées.

---

38 ἀλλοτρίοις Q·‖ λογιστιχὴν : λογιχὴν AF edd. ‖ ἁμαρτίαν + εἶναι CX Q
‖ 39 ὑποθεμένης NV B ‖ γαυριᾶν : γὰρ ἂν L ‖ ὡς ἀναιτίους : αἰτίους N
om. V ‖ 41 βουλεύμασι : λογισμοῖς L ‖ παρασχευάζουσαν MZ -σα F.
    XVII.3 ἀλλὰ τὸν θάνατον [et Syr.] : τὸν δὲ θ. παρεδεξάμεθα T MZ L
τὸν δὲ ἐκ ταύτης θ. διεδέξαμεθα C ἀλλὰ τὸν ἐκ ταύτης θ. QWᵖᶜ om. B τὸν
δὲ θ. αὐτοῦ διεδέξαμεν AF edd.

1025 5　　　　　　　　　　**Ἀπόκρισις**

Ὦ ἀπὸ τῆς κακοπιστίας. Τί οὖν ἦλθεν ὁ Κύριος ἐν σαρκὶ[a]
ἢ πάντως ἵνα εἷς ὑπὲρ πάντων ἀποθάνῃ[b], κατὰ τὰς Γραφάς,
καὶ καταργήσῃ τὸν τὸ κράτος ἔχοντα τοῦ θανάτου, τοῦτ'
ἔστι τὸν διάβολον[c]; Εἰ δὲ ἔτι τὸν ἐκ τοῦ Ἀδὰμ θάνατον
10　κρατεῖν ἐκτὸς ἡμετέρας κακοπιστίας νομίζεις, δηλονότι καὶ
τὴν παρουσίαν τοῦ Κυρίου ἀθετεῖς καὶ τὸ βάπτισμα ἀτελὲς
ἔχεις, ἔτι τῶν βεβαπτισμένων χωρὶς ἰδίας αἰτίας ὑπὸ τοῦ
πατρικοῦ θανάτου κρατουμένων. Διὰ τοῦτο, ὦ ἄνθρωπε,
ἄκουε πῶς χάριτι Χριστοῦ νέος Ἀδὰμ γέγονας, καὶ οὐδὲν
15　τοῦ παλαιοῦ ἐξ ἀνάγκης ἐπιφέρει, εἰ μή τι ἂν ἐκ τῆς σῆς
κακοπιστίας καὶ παραβάσεως.

Ἦλθε δι' ἡμᾶς ὁ Κύριος, ἀπέθανεν ὑπὲρ ἡμῶν, ἔλυσεν
ἡμᾶς τοῦ πατρικοῦ θανάτου, καθαρίζει ἡμᾶς καὶ ἀνακαινίζει
διὰ τοῦ βαπτίσματος, τίθησιν ἡμᾶς ἐν τῷ παραδείσῳ τῆς
20　Ἐκκλησίας, ἀπὸ παντὸς ξύλου τοῦ ἐν τῷ παραδείσῳ ἐσθίειν
ἐπιτρέπει[d], τοῦτ' ἔστι πάντα βεβαπτισμένον ἐν τῇ Ἐκκλησίᾳ ἀγαπᾶν καὶ ὑπομένειν ἐν τοῖς ἡττήμασι καὶ μὴ ἐν ταῖς
τροπαῖς ἕκαστον ἐφευρίσκειν καὶ ἐν μὲν τοῖς δοκοῦσι καλοῖς
ἀγαπᾶν, ἐν δὲ τοῖς νομιζομένοις κακοῖς μισεῖν, ὅ ἐστι τὸ
25　ξύλον τοῦ γινώσκειν καλὸν καὶ πονηρόν[d], οὗ ἀπογευσάμενος

D E T MZCX NV GQW BAF P L Y

XVII.6 τῆς D : om. cett. ‖ κακοπιστίας : + διὰ CX QW ἀπιστίας NV
edd. Syr. ‖ 9 ἐκ : κατὰ C suppl X[sl] om. A ‖ 10 ἐκτὸς : ἐκ τῆς NV Y ‖ 11 θεοῦ
M χριστοῦ ZCX BAF edd. ‖ ἀτέλεστον AF edd. ‖ 12 αἰτίας ἰδίας ~ F edd.
‖ 13 πατρικοῦ + νόμου μᾶλλον δὲ GQW ‖ κεκρατημένων X ‖ 14 ἄκουε
om. M F edd. ‖ κυρίου D θεοῦ V L ‖ 15 ἐπιφέρεις D BAF edd. ‖ τι : τοι
GQW ‖ 16 παραβάσεως : φιληδονίας GQW Y ‖ 18 θανάτου + καὶ M ‖ 19
παραδείσῳ + αὐτῆς X ‖ 23 παρατρόπαις CX ‖ ἐφευρίσκειν : + ἀφορμὰς D
καταχρίνειν E CX GQW ‖ δοκοῦσι : + εἶναι GQW P Y ἀδικοῦσι A ‖ 24
ὅ : ὅπερ CX

XVII. a. cf. 1 Jn 4, 2　　b. 2 Co 5, 14　　c. He 2, 14　　d. cf. Gn 2, 9

---

1. L'adjectif νέος employé ici semble un hapax chez Marc ; il met l'accent sur la nouveauté dans le temps plutôt que dans la qualité, comme
l'aurait fait καινός, beaucoup plus courant dans le vocabulaire marcien.
Rapproché du nom d'Adam, il qualifie personnellement tout homme qui,

Réponse

Ah ! loin de nous cette perversion de la foi ! Pourquoi donc le Seigneur est-il venu dans la chair[a], si ce n'est pas, bien sûr, afin qu'un seul mourût pour tous[b], conformément aux Écritures, et anéantît celui qui possédait l'empire de la mort, c'est-à-dire le diable[c] ? Penser que la mort provenant d'Adam exerce encore son empire indépendamment d'une perversion de notre foi, c'est évidemment du même coup supprimer la venue du Seigneur et tenir le baptême pour imparfait, les baptisés restant sous l'empire de la mort ancestrale sans culpabilité propre de leur part. Aussi prête-moi attention, pauvre homme : comment la grâce du Christ a-t-elle fait de toi un Adam nouveau[1], et qui ne porte sur lui rien du vieil Adam en vertu d'une nécessité qui ne découlerait pas de ta foi pervertie et de ta transgression ?

L'arbre de la connaissance   Le Seigneur est venu à cause de nous, il est mort pour nous, il nous a délivrés de la mort ancestrale, il nous purifie et nous renouvelle par le baptême, il nous place dans le paradis de l'Église, il nous permet de manger de toute espèce de fruit qui est dans ce paradis[d], c'est-à-dire d'aimer quiconque a été baptisé dans l'Église, de patienter devant les défectuosités, de ne pas chercher à prendre chacun sur le fait en cas d'inconstance, de ne pas aimer ceux qui nous paraissent bons tout en détestant ceux que nous pensons mauvais. Cela, c'est l'arbre de la connaissance du bien et du mal[d 2] ; l'intellect qui en a goûté se

---

« par la grâce du Christ » et spécifiquement par le baptême, est disjoint du « vieil » (Adam) et peut donc recommencer l'aventure humaine sans aucun handicap, au moins moral. Jamais chez Marc, à la sotériologie de qui toute théorie de la récapitulation paraît en effet étrangère, le Christ n'est mis en parallèle avec le premier homme, en qualité de « second » ou « dernier » Adam (dans la ligne de *1 Co* 15, 45.47). Dans *Incarn.* (*e.g.* XIII, 9-10 et XXIII, 1-4) Marc se préoccupera surtout de signaler que le Christ n'est pas uniquement de la lignée d'Adam, ce qui l'eût empêché de jouer un rôle rédempteur.

2. Aussi bien ici que dans le passage parallèle de *Consult.* III, 32-33, Marc ne souffle mot de l'arbre de vie ; il s'épargne ainsi le tracas de conci-

ὁ νοῦς εὐθέως περιπίπτει τοῖς αὐτοῖς ἡττήμασι καὶ εὑρίσκει
τὴν ἑαυτοῦ γύμνωσιν διὰ τῆς πονηρᾶς ἐφευρέσεως κατὰ τοῦ
πλησίον, ἣν πρῶτον οὐκ ἐπίστατο, διὰ συμπαθείας ἐπικεκαλυμμένην. Διὰ τοῦτο τοῖς ἐν τῷ παραδείσῳ τῆς Ἐκκλη-
30 σίας τεθεῖσιν ἐντέταλται, λέγων· «Μὴ κρίνετε, ἵνα μὴ
κριθῆτε, ἄφετε καὶ ἀφεθήσεται ὑμῖν[e].» Σύντομον δὲ ἐπὶ
τούτοις φησίν· «Ὅσα θέλετε ἵνα ποιῶσιν ὑμῖν οἱ ἄνθρωποι,
καὶ ὑμεῖς ποιεῖτε αὐτοῖς ὁμοίως. Οὗτος γάρ ἐστιν ὁ νόμος
καὶ οἱ προφῆται[f]», ὁ μὲν νόμος λέγων· «Ἀγαπήσεις τὸν
35 πλησίον σου ὡς σεαυτόν[g]», οἱ δὲ προφῆται· «Ὃν τρόπον
ἐποίησας, ἔσται σοι[h].» Ποσάκις οὖν τὰς ἐντολὰς ταύτας
ἐβεβηλώσαμεν. Ποσάκις τὸν πλησίον κατεκρίναμεν ἀσυμ-
παθῶς. Ποσάκις ἐμισήσαμεν, ἢ καὶ μηδὲν ἀδικοῦντα ἠδική-
σαμεν. Εἰ δὲ ταῦτα οὕτως ἔχει, τί ἔτι τὸν Ἀδὰμ μεμφόμεθα
40 ἐπὶ τοῖς ἡμετέροις κακοῖς; Εἰ γὰρ καὶ περιεπέσαμεν τῷ

D E T MZCX NV GQW BAF P L Y

XVII.27-28 κατὰ τοῦ πλησίον : om. D T MZ NV L E[mg] διὰ τὰ τοῦ πλ.
F διὰ τοῦ πλ. edd. ‖ 28 πρῶτον : πρώην CX ‖ 28-29 ἐπικεκαλυμμένην : ἑνὶ
κεκαλ. Z ἐπικεκρυμμένην CX ‖ τοῦτο + τὸ G ‖ 30 ἐντέλλεται D E GQW
P L ‖ λέγων + ὁ κύριος CX G P Y ‖ ἵνα : καὶ οὐ CX GQW ‖ 31 κριθῆτε +
μὴ καταδικάζετε καὶ οὐ μὴ καταδικάσθητε CX Q ‖ δὲ om. F edd. ‖ 32 ὅσα
+ ἐὰν C + ἂν GQW P ‖ 33 ὁμοίως καὶ ὑμεῖς ποιεῖτε αὐτοῖς ~ CX ‖ νόμος
+ ὅλος CX Y ‖ 34-35 ὁ μὲν ... προφῆται om. BF edd. ‖ 36 ἐποίησας + τῷ
πλησίον σου D T[mg] M A τὸν πλησίον σου E[mg] NV GQW P Y ‖ ἔστω MZ
NV GQW ‖ 37 ἐκρίναμεν X -νομεν L ‖ 38 ἢ : τε C om. X ‖ ἀδικήσαντα D
ἀδικοῦντας X P edd.

D E T MCX NV GQW BAF P L Y

39 ἔχει : abhinc def. Z ‖ καὶ : τί CX ‖ 39-40 μεμφόμεθα ... κακοῖς NV [et
Syr.] : αἰτιώμεθα τοῖς ἑτέροις κ. D αἰτιώμεθα ... κ. E X GQW P Y
μεμφόμεθα καὶ ἑτέροις αἰτιόμεθα κ. T MC BAF L edd. ‖ 40 γὰρ + δὴ edd.
‖ καὶ + πάντες CX ‖ 40-41 παρεπέσαμεν τῷ ὁμοίῳ θανάτῳ T M V GQ P
τῷ ὁ. ὑπεπέσ. [ὑποπέσ. X] θ. CX παρεπέσ. τῷ ἰδίῳ θ. W μὴ ὑπεπέσ. τῷ ὁ.
θ. L παρεπέσομεν τῷ ὁ. θ. Y

XVII. e. cf. Lc 6, 37   f. cf. Mt 7, 12   g. Lév. 19, 18   h. Abd. 15

---

lier *Gn* 2, 9 et 3, 3, l'un des versets mettant au centre du paradis cet arbre
de vie, l'autre l'arbre de la connaissance du bien et du mal ; ce problème

trouve aussitôt plongé dans les mêmes défauts et découvre sa propre nudité grâce à la détestable trouvaille qu'il fait aux dépens du prochain, nudité qu'il ignorait auparavant, voilée qu'elle lui était par l'indulgence amicale. C'est bien pour cela que cet ordre a été donné à ceux qui ont été placés dans le paradis de l'Église : « Ne jugez pas, pour n'être pas jugés ; pardonnez et il vous sera pardonné[e]. » Ce qui est d'ailleurs résumé en cette phrase : « Tout ce que vous désirez que les hommes vous fassent, faites-le leur vous-mêmes pareillement. C'est là en effet la Loi et les prophètes[f]. » Car la Loi dit : « Tu aimeras ton prochain comme toi-même[g] », et les prophètes : « De la façon dont tu as agi, il en sera ainsi pour toi[h]. » Que de fois n'avons-nous pas profané ces commandements ! Que de fois avons-nous condamné le prochain sans compréhension amicale ! Que de fois l'avons-nous détesté, voire traité avec injustice sans l'avoir aucunement subie de sa part ! Si telle est bien la situation, qu'allons-nous encore couvrir Adam de reproches au sujet de nos propres vices ? Si nous avons suc-

semble avoir passablement préoccupé les exégètes anciens, qui le résolvent souvent, à partir de PHILON (*Leg.* I, 60-61 et 100), en mettant l'arbre de la connaissance non pas au centre, mais à la frontière du jardin ; c'est sans doute aussi le sens d'un fragment caténaire d'ORIGÈNE, cf. *Muséon* 92 (1979), p.79, qui raisonne à partir du caractère négatif, non existant, du mal. Le même Origène semble bien avoir transporté les deux arbres, comme tous les autres détails du paradis, dans une « terre véritable » distincte de l'aride sol d'ici-bas (conformément à l'accusation d'Eustathe d'Antioche : cf. M. RAUER, « Origenes über das Paradies », *TU* 77, 1961, p.253-259, avec la correction de *SC* 253, p. 250-251). Mais cette transposition d'ensemble représente un mouvement différent de l'allégorisation moralisante et exécutée point par point que nous propose Marc ; aucun des passages cités par Rauer ne s'engage dans ce sens. Le *Livre des Degrés* (*e.g.* XXI,1-2), pour sa part, identifie pratiquement Satan avec l'arbre de la connaissance et Jésus avec l'arbre de vie, ce que fait aussi, avec plus de précaution pour maintenir un sens littéral, un *Logos* macarien. Cependant un autre sermon du *Livre* (II, 7), suggère qu'on commence à manger des fruits des arbres du paradis, nourriture réservée aux parfaits et qui ne se limite pas à deux espèces de fruits, quand on cesse de vouloir juger et corriger son prochain ; peut-être s'approche-t-on là un peu plus du thème développé par Marc.

ὁμοίῳ θανάτῳ, ἀλλὰ καὶ ὁμοίως παρέβημεν τὴν ἐντολὴν
θελήματι, καθὼς κἀκεῖνος.

Τρία οὖν συμβέβηκε τῷ Ἀδὰμ πράγματα, καὶ οὐχὶ ἕν, ὡς
σὺ νομίζεις· ἅτινά ἐστι προσβολὴ κατ᾽ οἰκονομίαν, παράβα-
45 σις κατὰ ἰδίαν ἀπιστίαν, θάνατος κατὰ δικαίαν κρίσιν τοῦ
Θεοῦ, ἐπακολουθήσας οὐχὶ τῇ οἰκονομικῇ προσβολῇ, ἀλλὰ
τῇ ἐξ ἀπιστίας παραβάσει. Ἡμεῖς οὖν μόνον τὸν θάνατον
διεδεξάμεθα, διὰ τὸ μὴ δύνασθαι ἐκ νεκρῶν ζῶντας γενέσθαι
ἕως οὗ ἦλθεν ὁ Κύριος καὶ πάντας τοὺς πιστεύοντας ἐζωο-
50 ποίησε. Τὴν δὲ πρωτόνοιαν κατ᾽ οἰκονομίαν ἔχομεν ὥσπερ
κἀκεῖνος· καὶ τὸ παρακοῦσαι ἢ μὴ παρακοῦσαι δὲ κατὰ
θέλημα ἔχομεν ὥσπερ κἀκεῖνος. Καὶ πείθουσιν ἡμᾶς ὅτι
προαιρετικὴν καὶ οὐκ ἀναγκαστικὴν ἔχομεν τὴν διὰ τῶν
λογισμῶν παράβασιν «οἱ μὴ ἁμαρτήσαντες ἐν τῷ ὁμοιώματι
55 τῆς παραβάσεως Ἀδάμ[1]», καθὼς εἶπεν ὁ Ἀπόστολος. Εἰ
γὰρ ἐκ τοῦ Ἀδὰμ ὄντες ἐκεῖνοι ἠδυνήθησαν μὴ ἁμαρτῆσαι ἐν
τῷ ὁμοιώματι τῆς παραβάσεως Ἀδάμ, δηλονότι καὶ ἡμεῖς
1028 δυνάμεθα. Τί οὖν προφασιζόμεθα προφάσεις ἐν ἁμαρτίαις,
καὶ λαλοῦμεν κατὰ τοῦ Θεοῦ ἀδικίαν, ὡς ἀλλοτρίοις κακοῖς
60 πολεμεῖσθαι ἡμᾶς παραχωρήσαντος ἀδίκως;

Ὀφείλομεν δὴ οὖν ἀκριβῶς εἰδέναι ὅτι πάσης τῆς τοῦ
Ἀδὰμ αἰτίας ἀναιρεθείσης παρὰ τοῦ Κυρίου, ἕκαστος εἴ τι
πάσχει κατ᾽ ἰδίαν αἰτίαν πάσχει κακόν, ἀθετήσας διὰ τῆς
οἰκείας ἀπιστίας εἴτ᾽οὖν ἐκ φιληδονίας, ἣν ἔλαβε μυστικῶς

D E T MCX NV GQW BAF P L Y

XVII,41-42 τὴν ἐντολὴν θελήματι πάντες παρέβημεν CX ‖ 42 θελήματι
om. NV suppl. Y^mg ‖ 43 ἂν ὡς : ἂν καθὼς D E GQW P ὡς edd. ‖
45 ἀπιστίαν : πρόθεσιν V ‖ 46 οὐχὶ : οὐ T οὐχ ἧττον F edd. ‖ 47 οὖν μόνον
[μόνον om. GQW Y] : + οὐχὶ τὴν παράβασιν ἀλλὰ E^mg P GQW Y ‖
θάνατον + τοῦ ἀδὰμ AF edd. ‖ 48 δύνασθαι + ἡμᾶς GQW P ‖ 49 τοὺς
πιστεύοντας : -σαντας V om. BAF edd. ‖ 50 κατ᾽οἰκονομίαν : οἰκονομικῶς
CX ‖ 53-54 διὰ τῶν λογ. τὴν ~ N ‖ 51-52 καὶ τὸ ... κἀκεῖνος suppl. N L ‖
51 ἀκοῦσαι bis A Syr. ‖ δὲ om. D AF edd. ‖ 52 ὥσπερ : ὡς D E P ‖ 53 καὶ
οὐκ ἀναγκαστικὴν om. AF edd. ‖ 56 ὄντες : πάντες D ‖ κἀκείνοι T NV ‖
57 ἡμεῖς + ὡς θέλομεν T^mg CX GQW P Y ‖ 58 ἠδυνάμεθα L ‖ 60 ἡμᾶς
om. X ‖ 61 δὴ om. D^pc A P Y ‖ 62 παρὰ : ὑπὸ CX GQW Y ‖ ἕκαστος +
ἡμῶν GQW P Y ‖ 63 πάσχει ... πάσχει : πάσχει D πά. κακὸν κατ᾽ἰδ. αἰ. πά.
C N A πά. κατ᾽ἰδ. πά. κακὸν GQW L πά. κακὸν B πά. κατ᾽ἰδ. αἰ. πά. κακὰ

combé à une mort semblable à la sienne, eh bien ! c'est que nous avons tout comme lui transgressé volontairement le commandement.

Ce qui est arrivé à Adam Il est donc arrivé à Adam trois choses, et non pas une, comme tu le penses. Ces choses, ce sont un premier assaut, en vertu d'une dispensation, une transgression, en vertu de sa propre infidélité, la mort, en vertu d'un juste jugement de Dieu, mort qui fut la conséquence non pas de l'assaut prévu par la dispensation, mais de la transgression issue de l'infidélité. Donc notre héritage à nous a été seulement la mort, liée à l'impossibilité pour nous de revenir vivants d'entre les morts tant que le Seigneur n'était pas venu et n'avait pas donné vie à tous les croyants. Nous avons aussi, tout comme Adam, en vertu d'une dispensation, la notion initiale ; et de lui donner audience ou non selon notre vouloir, nous en avons loisir, tout comme Adam. Et pour nous persuader que la transgression par les pensées est chez nous affaire de choix, non de nécessité, il y a « ceux qui n'ont pas péché d'une transgression semblable à celle d'Adam[i] », selon l'expression de l'Apôtre. Si en effet, tout issus d'Adam qu'ils étaient, ils ont pu, eux, ne pas pécher à l'image d'une transgression semblable à la sienne, il est donc bien clair que nous le pouvons, nous aussi. Pourquoi alors entassons-nous prétextes sur prétextes en cas de péché et parlons-nous d'injustice en accusant Dieu de nous laisser injustement faire la guerre par les vices d'autrui ?

Dieu a fait à l'homme son don parfait Nous devrions pourtant le savoir exactement, toute la culpabilité d'Adam a été abolie par le Seigneur, de sorte que si l'un quelconque d'entre nous souffre, il souffre par sa propre faute ; c'est qu'il a détruit par son infidélité personnelle ou bien sa complaisance pour la volupté la perfection qu'il avait

---

Y ‖ 64 οἰκείας : ἰδίας ἐξ F ἰδίας E[txt] B W edd. ‖ εἴτ᾽οὖν : ἤτουν T ἤ τι G ἤτοι QW ἤγουν BAF edd.

XVII. i. cf. Rm 5, 14

65 ἐν τῷ βαπτίσματι τελειότητα. Εἰ γὰρ καὶ ὁ ἄνθρωπος οὔπω
ἔγνω ὃ ἔλαβεν, ἀτελὴς ὢν τῇ πίστει καὶ ἐλλιπὴς ὢν τῇ
ἐργασίᾳ, ἀλλ᾽ ὁ Θεὸς τὸ τέλειον ἐδωρήσατο. Φησὶ γάρ·
« Πᾶν δώρημα τέλειον ἄνωθέν ἐστι καταβαῖνον παρὰ τοῦ
Πατρὸς τῶν φώτων ʲ. » Τοῦτο δὲ αὐτὸ τὸ τέλειον οὐχ ἁπλῶς
70 οὐδ᾽ ὡς ἔτυχεν εὑρίσκει τις, κἂν ἀνθρωπίνην σοφίαν καὶ
πᾶσαν κοσμικὴν σύνεσιν παρεισενέγκῃ, εἰ μὴ δι᾽ ἐργασίας
τῶν τοῦ Χριστοῦ ἐντολῶν, καὶ τοῦτο ἀναλόγως· κατὰ γὰρ
τὴν διαφορὰν τῆς ἐργασίας, διαφόρως καὶ ἡ δωρεὰ ἡμῖν
ἀποκαλύπτεται. Μηδεὶς οὖν ἑαυτὸν συνιστανέτω λόγοις καὶ
75 σχήμασιν, ἐκείνην μὴ ἔχων τὴν σύνεσιν. Φησὶ γάρ· « Οὐχ ὁ
ἑαυτὸν συνιστάνων ἐκεῖνός ἐστι δόκιμος, ἀλλ᾽ ὃν ὁ Κύριος
συνίστησι ᵏ. »

Καὶ αὐτὸς δὲ ὁ παρὰ τοῦ Κυρίου τὰς συστάσεις
λαμβάνων, ὀφείλει ὀρθῷ φρονήματι κεχρῆσθαι καὶ εἰδέναι
80 ἀκριβῶς ὅτι ὅσον ἄν τις ἠγωνίσατο κατὰ τῆς ἑαυτοῦ ἀπιστίας, καὶ προέκοψε τῇ πίστει, καὶ κατέλαβέ τι ἀγαθόν, οὐ
κατὰ γνῶσιν μόνον ψιλὴν ἀλλὰ καὶ κατ᾽ ἐνέργειαν, οὐδὲν
πλέον εὗρεν ἢ εὑρεῖν δυνήσεται, εἰ μὴ ὃ προείληφε μυστικῶς
διὰ τοῦ βαπτίσματος, ὅπερ ἐστὶν ὁ Χριστός. « Ὅσοι γάρ,
85 φησίν, εἰς Χριστὸν ἐβαπτίσθητε, Χριστὸν ἐνεδύσασθε ˡ. »
Χριστὸς δὲ τέλειος Θεὸς ὤν, τελείαν τοῖς βαπτισθεῖσι τὴν
χάριν τοῦ Πνεύματος δεδώρηται, προσθήκην μὲν παρ᾽ ἡμῶν
οὐ λαμβάνουσαν, ἀποκαλυπτομένην δὲ καὶ ἐμφανίζουσαν

D E T MCX NV GQW BAF P L Y

XVII,65 τελειότητα : τῆς τελειότητος D ‖ 66 τῇ[1] ... ὢν[2] om. D ‖ πίστει :
om. L ‖ καὶ ἐλλιπὴς ... ἐργασίᾳ : καὶ ἀτελὴς τῇ ἐργ. X om. L ‖ ὢν[2] om. C
V GQW A ‖ 66-67 τῆς ἐργασίας GQW P ‖ 67 τὸ om. G ‖ τέλειον : + αὐτὸ
GQW + αὐτῷ P ‖ 68 παρὰ : ἀπὸ D M B ἐκ GQW ‖ 69 αὐτὸ τὸ : αὐτὸ T M
GQ Y om. edd. ‖ 70-71 ἀνθρωπίνην σοφίαν καὶ πᾶσαν : ἀ. σ. κἂν π. T X V
GQ P om. F edd. ‖ 71 δι᾽ : διὰ τῆς X ‖ 72 τῶν τοῦ χριστοῦ [θεοῦ D BAF
edd.] ἐντολῶν : τῶν ἐντ. τοῦ χ. ~ CX QW ‖ γὰρ om. E W A ‖ 74 συνι-
στανέτω ἑαυτὸν ~ D E ἑαυτῶν συνεσταλέτω F ἑαυτὸν συστελλέτω edd. ‖
75 σύνεσιν : σύστασιν [+ ἣν εἶπεν ὁ ἀπόστολος suppl. QW] T NV GQW
L + ἣν εἶπεν ὁ ἀπόστολος X *constantiam* Syr. ‖ οὐχὶ L ‖ 76 συνιστάνων :

reçue en mystère à son baptême. L'homme peut en effet n'avoir pas su dès lors ce qu'il recevait, vu l'imperfection de sa foi et l'insuffisance de ses œuvres ; Dieu ne lui en a pas moins fait son don à la perfection. Il est dit en effet : « Tout don parfait descend d'en haut, provenant du Père des lumières[j]. » Cette perfection-là, justement, on ne la découvre pas d'un coup ni par hasard, quand même on y aurait appliqué la sagesse humaine et toute l'intelligence de ce monde ; il y faut l'exécution des commandements du Christ et cela suit une proportion : selon le degré varié de l'exécution varie aussi le degré où le don se révèle à nous. Que personne par conséquent ne se replie sur des discours ou des attitudes sans posséder cette compréhension. Il est dit en effet : « Ce n'est pas celui qui se recommande lui-même qui a fait ses preuves, mais celui que le Seigneur recommande[k]. »

Même celui cependant qui obtient recommandation de la part du Seigneur doit user de rectitude et de prudence et se faire là-dessus une idée nette : on peut avoir lutté tant qu'on voudra contre sa propre infidélité, avoir progressé dans la foi, avoir fait des conquêtes dans le bien, non pas du point de vue de la pure connaissance, mais de celui de l'action, on n'a jamais découvert, on ne pourra jamais découvrir rien de plus que ce qu'on avait acquis auparavant en mystère par le baptême, à savoir le Christ. « Vous tous en effet qui avez été baptisés en Christ, est-il dit, vous avez revêtu le Christ[l]. » Or le Christ est Dieu parfait ; donc c'est la grâce parfaite de l'Esprit qu'il a donnée aux baptisés. Une grâce qui ne reçoit point d'accroissement de notre fait, mais qui se révèle et devient évidente

---

συνίστων QW P L ‖ 80 κατὰ : κατ᾿ἰδίαν E[sl] GQ P Y ‖ 82 μόνον : μόνην V A P ‖ καὶ om. BAF edd. ‖ 83 πλέον + ἢ X ‖ δύναται CX GQWL Y ‖ 86 ὢν θεὸς ~ CX ‖ 87 χάριν : δωρέαν D E ‖ τοῦ πνεύματος δεδώρηται : ἐδωρήσατο τοῦ πν. CX τοῦ ἁγίου πν. ἐδωρήσατο GQW τοῦ ἁγίου πν. δεδ. Y ‖ μὲν : om. E δὲ AF edd. ‖ 88-89 καὶ ἐμφανίζουσαν ἡμῖν : + ἑαυτὴν CX ἡμῖν καὶ ἐμφανίζ. [-ζομένην Q] ~E GQW P Y

XVII. j. Jc 1, 17   k. 2 Co 10, 17   l. Ga 3, 27

ἡμῖν κατὰ ἀναλογίαν τῆς τῶν ἐντολῶν ἐργασίας, καὶ προσ-
90 θήκην ἡμῖν τῆς πίστεως παρέχουσαν ἕως ἂν «καταντήσωμεν
οἱ πάντες εἰς τὴν ἑνότητα τῆς πίστεως, εἰς ἄνδρα τέλειον, εἰς
μέτρον ἡλικίας τοῦ πληρώματος τοῦ Χριστοῦ[m]». Εἴ τι οὖν
προσφέρομεν αὐτῷ ἀναγεννηθέντες, τοῦτο ἤδη παρ' αὐτοῦ
καὶ ἐξ αὐτοῦ ἦν ἐν ἡμῖν ἐγκεκρυμμένον, κατὰ τὸ γεγραμ-
95 μένον· «Τίς ἔγνω νοῦν Κυρίου, ἢ τίς σύμβουλος αὐτοῦ
ἐγένετο, ἢ τίς προέδωκεν αὐτῷ, καὶ ἀνταποδοθήσεται αὐτῷ ;
Ὅτι ἐξ αὐτοῦ καὶ δι' αὐτοῦ καὶ εἰς αὐτὸν τὰ πάντα. Αὐτῷ ἡ
δόξα εἰς τοὺς αἰῶνας τῶν αἰώνων. Ἀμήν[n].»

D E T MCX NV GQW BAF P L Y

XVII,89 τῶν om. F edd. ‖ 90 τῆς : om. D E διὰ T ‖ ἕως ἂν : μέχρι CX ‖
ἂν om. D E ‖ 91 πίστεως + καὶ τῆς ἐπιγνώσεως τοῦ υἱοῦ τοῦ θεοῦ CX ‖
93 αὐτῷ : τῷ θεῷ ‖ 94 καὶ ἐξ αὐτοῦ om. AF edd. ‖ ἐν ἡμῖν om. edd. ‖

pour nous à proportion de notre accomplissement des commandements, une grâce qui apporte un accroissement à notre foi jusqu'à ce que « nous parvenions tous ensemble à l'unité de la foi, à l'état d'adultes, à la taille du Christ dans sa plénitude[m] ». Si donc nous lui apportons quelque chose après notre régénération, ce quelque chose était déjà caché en nous auprès de lui, venant de lui, selon qu'il est écrit : « Qui a connu la pensée du Seigneur ou qui a été pour lui un conseiller ? ou encore qui lui a donné le premier pour devoir être payé de retour ? Car tout est de lui et par lui et pour lui. A lui la gloire dans les siècles des siècles. Amen[n]. »

94 κεκρυμμένον QW ‖ 94-95 κατὰ τὸ γεγραμμένον om. M V P ‖ 96 καὶ + οὐκ D QW ‖ 97 καὶ δι'αὐτοῦ om. B ‖ τὰ om. F edd.

XVII. m. Ep 4, 13   n. Rm 11, 34-36.

Συμβουλία νοὸς
πρὸς τὴν ἑαυτοῦ ψυχήν

Migne
PG 65
col. 1104

I. Ἄκουε ψυχὴ λογική, κοινωνὲ τῶν ἐμῶν βουλευμάτων·
βούλομαί σοί τι μυστικὸν καὶ κοινὸν διηγήσασθαι πρᾶγμα,
ὅπερ οὐ καθαρισθεὶς τῶν παθῶν κατείληφα, ἀλλὰ χάριτι
Χριστοῦ μικρὸν ἀνεθείς. Ἔγνων σαφῶς, ὦ ψυχή, ὅτι ἐγώ τε
5 καὶ σὺ παρὰ φύσιν ἐνεργούμενοι ὑπὸ ἀγνοίας πλανώμεθα,
καὶ διὰ τοῦτο ἐπὶ ταῖς ἑαυτῶν ἁμαρτίαις ἑτέρους μεμφόμεθα
ἔξωθεν ἡμῶν τὴν κακίαν εἶναι λέγοντες· καὶ ποτὲ μὲν τὸν
Ἀδάμ, ποτὲ δὲ τὸν Σατανᾶν, ποτὲ δὲ τοὺς ἀνθρώπους
αἰτιώμεθα. Καὶ ἐν τούτῳ δοκοῦντες ἑτέρους πολεμεῖν
10 ἑαυτοὺς πολεμοῦμεν· καὶ νομίζοντες ἀλλήλων ὑπερασπίζειν
ἐγώ τε καὶ σὺ κατ᾽ ἀλλήλων στρατευόμεθα· καὶ ἑαυτοὺς
εὐεργετεῖν οἰόμενοι ἑαυτοὺς αἰκίζομεν, μαινομένου δίκην,
κόπους καὶ ὀνειδισμοὺς ἀνονήτους δικαίως ὑπέχοντες τὰς
μὲν ἐντολὰς τῷ δοκεῖν ἀγαπῶντες, τὰς δὲ αἰτίας αὐτῶν διὰ
15 τὴν πλάνην μισήσαντες. Ὅθεν νῦν ἔγνων ἀκριβῶς ὅτι οὔτε
εἰς τὸ κακὸν οὔτε εἰς τὸ ἀγαθὸν ὑπό τινος ἐξουσίας ἀδίκως
ἑλκόμεθα, ἀλλ᾽ ἀπὸ τοῦ βαπτίσματος ἐν ταῖς ἀρχαῖς τῶν
πραγμάτων, ᾧ ἂν πρὸς τὸ θέλημα δουλεύσωμεν ἤτοι τῷ
Θεῷ, ἤτοι τῷ διαβόλῳ, αὐτὸς ἡμᾶς δικαίως λοιπὸν ἐπὶ τὸ
ἴδιον κατεπείγει μέρος.

E T MZCX NV GQW BAF P L Y

Tit. : τὴν ἑαυτοῦ om.V ἑαυτοῦ om. E^ac

I,2 πρᾶγμα διηγήσασθαι ~ NV GQW P ‖ 3 καθαρισθεὶς : καθαρθεὶς X
N A GQW P^pc L καθαρισθείη edd. ‖ 4 χριστοῦ + θεοῦ C W ‖ ἀναθεὶς B
ἀναθήσῃ edd. ‖ ἀνεθεὶς + κατείληφα transp. e l. 3 X GQW P L Y ‖ τε om.
NV ‖ 5 ἐνεργούμεθα P^ac ‖ ὑπὸ : ἀπὸ T ‖ ὑπὸ ἀγνοίας om. Y^ac ‖ 7 εἶναι
[εἶναι om. Y] τὴν κακίαν ~ T X GQW P L Y ‖ 9 δοκεῖν — πολεμοῦντες A
‖ 9-10 ἑτέροις — ἀλλήλοις L ‖ 10 ἑαυτοῖς L ‖ 12 αἰκίζομεν : σπαράσσομεν
L ‖ μαινομένου δίκην [-μένων scr. L] [et Syr.] : post οἰόμενοι anterp. E
GQW A P Y om. BF edd. ‖ 13 δικαίως om. Y ‖ ὑπέχοντες : πάσχ. E X NV

Dialogue de l'intellect
avec sa propre âme

**Double source
toute intérieure
du mal**

I. Écoute, âme raisonnable, comparse de mes desseins. Je veux t'exposer une affaire mystérieuse et commune à nous deux, une chose que j'ai comprise sans être purifié de mes passions, rien qu'en étant quelque peu relevé par une grâce du Christ. J'ai reconnu clairement, ô mon âme, que toi et moi, dans notre agitation contre nature, sommes poussés à l'erreur par l'ignorance et à cause de cela reprochons nos péchés à d'autres, prétendant que la méchanceté nous vient du dehors. Et nous accusons tantôt Adam, tantôt Satan, tantôt les hommes. En quoi nous imaginant mener un combat contre d'autres, nous le menons en réalité contre nous-mêmes ; pensant nous protéger l'un l'autre, toi et moi, nous guerroyons l'un contre l'autre ; croyant nous faire du bien à nous-mêmes, nous nous faisons du dommage, à la façon d'un dément, en nous exposant de manière méritée à des labeurs et des outrages sans profit. Les commandements, nous prétendons les aimer, mais leurs raisons d'être, l'erreur nous les faisait détester. C'est là ce qui m'a fait reconnaître à présent clairement que ni pour le mal ni pour le bien nous ne subissons l'attirance injuste de quelque pouvoir, qu'au contraire, à partir du baptême, aux points de départ de nos activités, suivant que nous nous serons mis au service soit de Dieu soit du diable, pour faire sa volonté, ce maître nous a poussés désormais en toute justice de son côté.

L P ἀγαπῶντες T πάσχομεν GQW ǁ 14 τῷ : τὸ E GQ P ǁ 15 πλάνην : πάλιν NV ǁ μισοῦντες X L ǁ νῦν E T GQW P L : om. MZCX BAF Y οὖν V δὲ Syr. ǁ 16 ἀγαθὸν — κακὸν ~ AF edd. ǁ ἀδίκως om. Lac ǁ 19 ἤτοι : ἢ P L edd. ǁ λοιπὸν ἡμᾶς [ἡμᾶς om. Z] δικαίως ~ E T Z N ǁ 19-20 λοιπὸν ἐπὶ τὸ ἴδιον δικαίως ~ V

II. Αἱ δὲ ἀρχαὶ τῶν πραγμάτων εἰσὶν ἀδιαλόγιστοι προσβολαὶ δύο, ἔπαινος ἀνθρώπων, καὶ ἄνεσις σώματος, αἵτινες
ἀκουσίως προσβάλλουσαι πρὸ τοῦ θελήματος ἡμῶν οὔτε κακίαι εἰσίν, οὔτε ἀρεταί, ἀλλ' ἔλεγχοι τῆς ἡμετέρας νεύσεως
5 ποῦ ῥέπομεν. Τοῦ γὰρ Κυρίου βουλομένου ἡμᾶς ὑπομένειν
ὀνειδισμοὺς καὶ κακοπάθειαν, τοῦ δὲ διαβόλου τὰ ἐναντία
θέλοντος, ἡμεῖς ὅταν μὲν χαίρωμεν ἐπὶ ταῖς προσβολαῖς
ἐκείναις, φανερὸν ὅτι τὴν ῥοπὴν ἐδώκαμεν τῷ φιληδόνῳ
πνεύματι παρακούσαντες τοῦ Κυρίου· ὅταν δὲ ἐπὶ ταῖς
10 προειρημέναις προσβολαῖς θλιβώμεθα, δηλονότι τὴν ῥοπὴν
ἐδώκαμεν τῷ Θεῷ, τὴν στενὴν ὁδὸν ἀγαπήσαντες. Διὰ
τοῦτο οὖν αἱ δύο αὗται προσβολαὶ τοῖς ἀνθρώποις
ἀδιαλογίστως προσβαλεῖν παρεχωρήθησαν, ὅπως οἱ τὴν
ἐντολὴν ἀγαπῶντες καὶ ἀηδῶς ἔχοντες πρὸς αὐτὰς δώσουσι
15 τῷ Χριστῷ τὴν ῥοπὴν τοῦ θελήματος· καὶ αὐτὸς εἴσοδον
εὑρὼν ὁδηγήσει τὸν νοῦν ἐπὶ τὴν ἀλήθειαν. Οὕτω δέ μοι νόει
καὶ τὸ ἐναντίον. Ὅσοι γὰρ πάλιν ἀγαπῶσι τὴν ἀνθρωπίνην
δόξαν, καὶ τὴν ἄνεσιν τοῦ σώματος διδόασιν εἴσοδον τῷ
διαβόλῳ· ὃς καὶ αὐτὸς εὑρὼν ἰδίαν εἴσοδον τὰ ἴδια λοιπὸν
20 ὑποτίθεται κακά, καὶ καθὸ ἂν ἡδέως αὐτὰ λογιζώμεθα,
προσθήκας ποιεῖν οὐ παύεται ἕως οὗ τὰς προειρημένας
προσβολὰς ἐκ καρδίας μισήσωμεν.

Ἡμεῖς δὲ οὕτως αὐτὰς ἀγαπῶμεν, ὥστε οὐ μόνον τὴν
ἀρετὴν ἀντ' αὐτῶν προδιδόαμεν, ἀλλὰ καὶ αὐτὰς ἐκείνας
25 ἑτέραν τῇ ἑτέρᾳ ἐν καιρῷ καταλλάσσομεν· ποτὲ μὲν γὰρ τὸ

E T MZCX NV GQW BAF P L Y

II,1 ἀρχαὶ : om. GQW Y ἀρχὴ Syr. ‖ ἀδιαλόγιστοι : ἀδολεσχίαι
ἀλόγιστοι A ‖ 3 ἑκουσίως V BAF edd. ‖ 4 ἔλεγχος T V ‖ 5 ποῦ : ὅποι
GQW ‖ ῥέποιμεν T Q ῥέπει Y ‖ 6 ὀνειδισμὸν E Z ‖ δὲ om. B ‖ διαβόλου
δὲ ~ L ‖ 7 μὲν om. M AF edd. ‖ χαίρωμεν : χαίροντες W θέλομεν F
θέλωμεν edd. ‖ 8 et 11 δεδώκαμεν GQW ‖ 9 ἐπὶ om. GQW ‖ 11 θεῷ : κυρίῳ
E T X NV L ‖ ὁδὸν ἀγαπήσαντες ~ ZCX NV L ‖ ὁδὸν : om. E T M BAF
edd. ‖ 13 ἀδιαλογίστως [et Syr.] : ἀδιαλείπτως T X NV G Wᵖᶜ P Y om. AF
L edd. ‖ παρεχωρήθησαν ἀδιαλογίστως ~ Q ‖ 13-14 τὰς ἐντολὰς Syr. ‖
14 καὶ ἀηδῶς [ἀειδῶς M] ἔχοντες πρὸς αὐτὰς : καὶ ἡδέως [ἀειδῶς V] ἔχ.
πρ. αὐτὴν CX NV GQW P Y om. F edd. ἡδέως Syr. ‖ 16-17 καὶ τὸ ἐναντίον
νοεῖ ~ GQW P Y ‖ 17 τῶν ἐναντίων B ‖ διδόασιν : παρέχουσιν Eᵖᶜ GQW
δεδώκασι edd. ‖ 19 ὅς : ὡς MZC Syr. om. NV ‖ ἰδίαν : om. W ‖ λοιπὸν :

Gloriole humaine,
mollesse corporelle

II. Ces points de départ des activités, ce sont deux poussées non raisonnées, la louange humaine et le relâchement physique ; ces poussées, vu que sans notre consentement, elles précèdent notre vouloir, ne sont ni des vices ni des vertus, mais bien des moyens de dévoiler vers où s'oriente notre penchant. En effet le Seigneur veut que nous supportions injures et mauvais traitements et le diable désire le contraire. Chaque fois que nous nous complaisons en ces poussées, il devient clair que, par une désobéissance au Seigneur, nous avons livré notre penchant à l'esprit ami de la volupté. Chaque fois, en revanche, que les poussées susdites nous causent des tribulations, il devient évident que, pleins d'amour pour la voie étroite, nous avons remis notre penchant à Dieu. Voilà donc pourquoi ces deux poussées ont été autorisées à s'exercer de façon irraisonnée sur les hommes : de cette façon, ceux qui aiment le commandement et ressentent du dégoût à leur égard à elles feront don au Christ du penchant de leur vouloir ; et le Christ, trouvant cet accès à l'intellect, guidera celui-ci vers la vérité. Et conçois-moi les choses de même pour le cas inverse. A leur tour, tous ceux qui aiment la gloire humaine et le relâchement physique ont donné accès au diable ; celui-ci, une fois trouvé son accès à lui, insinue dorénavant au-dedans ses malices à lui. Et dans la mesure où nous prenons plaisir à ces pensées, le mal ne cesse de progresser, en attendant que nous nous mettions à haïr du fond du cœur les poussées susdites.

Application
aux ascètes

Mais nous, nous les chérissons tellement que nous ne nous contentons pas de trahir la vertu à leur profit, nous les échangeons l'une contre l'autre quand nous en avons l'occasion. Tantôt, en effet, nous maltraitons le corps par vaine gloire

πάλιν E T NV L ‖ 20 καὶ om. F edd. ‖ αὐτὰ ἡδέως ~ V αὐτῷ ἡ. AF L edd. ἡ. αὐτῷ Y ‖ λογιζώμεθα [et Syr.] : -ζωνται E T MZCX NV BAF edd. ‖ 21 παύεται : -ονται E T C NV AF edd. -όμεθα X L Y Syr. ‖ προειρημένας + δύο E GQW P Y ‖ 22 μισήσωσι E Z ‖ 23 αὐτὰς + ἡδέως NV ‖ ὥστε : ὡς E T NV GQW L Y ‖ 24 ἀντ' Pˢˡ om. N ‖ προδιδόαμεν : προδίδομεν T ZC GQ L προδίδωμεν NV δίδωμεν W προδιδόναι Y ‖ 25 ἑτέραν : ἑτέρα GQW ‖ 25-26 μὲν — δὲ om. F edd. ‖ 25 γὰρ om. C GQW A L ‖ 25-26 κακοχοῦμεν τὸ σῶμα ~ MZCX GQW B P L Y

σῶμα κακοχοῦμεν διὰ κενοδοξίαν, ποτὲ δὲ ἀτιμίαν ὑποφέρομεν διὰ φιληδονίαν. Ὅταν δὲ καὶ τούτοις ἀλύπως συνθώμεθα, λοιπὸν τὰς αὐξητικὰς αὐτῶν ὕλας ἐπιζητοῦμεν. Ὕλη
1105 δὲ κενοδοξίας καὶ σωματικῆς ἡδονῆς «φιλαργυρία, ἡ ῥίζα
30 πάντων τῶν κακῶν[a]», κατὰ τὴν θείαν Γραφήν.

III. Πάντως δὲ ἐρεῖς μοι, ὦ φίλη ψυχή, ὅτι οὔτε χρυσὸν θησαυρίζομεν, οὔτε κτήματα ἔχομεν. Κἀγώ σοι λέγω ὅτι οὔτε χρυσὸς οὔτε κτήματα καθ'ἑαυτὰ παρέχουσι τὴν βλάβην, ἀλλὰ καθὼς προείρηκα ἡ ἐμπαθὴς αὐτῶν παράχρησις. Ἰδοὺ
5 γάρ τινες ἀπαθῶς πλουτήσαντες εὐηρέστησαν τῷ Θεῷ, ὡς ὁ ἅγιος Ἀβραάμ, καὶ Ἰώβ, καὶ Δαβίδ. Τινὲς δὲ καὶ δίχα πλούτου τὸ πάθος τῆς φιλοχρηματίας ἐν εὐτελεστάταις ὕλαις ἐθρέψαμεν· ὅθεν τῶν πολλὰ κεκτημένων ἐσμὲν ἀθλιώτεροι· διότι ἀφέντες τὴν καθολικὴν κακοπάθειαν μετὰ πανουργίας
10 ἡδυπαθοῦμεν ὡς Θεὸν λανθάνοντες· τὴν γὰρ φιλαργυρίαν διαφεύγοντες τὴν φιληδονίαν οὐ φεύγομεν· χρυσὸν οὐ θησαυρίζομεν, καὶ λεπτὰς ὕλας συνάγομεν. Ἀρχὰς καὶ ἡγεμονίας οὐ λαμβάνομεν, τὰς δὲ δόξας αὐτῶν καὶ τοὺς ἐπαίνους ἐκ παντὸς τρόπου θηρεύομεν· τὰς κτήσεις
15 κατελείπαμεν, καὶ τὰς ἀπολαύσεις αὐτῶν οὐ παραιτούμεθα· ὅταν δὲ καὶ παραιτεῖσθαι δόξωμεν οὐχ ὡς τὴν πλεονεξίαν φεύγοντες, ἀλλ' ὡς τὰ κτίσματα τοῦ Θεοῦ βδελυσσόμενοι· «Μὴ ἅψῃ, μὴ γεύσῃ, μὴ θίγῃς[a].»

E T MZCX NV GQW BAF P L Y

II,27 ὅταν : ὅτε E T NV ‖ τούτοις : ταῦτα E ‖ 28 ὕλας αὐτῶν ~ V AF ‖ ζητοῦμεν QW AF ‖ ὕλη : ὕλαι T MZC BAF edd. ‖ 29 δὲ : γὰρ GW γὰρ μὲν Q καὶ AF om. Y ‖ σωματικῆς om. AF edd. ‖ 30 κατὰ ... γραφὴν om. E ‖ θείαν [et Syr.] : om. T NV GQW A P Y

III,1 χρυσίον NV BAF Y ‖ 2 κτῆμα Z ‖ 3 κτῆμα M κτημάτων F ‖ καθ'ἑαυτὰ om. M BAF ‖ τὴν βλάβην παρέχουσι [ἔχουσι GQW P] ~ NV GQW P ‖ 4 προειρήκαμεν NV GQW P L Y Syr. ‖ 5 τῷ θεῷ [et Syr.] : om. MZCX BAF L Y ‖ 6 καὶ¹ + ὁ δικαίος CX GQW P ‖ τινὲς : ἡμεῖς X ‖ 7 φιλαργυρίας L ‖ 8 ἐθρέψαντο P *enutriverunt* Syr. ‖ ὅθεν + καὶ M Syr. ‖ 9 ἡδυπάθειαν X Pᵖᶜ ‖ 10 κακοπαθοῦμεν T ‖ θεοῦ X AF ‖ λανθάνοντες : λαθεῖν βουλόμενοι GQW ‖ γὰρ om. C N ‖ 11 διαφεύγοντες : φεύγ. E T NV Pᵖᶜ L Y ‖ φεύγομεν : ἐκφεύ. X L διαφεύ. Pᵖᶜ ‖ 11 χρυσίον MZC ‖ 12 θησαυρίζοντες NV ‖ καὶ + τὰς AF ‖ συνάγομεν : σωρεύομεν Z ‖

et tantôt nous supportons un outrage par amour de la volupté.
Et une fois que nous avons composé avec elles sans nul chagrin, nous nous mettons désormais en quête des matériaux qui
les augmentent. Est matériau tant de la vaine gloire que de la
volupté corporelle « l'amour de l'argent, racine de tous les
maux[a] », selon la Sainte Écriture.

Cupidité   **III.** Tu vas sûrement me dire, ma
chère âme, que nous n'amassons pas d'or
et ne possédons pas de richesses. Et moi je te réponds que ni
l'or ni les richesses, par eux-mêmes, ne portent tort, mais bien,
comme je l'ai dit précédemment, l'abus empreint de passion
que l'on en fait. Voici que certains, en effet, ont réussi à plaire
à Dieu parce qu'ils étaient riches sans y mettre de passion,
ainsi saint Abraham, Job et David. Certains d'entre nous, au
contraire, même sans richesse, ont alimenté la passion de la
cupidité avec les matériaux les plus humbles ; d'où il s'ensuit
plus de malheur pour nous que pour les possesseurs de grands
biens, car nous avons renoncé à la passion vicieuse dans son
ensemble, et cauteleusement nous nous adonnons à la passion
de la volupté comme si nous échappions au regard de Dieu. Si
en effet nous évitons par la fuite l'amour de l'argent, nous ne
fuyons pas l'amour de la volupté. Nous n'amassons pas d'or,
mais nous entassons des matériaux légers. Nous ne saisissons
pas le pouvoir et les magistratures, mais par tous les moyens
nous sommes à l'affût des gloires et honneurs qu'ils procurent.
Nous avons abandonné nos possessions, mais nous ne refusons
pas la jouissance qui en provient. Ou si nous paraissons les
refuser, ce n'est pas que nous fuyons la quête du profit, mais
bien que nous vilipendons les créatures de Dieu. « Ne touche
pas, ne goûte pas, ne tâte pas[a]. »

---

15 κατελείπαμεν : -λίπομεν E CX B^pc L καταλείπομεν T Z AF Y edd.
-λίπαμεν GQW ‖ 16 ὡς τὴν : αὐτὴν N ‖ 17 ὡς et τοῦ om. E ‖ 18 μὴ² : μηδὲ
E X L ‖ μὴ³ : μηδὲ E X B L ‖ θίγῃς : οὐ καλῶς ἐννοούμενοι C P^pc L Y^mg
+ ἐννοούμενοι NV GQW P^ac

II. a. cf. 1 Tm 6, 10   **III.** a. Col 2, 2

Ὅταν δὴ οὖν ἀκούσῃς, ὦ φίλη ψυχή, τὴν παράβασιν τοῦ
20 Ἀδὰμ καὶ τῆς Εὔας, ἐν ἀρχῇ μὲν ἰδικῶς ἐπ' ἐκείνοις
γεγενημένην πίστευε· νυνὶ δὲ νοητῶς ἐπ' ἐμοὶ καὶ σοὶ
γινομένην εὑρήσεις. «Ταῦτα γὰρ τυπικῶς συνέβαινεν
ἐκείνοις· ἐγράφη δὲ «πρὸς νουθεσίαν ἡμετέραν, εἰς οὓς τὰ
τέλη τῶν αἰώνων κατήντησεν b.» Ἰδοὺ γὰρ διὰ τοῦ βαπτίσ-
25 ματος ἀναγεννηθέντες καὶ ἐν τῷ παραδείσῳ τῆς Ἐκκλησίας
τεθέντες τὴν ἐντολὴν τοῦ ἀναγεννήσαντος ἡμᾶς παρέβημεν,
καθότι τοῦ Κυρίου πάντας τοὺς ὁμοπίστους ἀγαπᾶν καὶ τὸν
ἐκ πάντων ἐρχόμενον καρπὸν δι' ὑπομονῆς ἐσθίειν κελεύ-
σαντος, κατὰ τὸ εἰρημένον· «ἀπὸ παντὸς ξύλου τοῦ ἐν τῷ
30 παραδείσῳ βρώσει φάγῃ c», ἡμεῖς τοῖς τοῦ ὄφεως λογισμοῖς
χρησάμενοι τοὺς μὲν ὡς καλοὺς ἠγαπήσαμεν· τοὺς δὲ ὡς
πονηροὺς ἐμισήσαμεν· ὅπερ ἐστὶ τὸ ξύλον τοῦ γινώσκειν
καλὸν καὶ πονηρόν d· οὗ ἀπογευσάμενοι κατὰ διάνοιαν
θανατούμεθα; οὐχὶ τοῦ Θεοῦ τὸν θάνατον ποιήσαντος, ἀλλὰ
35 τοῦ ἀνθρώπου τὸν πλησίον μισήσαντος· Θεὸς γὰρ θάνατον
οὐκ ἐποίησεν, οὐδὲ τέρπεται ἐπ' ἀπωλείᾳ ζώντων e, οὔτε
κινεῖται πάθει ὀργῆς, οὔτε ἐπινοεῖ πρᾶγμα εἰς ἄμυναν, οὔτε
ἀλλοιοῦται πρὸς τὴν ἑκάστου ἀξίαν· ἀλλὰ πάντα ἐν σοφίᾳ
ἐποίησεν f ὑπὸ νόμου πνευματικοῦ κρίνεσθαι προορίσας. Διὰ
40 τοῦτο οὐ λέγει τῷ Ἀδάμ· Ἧ δ' ἂν ἡμέρα φάγητε, ἐγὼ
θανατώσω ὑμᾶς, ἀλλ' ἀσφαλιζόμενος τὸν τῆς δικαιοσύνης
προλέγει νόμον καὶ φησίν· «Ἧ δ' ἂν ἡμέρα φάγητε, θανάτῳ
ἀποθανεῖσθε g.» Καὶ ὅλως δὲ ἑκάστῳ πράγματι, καλῷ τε καὶ
κακῷ, φυσικῶς ἐπακολουθεῖν τὸ δέον ἀπένειμε, καὶ οὐκ

E T MZCX NV GQW BAF P L Y

III.19 ὅταν δὴ οὖν : ἐπ'ἂν δὲ E ὅταν T F ὅ. δὲ NV X ὅ. δὴ W L ὅ. οὖν
A Syr. ‖ 20 ἐπ' : ἐν Y ‖ ἐκείνης G ‖ 21 γεγενημένη om. NV ‖ πίστευε om.
T ‖ 23 πρὸς : εἰς L ‖ ἡμετέραν : ἡμῶν GQW AF P L Y ‖ 24-25 βαπτίσματος
+ τῆς ἐκκλησίας T CX NV L ‖ 25-26 καὶ — τῆς ἐκκλησίας τεθέντες [et
Syr.] : καὶ — ταύτης τεθ. [μετατεθ. L] T CX NV L καὶ — τεθ. MZ B om.
F Yac edd. ‖ 30 βρώσει om. M L ‖ φάγει Z φαγεῖν G AF ‖ ἡμεῖς + δὲ NV
‖ 30-31 χρησάμενοι λογισμοῖς ~ L ‖ 33 διάνοιαν : ἔνν. E Y ἄν. P ‖
35 μισήσαντος + ὁ Y ‖ 36 οὐδὲ : οὔτε MC N ‖ 36-37 οὐδὲ ter GQW P ‖

Manque de charité fraternelle Quand par conséquent, ma chère âme, tu entends parler de la transgression d'Adam et d'Ève, crois qu'elle a eu lieu au début personnellement en eux ; et puis tu découvriras qu'elle a lieu à présent intellectuellement en moi et en toi. « Car cela leur est arrivé en image et a été écrit pour notre instruction à nous qui touchons à la fin des temps[b]. » Voici en effet que, régénérés par le baptême et placés dans le paradis de l'Église, nous avons transgressé le commandement de celui qui nous a régénérés. Le Seigneur nous avait ordonné d'aimer tous nos compagnons dans la foi et de manger par la patience le fruit provenant d'eux tous, selon qu'il a été dit : « De tout arbre du paradis tu pourras manger pour te nourrir[c]. » Mais nous, nous avons adopté les pensées du serpent : nous avons aimé les uns comme bons et détesté les autres comme méchants. Or c'est cela, l'arbre de la connaissance du bien et du mal[d] ; pour en avoir goûté selon notre intellect, cet arbre nous a valu la mort. Non pas que Dieu ait fait la mort, mais l'homme a détesté son prochain. « Car Dieu n'a point fait la mort, et il ne se réjouit point de la perte des vivants[e] », il n'est pas mu non plus par la passion de la colère, il n'échafaude pas une affaire dans un esprit de vengeance, il ne change pas en fonction du mérite de chacun. Mais il a fait toutes choses avec sagesse[f], en prédéterminant qu'elles seraient jugées en vertu d'une loi spirituelle. Aussi ne dit-il pas à Adam : Le jour où vous en mangerez, je vous ferai mourir, mais il édicte d'avance, par manière de sauvegarde, la loi de justice et déclare : « Le jour où vous en mangerez, vous mourrez de mort[g]. » Et dans la totalité des cas, il a imparti à chaque acte, bon et mauvais, des conséquences qui en découlent par nature et non par une idée

---

37 εἰς : πρὸς X W L ‖ 39 νόμῳ πνευματικῷ MC BAF -μον -τικὸν Z ‖ ὁρίσας Z P ‖ 40 ἐγὼ om. E ‖ 41 ἀσφαλιζόμενος + αὐτοὺς GQW P Y ‖ 43 ὅλως : οὕτως E T NV L

III. b. 1 Co 10, 11   c. Gn 2, 16   d. cf. Gn 2, 17   e. Sag. 1, 13   f. cf. Ps 103, 24   g. Gn 2, 17

45 ἐπινοητικῶς, ὡς τινες νομίζουσιν, οἱ τὸν πνευματικὸν
ἀγνοοῦντες νόμον.

Ἡμεῖς δὲ οἱ μερικῶς τοῦτον ἐπιστάμενοι γινώσκειν
ὀφείλομεν ὅτι εἴ τινα τῶν ὁμοπίστων ὡς κακὸν μισήσομεν,
καὶ ἡμεῖς ὡς κακοὶ ὄντες ὑπὸ τοῦ Θεοῦ μισηθησόμεθα· καὶ
50 εἴ τινα ὡς ἁμαρτωλὸν τῆς μετανοίας ἀποβάλωμεν, καὶ ἡμεῖς
ἁμαρτωλοὶ ὄντες ἀποβληθησόμεθα· καὶ εἰ οὐκ ἀφίωμεν τῷ
1108 πλησίον τὰ ἁμαρτήματα, οὔτε ἡμῖν ἀφεθήσεται. Τοῦτον τὸν
νόμον ὁ νομοθέτης Χριστὸς φανεροποιῶν εἴρηκε· «Μὴ
κρίνετε, ἵνα μὴ κριθῆτε, μὴ καταδικάζετε καὶ οὐ μὴ καταδι-
55 κασθῆτε, ἄφετε, καὶ ἀφεθήσεται ὑμῖν ᵸ.» Τοῦτον εἰδὼς ὁ
ἅγιος Παῦλος τὸν νόμον, φανεροποιῶν ἔλεγεν· «Ὁ κρίνων
τὸν ἕτερον ἑαυτὸν κατακρίνει ⁱ.» Καὶ ὁ προφήτης δὲ οὐκ
ἀγνοῶν τοῦτον ἐβόα πρὸς τὸν Θεὸν λέγων· «Ὅτι σὺ ἀποδώ-
σεις ἑκάστῳ κατὰ τὰ ἔργα αὐτῶν ʲ.» Καὶ ἕτερος προφήτης
60 ἐκ προσώπου τοῦ Θεοῦ φησιν· «Ἐμοὶ ἐκδίκησις, ἐγὼ
ἀνταποδώσω, λέγει Κύριος ᵏ.»

IV. Καὶ τί λέγω καθ᾽ ἕν, ὅπου γε πᾶσα ἡ θεῖα Γραφή,
Παλαιά τε καὶ Καινή, μάλιστα δὲ ὁ μέγας ψαλμὸς σαφέστερον ἡμῖν τοῦτον ὑποδείκνυσι τὸν νόμον, ὅπως πνευματικὸν
αὐτὸν εὑρόντες, καὶ μυστικῶς προωρισμένον ἐπὶ πάσῃ ἡμῶν

E T MZCX NV GQW BAF P L Y

III.48 τῶν ὁμοπίστων om. Y Syr. ‖ 49 ὡς om. MZCX BAF Y ‖ τοῦ om.
V W AF ‖ 50 τινα om. F edd. ‖ τῆς μετανοίας om. E P Y Syr. ‖
ἀποβάλωμεν : ἐκβαλοῦμεν MZCX ἀποβάλλομεν N GQW ἐκβάλομεν B
ἐκβάλλομεν AF edd. ‖ ἡμεῖς + ὡς T GQW Y ‖ 51 εἰ om. C F ‖ ἀφίεμεν X
GQW edd. ἀφήσομεν L Y ‖ 52 ἀφεθήσεται + ὁμοίως Q W ‖ 53 νομο-
θετήσας E ‖ φανεροποιῶν ὁ νομοθέτης ~ X AF ‖ εἴρηκε : ἔλεγε GQW A ‖
54 ἵνα [et Syr.] [ut *Mt 7,1*] : καὶ οὐ [ut *Lc 6,37*] E T X GQW BAF ‖ κρίθητε
+ καὶ MZC P Syr. ‖ καταδικάσητε X NV L ‖ καὶ οὐ [et Syr.] : ἵνα MZCX
L ‖ 55-56 εἰδὼς τὸν ν. ὁ παῦλος MZ BA Y τὸν ν. εἰδὼς ὁ ἅγιος π. GQW
P ‖ 56 τὸν om. Tᵘᶜ ‖ 57 σεαυτὸν κατακρίνεις Tᵖᶜ X N GQW A P Y Syr. [ut
Rm 2,1] ἑαυτὸν κατακρίνεις Z σαυτὸν οὐ κατακρίνεις V σεαυτὸν
κατακρίνει F ‖ 58 τοῦτον : τοῦτο M BF τὸν τοιοῦτον Z ‖ λέγων πρὸς τὸν
θεὸν ~ E T L ‖ 59 αὐτῶν : αὐτοῦ MZX V GQW A P Y Syr. [ut *Ps 61,13*] ‖
ἕτερος + δὲ E T NV GQW P L ‖ προφήτης + ὡς W

IV.1 πᾶσα ἡ θεία γραφὴ [et Syr.] : πᾶσα γ. θ. T L πᾶσα ἡ γ. MZ BA ἡ

surajoutée, comme d'aucuns le croient — ceux qui ignorent la loi spirituelle[1].

Exhortation à cette charité Pour nous qui la connaissons, au moins partiellement, nous devons savoir que si nous haïssons comme méchant l'un de nos compagnons de foi, nous aussi nous serons haïs de Dieu comme méchants. Et si nous excluons quelqu'un du repentir, sous prétexte qu'il est pécheur, nous aussi nous serons rejetés parce que pécheurs. Et si nous ne pardonnons pas au prochain ses fautes, il ne nous sera pas non plus pardonné. Cette loi, le Christ législateur l'a révélée en disant : « Ne jugez pas afin de n'être pas jugés, ne condamnez pas et vous ne serez pas condamnés, pardonnez et il vous sera pardonné[h]. » Saint Paul connaissait cette loi, ce qui lui a fait dire : « Celui qui juge autrui, se condamne lui-même[i]. » Et le prophète, qui n'était pas sans la connaître, a crié vers Dieu ces mots : « En effet c'est toi qui rends à chacun selon ses œuvres[j] », cependant qu'un autre prophète, faisant parler Dieu, déclare : « A moi la vengeance, c'est moi qui rétribuerai, dit le Seigneur[k]. »

IV. Mais pourquoi descendre dans le détail, là où toute la Sainte Écriture, tant l'Ancien que le Nouveau Testament, et surtout le grand cantique[2], nous signifient cette loi de façon assez claire ? Ainsi, découvrant qu'elle est spirituelle et à l'avance prescrite en termes mystérieux pour tous les tour-

---

θ. γ. πᾶσα NV ἡ θ. γ. Q W πᾶσιν ἡ γ. F edd. ‖ 2 καινὴ : + καὶ X νέα F edd. ‖ δὲ om. E^ac ZCX QW AF T V ‖ ψαλμὸς [et Syr.] : ψαλμωδὸς E^mg T X N GQW Y edd. ‖ 3 τοῦτον ἡμῖν ὑποδείκνυσι ~ E T ἡ. ὑποδ. τοῦτ. NV ὑποδ. τοῦτ. GQW P^ac Y ‖ 4 εὑρόντες αὐτὸν ~ B edd. ‖ ἐπὶ : ἐν W P Y

III. h. Lc 6, 37   i. Rm 2, 1   j. Ps 61, 13   k. Rm 12, 19 ; cf. Dt 32, 35

1. L'arbre de vie n'est pas mentionné dans tout ce passage : voir *supra*, *Bapt.*, XVII, 20-25 et n. 2, p. 389-391.
2. Marc vient de citer le texte de l'épître aux Romains, mais fait allusion au Cantique de Moïse de *Deut.* 32-33 qui y est cité.

5 τῇ τροπῇ φοβηθέντες, οὐ μόνον προφανῶς, ἀλλὰ καὶ κρυπτῶς ἀγαπᾶν τοὺς ἀδελφοὺς σπουδάσωμεν. Οὐ γάρ ἐστι
μωσαϊκὸς νόμος τὰ φανερὰ κρίνων, ἀλλὰ πνευματικὸς καὶ τὰ
κρυπτὰ ἐλέγχων · κἀκεῖνον μὲν ὁ αὐτὸς Θεὸς ἐνομοθέτησε
τῷ ἰδίῳ καιρῷ πρέποντα · οὗτος δὲ ἐκεῖνον ἐπλήρωσε, διὰ
10 τῆς χάριτος τοῦ Κυρίου ἡμῶν Ἰησοῦ Χριστοῦ τοῦ
εἰρηκότος · «Οὐκ ἦλθον καταλῦσαι τὸν νόμον, ἀλλὰ πληρῶ-
σαι[a].»

Διὰ τοῦτο χρεία περὶ παντὸς πράγματος ἅπαξ λαλῆσαι
καὶ λοιπὸν συγχωρεῖν τῷ δοκοῦντι ἠδικηκέναι, κἂν εὔλογον
15 εἴη κἂν ἄλογον τὸ ἀδίκημα, πάσης ἀρετῆς εἰδότες μείζονα
εἶναι τὸν μισθὸν τῆς συγχωρήσεως. Ἐπειδὴ δὲ οὐ δυνάμεθα
τοῦτο ποιεῖν διὰ τὴν προκατέχουσαν ἁμαρτίαν, ὀφείλομεν
μετὰ ἀγρυπνίας καὶ πάσης κακοπαθείας τὸν Θεὸν παρακαλεῖν ἕως οὗ εὕρωμεν ἱλασμὸν καὶ λάβωμεν τὴν τοιαύτην
20 δύναμιν. Πρὸς ταῦτα, ὦ ψυχή, ἕνα σκοπὸν ἔχειν ὀφείλομεν
ἐν παντὶ καιρῷ καὶ τόπῳ καὶ πράγματι, τὸ ὑπὸ ἀνθρώπων
διαφόρως ἀδικούμενοι χαίρειν καὶ μὴ λυπεῖσθαι · χαίρειν δὲ
οὐχ ἁπλῶς, οὐδὲ ἀσκόπως, ἀλλ' ὅτι εὕρομεν ἀφορμὴν τοῦ
ἀφιέναι τῷ ἁμαρτήσαντι, καὶ λαβεῖν ἄφεσιν τῶν ἡμετέρων
25 ἁμαρτημάτων. Αὕτη γάρ ἐστιν ἡ ἀληθὴς θεογνωσία πάσης
γνώσεως περιεκτικωτάτη, δι' ἧς δυνάμεθα παρακαλεῖν τὸν
Θεὸν καὶ ἐπακούεσθαι · αὕτη ἐστὶν ἡ τῆς προσευχῆς καρ-
ποφορία · διὰ ταύτης ἡ εἰς Χριστὸν πίστις ἀποδείκνυται · διὰ

E T MZCX NV GQW BAF P L Y

IV,5 τροπῇ : ῥόπῃ E T M L Y προτρόπη NV *fideliter, sollerte* Syr. ‖
6 σπουδάσωμεν : σπεύσωμεν T πεύσομεν L ‖ ἐστι + ὁ GQW P[ac] L ‖
7 μωσαϊκῶς MZ μωσαϊκὸς ὁ P[pc] ‖ νόμος om. Z ‖ φανερὰ : φαινόμενα [legi
nequit N a l. 6 ad l. 13] V GQW P Y ‖ πνευματικῶς MZ ‖ 10 ἰησοῦ χριστοῦ
om. BAF ‖ τοῦ om. MZC Q BAF ‖ 11 εἰπόντος V ‖ 13 χρεία : om. F edd.
‖ λαλήσεται edd. ‖ 14 συγχωρῆσαι NV συγχωρῶν AF ‖ 15 ἰδόντες M
εἰδότας X edd. ‖ μείζον E μείζων Z N ‖ 16 τὸν μισθὸν om. AF τὴν edd. ‖
18 μετὰ : δι' E GQW P Y κατὰ F ‖ κακοπαθείας : κακουχίας E T NV GW
P L κακουχίαν Q ‖ 19 τὴν om. NV B GQW P ‖ 20 ὦ + φίλη C QW ‖ ἔχειν
om. MZ B ‖ ὀφείλομεν ἔχειν ~ NV AF ‖ 21 ἐν om. Y ‖ τὸ om. L[ac] Y ‖
22 χαίρειν[l] + ὀφείλομεν Y ‖ 23 οὐδὲ ἀσκόπως om. NV ‖ εὕραμεν E MZ

nants de la vie, nous ne pouvons que nous efforcer, remplis de crainte, d'aimer nos frères non seulement dans les apparences, mais aussi dans le secret. Car ce n'est pas une loi mosaïque, jugeant des apparences, mais elle est spirituelle et discipline ce qui est secret. Cette loi-là, le même Dieu l'a édictée selon qu'il convenait à la période particulière. Et il l'a accomplie par la grâce de notre Seigneur Jésus Christ, qui a dit : « Je ne suis pas venu détruire la Loi, mais l'accomplir[a]. »

Pardon   C'est pourquoi il est utile de parler une seule fois de n'importe quel acte, puis de pardonner désormais à celui qui semble avoir commis une injustice, qu'il l'ait commise de manière raisonnée ou irraisonnée : on doit savoir que le salaire du pardon est plus grand que celui de n'importe quelle vertu. Mais étant donné que nous sommes incapables d'agir ainsi à cause de nos antécédents pécheurs, nous devons implorer Dieu avec des veilles et toute sorte de macérations jusqu'à ce que nous obtenions propitiation et acquérions cette capacité. En outre, ô mon âme, nous devons avoir en tout temps, en tout lieu et en toute situation un but unique, celui de nous réjouir, au lieu de nous affliger, quand des hommes nous lèsent de diverses façons ; de nous réjouir non pas de façon simplette et immotivée, mais parce que nous avons découvert le point d'insertion pour un pardon accordé à un pécheur et un pardon à recevoir pour nos propres péchés. Car c'est cela, la véritable connaissance de Dieu, celle qui embrasse le plus largement toute connaissance, celle par laquelle nous pouvons invoquer Dieu et en être entendus ; c'est cela, le fruit que rapporte la prière. C'est par là qu'est démontrée la foi envers le Christ ; c'est par elle que

---

GQW ηὕραμεν T NV P ‖ τοῦ : om. V GQW τὸ N τῷ P[ac] Y ‖ 24 ἁμαρτάνοντι GQW P. ‖ 25 ἁμαρτίων E T MZCX GQW P L ‖ γὰρ om. Y ‖ ἡ om. E P[ac] L ‖ θεογνωσία + καὶ CX NV ‖ 26 ἐμπεριεκτικωτάτη E T ‖ 27 προσευχῆς [et Syr.] : πίστεως CX QW εὐχῆς AF Y edd. ‖ 28-29 ἡ ... ἀποδείκνυται [δείκν. NV ἐπιδείκν. L] διὰ ταύτης : om. MZCX BAF edd.

IV. a. cf. Mt 5, 17

ταύτης τὸν σταυρὸν ἆραι καὶ ἀκολουθεῖν τῷ Κυρίῳ
30 δυνάμεθα[b]· αὕτη τῶν πρώτων καὶ μεγάλων ἐντολῶν μήτηρ
τυγχάνει. Διὰ ταύτης γὰρ ἀγαπᾶν τὸν Θεὸν ἐξ ὅλης καρδίας
καὶ τὸν πλησίον ὡς ἑαυτὸν δυνάμεθα[c]. Διὰ ταύτην νηστεύειν
καὶ ἀγρυπνεῖν καὶ κακοπαθεῖν ὀφείλομεν, ὅπως ἡ καρδία καὶ
τὰ σπλάγχνα ἀνοιγέντα εἰσδέξονται αὐτήν, καὶ μὴ ἀποβάλω-
35 σι. Τότε γὰρ καὶ τὴν κρυπτῶς δεδομένην ἡμῖν χάριν διὰ τοῦ
ἁγίου βαπτίσματος, οὐκέτι ἀδήλως, ἀλλ' ἐν πάσῃ
πληροφορίᾳ καὶ αἰσθήσει ἐνεργοῦσαν εὑρήσομεν διὰ τοῦ
ἀφιέναι τῷ πλησίον τὰ ἁμαρτήματα.

V. Ταύτης δὲ τῆς ἀρετῆς κωλυτικαί εἰσι κακίαι δύο,
κενοδοξία καὶ ἡδονή, ἃς χρὴ πρότερον κατὰ νοῦν παραιτή-
σασθαι, καὶ οὕτω τὴν ἀρετὴν κρατῆσαι. Διὰ τοῦτο, ὦ ψυχή,
προδοῦσα ἑαυτὴν ταῖς δυσὶ κακίαις ταύταις θελήματι,
1109 5 μηδένα αἰτιῶ, μήτε τὸν Ἀδάμ, μήτε τὸν Σατανᾶν, μήτε τοὺς
ἀνθρώπους, ἀλλὰ πολέμησον τῷ σῷ θελήματι, καὶ μὴ
καταφρονήσῃς· ἐμφύλιος γάρ ἐστιν ὁ πόλεμος. Οὐκ ἔστιν
ἔξωθεν, ἵνα μετὰ τῶν συνόντων ἀδελφῶν πολεμήσωμεν·
ἔνδοθέν ἐστι, καὶ οὐδεὶς ἀνθρώπων συμπολεμήσει ἡμῖν.
10 Ἕνα ἔχομεν σύμμαχον τὸν μυστικῶς ἡμῖν διὰ τοῦ βαπτίσ-

E T MZCX NV GQW BAF P L Y

IV.29 ἆραι τὸν σταυρὸν ~ E T NV L ‖ ἀκολουθῆσαι E T NV ‖ χριστῷ
QW A ‖ 30 ἐντολῶν καὶ μεγάλων ~ Q ἐντολῶν W ‖ 31 γὰρ om. Y ‖ 32 ἑαυ-
τοὺς X V Y edd. ‖ ταύτην : ταύτης M A ταύτης γὰρ F ‖ 33 κακοπαθεῖν ~
ἀγρυπνεῖν ~ W ‖ 34 αὐτήν : ταύτην M B ταῦτα X AF edd. ‖ 34-35 ἀπο-
βάλωσι : παρρίψωσι Y ‖ 35 διδομένην Q W ‖ 35-36 διὰ [διὰ om. MZCX
BAF] τ. ἀ. [ἁγίου om.GẂ P Y] β. χάριν ~ MZCX GQW BAF P Y ‖
36 ἀδήλως : ἐν ἀδήλῳ NV ‖ 37 αἰσθήσει + καρδίας P[sl m2] ‖ 38 τοῦ : τὸ NV
QW AF ‖ τῷ : τοῦ MX τὸν A
V.1 δύο κακίαι ~ L ‖ 2 πρῶτον QW L Y ‖ κατὰ νοῦν : ταύτην E X
GQW P L om. Z ‖ 4 ταῖς δυσὶ ταύταις κακίας θελήματι [voluntati tuae
Syr.] : τοῖς δύο τούτοις θελήμασι MZCX ταῖς δυσὶ κακίαις ταύτ.
θελήματι NV τοῖς δυσὶ τούτοις θελήμασι BAF edd. ταῖς δ. τ. ἑκουσίως L[ac]
ταῖς δ. ταύτ. κακίαις ἑκουσίως L[pc] ‖ 5 μήτε[1] — μήτε[2] : μήτε — μὴδὲ V
μηδὲ — μήδε T N P[ac] ‖ 6 σῷ om. Y ‖ 7 ὁ om. Y ‖ 8 συνόντων + ἡμῖν NV ‖
9 καὶ om. Y ‖ συμπολημεῖ NV ‖ 10 ἔχομεν Z G ‖ 10-11 διὰ τοῦ β. μυστικῶς ~ NV

nous pouvons soulever la Croix et suivre le Seigneur[b] ; c'est elle qui se trouve être la mère des premiers et grands commandements. Car c'est par elle que nous sommes capables d'aimer Dieu de tout notre cœur et le prochain comme nous-mêmes[c]. A cause d'elle nous devons jeûner, veiller et nous macérer, afin que notre cœur et nos entrailles s'ouvrent pour l'accepter, au lieu de la rejeter. A ce moment-là en effet la grâce qui nous a été donnée en secret par le saint baptême cessera d'être indiscernable ; nous la découvrirons agissante, de façon pleinement assurée et perceptible, par le fait que nous pardonnerons au prochain ses péchés.

Retour sur la double source du mal   **V.** Pour mettre obstacle à cette vertu, il y a deux vices, la vaine gloire et la volupté ; il faut commencer par y renoncer de tout son intellect de façon à embrasser cette vertu. Aussi toi, âme, qui te livres volontairement à ces deux vices, n'accuse personne, ni Adam, ni Satan, ni les hommes. Use seulement de ta volonté contre l'adversaire, mais sans le sous-estimer ; car il s'agit d'une guerre civile[1]. Elle ne vient pas du dehors, pour que nous puissions mener le combat avec l'assistance de nos frères ; elle vient du dedans, et nul homme ne sera à nos côtés dans la bataille. Nous n'avons qu'un seul allié, le Christ caché en nous de façon mystérieuse par le baptême, invincible et

---

IV. b. cf. Mt 16, 24   c. cf. Lc 10, 27

---

1. L'expression ἐμφύλιος πολεμός se retrouve en *Incarn.* XV, 0 et y a été considérée à bon droit comme une signature marcienne. Elle ne paraît pas courante chez les Pères et peut avoir, du reste, été empruntée au latin *bellum civile* — elle est signalée pour la première fois chez Polybe —, le terme usité étant plutôt στάσις. *PGL* n'a pas enregistré l'expression, mais nous en avons tout de même repéré quatre exemples patristiques, dont deux, semble-t-il, au sens propre : chez JEAN CHRYSOSTOME, *Adv. Judaeos*, *Or.* III, 1, *PG* 48, 861, et chez ISIDORE DE PÉLUSE, *Ep.* 1225 (V, 10), *SC* 422, où il doit s'agir d'une dispute dans le corps unique de la communauté. Le sens figuré apparaît seulement chez GRÉGOIRE DE NYSSE, *De anima et resurrectione*, *PG* 46, 92 B (Terrieux, § 74), où il s'agit d'un combat entre l'espérance et le souvenir du mal perpétré, et de nouveau chez ISIDORE, *Ep.* 1608 (IV, 169), à propos de la guerre entre le corps et l'âme.

ματος ἐγκεκρυμμένον Χριστόν, ἀνίκητον καὶ ἀλάθητον. Συμμαχήσει δὲ ἡμῖν, ἐὰν τὰς ἐντολὰς αὐτοῦ κατὰ δύναμιν ποιήσωμεν. Τὰ δὲ πολεμοῦντα ἡμῖν, καθὼς προείρηκα, ἡδονὴ συμμιγεῖσα τῷ σώματι, καὶ κενοδοξία, ἥ καὶ ἐμὲ προ-
15 κατέχουσα.
Ταῦτα τὰ δύο τὴν Εὔαν ἐπλάνησαν καὶ τὸν Ἀδὰμ ἠπάτη-σαν. Ἡ μὲν ἡδονὴ ἔδειξε τὸ ξύλον ὡς καλὸν εἰς βρῶσιν καὶ ὁραῖον τοῦ κατανοῆσαι[a]. Ἡ δὲ κενοδοξία τό· «Ἔσεσθε ὡς θεοὶ γινώσκοντες καλὸν καὶ πονηρόν[b].» Καθάπερ οὖν ὁ
20 πρωτόπλαστος Ἀδὰμ καὶ ἡ Εὔα ᾐσχύνοντο ἀλλήλους, οὕτω καὶ ἡμεῖς τὴν ἀκακίαν τῶν νοερῶν ὀφθαλμῶν ἀποβαλόντες καὶ ἑαυτοὺς γυμνοὺς ὁρῶντες ἀλλήλους κατὰ συνείδησιν αἰσχυνόμεθα· καὶ ἰδοὺ φύλλα συκῆς ἑαυτοῖς συρράπτομεν[c] ἐξωτέροις ῥήμασι καὶ σχήμασι καὶ δικαιολογίαις ἐνδύοντες.
25 Ὁ δὲ Κύριος κατασκευάζει ἡμῖν τὸ ἐκ δερμάτων ἔνδυμα[d] καὶ λέγει· «Ἐν τῇ ὑπομονῇ ὑμῶν κτήσασθε τὰς ψυχὰς ὑμῶν[e].» Καὶ τὰ ἀκόλουθα παραινεῖ λέγων· «Ὁ εὑρῶν τὴν ψυχὴν αὐτοῦ», τοῦτ' ἔστιν ἐν μνησικακίᾳ ἥ τινι ἁμαρτίᾳ,

E T MZCX NV GQW BAF P L Y

V,12 συμμαχήσει : συνισχύσει GQW ‖ 13 ποιῶμεν MZX NV W ποιήμεν P ‖ ἡμᾶς E GQW P L Y ‖ καθὼς + ἤδη E NV ‖ προείρηκα [et Syr.] : + εἰσιν E προείρηται [-ρήκαμεν X] εἰσιν T X προειρήκαμεν [+ ἐστιν L] NV F L edd. + ἐστι GQW P Y ‖ 14-15 ἥ καὶ ἐμὲ [+ καὶ σὲ B] προκατέχουσα [κατέ- C] : αἱ κἀμὲ -χουσαι E αἱ κ. ἐ. -χουσαι [καὶ σὲ κατέ-A] T NV G A P Y αἴ ἐ. -χουσι X αἴ κ. ἐ. καὶ σὲ -χουσι QW L αἱ καὶ ἐμὲ πρὸς σὲ κατέχουσι F αἴ κ. ἐ. καὶ σὲ κατέχουσι edd. om. Syr. ‖ 16-17 ἠπάτησαν : ἐξηπάτ. BAF edd. ‖ 18 κατανοῆσαι : φαγεῖν L ‖ 21 ἀκακίαν : κακίαν E T M X Q AF P edd. ‖ νοηρῶν : νοητῶν NV GQW P Y ‖ 22 καὶ ... ὁρῶντες om. Y ‖ 23 αἰσχυνόμεθα E M + ἑαυτοὺς ὁρῶντες γυμνοὺς Y ‖ ἑαυτοῖς om. M A ‖ 24 ἐνδύοντες [+ ἑαυτοὺς L] : ἐνδύνοντες MZ F ‖ 25 κατασκευάσας E ‖ 25-26 κατασκευάζει ... λέγει : εἶπεν Y[ac] ‖ 26 καὶ om. E Syr. ‖ 27 ὑμῶν : ἡμῶν E F ‖ τὰ ἀκόλουθα παραινεῖ : πάλιν Y ‖ 28 τοῦτ'ἔστιν + ἐν ἁμαρτίᾳ ἥ P ‖ ἥ τινι ἁμαρτίᾳ : τινι ἄλλη ἁ. CX ἥ ἕν τινι ἁ. GQW *vel in eo quod est peccatum* Syr. om. BAF P edd.

V. a. cf. Gn 3, 6   b. Gn 3, 5   c. cf. Gn 3, 7   d. cf. Gn 3, 21   e. Lc 21, 19

voyant tout. Il se fera notre allié si nous accomplissons ses commandements dans la mesure de notre pouvoir. Quant à nos adversaires, ce sont, comme je l'ai dit précédemment, la volupté entremêlée au corps ainsi que la vaine gloire, laquelle a commencé par s'emparer de moi.

Ce couple-là a égaré Ève et trompé Adam. La volupté a présenté l'arbre comme bon à manger et beau à regarder[a]. Pour la vaine gloire, c'est la phrase : « Vous serez comme des dieux, connaissant le bien et le mal[b]. » De même donc qu'Adam, le premier créé, et Ève rougirent l'un devant l'autre, nous aussi, une fois l'innocence rejetée loin des yeux de notre intellect, quand nous nous voyons nus, nous rougissons les uns devant les autres en notre conscience. Et voilà que nous cousons sur nous des feuilles de figuier[c] en nous revêtant de discours, d'attitudes et de justifications extérieures. Le Seigneur, lui, nous prépare la tunique faite de peaux[d] [1] et nous dit : « Par votre patience vous avez pris possession de vos âmes[e]. » Et de nous exhorter à tirer les conséquences par ces mots : « Celui qui trouve son âme » — par le souvenir des injures évidem-

1. Cf. J. DANIÉLOU, « Les tuniques de peau chez Grégoire de Nysse », dans *Glaube, Geist, Geschichte. Festschrift für Ernst Benz*, Leiden 1967, p. 355-367. Par ailleurs, trois auteurs relativement tardifs sont à même d'offrir un panorama assez large sur leurs devanciers : THÉODORET DE CYR, *Quaest. in Gn* 39, *PG* 80, 137 D - 141 B ; Ps.-CÉSAIRE, *Dial.* III, 149-153, *PG* 38, 1100-1108 ; et surtout PROCOPE, *Comm. Gn* 3, *PG* 87, 220 A - 221 C : les tuniques seraient le corps humain, étranger à la vraie nature de l'homme, selon certains gnostiques, auxquels on a joint ORIGÈNE, sans doute injustement, car il semble, après quelques hésitations, avoir adhéré à la seconde opinion, selon laquelle elles sont la fragilité mortelle consécutive à la chute : voir ses *Hom. sur Lv* VI, 2, l. 109-115 (*SC* 286, 1981), avec la note compl. 19 de M. BORRET (*ibid.*, p. 371-372). Il n'est d'ailleurs pas cité par Procope —, Grégoire de Nysse tend souvent à les assimiler aux passions, surajoutées après coup à l'image divine. Les exégètes hostiles à l'allégorisme (cf. PROCOPE, *ibid.*, 220 B2-5) étaient malgré tout embarrassés par ce rôle de peaussier attribué à Dieu, surtout au moment où les espèces appelées à fournir les peaux n'avaient pas encore proliféré. Certains avaient donc songé à voir dans ces peaux de l'écorce d'arbre (*ibid.* 220 C2). D'autres recouraient à l'idée d'une création *ex nihilo* (*ibid.* 220 D9). Marc s'écarte donc de toutes les solutions reçues.

«ἀπολέσει αὐτήν · καὶ ὁ ἐν ταύτῃ ἀπολέσας αὐτὴν εἰς ζωὴν
30 αἰώνιον φυλάξει αὐτήν [f]». Αὐτῷ ἡ δόξα ἀπὸ τοῦ νῦν καὶ ἕως
τοῦ αἰῶνος. Ἀμήν.

E T MZCX NV GQW BAF P L Y

V,29 ταύτῃ : ταύταις X L αὐτῇ BAF edd. om.E Q Syr. ‖ αὐτήν[2] : +
σταυρώσας καὶ ἀποκτείνας X L om. P[ac] Y ‖ 30 φυλάξει : εὑρήσει [ut *Mt
10,39*] MZCX BAF L ‖ 30-31 αὐτῷ ... αἰῶνος : ἐν χ(ριστ)ῷ ἰ(ησο)ῦ τῷ
κ(υρι)ῷ ἡμῶν ᾧ ἡ δ. [+ καὶ τὸ κράτος E N] εἰς τοὺς ἀ. [+ τῶν αἰώνων E N]
E NV αὐτῷ ἡ δ. εἰς τ. αἰῶνας τῶν αἰώνων M ᾧ ἡ δόξα εἰς τοὺς αἰῶνας X
αὐτῷ ἡ δ. εἰς τ. αἰῶνας AF edd. ἐν χ(ριστ)ῷ ἰ(ησο)ῦ τῷ κ(υρι)ῷ ἡμῶν ᾧ

ment, ou par quelque péché — « la perdra, et celui qui la
perd » — en cela — « la préservera pour la vie éternelle[f] ».
A lui la gloire dès à présent et jusqu'à l'éternité. Amen.

πρέπει πᾶσα δόξα καὶ [om. Q] τιμὴ [+ καὶ προσκύνησις W] σὺν τῷ ἀνάρχῳ
π(ατ)ρὶ καὶ τῷ ζωοποιῷ πν(εύματ)ι εἰς τοὺς αἰῶνας [+ τῶν αἰώνων GQW]
GQW ‖ ἀπὸ τοῦ νῦν καὶ ἕως τοῦ αἰῶνος T P Y : om. ZC B L ἐν τῶν
οὐρανῶν τοῦ πατρὸς καὶ τοῦ υἱοῦ καὶ τοῦ ἁγίου πνεύματος νῦν καὶ εἰς
τοὺς αἰῶνας τῶν αἰώνων Syr. ‖ 31 ἀμήν om. T Z V[ac] B L.

V. f. Mt 10, 39 + Jn 12, 25.

TABLE DES MATIÈRES

Tome I

SOURCES CHRÉTIENNES

Fondateurs : † H. de Lubac, s.j.
† J. Daniélou, s.j.
† C. Mondésert, s.j.
Directeur : J.-N. Guinot

Dans la liste qui suit, dite « liste alphabétique », tous les ouvrages sont rangés par noms d'auteur ancien, les numéros précisant pour chacun l'ordre de parution depuis le début de la collection. Pour une information plus complète, on peut se procurer deux autres listes au secrétariat de « Sources chrétiennes » — 29, Rue du Plat, 69002 Lyon (France) — Tél. : 04 72 77 73 50 :
  1. la « liste numérique », qui présente les volumes et leurs auteurs actuels d'après les dates de publication ; elle indique les réimpressions et les ouvrages momentanément épuisés ou dont la réédition est préparée.
  2. la « liste thématique », qui présente les volumes d'après les centres d'intérêt et les genres littéraires : exégèse, dogme, histoire, correspondance, apologétique, etc.

LISTE ALPHABÉTIQUE (1-445)

SOUS PRESSE

BARSANUPHE ET JEAN DE GAZA, **Correspondance.** Volume II. F. Neyt, P. De Angelis-Noah, L. Regnault.

BERNARD DE CLAIRVAUX, **Sermons sur le Cantique.** Tome III. P. Verdeyen, R. Fassetta.

CÉSAIRE D'ARLES, **Sermons sur l'Écriture.** Tome I. J. Courreau.

Livre d'heures ancien du Sinaï. M. Ajjoub.

PROCHAINES PUBLICATIONS

Les Apophtegmes des Pères. Tome II. J.-C. Guy (†).

BERNARD DE CLAIRVAUX, **Lettres.** Tome II. M. Duchet-Suchaux, H. Rochais.

GRÉGOIRE LE GRAND, **Commentaire sur le Premier Livre des Rois.** Tome IV. A. de Vogüé.

GRÉGOIRE DE NAREK, **Le Livre de prières.** (Nouvelle édition). J.-P. et A. Mahé.

GRÉGOIRE DE NYSSE, **Discours catéchétique.** R. Winling.

SYMÉON LE STUDITE, **Discours ascétique.** H. Alfeyev, L. Neyrand.

RÉIMPRESSIONS PRÉVUES EN 1999

Également aux Éditions du Cerf :

LES ŒUVRES DE PHILON D'ALEXANDRIE

publiées sous la direction de

R. ARNALDEZ, C. MONDÉSERT, J. POUILLOUX

Texte original et traduction française

F-87350   PANAZOL
N° Imprimeur : 5036020-95
N° Éditeur : 11156
Dépôt légal : Novembre 1999